SCOLIES ARIENNES
SUR LE CONCILE D'AQUILÉE

SOURCES CHRÉTIENNES

Fondateurs : H. de Lubac, s. j. et † J. Daniélou, s. j.
Directeur : C. Mondésert, s. j.

Nº 267

SCOLIES ARIENNES
SUR LE CONCILE D'AQUILÉE

INTRODUCTION, TEXTE LATIN, TRADUCTION ET NOTES

PAR

Roger **GRYSON**
PROFESSEUR A L'UNIVERSITÉ DE LOUVAIN

Ouvrage publié avec le concours de la Faculté de Théologie
de l'Université catholique de Louvain-la-Neuve

LES ÉDITIONS DU CERF, 29, BD DE LATOUR-MAUBOURG, PARIS
1980

La publication de cet ouvrage a été préparée
avec le concours de l'Institut des Sources Chrétiennes
(E. R. A. 645 du Centre National de la Recherche Scientifique)

AVANT-PROPOS

Le concile d'Aquilée de 381, où saint Ambroise fit condamner deux évêques ariens d'Illyricum, scelle le triomphe
de l'orthodoxie nicéenne sur l'arianisme en Occident. Parmi
les rares textes ariens latins qui se sont transmis jusqu'à
nous, figurent des scolies relatives au concile d'Aquilée.
Elles se trouvent dans les marges d'un très ancien recueil
d'écrits nicéens concernant la controverse arienne, en regard
du *De fide* d'Ambroise et des actes du concile. Redécouvertes
par Waitz en 1840, elles ont été éditées par Kauffmann en
1899.

C'est en 1965, alors que nous travaillions à notre thèse sur
saint Ambroise, que nous avons été amené à recourir pour
la première fois à ce texte, connu sous le titre de *Dissertatio
Maximini*. Nous avions remarqué alors les insuffisances de
l'édition de Kauffmann et nous nous étions promis d'en
donner, si possible, une meilleure. D'autres travaux nous ont
occupé dans l'entre-temps, et la tâche s'est avérée plus ardue
qu'elle ne semblait au départ, tant en raison de l'état déplo-
rable du manuscrit qu'à cause de la complexité des problèmes
critiques de toute sorte que pose le texte. Nous sommes
heureux que l'accueil favorable réservé à notre projet par
la collection *Sources chrétiennes* nous permette de présenter
ensemble le texte et la discussion des principaux problèmes
qu'il soulève. Publier tout cela séparément aurait été bien
difficile. Nous avons dû cependant traiter à part certaines
questions particulières, qu'il n'était pas possible d'inclure
dans l'introduction sans l'allonger démesurément. Nous
avons consacré dans la *Revue bénédictine* un article à la
question des citations scripturaires dans les œuvres attribuées à Maximinus [1]. Nous avons étudié l'écriture des scolies,

---

1. R. GRYSON, « Les citations scripturaires des œuvres attribuées à l'évêque arien Maximinus », dans *RB* 88 (1978), p. 45-80.

en collaboration avec M. L. Gilissen, dans un volume qui inaugure une nouvelle collection destinée à présenter des manuscrits remarquables ; on y trouvera un fac-similé complet du texte [1]. Nous avons publié dans la série des travaux du CETEDOC une concordance groupée des scolies ariennes et des interventions de Maximinus dans son débat avec S. Augustin, pour servir de base à la critique littéraire des scolies et à l'étude de leur théologie [2]. A cette concordance, première pièce d'une suite d'instruments de travail destinés à l'étude de la littérature arienne latine, se trouve joint un index des citations scripturaires. La concordance elle-même tient lieu des index onomastique, lexicographique et analytique qu'on trouve d'ordinaire à la fin des volumes de la présente collection. Nous traiterons ultérieurement de la langue des scolies, dont l'intérêt pour la philologie n'échappera à personne. Les notes accompagnant notre traduction ont été réduites au minimum, pour ne pas alourdir exagérément le volume, et ne prétendent pas constituer un commentaire complet. Elles se bornent souvent à renvoyer à l'introduction et aux études annexes citées ci-dessus, où les passages difficiles sont examinés en détail et où l'on trouvera les données nécessaires à la justification des choix qu'impliquent l'édition et la traduction. En appendice, nous avons reproduit le texte des actes du concile d'Aquilée, dont le témoignage est complémentaire de celui des scolies, et qui doivent être constamment confrontés avec celles-ci.

Nous nous permettons d'attirer l'attention des historiens et des théologiens sur le document précieux et trop peu connu que nous présentons ici. Il est le témoin d'une page d'histoire à propos de laquelle on n'a souvent entendu qu'un seul son de cloche, et d'une approche du mystère de Dieu qui garde son intérêt, même si l'Église n'a finalement pas

1. R. GRYSON – L. GILISSEN, *Les scolies ariennes du Parisinus latinus 8907. Un échantillonnage d'écritures latines du Ve siècle* (*Armarium codicum insignium*, 1), Turnhout 1980.
2. R. GRYSON, *Littérature arienne latine*, t. 1 : *Débat de Maximinus avec Augustin, Scolies ariennes sur le concile d'Aquilée. Concordance et index* (*Informatique et étude de textes*, XI, 1), Louvain-la-Neuve 1980.

reconnu là une expression correcte de sa foi. Face à ce mystère, on ne peut s'empêcher de songer à la phrase de Symmaque : « Vno itinere non potest perueniri ad tam grande secretum. » Nous accusera-t-on de relativisme, si nous suggérons qu'en privilégiant de façon exclusive certaines formules qui ne sont, en fin de compte, que l'expression d'une théologie particulière, les anciens conciles ont parfois interdit l'accès à une compréhension plus profonde d'un mystère qui ne se laisse enfermer dans aucune formule, et que les esprits créés expriment comme ils peuvent sans jamais l'expliciter parfaitement, ainsi que l'a bien dit Maximinus : « De cuius magnitudine non solum humana lingua, sed etiam et omnes caelestes uirtutes pariter coadunatae dicunt ut ualent, non tamen explicant ut est ; plenus est ab omne quod dicitur » ?

***

Au moment où s'achève l'impression de ce volume, nous tenons à remercier le P. Claude Mondésert, directeur de l'Institut des « Sources chrétiennes », le P. Louis Doutreleau, directeur-adjoint, ainsi que les membres du secrétariat, qui, dès le début, se sont intéressés à notre travail et qui n'ont ménagé ni leurs conseils, ni leur peine pour en rendre la présentation aussi parfaite que possible.

Vlessart, « Le Myrlinon », août 1979.

SIGLES

AB	Analecta Bollandiana
ACO	Acta conciliorum oecumenicorum
ADADL	Anzeiger für deutsches Altertum und deutsche Literatur
ADB	Allgemeine deutsche Biographie
AIPHOS	Annuaire de l'Institut de philologie et d'histoire orientales et slaves
BALAC	Bulletin d'ancienne littérature et d'archéologie chrétiennes
BHP	Βιβλιοθήκη Ἑλλήνων Πατέρων καὶ ἐκκλησιαστικῶν συγγράφεων
BLE	Bulletin de littérature ecclésiastique
CCL	Corpus Christianorum, Series latina
CM	Augustini collatio cum Maximino arianorum episcopo (dans *PL* 42, référence à la colonne et à la ligne de l'édition de 1841)
CPG	Clavis Patrum graecorum
CPL	Clavis Patrum latinorum
CSEL	Corpus scriptorum ecclesiasticorum latinorum
DLFAC	Dictionnaire latin-français des auteurs chrétiens (A. Blaise - H. Chirat)
DTC	Dictionnaire de théologie catholique
GCS	Die griechischen christlichen Schriftsteller
Gesta	Gesta episcoporum Aquileia aduersum haereticos arrianos (Gesta concilii Aquileiensis a. 381)
GL	General linguistics
JHUC	John Hopkins University circular
JOAI	Jahreshefte des österreichischen archäologischen Instituts
LCD	Literarisches Centralblatt für Deutschland
LGRP	Literaturblatt für germanische und romanische Philologie

MH	Museum Helveticum
NJKA	Neue Jahrbücher für das klassische Altertum
NTS	New Testament studies
NTT	Nieuw theologisch tijdschrift
PG	Patrologia graeca
PGL	A Patristic greek lexicon
PL	Patrologia latina
PLS	Patrologiae latinae supplementum
PW	Realencyclopädie der classischen Altertumswissenschaft (Pauly-Wissowa)
RB	Revue bénédictine
REA	Revue des études augustiniennes
REB	Revue des études byzantines
RHE	Revue d'histoire ecclésiastique
RHR	Revue de l'histoire des religions
RIDA	Revue internationale des droits de l'antiquité
RPTK	Realencyklopädie für protestantische Theologie und Kirche
RSR	Recherches de science religieuse
SA	Scolies ariennes sur le concile d'Aquilée, Lettre d'Auxentius
SC	Sources chrétiennes
ScCatt	La Scuola cattolica
SF	Scolies ariennes sur le concile d'Aquilée, Fragments du *De fide* d'Ambroise
SG	Scolies ariennes sur le concile d'Aquilée, Fragments des *Gesta*
SM	Scolies ariennes sur le concile d'Aquilée, Commentaires et note de Maximinus
SP	Scolies ariennes sur le concile d'Aquilée, Fragments de Palladius
StMed	Studi medievali
StPat	Studia Patavina
SU	Scolies ariennes sur le concile d'Aquilée, Credo d'Ulfila
TLL	Thesaurus linguae latinae
TNTL	Tijdschrift voor nederlandsche taal- en letterkunde
TU	Texte und Untersuchungen zur Geschichte der altchristlichen Literatur

ZDADL	Zeitschrift für deutsches Altertum und deutsche Litteratur
ZDP	Zeitschrift für deutsche Philologie
ZNW	Zeitschrift für das neutestamentliche Wissenschaft
ZVS	Zeitschrift für vergleichende Sprachforschung
ZWT	Zeitschrift für wissenschaftliche Theologie

Les mots latins en GRANDES CAPITALES, de même que l'abréviation *s(ub) v(erbo)*, précédés d'une flèche, renvoient au lemme correspondant de notre *Concordance*, les références scripturaires précédées d'une flèche à l'index des citations scripturaires figurant à la suite de la concordance.

BIBLIOGRAPHIE

Les ouvrages fréquemment utilisés sont généralement cités dans les notes par la seule mention du nom de l'auteur et des premiers mots ou des mots les plus significatifs du titre ; dans ce dernier cas, la façon de citer est indiquée entre parenthèses dans la liste qui suit.

Ambrosius episcopus. Atti del Congresso internazionale di studi ambrosiani nel XVI centenario della elevazione di sant'Ambrogio alla cattedra episcopale, 2 vol. (*Studia patristica mediolanensia*, 6-7), Milan 1976.

BARDY (G.), « Sur un synode de l'Illyricum », dans *BALAC* 2 (1912), p. 259-274.

— « Ulfila », dans *DTC* 15 (1950), col. 2048-2057.

BERNHARDT (E.), *Vulfila oder die gotische Bibel*, Halle 1875 (cité BERNHARDT, *Gotische Bibel*).

BESSELL (W.), *Ueber das Leben des Ulfilas und die Bekehrung der Gothen zum Christenthum*, Göttingen 1860.

BOEHMER (H.), « Wulfila », dans *RPTK* 21 (1908), p. 548-558.

BOEHMER-ROMUNDT (H.), « Ein neues Werk des Wulfila ? », dans *NJKA* 11 (1903), p. 272-288.

— « Ueber den litterarischen Nachlass des Wulfila und seiner Schule », dans *ZWT* 46 (1903), p. 233-269 et 361-407.

BOULARAND (E.), *L'hérésie d'Arius et la « foi » de Nicée*, 2 vol., Paris 1972.

BOUMAN (A. C.), « Wulfila's sterfjaar », dans *TNTL* 38 (1919), p. 165-177.

CAMPENHAUSEN (H. VON), *Ambrosius von Mailand als Kirchenpolitiker* (*Arbeiten zur Kirchengeschichte*, 12), Berlin-Leipzig 1929.

CAPELLE (B.), « La lettre d'Auxence sur Ulfila », dans *RB* 34 (1922), p. 224-233.

— « Un homiliaire de l'évêque arien Maximin », *ibid.*, p. 81-108.

CIPOLLA (C.), « Della giurisdizione metropolitica della sede milanese nella regione X (Venetia et Histria) », dans *Ambrosiana. Scritti varii pubblicati nel XV centenario dalla morte di S. Ambrogio*, Milan 1897.

CLAUDE (D.), *Geschichte der Westgoten*, Stuttgart 1970.

COLLITZ (H.), « The last days of Ulfila », dans *JHUC* 306 (1917-1918), p. 566-569.

DE BRUYNE (D.), « Un florilège biblique inédit », dans *ZNW* 29 (1930), p. 197-208.

DOSSETTI (G.), *Il simbolo di Nicea e di Costantinopoli. Edizione critica (Testi e ricerche di scienze religiose*, 2), Rome 1967.

DUCHESNE (L.), *Histoire ancienne de l'Église*, t. 2, 4e éd., Paris 1910.

DUDDEN (F. H.), *The life and times of St. Ambrose*, 2 vol., Oxford 1935 (cité DUDDEN, *St. Ambrose*).

DUVAL (Y. M.), « Ambroise, de son élection à sa consécration », dans *Ambrosius episcopus*, t. 2, p. 243-283.

— « L'influence des écrivains africains du IIIe siècle sur les écrivains chrétiens de l'Italie du Nord dans la seconde moitié du IVe siècle », dans *Aquileia e l'Africa (Antichità altoadriatiche*, 5), Udine 1974, p. 191-225.

EBBINGHAUS (E. A.), « Gotica », dans *GL* 11 (1971), p. 13-16.

EGGER (R.), « Die Zerstörung Pettaus durch die Goten », dans *JOAI* 18 (1915), Beiblatt, col. 253-266.

FREND (W. H. C.), « Mission in der alten Kirche bis zum 7. Jahrhundert », dans *Kirchengeschichte als Missionsgeschichte*, t. 1 : *Die alte Kirche*, Munich 1974, p. 32-50.

FRIEDRICHSEN (G. W. S.), *The gothic version of the epistles. A study of its style and textual history*, Oxford 1939.

FUCHS (G. D.), *Bibliothek der Kirchenversammlungen des vierten und fünften Jahrhunderts in Uebersetzungen und Auszügen aus ihren Akten und andern dahin gehörigen Schriften, sammt dem Original der Hauptstellen und nöthigen Anmerkungen*, t. 2 : *Von der Synode zu Tyrus im Jahr 335 bis zu der ersten Synode zu Toledo im Jahr 400*, Leipzig 1781.

GALTIER (P.), « Le *Tome de Damase.* Date et origine », dans *RSR* 26 (1936), p. 385-418 et 563-578.

GANSHOF (Fr.), « Note sur l'élection des évêques dans l'Empire romain au IVe et pendant la première moitié du Ve siècle », dans *Mélanges de Visscher*, t. 3 = *RIDA* 4 (1950), p. 467-498.

GAUDEMET (J.), *L'Église dans l'Empire romain* (*IVe-Ve siècle*) (= *Histoire du droit et des institutions de l'Église en Occident*, sous la direction de G. LE BRAS, t. 3), Paris 1958.

GIESECKE (H. E.), *Die Ostgermanen und der Arianismus*, Leipzig-Berlin 1939.

GOTTLIEB (G.), « Les évêques et les empereurs dans les affaires ecclésiastiques du IVe siècle », dans *MH* 33 (1976), p. 38-50.

GRUMEL (V.), « L'Illyricum de la mort de Valentinien Ier (375) à la mort de Stilicon (408) », dans *REB* 9 (1951), p. 5-46.

GRYSON (R.), « Les citations scripturaires des œuvres attribuées à l'évêque arien Maximinus », dans *RB* 88 (1978), p. 45-80.

— *Littérature arienne latine*, t. 1 : *Débat de Maximinus avec Augustin, Scolies ariennes sur le concile d'Aquilée. Concordance et index* (*Informatique et étude de textes*, XI, 1), Louvain-la-Neuve 1980 (cité *Concordance*).

— *Le Prêtre selon saint Ambroise*, Louvain 1968.

GRYSON (R.) - GILISSEN (L.), *Les scolies ariennes du Parisinus latinus 8907. Un échantillonnage d'écritures latines du Ve siècle* (*Armarium codicum insignium*, 1), Turnhout 1980 (cité GRYSON-GILISSEN, *Parisinus*).

HAENDLER (G.), *Wulfila und Ambrosius* (*Arbeiten zur Theologie*, 4), Stuttgart 1961.

HAENDLER (G.) - STOEKL (G.), *Die Kirche in ihrer Geschichte*, t. 2, E : *Geschichte des Frühmittelalters und der Germanenmission. Geschichte der Slavenmission*, Göttingen 1961.

HANSSENS (J. M.), « Il concilio di Aquileia del 381 alla luce dei documenti contemporanei », dans *ScCatt* 103 (1975), p. 562-644.

— « Massimino il visigoto », dans *ScCatt* 102 (1974), p. 475-514.

HEFELE (C. J.) - LECLERCQ (H.), *Histoire des conciles*, t. 2, 1re partie, Paris 1908.

JONES (A. H. M.), *The later roman Empire* (284-602). *A social, economic and administrative survey*, 2 vol., Oxford 1973.

JOSTES (F.), « Antwort auf den Aufsatz Kauffmanns *Der Arrianismus des Wulfila* », dans *BGDS* 22 (1897), p. 571-573.

— « Das Todesjahr des Ulfilas und der Uebertritt der Goten zum Arianismus », *ibid.*, p. 158-187.

KAUFFMANN (F.), « Der Arrianismus des Wulfila », dans *ZDP* 30 (1898), p. 93-112.

— *Aus der Schule des Wulfila. Auxenti Dorostorensis epistula de fide uita et obitu Wulfilae im Zusammenhang der Dissertatio Maximini contra Ambrosium* (*Texte und Untersuchungen zur altgermanischen Religionsgeschichte*, Texte, 1), Strasbourg 1899 (cité KAUFFMANN, *Dissertatio*).

— Compte rendu de KAUFFMANN, *Dissertatio*, dans *ZDP* 34 (1902), p. 515-524.

KAUFMANN (G.), « Kritische Untersuchungen der Quellen zur Geschichte Ulfilas », dans *ZDADL* 27 (1883), p. 193-261.

KIRCHNER (C. P. V.), *Die Abstammung des Ulfilas* (Jahresbericht der städtliche Realschule), Chemnitz 1879.

KLEIN (K. K.), « Ambrosius von Mailand und der Gotenbischof Wulfila », dans *Südost-Forschungen*, 22 (1963), p. 14-47.

— « Der Auxentiusbrief als Quelle der Wulfilabiographie », dans *ZDADL* 84 (1952/1953), p. 99-152.

— « Die Dissertatio Maximini als Quelle der Wulfilabiographie », dans *ZDADL* 83 (1951/1952), p. 239-271.

— « Ist der Wulfilabiograph Auxentius von Durostorum identisch mit dem mailändischen Arianerbischof Auxentius Mercurinus ? », dans *BGDS* 75 (1953), p. 165-191.

— « Der Name Wulfilas », dans *ZVS* 70 (1952), p. 154-176.

KRAFFT (W.), *Die Anfänge der christlichen Kirche bei den germanischen Völkern*, Berlin 1854.

— « Ulfila », dans *RPTK* 16 (1885), p. 140-146.

KUHN (H.), « Die gotische Mission. Gedanken zur germanischen Bekehrungsgeschichte », dans *Saeculum*, 27 (1976), p. 50-65.

LEUTHOLD (H.), « Ulfila. Eine chronologische Abhandlung », dans *BGDS* 39 (1914), p. 376-390.

LIPPOLD (A.), *Theodosius der Grosse und seine Zeit*, Stuttgart 1968.

— « Ulfila », dans *PW*, 2e sér., Hbd 17 (1961), col. 512-531.

LORENZ (R.), *Die Kirche in ihrer Geschichte*, t. 1, C, 1 : *Das vierte bis sechste Jahrhundert* (*Westen*), Göttingen 1970.

LUFT (W.), « Die arianischen Quellen über Wulfila », dans *ZDADL* 42 (1898), p. 291-308.

— « Wulfila oder Ulfila », dans *ZVS* 36 (1899), p. 257-264.

MANSION (J.), « Les origines du christianisme chez les Gots », dans *AB* 33 (1914), p. 5-30.

MARCHAND (J. W.), « Gotisch », dans L. E. SCHMITT, *Kurzer Grundriss der germanischen Philologie*, t. 1 : *Sprachgeschichte*, Berlin 1970, p. 94-122.

MARTIN (E.), « Vulfilas Todesjahr », dans *ZDADL* 40 (1896), p. 223-224.

— Compte rendu de *Grundriss der germanischen Philologie*, dans *ZDP* 23 (1891), p. 369-370.

MASSMANN (H. F.), Compte rendu de WAITZ, *Bruchstücke*, dans *Gelehrte Anzeigen herausgegeben von Mitgliedern der k. bayer. Akad. der Wiss.*, 12 (1841), col. 201-247.

MESLIN (M.), *Les ariens d'Occident* (335-430) (*Patristica Sorbonensia*, 8), Paris 1967.

MOHRMANN (C.), « Observations sur le *De sacramentis* et le *De mysteriis* de saint Ambroise », dans *Ambrosius episcopus*, t. 1, p. 103-123.

MUELLER (C.), « Ulfilas Ende », dans *ZDADL* 55 (1911), p. 76-147.

NAUTIN (P.), « Les premières relations d'Ambroise avec l'empereur Gratien. Le *De fide* (livres I et II) », dans *Ambroise de Milan. XVIe centenaire de son élection épiscopale*, Paris 1974, p. 229-244.

— Compte rendu de MESLIN, *Les ariens d'Occident*, dans *RHR* 89 (1970), p. 70-89.

NOETLICHS (K. L.), *Die Gesetzgeberischen Massnahmen der christlichen Kaiser des vierten Jahrhunderts gegen Häretiker, Heiden und Juden*, Cologne 1971.

PALANQUE (J. R.), *Saint Ambroise et l'Empire romain. Con-*

tribution à l'histoire des rapports de l'Église et de l'État à la fin du quatrième siècle, Paris 1933.

PALANQUE (J. R.) - BARDY (G.) - DE LABRIOLLE (P.), De la paix constantinienne à la mort de Théodose (Histoire de l'Église, éd. A. Fliche et V. Martin, t. 3), Paris 1950.

PAREDI (A.), Politica di S. Ambrogio, Milan 1974.

— S. Ambrogio e la sua età, 2e éd., Milan 1960.

PFEILSCHIFTER (G.), « Kein neues Werk des Wulfila », dans Festgabe Alois Knöpfler gewidmet (Veröffentlichungen aus dem Kirchenhistorischen Seminar München, 3e sér., 1), Munich 1907, p. 129-224.

PIGANIOL (A.), L'Empire chrétien (325-395), 2e éd., Paris 1972.

POLLARD (T. E.), « The exegesis of John X 30 in the early trinitarian controversy », dans NTS 3 (1957), p. 334-349.

The prosopography of the later roman empire, t. 1 : A. D. 260-395, par A. H. M. JONES, J. R. MARTINDALE et R. MORRIS, Cambridge 1971.

RICHARD (M.), « La lettre Confidimus quidem du pape Damase », dans AIPHOS 11 (1951), p. 323-340.

SALTET (L.), « Un texte nouveau : la Dissertatio Maximini contra Ambrosium », dans BLE 2 (1900), p. 118-129.

SAVON (H.), « Quelques remarques sur la chronologie des œuvres de saint Ambroise », dans Studia patristica, t. 10 (TU 107), p. 156-160.

SCARDIGLI (P.), « La conversione dei Goti al cristianesimo », dans Settimane di studio del centro italiano di studi sull' alto Medioevo, t. 14 : La conversione al cristianesimo nell'Europa dell'alto Medioevo (14-19 aprile 1966), Spoleto 1967, p. 47-86 (v. aussi « Discussione sulla lezione Scardigli », ibid., p. 471-484).

— Die Goten. Sprache und Kultur, Munich 1973.

— « Gotische Literatur », dans L. E. SCHMITT, Kurzer Grundriss der germanischen Philologie, t. 2 : Literaturgeschichte, Berlin 1971, p. 48-68.

SCHMIDT (K. D.), Die Bekehrung der Ostgermanen zum Christentum (Der ostgermanische Arianismus), Göttingen 1939.

SCHMIDT (L.), Geschichte der deutschen Stämme bis zum Ausgang der Völkerwanderung. Die Ostgermanen, 2e éd., Munich 1941.

— « Zur Lebensgeschichte Wulfilas », dans *Mannus*, 30 (1938), p. 545-546.

Schroeder (E.), « Ulfila », dans *Festschrift Adalbert Bezzenberger*, Göttingen 1921, p. 132-139.

Scott (C. A. A.), *Ulfilas apostle of the Goths together with an account of the gothic Churches and their decline*, Cambridge 1885.

Seeck (O.), *Regesten der Kaiser und Päpste für die Jahre 311 bis 476 n. Chr.*, Stuttgart 1919 (réimpr. Francfort 1964).

Sievers (E.), « Gotische Literatur », dans H. Paul, *Grundriss der germanischen Philologie*, t. 2, 1, Strasbourg 1889, p. 65-70.

— « Nochmals das Todesjahr des Wulfila », dans *BGDS* 21 (1896), p. 247-251.

— « Das Todesjahr des Wulfila », dans *BGDS* 20 (1895), p. 302-322.

Simonetti (M.), « Arianesimo latino », dans *StMed* 8 (1967), p. 663-744.

— *La crisi ariana nel secolo IV* (*Studia ephemeridis « Augustinianum »*, 11), Rome 1975.

— « S. Agostino e gli ariani », dans *REA* 13 (1967), p. 55-84.

— *Studi sull'arianesimo*, Rome 1965.

Sisto (C.), « Aquileia », dans *Dizionario dei concili*, t. 1 (1963), p. 60.

Stein (E.), *Histoire du Bas-Empire*, t. 1 : *De l'état romain à l'état byzantin* (284-476), 2 vol., s. l. 1959.

Streitberg (W.), *Die gotische Bibel*, 4-5e éd., Heidelberg 1965.

— *Gotisches Elementarbuch*, 5-6e éd., Heidelberg 1920.

— « Zum Todesjahr Wulfilas », dans *BGDS* 22 (1897), p. 567-570.

— Compte rendu de Kauffmann, *Dissertatio*, dans *LCD* 51 (1900), col. 1177-1180.

Stutz (E.), *Gotische Literaturdenkmäler*, Stuttgart 1966.

Tavano (S.), « Aquileia nei suoi concili antichi », dans *StPat* 16 (1969), p. 36-59.

Thompson (E. A.), *The Visigoths in the time of Ulfila*, Oxford 1966.

Tillemont (L. S. Lenain de), *Mémoires pour servir à l'his-*

toire ecclésiastique des six premiers siècles, t. 10 : *Qui contient la vie de S. Ambroise, etc.*, Bruxelles 1732.

USENER (H.), Compte rendu de KAUFFMANN, *Dissertatio*, dans *LGRP* 21 (1900), col. 362-365.

VAN BAKEL (H. A.), « Het credo van Wulfila », dans *NTT* 1 (1912), p. 365-392 (reproduit dans IDEM, *Circa sacra*, Haarlem 1935, p. 86-113).

VOGT (F.), « Wulfila », dans *ADB* 44 (1898), p. 270-286.

— « Zu Wulfilas Bekenntnis und dem Opus imperfectum », dans *ZDADL* 42 (1898), p. 309-321.

— Compte rendu de KAUFFMANN, *Dissertatio*, dans *ADADL* 28 (1902), p. 190-213.

VOGT (J.), « Die kaiserliche Politik und die christliche Mission im 4. und 5. Jahrhundert », dans *Kirchengeschichte als Missionsgeschichte*, t. 1 : *Die alte Kirche*, Munich 1974, p. 166-188.

WAITZ (G.), *Ueber das Leben und die Lehre des Ulfila. Bruchstücke eines ungedruckten Werkes aus dem Ende des 4. Jahrhunderts*, Hanovre 1840 (cité WAITZ, *Bruchstücke*).

WEBER (E.), *Das erste germanische Christentum. Studie zum gotischen Arianertum (Reden und Aufsätze zum nordischen Gedanken, 10)*, Leipzig 1934.

ZEILLER (J.), « L'activité littéraire d'un évêque arien de la région danubienne : Palladius de Ratiaria», dans *Comptes rendus des séances de l'Académie des inscriptions et belles-lettres*, 1918, p. 172-177 (cité ZEILLER, « Palladius »).

— « La date du concile d'Aquilée (3 septembre 381) », dans *RHE* 33 (1937), p. 39-45.

— *Les origines chrétiennes dans les provinces danubiennes de l'Empire romain*, Paris 1918 (cité ZEILLER, *Provinces danubiennes*).

— «Le premier établissement des Goths chrétiens dans l'Empire d'Orient », dans *Mélanges offerts à M. Gustave Schlumberger*, t. 1, Paris 1924, p. 3-11.

ZELZER (M.), « Probleme der Texterstellung im zehnten Briefbuch des heiligen Ambrosius und in den Briefen extra collectionem», dans *Anz. der phil.-hist. Kl. der Oesterr. Akad. der Wiss.*, 115 (1978), p. 415-439.

INTRODUCTION

CHAPITRE PREMIER

LE TEXTE

I. LE MANUSCRIT [1]

Le manuscrit Paris, B. N., *lat. 8907* (= P), en onciale de la première moitié du ve s., est un recueil d'écrits nicéens relatifs à la controverse arienne. Il contient successivement le *De Trinitate*, le *Contra Auxentium* et le *De synodis* d'Hilaire (fol. 1r-297v), puis les deux premiers livres du *De fide* d'Ambroise (fol. 298r-336r) et, enfin, les actes du concile d'Aquilée de 381 (fol. 336r-353v).

L'intérêt tout particulier de ce manuscrit tient aux scolies qui, en deux endroits, encadrent le texte primitif. Elles sont en écriture commune, tantôt posée, tantôt cursive, du milieu du ve s. Il s'agit dans les deux cas d'un texte suivi, dont le premier débute là où commence le *De fide* (fol. 298r-311v), et le second là où commencent les actes d'Aquilée (fol. 336r-349r).

Ces textes sont malheureusement en très mauvais état. Outre leur situation même dans les marges du manuscrit, qui les expose à une dégradation plus rapide, il y a le fait qu'ils ont été grattés, puis badigeonnés à la teinture de galle, puis mutilés par la rogneuse d'un relieur, qui a emporté fréquemment, en tout ou en partie, une ligne dans la marge de tête et dans la marge de queue, ainsi qu'une ou plusieurs lettres dans la marge de gouttière. Enfin, le premier éditeur a utilisé l'acide chlorhydrique pour lire les passages les plus

---

1. On trouvera une description détaillée du manuscrit et une étude paléographique approfondie des scolies dans GRYSON-GILISSEN, *Parisinus* ; nous nous permettons de renvoyer à ce volume ceux qui souhaiteraient de plus amples informations.

difficiles, ce qui a souvent détruit le support ou, du moins, rendu le texte complètement illisible.

II. Les éditions antérieures

L'édition partielle de Waitz (1840)   C'est alors qu'il se trouvait en mission à la Bibliothèque royale de Paris pour le compte des *Monumenta Germaniae historica*, dans la première moitié de 1840, que l'attention du philologue allemand Georg Waitz fut attirée sur les marges du *Parisinus latinus 8907* par son collègue H. Knust, qui faisait également des recherches à Paris à ce moment-là. Comme Knust devait partir pour l'Espagne, il suggéra à Waitz de s'occuper de ces scolies, dont il pressentait l'intérêt, et Waitz y consacra en partie les dernières semaines de son séjour à Paris, qui touchait alors à sa fin [1]. Le manque de temps explique qu'il put seulement préparer l'édition d'une partie du texte, celle qu'il jugea la plus importante, et dont l'objet était le plus proche de son propre centre d'intérêt : il s'agit d'une lettre de l'évêque Auxentius de Dorostorum concernant Ulfila, l'apôtre des Goths (fol. 304v,1-308r,35), qu'il publia sous le titre *Ueber das Leben und die Lehre des Ulfila. Bruchstücke eines ungedruckten Werkes aus dem Ende des 4. Jahrhunderts*, Hanovre 1840 (désigné ci-après par *w*).

Waitz avoue que, même dans ces limites, il a dû laisser bien des passages lacuneux et incomplets. Il assure qu'il n'a épargné aucune peine pour arriver au meilleur résultat possible. Il admet qu'une étude plus approfondie lui aurait encore permis d'améliorer son texte. Il ne croit pas, cependant, que des erreurs importantes pourront lui être reprochées et il se porte garant de l'exactitude littérale de sa transcription [2]. Il est moins affirmatif, en revanche, pour ce qui concerne les autres fragments des notes marginales qu'il cite occasionnellement dans son introduction et dans ses commentaires. Il prévient qu'il n'en a pas revu le texte

1. *Bruchstücke*, p. 3.
2. *Bruchstücke*, p. 5-6.

de façon répétée, avec le même soin que pour la lettre d'Auxentius [1].

Pour les feuillets contenant la lettre d'Auxentius (304v-308r), Waitz offre successivement une transcription du texte [2] et une édition proprement dite [3]. La transcription (désignée ci-après par w^1) tend à reproduire le texte marginal tel qu'il est, jusque dans sa disposition matérielle autour du texte central, à ceci près que les mots sont séparés, ce qui n'est généralement pas le cas dans le manuscrit. En principe, l'orthographe du scribe est respectée, les abréviations ne sont pas résolues, les additions interlinéaires sont imprimées en petits caractères à leur place exacte. Les lettres illisibles sont marquées par des points, les lettres douteuses signalées en note. Les lettres qui ont été rognées dans les marges de gouttière sont restituées à gauche ou à droite d'une ligne verticale figurant le bord du manuscrit, à moins que la plus grande partie n'en subsiste, auquel cas elles sont traitées comme les autres. Dans l'édition proprement dite (désignée ci-après par w^2), le texte est imprimé de façon suivie. L'orthographe est parfois, mais pas toujours, normalisée. Les abréviations sont résolues, les additions interlinéaires insérées dans le texte, les lettres illisibles restituées dans la mesure du possible, les fautes de copie corrigées. Les lettres restituées à la place de lettres illisibles, de même que les lettres ajoutées par correction, sont mises entre crochets [4] ;

---

1. Voici la liste de ces fragments dans l'ordre du texte, avec référence à la page de w : 298v,2-9(est), p. 7 ; 298v,34(ideo-uenien-dum), p. 7 ; 298v,35(Maximinus)-37(huiusmodi), p. 7 ; 299r,2-5 (prohibuit), p. 7 ; 299r,11(bene)-35(respondeo), p. 7-8 ; 299r,38 (confiteri-deberes) ; 300v,2(Palladius)-3(coepiscopo), p. 28 ; 301r,4 (sequitur)-5(hodiae), p. 8 ; 301r,12(Maximinus)-21(dicta), p. 8 ; 303v,2-26(testatur), p. 8 ; 303v,33(sicut)-34(testantur), p. 24 ; 304r,38-42, p. 9 ; 308v,1-31, p. 21-22 ; 336v,42(Palladius)-49(agnoscis), p. 22, n. 2 ; 342v,23(intra)-37(episcopus), p. 22, n. 1 ; 342v,41 (alter)-42, p. 22, n. 1 ; 348r,36-349r,42, p. 22-23.
2. *Bruchstücke*, p. 10-17.
3. *Bruchstücke*, p. 18-21.
4. Mais il y a des manquements à cette règle, p. ex. 304v,40 [.]loriam w^1 gloriam w^2. On notera, d'autre part, que les lettres restituées à la place de lettres rognées ne sont pas signalées dans l'édition.

les autres interventions de l'éditeur (modification ou suppression de lettres) ne sont marquées par aucun signe. Les lettres isolées dont le contexte n'a pas pu être restitué ne sont pas reprises.

En dehors de la lettre d'Auxentius, les passages du texte marginal qui sont cités occasionnellement par Waitz ne bénéficient pas de ce double traitement. Il n'y a donc pas moyen, dans ce cas, de savoir exactement ce que l'éditeur a lu dans le manuscrit, du fait que ses interventions ne sont pas régulièrement signalées [1]. Les abréviations sont presque toujours résolues (parfois fautivement) [2], et l'orthographe est généralement normalisée [3].

Après ce que Waitz dit du soin avec lequel il a transcrit la lettre d'Auxentius, on s'attendrait à ce que les fautes y soient sinon totalement absentes, du moins plus rares que dans les passages cités occasionnellement. Il n'en est rien, et l'on trouve partout des erreurs en aussi grand nombre. Des mots ont été oubliés [4]. Des lettres ont été confondues, surtout dans les pages écrites d'une manière plus cursive, où les ligatures ont été plus d'une fois mal déchiffrées [5]. D'autres

---

1. Ainsi au fol. 299r, lignes 23 et 25, Waitz indique qu'il a restitué des lettres rognées, mais il n'indique pas qu'il a fait de même à la fin des lignes 24 et 26 ; pour la ligne 26, c'est d'autant plus regrettable que sa restitution est sujette à caution (il faut certainement lire *uer[e]* plutôt que *uera*, comme il le propose). On peut observer la même incohérence tout au long de la citation de ce fragment (299r,11-35) et en bien d'autres endroits encore.

2. P. ex. 298v,36 episks P episcopus *w* ; 299r,12 solū P solum *w* ; 303v,2 dm P Deum *w* ; 303v,5 xpm P Cristum *w* ; 349r,3 dmn (= deum nostrum) P dominum *w* ; etc.

3. P. ex. 304r,41 episkopo P episcopo *w* ; 336v,45 catolicus P catholicus *w* ; 342v,33 excideret P excederet *w* ; etc.

4. P. ex. 303v,3 ep(iscopus) P *om. w* ; 305r,13 filium (*sup. l.*) P *om. w* ; 308r,6 pater P *om. w* ; etc.

5. P. ex. 299r,2-3 [di]cit P [d](icit) ut *w* (confusion *ci/u*) ; 299r,16 eç[ce] P et(?) *w* (confusion *c/t*) ; 303v,6 sequentiam P sequentium(?) *w* (confusion *a/u*) ; 303v,10 fuiṣṣe nā (= nam) P f[uisse...]t *w* (le deuxième trait du *a* et la barre d'abréviation ont été pris pour un *t*) ; 305r,3 omousianorum P omousionorum *w* (ligature *an* prise pour *on* ; de même 305r,35) ; 305v,6 fotinianos P focinianos *w*[1] (ligature *ti* prise pour *ci*) ; 306r,19-20 eṛ[go] hi suṇt cr(ist)iani P es[t] his aịt cr(ist)ianu[s] *w* (confusion *r/s*, puis *u/a*, entraînant une

erreurs ne peuvent s'expliquer que par un défaut d'attention [1]. Dans bien des cas, la lecture de Waitz ne donne pas un sens satisfaisant, ce qui aurait dû l'inciter à un examen plus approfondi [2]. On remarque que dans la transcription de la lettre d'Auxentius, des mots qui se trouvent en abrégé dans le manuscrit ont été notés en toutes lettres [3]. L'orthographe, déjà à ce stade, a parfois été normalisée [4]. Certains mots ou parties de mots sont passés d'une ligne à l'autre [5], deux lignes ont même été fondues en une [6]. Au fol. 305r, Waitz indique à tort qu'il manque une ligne en bas de page ; au fol. 306v, en revanche, il n'a pas vu qu'il en manquait une [7].

mauvaise lecture du *n* douteux ; le *i* en fin de ligne a été pris pour le premier trait d'un *u* rogné) ; 336v,44 preterea P prece rea *w* (confusion *t/c*) ; etc.

1. P. ex. 301r,4 sauinus P Sauinius *w* ; 303v,7 qui P et *w* ; 305v,1 antexpos (= antecristos) P antexpios *w*[1] ; 306r,15 docente P dicente *w* ; 307v,4 absque P ubi sine *w* ; 307v,25 ab P ei *w* ; 307v,33 in qua P qua in *w* ; 308r,3 transitum P testamentum *w* ; 308r,6 di (= dei) nostri P de nostris *w* ; 308r,10-11 post resurrectionem P propter correctionem *w* ; 336v,43 litteraria extet P litterariae [sit] *w* ; 336v,47 erroris P eroris *w* ; etc.

2. Ainsi fol. 306r,3, où le manuscrit a *sps scs aduocatus nec ds nec dns potest dici*, Waitz lit [*scs*] *sps nec aduocatus nec ds nec dns potest dici*, ce qui est insoutenable pour deux raisons : d'abord parce que cela fait dire au texte que l'Esprit ne peut être appelé *aduocatus*, alors que les ariens ne font aucune difficulté à lui donner ce titre biblique, ensuite parce que cela oblige à restituer *scs* devant *sps*, alors que les scolies, mise à part une citation scripturaire dans le credo d'Ulfila, disent toujours « l'Esprit-Saint » *(sps scs)*, jamais « le Saint-Esprit » *(scs sps)* (→ SPIRITUS).

3. P. ex. 304v,19 inmouilē P inmouilem *w*[1] ; 304v,37 dm P deum *w*[1] ; 307v,35 dno P domino *w*[1] ; etc.

4. P. ex. 304v,36 uolumtate P uoluntate *w*[1] ; 307v,2 fili P filii *w*[1] ; etc.

5. P. ex. 305v,26-27 seruabat sed |et P seruabat |sed et *w*[1] ; 306r,14-15 spu sco et |xpo P spu sco |et xpo *w*[1] ; 307r,19-20 f[ace] |re P f[a] |cere *w*[1] ; etc.

6. Il s'agit des lignes 32 et 33 du fol. 307v.

7. Waitz marque également 104 lettres, c'est-à-dire deux lignes manquantes, à la fin du fol. 348v (*Bruchstücke*, p. 23). Or, il ne manque jamais deux lignes entières en haut ou en bas d'une page, et l'examen du manuscrit montre que dans le cas présent, il n'en manque aucune.

On ne peut donc accorder au travail de Waitz qu'une confiance fort limitée, et les éloges qui lui ont été décernés sont le fait d'auteurs qui n'ont pas confronté son texte avec le manuscrit [1].

Les fragments cités par Bessell (1860)   Waitz espérait que Knust, qui avait attiré son attention sur les notes marginales du *Parisinus latinus 8907*, pourrait se charger par la suite de les publier dans leur intégralité. Cet espoir devait être déçu par la mort de Knust, survenue peu de temps après. Waitz reçut de Paris, après son retour en Allemagne, une copie des parties encore inédites du manuscrit, mais il ne reprit jamais l'étude de ce texte. Il communiqua plus tard cette copie à Wilhelm Bessell, qui put citer ainsi plusieurs nouveaux passages dans son étude *Ueber das Leben des Ulfilas und die Bekehrung der Gothen zum Christenthum* (Göttingen 1860) [2].

Il semble que Bessell ait songé à compléter lui-même l'édition partielle de Waitz, car il note qu'avant de publier la copie dont il disposait, il serait nécessaire de la vérifier sur le manuscrit [3]. Lui aussi fut emporté prématurément, et les choses en restèrent là. Wattenbach, dans ses *Exempla codi-*

---

1. KAUFMANN, « Untersuchungen », p. 194 ; MUELLER, « Ulfilas Ende », p. 86 ; GIESECKE, *Die Ostgermanen*, p. 15.
2. Voici la liste de ces passages dans l'ordre du texte, avec référence à la page de Bessell : 299v,35(quod)-36(conati), p. 3 ; 300r,24 (quod)-30(aplicans), p. 3 ; 301v,37(et)-38(libuit), p. 3 ; 302r,24 (secundum)-28(concilii), p. 3 ; 302r,28(Maximinus)-35(debeo), p. 3 ; 304r,2(subtraxerunt ingenitum), p. 4 ; 304r,3(ut^1)-4(unum), p. 4 ; 308v,12(sed)-21, p. 9 ; 308v,29-38(agebant), p. 49, n. 1 ; 309r,3 (merito)-9(damnatus), p. 36 ; 309v,25(ut)-41(imperator), p. 5 ; 310r,1(epistulae)-2(Gratianum), p. 5 ; 310r,5(auferendas postulauerunt), p. 5 ; 310r,36(aeclesias-cristianis), p. 5 ; 310v,21(ergo)-38 (ueris), p. 29, n. 1 ; 336v,6(itaque)-7(diuersos), p. 6 ; 337r,7(quid)-10(ignabus), p. 10 ; 337r,16(quibus)-18, p. 10 ; 337r,21(in)-26 (emulos), p. 10 ; 337r,54(concilii)-55(testantur), p. 11 ; 339r,47 (tu)-50(subclamasti), p. 9 ; 340v,16(rursus)-18(Deus), p. 14 ; 341r,3 (rursus-Filius), p. 14 ; 341v,38(presertim)-39(etiam), p. 8-9 ; 342v,37(sicuti)-41(impiaetas), p. 12 ; 344v,35(sicut)-38(cognoscitur), p. 12 ; 348r,35(sed ne audeam uobis = sed ne uideamur), p. 9.
3. *Leben Ulfilas*, p. 2, n. 1.

cum latinorum, indique qu'il a eu la copie en question entre
les mains [1]. Ensuite, on en perd la trace, et les recherches en-
treprises à la fin du XIXe siècle pour la retrouver, dans les
papiers de Waitz comme dans les archives des *Monumenta*,
sont demeurées vaines [2]. L'édition de Waitz a été réimprimée par Bernhardt dans l'introduction de sa *Gotische Bibel*,
en tenant compte de quelques corrections et conjectures
proposées par Bessell [3].

Si l'on en juge sur les passages cités par Bessell, il n'y a
pas lieu de regretter la disparition de la copie dont il a dis-
posé, car les erreurs y sont très nombreuses. C'est manifestement l'ouvrage d'un lecteur incompétent ou fort négligent.
Rendons-lui néanmoins cette justice qu'il n'a pas cherché
à améliorer le texte tel qu'il lui apparaissait, et qu'il a
pris acte sans broncher des non-sens même les plus cocasses.
Nous croyons inutile de faire ici le relevé de ses fautes. Voici,
à titre d'exemple, comment il a lu la phrase « ⌈Se⌉d ut
religiosi, parentes (+ epikopi nostri *sup. l.*) reuocare eos
desiderantes, ut eorum personant ue̜r̜b̜a̜, cum humilitate
agebant » (308v,36-38) : il en a fait « Dat religio si parentes
epikopi nostri revocare eos des (*sic*) idem antea ut corvi (?)
personant verum hi cum humilitate agebant. » Le reste est
à l'avenant. On comprend que Bessell ait plus d'une fois
hésité à suivre cette copie [4]. Il faut noter que certaines
fautes sont passées, par l'intermédiaire de Bessell, dans
l'édition de Kauffmann ; ainsi, dans la phrase citée ci-dessus,
le mot *hi*, auquel rien ne correspond dans le manuscrit, a
été repris par Kauffmann.

**L'édition
de Kauffmann
(1899)**

La première édition complète des scolies
ariennes du *Parisinus latinus 8907* fut
donnée à la fin du XIXe siècle par Friedrich
Kauffmann, sur la base d'une nouvelle col-
lation du manuscrit, sous le titre *Aus der Schule des Wulfila*.

---

1. Les *Exempla* datent de 1876 ; voir p. 6.
2. KAUFFMANN, *Dissertatio*, p. XVI-XVII.
3. E. BERNHARDT, *Vulfila oder die gotische Bibel*, Halle 1875,
p. XII-XIX.
4. Voir *Leben Ulfilas*, p. 4, n. 1 ; p. 5, n. 1 ; p. 9, n. 1 ; etc.

*Auxenti Dorostorensis epistula de fide uita et obitu Wulfilae
im Zusammenhang der Dissertatio Maximini contra Ambrosium* (*Texte und Untersuchungen zur altgermanischen Religionsgeschichte*, Texte, 1), Strasbourg 1899 (désignée ci-
après par *k*).

Comme Waitz, Kauffmann affirme qu'il s'est appliqué avec
persévérance à déchiffrer ce texte difficile. Il confesse cependant que l'application ne saurait tenir lieu de l'expérience,
et que ce genre de manuscrit ancien et abîmé ne lui était
pas familier. Il souhaite que d'autres chercheurs puissent
par la suite améliorer son travail [1]. En dépit de ce souhait,
une nouvelle édition des scolies n'a pas vu le jour jusqu'à
présent. H. E. Giesecke, dans son étude sur *Die Ostgermanen
und der Arianismus* (Leipzig 1939), a donné un texte légèrement amendé de la lettre d'Auxentius [2], dans lequel il
rejette certaines conjectures trop aventurées de Kauffmann,
pour en proposer d'autres ou revenir au texte de Waitz ;
mais il n'a pas vu le manuscrit. Le texte de la lettre d'Auxentius, ainsi que des autres passages concernant Ulfila, est
reproduit d'après Kauffmann, avec quelques corrections,
dans la *Gotische Bibel* de Streitberg [3]. Les scolies sont reproduites en entier d'après Kauffmann dans le supplément à la
Patrologie latine de Migne, sauf la lettre d'Auxentius, pour
laquelle on a repris le texte de Giesecke [4]. Toutes les citations
et toutes les études parues depuis 1899 sont donc tributaires,
en fin de compte, de l'édition de Kauffmann [5].

1. *Dissertatio*, p. xx-xxi.
2. Voir p. 15-22.
3. Voir p. xiv-xix dans l'édition de 1920 (réimpr. 1965).
4. *PLS* 1, col. 693-728.
5. Il n'y a pas lieu de faire exception pour les fragments des scolies reproduits par Hanssens dans un article posthume sur le concile d'Aquilée (« Il concilio di Aquileia », p. 637-644). Hanssens n'a
pas vu le manuscrit et a travaillé sur les photographies très impar-
faites que fournissait la Bibliothèque nationale avant 1975 (v. ci-
dessous, p. 42-43). Il avoue s'en être remis à l'édition de Kauffmann,
reproduite dans le supplément à la *Patrologie latine*, pour les passages incertains (*art. cit.*, p. 571). De fait, il reproduit la plupart
des fautes de Kauffmann et, au surplus, il en introduit encore
d'autres par distraction ou par négligence.

En s'inspirant de l'exemple de Waitz, Kauffmann donne successivement une transcription du texte [1] et une édition proprement dite [2].

La transcription (désignée ci-après par k^1) se présente de la même façon que chez Waitz, à ceci près que les lettres douteuses sont imprimées en italique. Les lettres rognées partiellement sont reproduites comme telles par un artifice typographique ; les lettres emportées totalement n'apparaissent pas. Les lettres annulées dans le manuscrit, qui sont tantôt barrées, tantôt exponctuées, tantôt à la fois barrées et exponctuées, sont ici toujours marquées d'un point au-dessous de la lettre (alors que dans le manuscrit, le point se place au-dessus de la lettre exponctuée). La transcription de Kauffmann néglige assez souvent de séparer des mots qui devraient l'être ; c'est le cas surtout dans les passages lacuneux et dans ceux où l'italique voisine avec la romaine.

Dans l'édition proprement dite (désignée ci-après par k^2), Kauffmann dit qu'il imprime en italique les lettres douteuses, comme dans sa transcription, ainsi que les lettres conjecturales, c'est-à-dire celles qu'il a restituées ou substituées à d'autres. Les additions de l'éditeur sont indiquées par des soufflets, les gloses à rejeter dénoncées par des crochets carrés [3]. Comme on peut le constater, ce système d'édition est très imparfait. Pas plus que Waitz, Kauffmann ne signale ici les additions interlinéaires qu'il insère dans le texte, ni les autres corrections effectuées dans le manuscrit lui-même, qu'il reprend à son compte. Il ne signale pas non plus les lettres provenant de la résolution d'une abréviation. Il indique de la même façon les lettres douteuses, les lettres restituées et les lettres modifiées par l'éditeur, de sorte que devant une lettre imprimée en italique, il est impossible de savoir, sans recourir à la transcription, si Kauffmann a cru lire cette lettre, mais sans certitude, dans le manuscrit, ou bien s'il n'a rien pu lire du tout à cet endroit et restitue la lettre en cause à partir du contexte, ou encore s'il a lu une

1. *Dissertatio*, p. 3-57.
2. *Dissertatio*, p. 67-90.
3. *Dissertatio*, p. ix.

Scolies ariennes. 3

autre lettre dans le manuscrit, mais juge nécessaire de corriger la leçon offerte par celui-ci. Outre que cette confrontation incessante de la transcription et de l'édition est fastidieuse et incommode, car elles ne sont pas imprimées en regard l'une de l'autre, il y a le fait que seule l'édition se trouve réimprimée dans la *Gotische Bibel* de Streitberg et dans le supplément à la *Patrologie latine* ; c'est donc ce texte-là qui est communément utilisé et considéré comme faisant autorité.

Si du moins Kauffmann s'en tenait aux conventions qu'il énonce, le mal serait nettement circonscrit. Mais ce n'est pas le cas. Sans cesse, en confrontant la transcription et l'édition, on constate que des lettres données comme douteuses dans la transcription sont devenues certaines dans l'édition, et inversement. Des lettres illisibles d'après la transcription et restituées par l'éditeur sont imprimées non en italique, mais en romain, comme si elles figuraient dans le manuscrit. Des lettres ajoutées par l'éditeur, qui devraient être mises entre soufflets, apparaissent en italique, ce qui ajoute encore à l'ambiguïté de celle-ci. Beaucoup de corrections ne sont pas signalées, de sorte qu'on croit se trouver devant la leçon du manuscrit, alors qu'il n'en est rien. Ces négligences, dont on découvre des centaines d'exemples, suffiraient à disqualifier l'édition de Kauffmann [1].

---

1. Examinons, à titre d'exemple, les premières lignes du texte au fol. 298r. — A la première ligne, k^1 marque 64 lettres illisibles ; il indique en note que la première lettre pourrait être un *a*. En réalité, la lettre en cause, dont on voit seulement la partie inférieure, car la première ligne a été rognée, pourrait aussi être un *d* ou un *u*, et il n'est pas certain qu'elle soit la première (il pourrait y en avoir une avant elle). Néanmoins, k^2 n'hésite pas, sur une base aussi réduite et aussi incertaine, à restituer au début de la ligne *Ambrosius*, qu'il fait suivre de 61 lettres illisibles, soit un total de 70 lettres au lieu de 64 dans k^1. — Au début de la ligne 2, k^1 lit (nous ponctuons les lettres imprimées en italique comme douteuses) : *imperatorum ei scribtae*; les lettres *ei scrib* sont donc données comme certaines. Mais dans k^2, ces trois mots sont imprimés tout entiers en italique, et les lettres *ei scrib* devraient donc être tenues comme les autres, d'après l'édition, pour douteuses ou conjecturales. — Suivent dans k^1 23 lettres illisibles, puis les lettres *st* (certaines), puis à nouveau 23 lettres illisibles. Dans k^2, il y a 22 lettres illisibles, puis les lettres *st* (douteuses), puis 24 lettres illisibles. — A la ligne 3, on

A cela s'ajoute que cette édition date de l'époque de l'hypercritique, où les philologues rivalisaient entre eux de conjectures, qui s'avèrent pour la plupart superflues ou non fondées. Kauffmann n'échappe pas à ce travers. Non seulement il admet sans raison suffisante dans son texte maintes corrections injustifiées ou gloses inutiles que des mains secondaires mal inspirées ont apportées dans le manuscrit [1], mais

constate le phénomène inverse. Dans k^1, on trouve quatre lettres illisibles, puis *şç*, puis trois lettres illisibles, puis *aş*, puis trois lettres illisibles, puis *iniuri*. Dans k^2, le nombre de lettres illisibles est resté le même, mais toutes les autres, douteuses d'après la transcription, sont données comme certaines. — Suit dans k^1, après 7 lettres illisibles, un *e* ; dans k^2, cet *e* est devenu un *c*. — Viennent après cela trois lettres illisibles, suivies de *nc*, lettres douteuses selon k^1, certaines selon k^2. — On lit ensuite dans k^1 ⌈..⌉*r*⌈.⌉*m*⌈...⌉ *ipsorum*, dans k^2 ⌈..⌉*r*⌈.⌉*m*⌈.⌉*el ipsorum*. Les lettres *el* (de ⌈*u*⌉*el* ?) ont apparemment été oubliées au moment de la mise au net de la transcription, comme cela s'est produit ailleurs, p. ex. fol. 338r,41 pour la lettre *a* devant *erat*. — Le mot suivant est *sci* (= *sancti*) ; seule la première lettre est certaine d'après k^1 ; dans k^2, le mot est cependant imprimé tout entier en romain. Puis vient le mot *Palladi*, dont les deux *a*, douteux d'après k^1, ne sont plus signalés comme tels dans k^2. — La ligne s'achève par 6 lettres illisibles, pour lesquelles k^2 propose une restitution assez aléatoire. — Nous nous arrêterons là, car nous croyons que ceci suffira à édifier le lecteur. Ces graves défauts avaient déjà été mis en lumière immédiatement après la parution de l'édition de Kauffmann par certains recenseurs plus clairvoyants (car la plupart se bornent, comme d'habitude, à des éloges de convenance, p. ex. G. FICKER, dans *Theologischer Jahresbericht*, 19 [1899], p. 230-232, G. KRÜGER, dans *Theologische Literaturzeitung*, 25 [1900], col. 16-18, A. SCHÖNBACH, dans *Deutsche Literaturzeitung*, 21 [1900], col. 3223-3225) ; voir ce qu'en disent H. USENER dans *LGRP* 21 (1900), col. 365, et surtout F. VOGT dans *ADADL* 28 (1902), p. 191-192. Il est regrettable que leurs avertissements aient été généralement perdus de vue, et qu'on ait par la suite utilisé sans méfiance l'édition de Kauffmann.

1. Nous nous bornerons à quelques exemples pris dans la première moitié du texte marginal (P^2 désigne ici une main secondaire suivie à tort par l'édition de Kauffmann, les divergences orthographiques n'étant pas prises en considération) : 299r,9-10 euagatus es *corr.* P^2k^2 ; 29 eum *corr.* P^2k^2 ; 30 ut differretur *add.* P^2k^2 ; 35 in gestis suis *add.* P^2k^2 ; 300v,3 Secundiano *add.* P^2k^2 ; 8 huius altercationis *add.* P^2k^2 ; 35 tres *add.* P^2k^2 ; 301r,37 qui erat *add.* P^2k^2 ; 40 terris *corr.* P^2k^2 ; 301v,15 insistente *corr.* P^2k^2 ; 19 conuicti *corr.* P^2k^2 ; 33 interrogauit *corr.* P^2k^2 ; 302v,39 partis illius *add.* P^2k^2 ; 303r,1 in-

il en ajoute, sans plus de raison, beaucoup d'autres de son cru [1]. Bien souvent, ses interventions témoignent, même si ce n'est pas toujours immédiatement évident, de ce qu'il n'a pas compris le sens exact du texte [2], ou procèdent de positions critiques qu'un examen approfondi fait apparaître insoutenables [3]. Dans le même esprit, il restitue fréquemment

pletum est euangelium... *add.* P²k²; 304r,2 solum *add.* P²k²; 28 hoc est *add.* P²k²; 304v,15 substantia *add.* P²k²; 305r,13 filium *add.* P²k²; 308v,2 episkopo *add.* P²k²; 4 supplicio *corr.* P²k²; 37 episkopi nostri *add.* P²k²; 41 fecerunt *corr.* P²k²; nostri *add.* P²k²; 309v,41 iam *add.* P²k²; 310r,4 subrogauerunt *corr.* P²k²; 38 iniquitas *corr.* P²k²; etc.

1. P. ex. 302r,33 id est sancti Palladi *secl.* k²; 303v,36 siquidem P sic quidem *corr.* k²; 304v,7 excelsiorem + omni sapientiae sapientiorem k²; 305v,5 siue psabellianos *secl.* k²; 306v,37 et² *secl.* k²; 307r,3 et³ *secl.* k²; 308v,1 recitatae + sed k²; 2 recogitato de *transp.* k²; 16-17 supradictus *secl.* k²; 35 quantum P quantam *corr.* k²; 309r,1 estis + is k²; 309v,31 de + functus est k²; 311r,8 quidam + Iohannem baptistam quidam k²; 336r,13 consempiternum + filium k²; 337v,52 erat P erant *corr.* k²; 341r,27-28 confutatus P confutatis *corr.* k²; 342r,2 Arri P Arrium *corr.* k²; 343r,3 suam P suae *corr.* k²; 22 tu P tuum *corr.* k²; 29 cur P cum *corr.* k²; 343v,42 esse P esses *corr.* k²; 344r,41 etiam *secl.* k²; 344v,39 quem P quam *corr.* k²; 345r,4 quam + in k²; 346v,34 terra P terris *corr.* k²; etc.

2. P. ex. 308v,7 eo P (*p. corr.*) et *corr.* k² (c'est précisément parce qu'ils ont refusé aux « saints », c'est-à-dire aux évêques ariens, le concile réclamé par ceux-ci, que les adversaires de Palladius se sont exclus eux-mêmes de l'assemblée des saints) ; 308v,10 quod *om.* k² (il s'agit d'un *quod* explétif, v. *DLFAC, s. v.,* 1) ; 309v,4 in religione P inreligiose *corr.* k² (*in religione = in religionem*) ; 311r,38 poterant P poteram *corr.* k² (le verbe *exsequi,* déponent en latin classique, est employé ici au sens passif, v. P. FLOBERT, *Les verbes déponents latins des origines à Charlemagne,* Paris 1975, p. 372) ; 336v,28 supernae uacuum P superuacuum *corr.* k² (v. *CSEL* 78, p. 20, *ad loc.*) ; 344r,4 habere P haberes *corr.* k² (*habere* est complément de *potuisses*) ; 344v,34 detexistis P deiecistis *corr.* k² (*detego* a couramment le sens de « dépouiller », v. *TLL, s. v.*) ; 345r,5 debuistis P debuissetis *corr.* k² (le parfait de l'indicatif pour marquer l'irréel du passé est classique dans le cas des verbes d'obligation, v. A. ERNOUT-FR. THOMAS, *Syntaxe latine,* 2ᵉ éd., Paris 1953, p. 247-248) ; 345r,20 arcere P arceretis *corr.* k² (*arcere* est complément de *debuistis,* comme *recipere,* avec lequel il forme un dilemme souligné par *aut... aut...*) ; 347v,4 affectus P affectu *corr.* k² (v. ci-dessous, p. 197-198) ; etc.

3. Ainsi l'exclusion systématique des mots *episcopus disserens* (ou *interpretans*) dans les formules d'introduction aux commentaires

à l'aveuglette, voire en faisant bon marché des quelques
lettres encore lisibles, les passages lacuneux, plutôt que de
se résigner à l'ignorance et d'enregistrer simplement les
méfaits du grattoir, de la rogneuse, des réactifs [1]. Enfin, il
s'autorise parfois des corrections orthographiques, d'autant
plus regrettables que, pas plus que les autres, elles ne sont
régulièrement signalées [2].

Il faut donc oublier l'édition de Kauffmann si l'on veut
accéder au texte authentique des scolies. Peut-on, en revanche, faire confiance à sa transcription du manuscrit ? Certes,

de Maximinus (v. ci-dessous, p. 64-65), l'exclusion de chevilles
comme *sequitur* pour marquer la fin d'une citation (ci-dessous,
p. 65-66), l'exclusion des mots *qui in hoc ipso corpore* au fol. 303v,7
(v. GRYSON-GILISSEN, *Parisinus*, p. 10).

1. Un des cas les plus flagrants est celui des lignes 304r,42 et
304v,1, où Kauffmann restitue froidement 18 mots, dont aucun ne
peut être tenu pour assuré, et dont un seul, à savoir le nom d'Auxentius, est simplement probable. De plus, la ligne 304r,42 compterait,
à le suivre, 83 lettres, ce qui est à peu près 20 de trop. — Au
fol. 305r,1, Kauffmann tire d'un *g* isolé et d'ailleurs douteux *genitum ante omnia saecula*, puis il ajoute *totius creatio-* pour rejoindre
le début de la ligne suivante, où on lit *-nis auctorem*. Mais il a déjà
été question plus haut de la génération du Fils et de son œuvre
créatrice (304v,30-40). Dans le contexte immédiat, l'auteur évoque,
comme l'a bien compris GIESECKE (*Die Ostgermanen*, p. 16-17), le
rôle du Christ à travers l'histoire du salut : protecteur et législateur
du peuple élu, rédempteur et sauveur de l'humanité (304v,42), et
finalement juge des vivants et des morts (305r,2). Dans la ligne
manquante, il devait donc être question de l'action du Christ entre
sa mort rédemptrice et le jugement dernier. — La restitution des
lignes 298r,32-34 tient de la divination et ne s'accorde même pas
avec la lecture que Kauffmann propose dans sa transcription. —
La désinvolture avec laquelle il traite en bien d'autres endroits les
lettres subsistantes laisse rêveur. Ainsi au fol. 338r,5, ce qui était
dans la transcription ⌈..⌉*tra*⌈...⌉ est devenu dans l'édition *laicorum*!

2. C'est particulièrement fréquent pour le *m* final qui doit distinguer en bonne règle, dans la langue écrite, l'accusatif de l'abla-
tif singulier, mais qui est souvent ajouté ou omis à contretemps par
les scribes, car il ne se faisait plus entendre dans la langue parlée à
cette époque ; p. ex. 298v,38 occidente P occidentem k^2 ; 302v,5
epistula P epistulam k^2 ; 304r,33 uitam P uita k^2 ; 307r,35 episkopatum P episkopatu k^2 ; 343v,41 ea P eam k^2 ; 344r,44 comitatu P
comitatum k^2 ; 345r,35-36 profetam (...) dicentem P profeta (...)
dicente k^2 ; etc.

l'état moins élaboré de celle-ci nous préserve des inconséquences et des interventions intempestives qui déparent l'édition. Mais il s'en faut de beaucoup qu'elle soit d'une exactitude rigoureuse.

Plus d'une fois, l'usage de l'italique, pour marquer les lettres douteuses, nous a surpris. On peut concevoir, théoriquement, qu'une édition datant de 1899 donne comme certaines des lettres qui sont aujourd'hui douteuses, voire illisibles, car le manuscrit a pu se dégrader dans l'entre-temps ; mais cette explication ne vaut pas toujours [1]. Il est normal, d'autre part, que nous voyions apparaître grâce aux éclairages spéciaux des lettres qui ont échappé à Kauffmann [2] ; mais qu'à l'examen direct, nous puissions lire avec certitude des lettres indiquées comme douteuses, voire comme illisibles par lui, cela ne peut s'expliquer, dans son chef, que par un manque d'application à la lecture ou un manque de soin dans la transcription [3]. De même, nous sommes fré-

---

1. Au fol. 304r,38, Kauffmann transcrit *theognius*, alors que nous savons par Waitz qu'il y avait déjà un trou à l'endroit du *o* au moment où celui-ci a eu le manuscrit entre les mains (*Bruchstücke*, p. 9). De même au fol. 304v,40, Kauffmann transcrit *gloriam*, alors que Waitz indique correctement dans sa transcription que la première lettre du mot a disparu. On notera, en particulier, qu'il est manifeste que Kauffmann n'a pas pu lire en entier les passages des actes d'Aquilée reproduits au fol. 298r,15-29 et 35-39, contrairement à ce que donne à croire sa transcription. Le texte n'est pas en meilleur état à cet endroit que sur le reste de la page ; celle-ci est une des plus difficiles de toutes, et Kauffmann n'a réussi à y déchiffrer que des bribes de mots et des lettres isolées. Il a évidemment recouru aux éditions des actes pour combler les lacunes de l'observation directe. Ce qui se justifie au stade de l'édition proprement dite, à condition de l'indiquer clairement, nous paraît inadmissible dans une transcription qui veut être l'image exacte de ce qu'on voit dans le manuscrit.

2. Voir ci-dessous, p. 43.

3. Ainsi au fol. 339v,7, seules les deux premières lettres du mot *sicuti*, donné tout entier comme douteux par Kauffmann, ne sont pas absolument certaines à l'examen direct (mais on les reconnaît parfaitement, elles aussi, à l'infrarouge). Au fol. 343v,6, contrairement à ce qu'indique Kauffmann, les trois dernières lettres de *leuis* se lisent sans difficulté ; il en va de même, à la ligne 41, pour les trois dernières lettres de *exterminauit*, pour les deux dernières de *depastus* et pour le mot *est* qui suit. Au fol. 344r,39, on ne voit

quemment en désaccord avec lui pour les lettres rognées [1].
Quant au compte des lettres illisibles, il s'avère souvent peu
rigoureux [2] ou bien commandé par la conjecture qui vient à
l'esprit de l'éditeur pour combler la lacune [3]. Même une don-

pas pourquoi Kauffmann transcrit en italique les lettres *ign* du mot
dignatione. Le *i* est un peu effacé, mais reste lisible ; il y a un petit
trou à la base du *g*, mais la boucle inférieure de la lettre est à peine
touchée ; le *n* est on ne peut plus clair. A la ligne suivante, le second
r de *praerogatiuam*, donné comme douteux, ne saurait faire difficulté ; les lettres *ae* qui précèdent ne sont pratiquement pas douteuses non plus. Au fol. 345v,35, le mot *possit*, imprimé en italique
par Kauffmann, est parfaitement lisible. Au fol. 346r,6, Kauffmann
marque un point pour la première lettre du mot *sua*, qui est cependant tout à fait reconnaissable dans le manuscrit. A la ligne 39, il
donne comme douteuse toute la désinence de *[po]tuistis*, alors qu'au
moins le *s* final ne pose aucun problème, et que les deux lettres qui
précèdent n'en posent guère davantage ; etc.

1. Un exemple particulièrement flagrant nous paraît être celui du
fol. 307r. A la ligne 12, le *a* de *cr(ist)ia[norum]* n'est pas conservé
en entier, contrairement à ce qu'indique Kauffmann. A la ligne 29,
il ne reste de la dernière lettre qu'une infime trace, qui ne permet
pas de reconnaître un *s*, comme le veut Kauffmann ; cette trace
pourrait fort bien appartenir à un *c*, lettre que Waitz avait déjà
judicieusement restituée, conformément au contexte. En vain
objecterait-on que la tranche du manuscrit a pu se dégrader après
que Kauffmann l'ait eu entre les mains, et que des fragments de
parchemin se sont peut-être détachés depuis lors dans la marge de
gouttière. La transcription de Waitz nous permet de vérifier qu'il
n'en est rien, en tout cas pour les deux exemples qui précèdent ;
pour la ligne 12, nous avons même un fac-similé dans Waitz qui
reproduit très exactement le *a* rogné tel qu'il se voit aujourd'hui
(*Bruchstücke*, entre les p. 28 et 29). Il appert, pour la même raison,
que Kauffmann n'a certainement pas pu lire la première lettre des
lignes 27, 28 et 31 au fol. 306v, ni le *t* de *suscep[tus]* au fol. 307r,37.
Là où Waitz fait défaut, la rectitude parfaite de la tranche permet
souvent d'exclure qu'elle ait été endommagée après la collation de
Kauffmann. Ainsi au fol. 342r,21, il est certain qu'il n'a pas pu
voir le *i* final de *habit[i]* ; en revanche, il a tort de considérer au
fol. 344r,4 la dernière lettre comme un *e* rogné : c'est un *i* intact.

2. Sur la méthode à suivre pour supputer aussi exactement que
possible le nombre de lettres manquantes, voir ci-dessous p. 45-46.

3. Voici deux exemples pris parmi beaucoup d'autres. Au
fol. 310r,38, Kauffmann lit erronément en fin de ligne *sic in scrip-*
pour *sicut scrip-*. La ligne 39 est rognée en oblique, mais on peut
cependant reconnaître la citation scripturaire annoncée : *Men[t]ita
est iniquitas sibi*. Avant *mentita*, il y a place pour environ 6 lettres. On

née aussi élémentaire que la numérotation des lignes n'est pas toujours exempte d'erreur [1].

Mais on dira peut-être que ce sont là des détails. Venons-en donc aux erreurs portant sur la teneur même du texte. Si Kauffmann a corrigé certaines des fautes de Waitz, il en a commis à son tour beaucoup d'autres. Certaines sont apparemment des fautes d'impression, bien qu'elles ne soient pas relevées dans les *corrigenda* [2]. Dans d'autres cas, l'éditeur pourrait faire valoir comme circonstance atténuante qu'il a donné sa lecture comme douteuse, et qu'on ne saurait donc lui accorder une confiance absolue [3] ; mais il s'est ainsi fourvoyé souvent — et ses lecteurs avec lui — dans des impasses, dont il ne sort qu'au prix d'une cascade de conjectures et de corrections ; le caractère peu satisfaisant de son texte aurait dû l'inciter à y regarder de plus près, et en persévérant

voit encore le sommet des deux dernières, qui sont *st*, et il faut évidemment restituer *sicụ̣t scrip[tum e]ṣṭ*. Mais Kauffmann, à la suite de l'erreur de lecture signalée plus haut, est amené à conjecturer *sic<ut> in scrip[tura dictum est]*. Il marque en conséquence dans sa transcription 13 lettres manquantes au début de la ligne 39, soit au moins deux fois plus que ce qui ressort de l'examen objectif de la lacune, par comparaison avec les lignes précédentes. — Au bas du fol. 336v, la dernière ligne est rognée de telle façon qu'on peut lire à la fin de la ligne 49 *nam nec Patrem nec Filium agnoscis*, puis au début de la ligne 50, après une lacune, *-do propriaetates personarum*. La longueur de la lacune correspond à 11 lettres dans chacune des cinq lignes qui précèdent. On doit donc estimer qu'il manque environ 11 lettres au début de la ligne 50, et on peut sans trop de risque conjecturer que le texte était *nam nec Patrem nec Filium agnoscis, [non agnoscen]do propriaetates personarum*. Mais Kauffmann a pensé à *[negan]do*, comme le révèle son édition, et par conséquent, il marque seulement 5 lettres illisibles, soit au moins deux fois trop peu en regard de ce qu'impose l'examen objectif.

1. Au fol. 337r, Kauffmann a compté une ligne en trop à partir de la ligne 10, de sorte que tous les chiffres qui suivent sur cette page sont inexacts.

2. P. ex. 300v,2 offerre P offere k^1 ; 301r,36 craeaturae P craeaturae k^1 ; 349r,36 huiusmodi P huismodi k^1 ; etc.

3. P. ex. 304r,41 episkopos P epiṣçopos k^1 ; 338v,26-27 suscribtionem P ṣubṣçribtionem k^1 ; 347v,5 mittit[2] P aụṭẹm k^1 ; 348r,5 est agnus P ẹṣçọgn[..] k^1 ; etc.

davantage, il aurait sans doute pu lire correctement [1]. Enfin, et ceci est le plus grave, Kauffmann donne à maintes reprises comme certain un texte erroné. Cela provient, comme dans le cas de Waitz, tantôt d'une confusion entre des lettres semblables [2], tantôt d'un manque de familiarité avec les ligatures de l'écriture commune du Bas-Empire [3], tantôt tout simplement d'un défaut d'attention [4]. Ici encore, l'incohérence du texte appelait la plupart du temps un nouvel examen du manuscrit, plutôt que des corrections aléatoires [5].

1. Ainsi au fol. 345v,5, Kauffmann a lu *retrobi*, mot qui n'a aucun sens, et dont il fait ensuite *retro ubi* ; en réalité, quoique le texte soit fortement gratté à cet endroit, on voit en y regardant bien qu'il faut lire *reprobi*. — Au fol. 348r,21-30, le texte de P est le suivant : « Nihil a[u]tem inpossib[i]le eis in his dumtaxat quae eis omnipote[ns] ac principal[is] auctoritas D(e)i Patris congru[a] potestate ind[ul]sit. » Kauffmann a lu à tort *auctoritate* pour *auctoritas*. La proposition relative se trouvant dès lors dépourvue de sujet, il est conduit à corriger *potestate* en *potestas*. Il a fait également dans son édition, on ne sait trop pourquoi, de *auctoritate* un datif, pour aboutir finalement à une phrase qui ne signifie rien : « Nihil autem inpossibile eis in ea dumtaxat quae eis omnipotenti ac principali auctoritati dei et patris congrua potestas indita sit. »
2. P. ex. 300v,3 Secundiano P (*sup. l.*) Secundiario k^1 (confusion *n/ri*) ; 308v,36 [se]d ut P seduc k^1 (confusion *t/c*, entraînant la conjecture *seducti*, non signalée, dans k^2) ; 341v,16-17 habendum P bauendum k^1 (confusion *h/b*, entraînant la correction *pauendum* dans k^2); 346v,1 [t]u es ds (= deus) P uerus k^1 (confusion *s/r* ; en outre, la partie inférieure du *d* a été prise pour un *u*, et on n'a pas remarqué qu'une lettre manquait au début de la ligne ; l'éditeur restitue dès lors par conjecture *tu es deus uerus*) ; etc.
3. P. ex. 303v,39 epistula P epistila k^1 ; 305r,6 terestria P terrestria k^1 ; 310v,6 salutate P saluate k^1 ; etc.
4. P. ex. 298v,33 occidente P occidentē k^1 ; 299v,18 inrideat P irrideat k^1 ; 38 inpudenter P impudenter k^1 ; 304v,42 redemtorem P redemptorem k^1 ; 309v,43 ipsa eis P ipsam k^1 ; 311v,4 uel P et k^1 ; 339v,23 modum P malum k^1 ; 341v,22 tremendā P tremendam k^1 ; 23 ipsā P ipsam k^1 ; 346r,4 ea P (*sup. l.*) et k^1 ; 347v,7 sps (= spiritus) P scs (= sanctus) k^1 ; etc.
5. P. ex. 300r,6 ait P ut k^1 (et *corr.* k^2) ; 302v,4 quibusuis P quibuuis k^1 (quibusuis *corr.* k^2) ; 303r,34 et^1 *om.* k^1 (*rest.* k^2) ; 339r,3 passim P pasum k^1 (partim *corr.* k^2) ; 343r,9-10 i[ni] |mica P in|imica k^1 (Kauffmann a été abusé par le fait que le texte figurant au verso transparaît à cet endroit) ; 38-39 sent[en] |tiam tuam P sent[ent] | iam quam k^1 (qua *corr.* k^2) ; 343v,36-37 ae|clesias P ae|cclesias k^1 ; etc. Un des cas les plus étonnants est celui du fol. 342r,17. Il s'agit

En général, mieux vaut encore une mauvaise édition que pas d'édition du tout. Dans le cas présent, à considérer la somme de faux problèmes et, ce qui est pire, de fausses certitudes qui ont été engendrés par l'ouvrage de Kauffmann, et dont la discussion occupera bon nombre des pages qui suivent, on peut se demander s'il ne faut pas en regretter la parution. Certains trouveront peut-être que nous exagérons et se diront que nous cherchons, de façon peu élégante, à faire valoir notre propre travail en dénigrant injustement celui de nos devanciers. Il n'en est rien. A celui qui ne serait pas convaincu, nous suggérons de prendre la peine de collationner seulement quelques pages un peu difficiles du manuscrit avec l'édition de Kauffmann. Il se rendra compte alors que les remarques qui précèdent ne donnent encore qu'une idée imparfaite de ses insuffisances.

III. La présente édition

Élaboration   Nous avons commencé par collationner les photographies du manuscrit qui avaient été prises à la Bibliothèque nationale dans les années 1940 [1]. Il nous est apparu bien vite que cela ne saurait suffire. Là où le texte est abîmé, une photographie ordinaire ne donne pas grand-chose. Nous avons pu le constater également quand le manuscrit a été photographié une deuxième fois, en 1975, à l'occasion d'une restauration [2]. Quoique les conditions fussent alors des plus favorables, chaque feuillet pouvant être traité parfaitement à plat, le résultat n'est guère meilleur. Cela tient notamment au fait que le texte marginal pose un problème particulier, et qu'un éclairage et une émul-

---

d'une citation des *Actes des apôtres* (5, 41), qui est bien lisible, et dont le texte est connu par ailleurs : « Illi ergo ibant, etc. ». Kauffmann a fait des deuxième et troisième mots *erga dmn* (= *erga deum nostrum*) et est contraint, par conséquent, à restituer *ibant*, alors que la rogneuse n'emporte jamais autant de lettres dans la marge extérieure de cette page.

1. Microfilm R 2386. Au service photographique, on n'a pas pu nous préciser la date exacte de ce microfilm, mais on nous a indiqué, au début de 1976, qu'il remontait à une trentaine d'années environ.

2. Microfilm R 30574.

sion convenant bien au texte central, objet premier de l'attention du photographe, ne convient pas au texte marginal.

Nous avons donc demandé au service photographique de la Bibliothèque nationale de faire des photographies à la lumière ultra-violette et à la lumière infrarouge des feuillets contenant le texte marginal, en étudiant la technique de photographie en fonction de celui-ci. Nous avons pu ainsi, grâce à la complaisance des responsables et à la compétence des techniciens de ce service, disposer d'excellentes épreuves d'après clichés, de grand format, qui nous ont été fort utiles.

Les révélations de la lumière ultra-violette et de la lumière infrarouge, dans un cas de ce genre, se complètent d'une manière heureuse. Dans l'ensemble, les photographies sous éclairage ultra-violet sont nettement plus lisibles, parce que mieux contrastées. Elles révèlent mieux les encres recouvertes ou diluées par les teintures. En revanche, lorsque l'encre a complètement disparu par l'effet soit de l'usure, soit du grattage, et que seul le sillon tracé dans le parchemin par le bec de la plume permet encore de reconnaître une lettre, la lumière infrarouge met mieux en évidence cette différence de relief ou d'épaisseur [1].

1. Les philologues sont accoutumés à recourir à la lumière ultra-violette, principalement pour lire les palimpsestes. En revanche, ils ne recourent guère, mis à part les papyrologues, à la lumière infrarouge, dont les historiens de l'art, entre autres, se servent souvent pour étudier les états successifs d'une peinture. Il ne sera donc pas inutile de montrer par un exemple l'aide que l'infrarouge peut apporter dans le déchiffrement d'un manuscrit abîmé. Dans la marge de tête du fol. 340r, Kauffmann n'a pu lire que des mots sans suite et a commis beaucoup d'erreurs (25 lettres fautives). Voici sa transcription : «[1][...70...] |[2] et in hoc ue⌈...7...⌉n⌈.⌉mu ⌈.....⌉etest⌈...17...⌉um ueritatis rursus si sem|[3]piternus di filius dictum est tibi per ueritatem scribt⌈...8...⌉ sempiterna qu[.]|[4]que eius uirtus et diuinitas de filio uer⌈...24...⌉ craeatione id est ante |[5]c⌈...12...⌉cett⌈...15...⌉ue aeternus etiam de aeternitate ⌈...⌉an⌈....⌉[6]......⌉ ariano dicente et ⌈...20...⌉tinis ⌈...8...⌉tias⌈.⌉ips⌈...14...⌉a⌈.⌉|[7]sane timet et⌈......⌉.» Au même endroit, la lumière infrarouge permet de lire à peu près complètement le texte, sauf la première ligne, qui est rognée, et un espace de onze lettres environ à la cinquième ligne, qui résiste à tous les efforts de lecture : «[1][...48... Ego in hoc natus sum] |[2] et

Enfin, au cours d'un séjour que nous avons fait à Paris dans ce but au printemps de 1976, nous avons eu la bonne fortune, grâce à la compréhension de M. P. Gasnault, que nous tenons à remercier ici, de pouvoir collationner le manuscrit lui-même alors qu'il se trouvait démonté en vue de sa restauration. Dans un cas difficile, et parfois désespéré, comme celui-là, le fait de pouvoir manipuler chaque feuillet séparément, l'incliner de manière à l'exposer à tous les éclairages possibles, tenter de le lire éventuellement par transparence, permet de faire apparaître bien des choses qu'on ne voit pas sur le manuscrit relié, surtout dans la zone la plus proche du pli médian. Nous nous en sommes rendu compte lorsque nous l'avons repris en main deux ans plus tard, pour procéder aux ultimes vérifications. On verra sur le fac-similé que nous publions par ailleurs et qui a été réalisé à partir de clichés pris en 1978, que quatre ou cinq lettres sont souvent difficiles à lire dans la marge de petit fond. On constatera, d'autre part, si on confronte le fac-similé avec notre édition ou avec des photographies antérieures, que certaines lettres ou bribes de lettres ont disparu ou ont été masquées au moment de la restauration.

Présentation　En vue de présenter le résultat de notre travail, nous avons renoncé au procédé de Waitz et de Kauffmann, qui consiste à offrir successivement une transcription inutilisable pour la lecture courante et une édition où les particularités du manuscrit n'apparaissent plus. Seule la comparaison de la transcription et de l'édition permet, dans ce cas, de se former une idée adéquate du

in hoc ueni in hunc mundum ut testimonium perhibeam ueritati. Rursus si se[m] |³piternuṣ Ḍ(eu)ṣ Filius. Dictum eṣt ṭibi ḍe Paṭṛẹ quiḍem scribtum ẹṣṣẹ : Sempiterna qu[o] |⁴que ẹiuṣ uirtus et diuị̣ṇiṭaṣ, de Filio uerọ : Pṛimọgenitus totius craeationis, id est ante |⁵om⌈nia⌉ genitus et ṭụ⌈...11...⌉ụẹ aeternus, etiam de aeternitate ṭạm ang⌈e⌉[lo] |⁶aḍ Mariam dicente : Et regni eius non erit finis, quaṃ ẹtiam ipso Filio de se : Filius |⁷manet in aeṭẹrnum.» Le progrès n'est pas toujours aussi considérable, et les éclairages spéciaux ne font pas de miracles. Là où toute trace de l'écriture a disparu, ils ne peuvent rien faire apparaître. Mais il est rare qu'ils ne permettent pas d'améliorer tant soit peu la lecture.

texte, et cela est peu pratique ; l'expérience montre d'ailleurs que presque personne ne l'a fait. Nous avons donc cherché un compromis, c'est-à-dire un système d'édition qui, tout en procurant un texte lisible, renseignerait cependant le lecteur sur tous les détails matériels qu'il est utile de connaître dans un cas semblable. Nous nous sommes inspiré, pour ce faire, de l'exemple des éditions de papyri et des éditions diplomatiques, sans aller cependant tout à fait aussi loin qu'il est d'usage dans ce genre d'édition, pour les raisons que nous dirons par la suite.

Il nous a semblé qu'il était indispensable de marquer la distribution du texte selon les pages et les lignes du manuscrit. C'est la seule façon de faire apparaître la raison de certains phénomènes, comme la présence à intervalles réguliers de lettres restituées en fin de ligne, qui est due à l'amputation des marges de gouttière par la rogneuse. Le numéro des pages du manuscrit est indiqué en marge et correspond à une double barre dans le texte ; le numéro des lignes est indiqué en exposant derrière une barre verticale, dans le texte.

Nous avons repris, parce qu'elle est consacrée par l'usage, la division en paragraphes de Kauffmann, quoiqu'elle soit plus d'une fois malencontreuse. Cette division est indiquée en chiffres gras dans le texte [1]. Nous avons numéroté de 141 à 143 la fin du texte marginal (fol. 349r,4-43), qui n'est pas imprimée à sa place par Kauffmann [2].

Nous avons ponctué les lettres douteuses et mis entre crochets les lettres restituées à l'emplacement de lettres illisibles. Les lettres illisibles que nous n'avons pas pu restituer sont représentées par des points entre crochets. Lorsqu'il y a plus de six lettres illisibles d'affilée, leur nombre est indiqué par un chiffre encadré par trois points de part et d'autre.

Le nombre de lettres illisibles ne peut généralement être évalué que de manière approximative. Il est rare, en effet,

1. Le chiffre est suivi d'un point quand la division coïncide avec la fin d'une phrase. Il est entre parenthèses quand elle intervient dans le cours d'une phrase.
2. Elle est reproduite en note dans *Dissertatio*, p. 77.

quand on ne peut pas lire et quand la restitution n'est pas évidente, qu'on puisse néanmoins compter une à une, à partir des traits subsistants, les lettres qui résistent à l'effort de lecture. Le plus souvent, il faut se contenter d'une estimation. Nous avons voulu celle-ci aussi rigoureuse que possible. Pour cela, nous avons chaque fois mesuré à la règle millimétrique la longueur de la lacune, et divisé le nombre obtenu par la longueur moyenne de la lettre dans le contexte, en tenant compte éventuellement de la tendance de l'écriture à s'élargir ou à se rétrécir à l'endroit considéré [1]. On comprendra sans peine ce que le résultat ainsi obtenu a d'aléatoire, du fait que toutes les lettres n'occupent pas le même espace : un *m* prend au moins deux fois plus de place qu'un *i*, pour se limiter aux exemples extrêmes. C'est ainsi que là où nous indiquons cinq lettres manquantes, il y en avait peut-être quatre ou six. Mais il ne faut pas exagérer l'importance de cette marge d'erreur, ni croire qu'elle augmente en proportion de la longueur de la lacune. Quand on compte, suivant la méthode exposée ci-dessus, cinq lettres manquantes, on ne peut raisonnablement supposer qu'il s'en trouvait deux ou dix. D'autre part, quand on en compte cinquante, il serait imprudent de considérer que la marge d'erreur s'étend de quarante à soixante, car à partir de cet ordre de grandeur, la loi des grands nombres commence à jouer, en ce sens que les écarts en plus ou en moins par rapport à la moyenne statistique tendent à s'annuler, du fait du nombre et de la variété des lettres présentes dans la lacune.

On sera attentif à la distinction que nous entendons marquer en utilisant, pour encadrer les lettres restituées ou les points figurant les lettres illisibles, tantôt des crochets complets, tantôt des crochets brisés. Les crochets complets signifient que le support a disparu (marge rognée, trou, déchirure), les crochets brisés, que le support est présent, mais illisible. Cela est important, car dans le premier cas, la conjecture est libre, tandis que dans le second, on ne peut pas

---

1. Ce fait provient de ce que le scribe, travaillant dans un manuscrit relié, tend à écrire plus grand lorsque sa position est moins confortable.

avancer une conjecture sans consulter le manuscrit. Souvent, en effet, l'état du manuscrit ne permet pas de dire quelle lettre ou quel mot on doit lire à tel endroit, mais permet d'exclure avec certitude qu'on puisse lire telle lettre ou tel mot. On peut très bien, par exemple, hésiter, pour un signe donné, entre *a*, *o* et *u*, de sorte qu'il faut déclarer la lettre illisible, mais on peut être certain, en même temps, que la lettre en cause ne saurait être ni *b*, ni *d*, ni *p*, ni *q*, ni *f* ou *g* ou *x* [1]. Insistons sur le fait qu'il est nécessaire de recourir au manuscrit lui-même. La consultation des photographies ne suffit pas, car en certains endroits, elles ne permettent pas de voir tout ce qu'on voit sur le manuscrit, et en d'autres, elles donnent l'impression d'une clarté factice, notamment quand l'écriture a été repassée au crayon par des philologues (ou des photographes ?) qui ont eu précédemment le manuscrit entre les mains. On nous pardonnera de mettre en garde les faiseurs de conjecture contre une hardiesse intempestive, qui répandrait de nouveaux brouillards artificiels autour d'un texte que nous avons cherché à rétablir dans sa vérité.

Nous avons mis entre parenthèses les lettres provenant de la résolution d'une abréviation [2] et entre soufflets les lettres ajoutées par nous. Quant aux lettres partiellement rognées, nous avons dû, pour des raisons techniques, renoncer à les marquer par un signe spécial. Nous avons donné comme certaines celles dont une petite partie seulement a été emportée, de sorte qu'elles restent reconnaissables sans doute possible, indépendamment du contexte [3]. Nous avons

1. P. ex. fol. 310r,5, on ne peut certainement pas restituer *hoc* ⌈*modo*⌉ ; fol. 337v,3, certainement pas ⌈*permisi*⌉*s̩ti* ; etc.
2. L'abréviation *xps* est rendue par *Cr(istu)s*, et de même pour les mots dérivés ; quand ils sont écrits en toutes lettres dans le manuscrit, ils ne comportent jamais de *h*. L'abréviation *ihs*, qui est rendue par *Ih(esu)s*, devrait en rigueur être transcrite *Ie(su)s*, car, comme la précédente, elle a été reprise au grec, et le *h* correspond à la majuscule *êta*. Là où l'abréviation fait appel à des lettres qui ne figurent pas dans le mot écrit en entier, la chose est signalée dans l'apparat critique; p. ex. *dd = dixerunt*, *legg = legati*, etc. Sur les abréviations utilisées dans les scolies, voir Gryson-Gilissen, *Parisinus*, p. 9.
3. Par exemple un *m* dont il manque seulement le troisième jambage.

donné comme restituées celles dont il ne subsiste plus qu'une toute petite partie, de sorte que ce vestige pourrait aussi bien appartenir à de nombreuses lettres différentes [1]. Les autres sont signalées comme douteuses.

Nous avons renoncé, d'autre part, après avoir fait différents essais en ce sens, à utiliser d'autres signes pour marquer d'autres particularités, comme les additions interlinéaires que nous reprenons dans notre texte, les lettres annulées par le scribe ou par un correcteur, les lettres ou les mots que nous rejetons nous-même. En effet, le texte, trop chargé en signes de toute sorte, s'apparenterait souvent alors à un rébus et deviendrait trop difficile à lire, surtout quand il faut faire abstraction, dans la pensée, des lettres annulées. Nous avons jugé préférable de renvoyer l'indication de ces particularités dans un apparat critique.

Nous avons respecté scrupuleusement l'orthographe du manuscrit et nous n'avons introduit de correction qu'en cas de faute manifeste. Quand une graphie insolite risque d'égarer le lecteur ou de lui faire croire à une faute d'impression, nous avons indiqué dans l'apparat quelle serait l'orthographe classique ou confirmé la leçon du texte [2].

Nous n'avons pas cru utile de faire état, dans l'apparat critique, des leçons erronées ou insuffisamment garanties des éditeurs précédents. Nous pensons que les exemples donnés dans les pages qui précèdent montrent assez qu'on ne peut guère leur accorder de confiance, et qu'il est prudent de s'en tenir à ce qu'on voit dans le manuscrit [3]. Toutes les indica-

---

1. Par exemple un *t* dont seule subsiste l'extrémité gauche de la barre, réduite aux dimensions d'un point.

2. Sur l'orthographe des scolies, voir GRYSON-GILISSEN, *Parisinus*, p. 9.

3. Un exemple suffira à montrer qu'il serait sans profit de mettre simplement sous les yeux du lecteur, sans commentaire, la liste des leçons insuffisamment garanties et des conjectures gratuites qui ont été avancées précédemment, car il risquerait de s'égarer dans ce fouillis et d'accorder de l'intérêt à ce qui, souvent, n'en mérite aucun. Quant à discuter le tout en détail pour chaque ligne de texte, on verra par cet exemple la place qu'il y faudrait, et on jugera sans doute que cela n'en vaut guère la peine. Il s'agit de la phrase dans laquelle Auxentius évoque le dernier voyage d'Ulfila à Constanti-

tions portées dans l'apparat (*a. corr., p. corr., sup. l.,* etc.)
doivent donc s'entendre du manuscrit, dont il a été jugé
inutile de répéter indéfiniment le sigle.

nople (307v,9-22) ; le manuscrit a été fort abîmé à cet endroit par
l'acide utilisé par Waitz. Les lignes 9-14 se lisent sans trop de mal,
mais de sérieuses difficultés apparaissent à partir de la ligne 15, où
il y a six lettres illisibles. Au milieu de la lacune, Waitz a cru voir
ti ou *d*, et Kauffmann a lu, après trois lettres illisibles, *dem*, à partir
de quoi il a restitué *quidem*. Massmann (Compte rendu, col. 230)
restitue *publicam*, ce qui ne s'accorde pas avec la lecture de Waitz
et est trop long. Müller (« Ulfilas Ende », p. 88), qui ne fait que partiellement confiance à Kauffmann, propose de lire *habendam* ; il a
été suivi par Giesecke, non sans hésitation (*Die Ostgermanen*, p. 21),
ainsi que par Klein (« Auxentiusbrief als Quelle », p. 121) ; mais ce
mot est également trop long. Böhmer (« Wulfila », p. 552), prenant,
lui aussi, des libertés avec la lecture de Kauffmann, suggère *de
fide* ou *fidei*. S'il fallait absolument combler la lacune à partir de la
lecture de Kauffmann, nous écririons plutôt *de fidem* (pour l'orthographe, voir GRYSON-GILISSEN, *Parisinus*, p. 9) ; mais il est
impossible de vérifier cette lecture et il ne semble pas que la lacune
soit importante pour le sens. Plus regrettable peut-être est le fait
qu'on ne puisse lire à la ligne 16 le nom des adversaires avec lesquels Ulfila était invité à débattre, si tant est qu'ils fussent nommément désignés, ce qui n'est pas sûr. Waitz a transcrit *p...i
e.....t.stas*, en ajoutant en note que la deuxième lettre avant le *t*
semblait être un *p*. Sur quoi Massmann (*loc. cit.*) a proposé, au
choix, *patripassianos* ou *p...i.e. donatistas* ou encore *anabaptistas*.
Plus sérieuse apparaît la conjecture de Bessell (*Leben Ulfilas*, p. 38-
39), *psathyropolistas*, qui ne peut cependant être retenue (v. ci-
dessous, p. 153). Sievers (« Nochmals das Todesjahr », p. 251) en
prend à son aise avec la lecture de Waitz lorsqu'il propose de restituer *prepositos hereticos*, en renvoyant à *SM* 349r,10-11. En 1897,
Omont n'a pu reconnaître avec certitude que *p* au début de la ligne
et *tas* à la fin (d'après STREITBERG, Compte rendu, col. 1179). Kauffmann, pour sa part, a lu *pn.........os* et affirme que les profes-
seurs Suchier et Creizenach, qui travaillaient en même temps que
lui à Paris, n'hésitaient pas davantage que lui pour ce qui concerne
les deux premières lettres (Compte rendu, p. 520, n. 2). A partir de
là, Kauffmann restitue *pneumatomacos* ; mais nous savons qu'il
lit souvent les passages douteux et qu'il compte les lettres illisibles
en fonction de ce qu'il entend restituer ; la ligne 16, comparée à
l'ensemble de celles qui figurent dans la marge de gouttière, peut
difficilement comporter moins de 15 lettres, et Auxentius ne peut
avoir désigné les adversaires de la divinité du Saint-Esprit par ce
terme (voir VOGT, Compte rendu, p. 199-200). Auffray et Philippe,
conservateurs à la Bibliothèque nationale, sollicités quelque temps

Scolies ariennes. 4

Nous avons bien conscience que, même avec le compromis adopté, les scolies ne seront pas d'une lecture aussi commode qu'un texte ordinaire. Nous avons cependant estimé préfé-

plus tard de vérifier la lecture de Kauffmann, n'ont pas vu le *n* que celui-ci croyait reconnaître après *p* : « Il y a bien deux jambages après *p*, mais quelque chose avant, puis la place d'une lettre encore, puis la fin du mot, qu'ils n'ont pas réussi à lire » (STREITBERG, *Gotisches Elementarbuch*, p. 16). Plusieurs auteurs ont dès lors préféré s'inspirer plutôt, au moins en partie, de la lecture de Waitz. Böhmer (*loc. cit.*) propose de restituer *impiaetates supradictas*, Müller (« Ulfilas Ende », p. 97) *apollinaristas* ou *priscillianistas* ; mais il est absolument certain qu'il n'y a rien avant *p*, de sorte que seule la dernière de ces conjectures pourrait être prise en considération ; et il est tout à fait invraisemblable que le concile de Constantinople de 383 se soit occupé des priscillianistes. Collitz (« The last days of Ulfila », p. 568) suggère *preuaricatores*, en faisant fi de Waitz aussi bien que de Kauffmann. Zeiller (*Provinces danubiennes*, p. 457), qui a vu le manuscrit, est convaincu que Kauffmann a bien lu et que, jusqu'à nouvel ordre, il faut accepter sa conjecture. Klein, en revanche, la tient pour impossible et donne à choisir entre *perfidos* ou *predictos* ou *prefatos hereticos* (ou *impios*) (« Auxentiusbrief als Quelle », p. 122-123). Nous avons nous-même scruté la ligne litigieuse avec toute l'attention voulue. Malheureusement, il faut se rendre à l'évidence : il est impossible aujourd'hui de lire autre chose que *p* au début de la ligne et *s* à la fin. Par comparaison avec les précédentes et les suivantes, on voit que la ligne comportait probablement 15 lettres, c'est-à-dire qu'il y a entre le *p* et le *s* 13 lettres illisibles. Il serait vain d'avancer une conjecture sur une base aussi mince. Nous pensons que le ou les mots manquants, plutôt que le nom d'une secte déterminée, était une qualification méprisante enveloppant l'ensemble des « hérétiques ». A la ligne 17, le verbe *perrexit* a heureusement été conservé. Mais la suite, jusqu'à la fin de la ligne 22, est désespérée. S'il faut en croire Waitz et Kauffmann, il s'agissait d'une proposition coordonnée à la précédente, avec un verbe à l'indicatif, évoquant l'attitude d'Ulfila tandis qu'il faisait route vers Constantinople. Après *perrexit*, en effet, les deux éditeurs s'accordent à peu près pour lire, avec diverses hésitations et lacunes, *et eundo in D(omi)ni d(e)i n(ostri) nomine* ; quoique la tournure et la formule soient un peu bizarres, cette lecture est plausible, mais on ne peut plus reconnaître aujourd'hui, et encore de façon douteuse, que les seules lettres *in* au début de la ligne 18. Le verbe principal, qui se trouvait apparemment à la fin de la ligne 22, est illisible ; Waitz n'a vu que la désinence *-abat*, et Kauffmann que la terminaison *-at*. Nous ignorons donc quelle était l'attitude d'Ulfila tandis qu'il « marchait dans le nom du Seigneur ». Du verbe en question dépendaient d'après Waitz deux verbes subor-

rable que le lecteur fût amené par les signes diacritiques à s'interroger fréquemment, plutôt que de lui donner l'impression d'une fausse sécurité en imprimant le texte comme s'il ne posait aucun problème.

donnés, qui seraient *docerent et contestarent*[*ur*]. Cette lecture n'est confirmée qu'en partie par Kauffmann, qui a vu seulement *docer* ....*estar*... à l'endroit en cause. Pour notre part, nous n'avons pu déchiffrer, toujours comme douteuses, que les lettres *docer* et *est*. Le verbe *docere* appelant normalement un complément, il faut chercher celui-ci dans les deux lignes qui précèdent. Waitz a lu .*p*...*ecias sibi ax*.....*to*, ce qui est certainement en partie erroné. A la ligne 20, il ne fait guère de doute que les dernières lettres sont *as*, et que Waitz marque trop peu de lettres illisibles ; on admettrait plus volontiers à cet endroit la lecture de Kauffmann, *-bi a xpo* .....*tas*. A la ligne précédente, en revanche, on ne peut faire fond sur la transcription de Kauffmann, qui a lu ...*pi eclesias si-*, car la répétition de *Cristus* à trois mots de distance serait une gaucherie, peu vraisemblable sous la plume d'Auxentius ; nous préférerions restituer à partir de la transcription de Waitz *paroecias*. Kauffmann comprend que, tandis qu'il faisait route vers Constantinople, Ulfila craignait que ses adversaires ne mettent à profit son absence pour tenter de corrompre la foi de ses ouailles. On perçoit aussitôt ce que ce genre de conjecture, fondée sur des lettres isolées ou des bribes de mots dont la plupart sont douteuses, voire lues différemment par les différents éditeurs, a d'aléatoire et de boiteux. Ce serait dans la meilleure hypothèse une pyramide reposant sur sa pointe. Si *eclesias* peut s'entendre comme complément de *docerent*, il n'en va pas de même avec l'autre verbe lu par Waitz, *contestarentur*. Kauffmann est donc contraint de rejeter cette leçon pour restituer *infestarent*, tandis que Klein (*loc. cit.*) corrige froidement *docerent*, qui est pourtant le mot le moins douteux, en *delerent*. D'autres ont cherché le sens dans des directions toutes différentes, en respectant plus ou moins les signes encore lisibles. C'est ainsi que Massmann (*loc. cit.*) restitue — si on peut encore employer ce verbe — les lignes 17-22 de la façon suivante : *et cum ii singulares profecias sibi a xto factas docerent et contestarentur properabat.* Müller (« Ulfilas Ende », p. 91-93) propose de lire *et eundo in Domini dei nostri nomine, ne profecias* (ou *fallacias*, ou *facetias*) *sibi a Cristo factas* (ou *inflatas*) *docerent et contestarentur instabat.* Leuthold (« Ulfila », p. 388-389) suggère, quant à lui, *et eundo in eorum (illorum) nomine, (ut) Cristi eclesias sibi auxilio lato* (ou *auxiliato*) *docerent et contestarentur exorabat.* Toutes ces conjectures — et il en est encore de plus farfelues — témoignent, certes, d'une grande imagination. Il nous semble cependant que la rigueur commande de s'abstenir quand la base de départ est aussi mince et aussi peu sûre.

CHAPITRE II

LE CONTENU DES SCOLIES

Tous les historiens qui, à notre connaissance, ont traité des scolies du *Parisinus*, considèrent comme allant de soi qu'il s'agit, d'un bout à l'autre, d'une œuvre unique. Ils rendent compte de la soi-disant « lacune » qui sépare les deux blocs de scolies (298r-311v et 336r-349r) par le fait que l'auteur se serait réservé la possibilité de compléter son œuvre dans les pages intermédiaires[1], ou bien, s'ils ne reçoivent pas le texte pour autographe, par le fait que le copiste se serait réservé la possibilité de transcrire plus tard une partie de l'œuvre jugée moins intéressante[2]. Ils ne s'expliquent pas autrement sur la raison de ces comportements inhabituels, ni sur le motif pour lequel les marges qui sont demeurées vierges n'ont finalement pas été utilisées.

En réalité, quand on ouvre le manuscrit sans idée préconçue, on constate qu'il y a des scolies en deux endroits de celui-ci : en marge du *De fide* d'Ambroise, c'est-à-dire à partir du fol. 298r, d'une part, et en marge des actes d'Aquilée, c'est-à-dire à partir du fol. 336r, d'autre part. Les deux textes s'interrompent avant la fin des œuvres figurant dans le texte central, à savoir au milieu du fol. 311v, pour le premier, et au bas du fol. 349r, pour le second. Tous deux concernent le même sujet : la controverse entre l'évêque arien Palladius de Ratiaria et Ambroise, qui atteint son point culminant au concile d'Aquilée de 381, où Palladius fut condamné avec son collègue Secundianus. Mais rien n'in-

1. P. ex. Bessell, *Leben Ulfilas*, p. 51 ; Bernhardt, *Gotische Bibel*, p. xi ; Kaufmann, « Untersuchungen », p. 195 ; etc.
2. P. ex. Kauffmann, *Dissertatio*, p. xxxix et xlii ; Saltet, « Un texte nouveau », p. 120 ; Usener, Compte rendu, col. 363-364 ; Zeiller, *Provinces danubiennes*, p. 483, n. 2 ; etc.

LE CONTENU DES SCOLIES

dique que le second texte soit la continuation du premier.
L'examen paléographique montre qu'ils ont été transcrits
par des mains différentes [1]. Le second ne renvoie pas au
premier, comme à une partie précédente d'une même œuvre.
S'il y a renvoi de l'un à l'autre, ce serait plutôt du premier
au second, et il semble bien que le second texte se trouvait
déjà dans le manuscrit quand y a été transcrit le premier [2].

Tout ceci invite au moins à étudier séparément, pour commencer, le premier texte et à se demander ensuite, quand
auront été tranchées les questions de critique qui se posent
à son propos, si le second peut être attribué au même auteur
et considéré comme appartenant à la même œuvre.

I. LES COMMENTAIRES DE MAXIMINUS (fol. 298r-311v)

Le premier bloc de scolies s'ouvre sur un commentaire
des actes du concile d'Aquilée par un évêque nommé Maximinus. Ce commentaire se présente à la façon des commentaires anciens, c'est-à-dire que le texte commenté est reproduit tout au long, les explications du commentateur venant
s'insérer au fur et à mesure dans le cours du texte. Chacune
de ses interventions est précédée de la formule *Maximinus
episcopus disserens* (ou *interpretans*) *dicit* [3], sauf lorsqu'il
s'agit simplement de deux ou trois mots glissés en passant
dans le texte. L'évêque Maximinus n'est guère inspiré. Ses
réflexions sont aussi pauvres que son style est plat, et elles
se bornent souvent à répéter, en d'autres mots, le contenu
du texte (298r,1-302r,35). Assez vite, il ne trouve plus rien
à dire, et le texte est reproduit sans commentaire (302r,35-
303v,6). Se rendant compte que c'est peine perdue, d'autant
plus que le texte figure déjà dans le manuscrit, l'auteur

1. Voir GRYSON-GILISSEN, *Parisinus*, p. 22.
2. V. ci-dessous, p. 93-94.
3. Dans un cas (299r,2), il semble que le participe fasse défaut
dans la formule ; il y a une lacune à cet endroit, mais elle est nettement trop courte pour que le participe puisse y trouver place. Quand
le verbe principal est écrit en toutes lettres, il est au présent (299r,2-
3 ; 299r,16 ; 300v,1 ; 301v,10), sauf la première fois, où il est au
parfait, comme dans les actes (298r,31).

invite le lecteur à s'y reporter, et, ayant indiqué brièvement
à quoi se ramène, d'après lui, l'opposition entre Palladius
et ses contradicteurs, il annonce qu'il va produire une série
de professions de foi conformes aux enseignements divins
et à la tradition chrétienne authentique (303v,6-304r,40).
En fait, nous ne trouvons qu'une seule profession de foi,
celle de l'apôtre des Goths, Ulfila, venant après un exposé
détaillé de la théologie et de la carrière de celui-ci par un de
ses disciples (304r,40-308r,35). Cet exposé suscite de nouveaux commentaires, après quoi le texte marginal s'arrête
(308r,35-311v,10). Ici encore, l'auteur semble avoir présumé
de ses forces et s'avère incapable de mener à bien son entreprise.

Nous examinerons successivement les deux textes com-
mentés, puis les commentaires eux-mêmes.

1. Les textes commentés

a. *Les actes du concile d'Aquilée* (= *SG*)

C'est à l'initiative d'Ambroise que les débats du concile
d'Aquilée ont été sténographiés. Alors qu'on avait déjà discuté sans succès pendant plusieurs heures dans la matinée
du 3 septembre 381, il fit avancer des clercs connaissant les
notae et demanda à ses collègues d'ordonner que les déclarations de chacun soient enregistrées[1]. Il eût été normal,
en pareille circonstance, que les débats soient enregistrés
de manière contradictoire par des sténographes des deux
partis, comme ce fut le cas, par exemple, à la conférence de
Carthage en 411. Un tel procédé offrait une garantie supplémentaire d'exactitude et d'objectivité et empêchait toute
contestation ultérieure[2]. Mais Ambroise ne crut pas devoir
prendre cette précaution. Quand Palladius lui fait observer,
dans le cours de la discussion, que les sténographes sont de
son bord, l'évêque de Milan lui rétorque que les gens de sa

---

1. *Gesta*, 2.
2. Voir S. LANCEL, *Actes de la conférence de Carthage en 411*,
t. 1 : *Introduction générale* (*SC* 194), Paris 1972, p. 342-346.

suite peuvent prendre des notes également s'ils le veulent [1]. Un peu plus tard, le prélat arien renouvelle sa requête, en insistant pour que tout soit enregistré, et on lui fait une réponse semblable [2]. Il répète encore une fois la même demande quelques instants plus tard, et le président de l'assemblée réplique sèchement que tout ce qu'il a dit et tout ce qu'il a nié, a été noté dans son entier [3]. Juste avant qu'on ne prononce sa condamnation, enfin, Palladius réclame un nouveau débat en présence d'auditeurs laïcs et de greffiers des deux partis [4]. Son collègue Secundianus se plaint également des sténographes : « Ce que je dis, on ne l'écrit pas », fait-il observer à Ambroise, « et ce que tu dis, on l'écrit [5] ».

C'est également à l'intervention des nicéens que les sténogrammes ont été mis au net et publiés [6]. Maximinus ne manque pas de le souligner dans ses commentaires : *ut ipsi aiunt, sicut eorum falsa gesta testantur, ut gesta ab ipsis ereticis confecta indicant*, etc. [7]. Il accuse les rédacteurs d'avoir écrit ce qui leur plaisait, d'avoir déformé certaines réponses de Palladius pour les rendre ridicules [8]. Que faut-il penser de ces accusations ? Il est évident que l'enregistrement et la transcription non contradictoires des procès-verbaux de séance ne sont pas faits pour inspirer confiance. Il est peu vraisemblable, cependant, qu'Ambroise, ancien fonctionnaire impérial, ait pris le risque de truquer délibérément un document de caractère officiel, rendant compte d'un débat qui s'était déroulé devant de nombreux témoins. L'erreur des condamnés était à ses yeux suffisamment manifeste pour qu'il ne fût pas besoin d'user à leur encontre d'artifices douteux. Les accusations de Maximinus ne résistent pas à l'examen. Certes, les actes ne font pas mention de certains incidents d'audience peu édifiants, que nous connaissons par

1. *Gesta*, 34.
2. *Gesta*, 43.
3. *Gesta*, 46.
4. *Gesta*, 51-52.
5. *Gesta*, 69.
6. Sur les modalités de ce travail, voir Lancel, *op. cit.*, p. 346-353.
7. *SM* 299r,35 ; 303v,33-34 ; 308r,38, etc.
8. *SM* 301v,18-20.37-38 ; 302r,30-35.

ailleurs. Mais l'objet d'un document de ce genre est de rendre compte des paroles prononcées, non des faits et gestes de chacun et, dans ces limites, il ne semble pas qu'on puisse les prendre en défaut. Le témoignage de la partie arienne confirme les actes pour l'essentiel et ne saurait leur être opposé pour le détail [1]. Certaines parties des débats qui, objectivement, n'ont pas tourné à l'avantage des nicéens, notamment celle où Palladius dénonce leurs intrigues auprès de l'empereur pour empêcher la réunion du concile général qui avait été projeté, ne sont pas escamotées dans les actes et sont, selon toute apparence, fidèlement reproduites. L'assurance de Palladius, quand il s'avance sur ce terrain, et l'embarras d'Ambroise sont évidents [2]. Il est significatif qu'un historien aussi critique et aussi peu favorable à l'évêque de Milan que M. von Campenhausen n'ait pas douté de la crédibilité des actes [3]. Il n'a pas manqué de relever, à juste titre, l'impression de fraîcheur et de vie qui s'en dégage, le caractère simple et sans apprêt de cette langue parlée où apparaissent plus d'une fois les imperfections caractéristiques de l'expression orale. Il n'exclut pas, toutefois, que les sténographes nicéens aient pu abréger quelque peu certaines interventions des évêques ariens, comme le leur reproche Secundianus. Mais cette réserve ne nous paraît pas justifiée. La brièveté, d'ailleurs toute relative, de ces interventions n'est pas imputable aux sténographes. Elle est tantôt l'expression d'une assurance et d'une conviction profonde, qui n'éprouve pas le besoin de se justifier par un long discours, tantôt une façon de se dérober en refusant la discussion ou en se réfugiant dans l'ambiguïté, tantôt le fruit du sentiment que les jeux sont faits et qu'il ne sert plus à rien d'argumenter.

Le texte des actes n'a été transmis que par un petit nombre de manuscrits. Tous dépendent de la copie contenue dans le corps du *Parisinus* où figurent les scolies ariennes ; ils ont en commun, en effet, une faute remarquable qui ne peut s'expli-

---

1. Voir ci-dessous, p. 96-97 et 133-142.
2. *Gesta*, 6-12.
3. *Ambrosius von Mailand*, p. 65, n. 3.

quer que par cette dépendance [1]. Le *Parisinus* n'a pas conservé le texte des actes au complet ; celui-ci s'interrompt
brusquement au milieu de l'interrogatoire du second accusé,
l'évêque Secundianus [2]. Quant aux scolies, elles ne repro-
duisent que le quart du texte conservé, Maximinus n'ayant
pas poursuivi ses commentaires au-delà. Il est manifeste
que le texte figurant dans les scolies n'a pu être copié sur
celui qui figure dans le corps du manuscrit, car les deux
textes ne se trouvent pas en regard l'un de l'autre, et on ne
voit pas le scribe tournant les pages tous les deux ou trois
mots pour se reporter à son modèle ; les deux textes diffèrent,
du reste, par d'assez nombreux détails, tout en ne reflétant
pas deux traditions fondamentalement différentes. Il n'est
pas possible de dire exactement quels rapports l'exemplaire
de Maximinus entretenait avec le *Parisinus*, car la faute
remarquable dont il a été question plus haut se rencontre
dans une phrase qui n'est pas reprise dans les scolies. En
maints endroits, le texte de Maximinus, comme celui des
manuscrits médiévaux, est meilleur que celui du *Parisinus*,
mais cela n'exclut nullement l'hypothèse d'une dépendance
et cela n'implique même pas l'apport d'une autre branche
de la tradition, car les fautes du *Parisinus* sont souvent gros-
sières, et les corrections évidentes. D'autre part, un passage
irrémédiablement corrompu dans le *Parisinus* l'était tout
autant dans l'exemplaire de Maximinus [3].

Nous avons reproduit en appendice le texte complet de la
partie conservée des actes, afin que le lecteur des scolies
puisse, ici comme dans le *Parisinus*, trouver dans le même

1. Nous devons cette indication à l'amabilité de Mme M. Zelzer,
qui prépare l'édition des actes pour le Corpus de Vienne et qui a
bien voulu nous communiquer avant publication son texte et son
apparat critique. Voir son article *Probleme der Texterstellung im
zehnten Briefbuch des heiligen Ambrosius und in den Briefen extra
collectionem*, dans *Anz. der phil.-hist. Kl. der Oesterr. Akad. der
Wiss.*, 115 (1978), p. 431-439.

2. Ce fait n'est pas dû, comme on pourrait le supposer, à la disparition d'un ou de plusieurs feuillets du manuscrit, car le texte
s'achève à l'avant-dernière ligne de la dernière colonne par le mot
amen.

3. Cf. *Gesta*, 11, et *SM* 302r,17-28.

volume ce texte auquel Maximinus renvoie celui qui sou-
haiterait prendre connaissance de l'ensemble des débats [1].

b. *La lettre d'Auxentius* (= SA)

La seule profession de foi dont Maximinus, qui en avait
annoncé plusieurs, donne le texte après son commentaire
avorté des actes d'Aquilée, pour cautionner en quelque sorte
l'orthodoxie de Palladius, est celle d'Ulfila. Elle est contenue dans un document présenté comme une lettre [2], dont
sans doute l'auteur, et peut-être les destinataires ou l'occasion, étaient indiqués dans une ligne qui a malheureusement
été emportée par la rogneuse au bas d'une page [3]. L'auteur
nous est connu, néanmoins, grâce au commentaire qui fait
suite à la citation du document, et qui nous apprend incidemment qu'il se nommait Auxentius [4]. Une glose précise
au même endroit que cet Auxentius était évêque, et nous
savons par ailleurs qu'il existait un évêque arien de ce nom,
contemporain de Palladius, dont le siège était Dorostorum,
en Mésie inférieure [5]. L'auteur de la lettre se présente comme
le disciple et le fils spirituel d'Ulfila, auquel il avait été confié
dès son plus jeune âge par ses parents, et dont il avait reçu

---

1. Puisque tous les manuscrits médiévaux dépendent du *Parisinus*, le problème de l'édition des actes revient à corriger au mieux
le texte du *Parisinus* — qui est fort corrompu en dépit de sa haute
antiquité — en s'inspirant avec prudence : 1º des nombreuses corrections que différentes mains ont apportées dans le texte oncial ;
2º des scolies, pour la partie du texte qu'elles ont conservée ; 3º des
manuscrits médiévaux, qui témoignent d'essais de correction parfois judicieux ; 4º des éditions imprimées antérieures. Le texte
que nous proposons ne concorde pas toujours avec celui de Mme Zelzer ; en cas de divergence, le lecteur jugera, au vu de l'apparat
critique figurant dans le Corpus de Vienne, laquelle des deux leçons
lui paraît préférable. On se souviendra qu'au point de départ de la
tradition textuelle des actes se trouvent des sténogrammes en notes
tironiennes, où les confusions possibles, notamment pour les dési-
nences, sont innombrables si l'on n'est pas très attentif (voir p. ex.
E. CHATELAIN, *Les notes tironiennes*, Paris 1901).
2. *SM* 304r,41.
3. *SM* 304r,42.
4. *SM* 308v,2 ; v. aussi *SM* 349r,7-8.
5. *SP* 348v,36-37.

son instruction religieuse [1]. Or, c'est précisément en Mésie qu'Ulfila était établi avec ses Goths [2]. Il n'y aurait rien d'étonnant à ce qu'un clerc formé à l'école d'Ulfila soit devenu évêque dans cette région où il avait passé toute sa jeunesse, et il est vraisemblable, par conséquent, que l'auteur de la lettre ne soit autre que l'évêque de Dorostorum mentionné ailleurs dans les scolies. On ne peut pas, en revanche, identifier cet Auxentius à l'adversaire arien d'Ambroise dans l'affaire des basiliques, en 385-386, comme l'a soutenu Klein [3]. Cet homme s'appelait en réalité Mercurinus, et Auxentius n'était qu'un pseudonyme, choisi pour évoquer le souvenir du prédécesseur arien de l'évêque de Milan. M. A. Lippold a tout à fait raison de juger les arguments de Klein « peu convaincants [4] ».

Les premiers jugements critiques portés sur la lettre d'Auxentius ont été favorables. Massmann et Kaufmann, par exemple, y perçoivent l'écho direct de la prédication de l'apôtre des Goths et ne doutent pas de sa crédibilité [5]. Il faut attendre la fin du XIXe siècle pour voir celle-ci mise en cause. Fr. Jostes, faisant confiance aux historiens nicéens postérieurs, croit qu'Auxentius a déformé la pensée de son maître [6]. D'après W. Luft, le témoignage d'Auxentius, tel qu'il est rapporté dans les scolies, se compose de deux parties, qui ne peuvent pas avoir primitivement constitué un tout. La première partie (304v,1-306v,18) consiste en un exposé détaillé de la doctrine d'Ulfila, que l'auteur s'applique à circonscrire de tous côtés en l'opposant à celle des multiples sectes de l'époque. Ce morceau, rédigé dans un style sobre et précis, a été retranscrit textuellement par Maximinus. La seconde partie, qu'on pourrait appeler biographique (306v,18-

---

1. *SA* 306v,4-18.

2. Philostorge, *Hist. eccl.*, II, 5 (*GCS* 21, p. 18,7-14).

3. K. K. Klein, « Ist der Wulfilabiograph Auxentius von Durostorum identisch mit dem mailändischen Arianerbischof Auxentius Mercurinus ? », dans *BGDS* 75 (1953), p. 165-191.

4. « Ulfila », col. 529.

5. Massmann, Compte rendu, col. 223 ; Kaufmann, « Untersuchungen », p. 206.

6. « Todesjahr Ulfilas », p. 180-187 ; v. ci-dessous, p. 167, n. 2, et 171-172.

307v,38), se présente tout autrement ; le style en est fort ampoulé, et les références bibliques sont accumulées à tout propos et parfois hors de propos. Nous ne serions pas ici devant un texte authentique d'Auxentius, mais devant le remaniement, dû à Maximinus, d'une notice biographique d'Auxentius sur Ulfila, indépendante de l'exposé dogmatique qui précède ; cette notice aurait également servi de source à Philostorge [1]. Kauffmann a estimé à bon droit que cette théorie était trop inconsistante pour mériter d'être discutée [2]. Müller n'est pas moins sévère et condense son appréciation en un jeu de mots féroce : « Der Versuch Lufts schwebt in der Luft [3]. » Un peu plus tard, Zeiller a joint sa voix à celle des deux précédents : « Cette critique », dit-il, « ressortit à une littérature d'imagination dont les philologues germaniques ont singulièrement abusé [4]. »

Tout cela n'a pas empêché les « philologues germaniques » de récidiver, puisque Streitberg fait état, dans la sixième édition du *Gotisches Elementarbuch*, des recherches de son collègue Sievers aboutissant à un nouveau découpage, légèrement différent, de la lettre d'Auxentius : nous aurions d'abord un texte authentique de ce dernier (304v,1-306v,27), suivi d'un « mélange confus de sources et d'interpolations, *ein buntes Gemisch von Quellen und Einschiebungen* » (306v,27-307v,34) ; puis, Auxentius ressort de nouveau clairement, bien qu'il y ait encore des additions (307v,34-308r,2) ; enfin, la confession d'Ulfila représenterait de nouveau Auxentius à l'état pur (308r,2-35) [5]. Comme Sievers n'a jamais publié le détail de ses recherches, il est impossible de savoir sur quels arguments il se fondait, et sa théorie n'apparaît pas plus sérieuse que celle de Luft.

La philologie allemande, à l'égard de laquelle Zeiller se montrait si dédaigneux, n'a d'ailleurs pas le monopole de ce qu'il appelle la « littérature d'imagination ». Dom Capelle, examinant à son tour la lettre d'Auxentius, crut y déceler

1. « Quellen », p. 291-302.
2. *Dissertatio*, p. LIX-LX.
3. « Ulfilas Ende », p. 76-79.
4. *Provinces danubiennes*, p. 443, n. 1.
5. *Gotisches Elementarbuch*[6], p. 9.

en maints endroits l'intervention de Maximinus et expliquait ainsi une prétendue erreur historique qu'il y avait découverte [1]. La réplique circonstanciée que Zeiller a donnée à son article, dispense de s'y arrêter davantage [2].

H. E. Giesecke, pour sa part, a voulu retrouver derrière la partie dogmatique de la lettre d'Auxentius le credo eucharistique d'Ulfila [3]. Impressionné par la clarté et par la cohérence de cet exposé, il en retranche toutes les considérations polémiques ou didactiques, ainsi que les citations scripturaires, et aboutit à un squelette qui serait le credo en question [4]. En réalité, cette manipulation ne prouve rien, sinon que l'exposé étudié est, de fait, bien charpenté, que l'auteur a un esprit clair et qu'il n'ignore pas un certain nombre de procédés littéraires élémentaires (assonances, allitérations, groupements structurés de synonymes, etc.) propres à rendre plus frappante l'expression de la pensée. Mais que le canevas de cet exposé, tel que l'isole Giesecke, ne soit autre que le credo eucharistique d'Ulfila, c'est une affirmation gratuite, d'autant plus sujette à caution que le credo n'apparaît dans la messe latine qu'au Moyen Age.

Nous avons ainsi fait le tour des diverses théories qui ont été proposées au sujet de la lettre d'Auxentius [5]. La conclusion de ce bref état de la question est claire : un demi-siècle de critique insistante n'a pas réussi, en fin de compte, à mettre en cause son unité littéraire et sa valeur historique. Il est évident qu'elle comporte deux parties : la première

---

1. « Lettre d'Auxence », p. 224-233.
2. J. Zeiller, « Le premier établissement des Goths chrétiens dans l'empire d'Orient », dans *Mélanges offerts à M. Gustave Schlumberger*, t. I, Paris 1924, p. 3-11.
3. Il oppose ce credo eucharistique (*Messbekenntnis*) au credo baptismal (*Taufbekenntnis*) d'Ulfila, qui serait, d'après lui, la profession de foi testamentaire reproduite à la fin de la lettre d'Auxentius. En réalité, celle-ci est une formule dogmatique, non un symbole liturgique.
4. *Die Ostgermanen*, p. 29-38.
5. Klein (« Auxentiusbrief als Quelle », p. 107-119) ne fait que reprendre, sans plus d'argument, les théories de Sievers et de Giesecke. Hanssens (« Massimino », p. 498-502) dépend de Capelle, en ignorant la réplique de Zeiller.

traite de la doctrine d'Ulfila (304v,1-306v,4), la seconde
rappelle les principaux faits de sa vie et s'achève sur la profession de foi qui constitue son testament spirituel (306v,4-
308r,35). Mais il n'y a entre ces deux parties aucune différence qui porterait à conclure que l'ensemble ne serait pas
d'une seule venue, ou qu'une des deux parties aurait été
remaniée, ou interpolée, ou élaborée à partir d'une source
préexistante. Bien au contraire, on retrouve d'un bout à
l'autre le même ton solennel qui convient à un éloge funèbre,
les mêmes procédés littéraires qui concourent à donner au
style une allure enflée et redondante, notamment l'accumulation pléonastique de synonymes et l'usage systématique de
la construction polysyndétique [1]. Nous n'avons donc pas à
prendre ce texte pour autre chose que ce pour quoi il nous
est donné : une lettre dans laquelle Auxentius, fils spirituel
d'Ulfila, fait l'éloge de son maître défunt, en rappelant
d'abord sa fidélité intransigeante à la vraie doctrine, puis les
faits marquants de sa vie. On ne voit aucune raison de dénier
à l'auteur la qualité de témoin privilégié à laquelle il prétend,
pas plus qu'on ne découvre de motif de douter de sa véracité.

A qui cette lettre était-elle adressée, et dans quelles circonstances fut-elle écrite ? D'après Bessell, elle aurait été
rédigée immédiatement après la mort d'Ulfila, à Constantinople, à l'intention de gens se trouvant eux-mêmes à Constantinople, et elle était destinée, plus précisément, à être lue
devant l'empereur lors des discussions dogmatiques qui ont
précédé l'édit *Nullus haereticis* du 10 janvier 381 [2]. G. Kaufmann partage cette opinion ; tout en faisant voir la faiblesse
de certains arguments de Bessell, il se flatte d'en proposer
de meilleurs [3] ; mais il s'illusionne sur ce point. Comme l'a

---

1. Cette prédilection pour la construction polysyndétique est
une des caractéristiques les plus apparentes du style d'Auxentius
dans sa lettre. Dans ce texte, la conjonction *et* représente plus de
10 % du nombre total des mots, ce qui est une fréquence très anor-
malement élevée (cette fréquence est normalement inférieure à
5 %). La fréquence de *et* est la même, à quelques millièmes près,
dans les deux parties de la lettre.

2. *Leben Ulfilas*, p. 45-48.

3. « Untersuchungen », p. 202-206.

fait justement observer Fr. Kauffmann, il est inimaginable qu'on ait pu s'adresser publiquement à l'empereur en des termes aussi violemment hostiles à l'orthodoxie officielle, immédiatement après l'édit de Thessalonique et l'expulsion de Démophile de Constantinople. D'après lui, les destinataires de la lettre doivent être cherchés parmi les ariens de Mésie [1]. Cette hypothèse ne manque pas de vraisemblance. Il est raisonnable de penser qu'Auxentius, ayant accompagné son maître dans son dernier voyage à Constantinople, au printemps de 383 [2], a écrit aux fidèles d'Ulfila après sa mort, pour leur faire part de celle-ci et leur transmettre son ultime profession de foi, en même temps que pour célébrer sa mémoire et tirer la leçon de sa vie. Mais peut-être cette lettre de circonstance était-elle aussi destinée à un cercle plus large, c'est-à-dire à l'ensemble des coreligionnaires d'Ulfila, dont la situation était fort compromise à ce moment-là. L'historien Socrate rapporte qu'après l'échec du concile de Constantinople de 383 et la prise de position de l'empereur en faveur du parti nicéen, les chefs des autres sectes écrivirent à leurs fidèles pour les encourager à ne pas faiblir devant l'adversité [3]. La lettre d'Auxentius pourrait également avoir été écrite dans ce but, en proposant la figure de l'évêque goth comme un modèle de fermeté dans l'épreuve et de constance dans la foi. Quoi qu'il en soit, ce document est certainement de très peu postérieur à la fin d'Ulfila, qu'il évoque avec une émotion que le temps n'a pas encore estompée.

2. Les commentaires (= *SM*)

Les commentaires, œuvre originale de Maximinus Avant de tenter d'identifier l'auteur, il faut examiner la thèse qui dénie à l'évêque Maximinus la paternité immédiate des commentaires tels que nous les avons dans les scolies, et qui affirme que celles-ci nous livrent seulement un résumé d'une œuvre plus vaste.

1. *Dissertatio*, p. LIX, n. 3. De même ZEILLER, *Provinces danubiennes*, p. 498, n. 1.
2. V. ci-dessous, p. 157-161.
3. *Hist. eccl.*, V, 10 (*PG* 67, col. 593 A).

L'idée que nous n'aurions pas dans les scolies les commentaires originaux de Maximinus a été lancée par Usener. Il lui paraît impossible que Maximinus, dans son propre texte, ait introduit ses réflexions à propos des actes de la même façon que les répliques des évêques sont introduites dans les actes eux-mêmes : *Ambrosius dixit, Palladius dixit, Maximinus dicit*. Cette dernière formule sort, selon lui, de la même plume que les chevilles *sequitur, sequitur in ipsis gestis*, etc., rejetées comme des interpolations par Kauffmann. Elles révéleraient l'intervention d'un abréviateur, qui n'aurait transcrit dans les scolies que des extraits des commentaires de Maximinus [1].

Vogt est allé encore plus loin qu'Usener, en attribuant à l'abréviateur, et non à Maximinus, tout ce qui suit le commentaire des actes proprement dit, c'est-à-dire l'ensemble des considérations qui encadrent la lettre d'Auxentius (303v,6-311v,10) [2]. Cette théorie a été longuement ressassée par Klein, qui voit dans les scolies une collection de documents reliés par des remarques du compilateur, les extraits du commentaire de Maximinus sur les actes d'Aquilée constituant le premier de ces documents [3].

A l'examen, l'opinion de Usener, à peine justifiée par une ébauche d'argumentation, ne saurait être retenue. On ne voit pas pourquoi il serait impossible, malgré l'impression qu'il a eue, que Maximinus ait utilisé, pour introduire les réflexions qu'il insère dans le texte des actes d'Aquilée, une formule analogue à celle qui introduit les répliques des divers

1. Compte rendu, col. 363-364.
2. Compte rendu, p. 194-198. KAUFFMANN (Compte rendu, p. 519) s'est rallié à cette opinion. MÜLLER (« Ulfilas Ende », p. 82) l'a également faite sienne.
3. « Dissertatio als Quelle », p. 239-255. Hanssens se range à l'avis de Usener pour ce qui concerne le commentaire des actes (298r,1-303v,6). La phrase renvoyant au texte des actes (303v,6-10) vient, selon lui, de l'abréviateur, mais le développement qui suit (303v,10-304r,40) appartiendrait encore au commentaire de Maximinus (« Massimino », p. 483-487). Quant aux réflexions sur la lettre d'Auxentius (308v,35-311v,10), il s'en tient à un *non liquet* évidemment conditionné par les théories de Vogt et de Klein, bien qu'il ne les cite pas davantage que Usener (*ibid.*, p. 502-503).

orateurs. Il serait, au contraire, invraisemblable qu'il ne l'ait pas fait, car ses commentaires, dans ce cas, se distingue-raient malaisément des interventions des orateurs. Quant à imaginer un commentaire qui aurait existé indépendamment du texte commenté, cela serait encore plus inconcevable, car on ne verrait pas du tout, dans ce cas, à quelle partie du texte les commentaires se rapportent.

De même, des chevilles comme *sequitur*, dans le commen-taire des actes, s'expliquent fort bien sous la plume de l'au-teur lui-même. Il faut se représenter un texte en écriture continue, comme c'est le cas dans les manuscrits anciens, sans majuscules, sans ponctuation, sans alinéa, sauf aux grandes divisions de l'ouvrage, c'est-à-dire un texte où il n'existe aucun signe pour marquer qu'on passe d'une phrase de l'auteur à une citation, et inversement. Le mot *sequitur* joue en somme le rôle de nos guillemets, quand l'auteur craint que la frontière entre son texte et ses citations n'échappe au lecteur [1]. Ainsi au fol. 299v,36, *sequitur* marque qu'après une réflexion incidente de l'auteur, on reprend le fil d'une citation de Cyprien ; de même au fol. 301r,4, qu'a-près un commentaire particulièrement développé, on revient au texte des actes (*sequitur in ipsis gestis*). Ainsi s'explique également que, dans le cours d'un commentaire, on voit réap-paraître la formule *Maximinus episcopus disserens dicit* (300v,1) ; elle indique qu'après une longue citation de Cyprien, le commentateur reprend la parole pour en relever la pointe. A l'inverse, quand celui-ci a lieu de craindre que le lecteur ne considère prématurément la citation comme ache-vée, il prend soin de souligner qu'elle se poursuit en inter-calant un *ait* dans le texte cité (300r,6). Il n'y a rien dans tout cela que de très naturel, rien qui invite à suspecter l'intervention d'un abréviateur.

Il n'y a pas non plus le moindre indice, dans le contenu même des commentaires, de ce qu'ils auraient été amputés

---

1. C'est la même raison pour laquelle les auteurs anciens font régulièrement précéder leurs citations scripturaires d'un *dicens* ou d'une formule analogue, souvent difficile à rendre en traduction française : c'est simplement l'équivalent de notre double point, suivi des guillemets.

ou condensés de quelque manière. Bien au contraire, la façon
dont le texte cité et le commentaire, en maints endroits,
s'interpénètrent et s'enchaînent, rend manifeste que l'on se
trouve devant une œuvre originale, et non devant la composition plus ou moins malhabile d'un excerpteur [1]. Sans aucun
doute, les scolies nous livrent tel quel le commentaire de
l'évêque Maximinus sur les actes d'Aquilée, et non des
extraits glanés dans celui-ci.

Quant à l'affirmation de Vogt selon laquelle les réflexions
qui suivent le commentaire des actes proprement dit, ne
seraient pas l'œuvre de Maximinus, mais celle de l'abréviateur du commentaire, elle tombe évidemment en même
temps que l'hypothèse de l'abréviateur. La phrase introduisant les commentaires sur la lettre d'Auxentius, insinue
d'ailleurs assez ouvertement que c'est toujours le même
commentateur qui est à l'œuvre : « Vt autem recitatum est
ab Auxentio de recogitato statu concilii, ne arguerentur
miseris miserabiliores, proprio iudicio damnati et perpetuo
suplicio plectendi heretici, *hoc ipsum necesse est ut dissera-
mus* [2]. » Au surplus, l'étude de langage à laquelle nous allons
nous livrer pour identifier Maximinus, fait apparaître les
mêmes caractéristiques dans les commentaires sur les actes
et sur la lettre d'Auxentius. On n'a donc aucune raison de
ne pas attribuer l'ensemble des commentaires à Maximinus.

**L'évêque
Maximinus,
adversaire
d'Augustin**   Qui est l'évêque Maximinus ? C'est un arien,
très certainement, étant donné l'ardeur avec
laquelle il prend fait et cause dans ses commentaires pour les ariens condamnés au concile
d'Aquilée. Or, nous connaissons précisément un
évêque arien de ce nom, vivant à l'époque qui a suivi le concile d'Aquilée. Il accompagna en Afrique, en qualité d'au-
mônier général, si l'on peut dire, les régiments goths de Sigis-

---

1. Voir p. ex. 298v,2-5 ; 299r,2-5.33-35 ; 301v,31-302r,1 ; 302r,6 ;
etc.
2. 308v,2-5. La formule *Maximinus d(icit)* paraît avoir été ajoutée au-dessus de la ligne là où débutent les commentaires sur la
lettre d'Auxentius (308r,35), mais on ne voit plus actuellement
que les lettres [....]m̰ịṇụ[..].

vult, qui avaient été envoyés à la fin de 427 pour combattre
Boniface [1], et il eut à cette occasion une discussion publique
avec saint Augustin, dont le procès-verbal a été conservé
parmi les œuvres de celui-ci : c'est la *Collatio cum Maximino
arianorum episcopo* (désignée ci-après par *CM*) [2]. Maximinus
indique dans cette discussion qu'il était plus jeune qu'Augustin, mais sans préciser si la différence d'âge était grande
ou pas [3]. Sa naissance se situe donc au plus tôt dans les
années 360. D'autre part, comme il était évêque en 427, il
devait être alors au moins dans la trentaine, de sorte qu'il
est né au plus tard dans les années 390. Quoiqu'on le trouve
en compagnie d'une armée de Goths, il n'est pas goth lui-
même, contrairement à ce qu'on a souvent répété. Son
nom, qui n'a rien de gothique, suffirait à l'indiquer ; en
outre, la façon dont il se situe vis-à-vis des « barbares »
montre qu'il était de culture latine et citoyen de l'Empire
romain [4]. En dehors de son voyage en Afrique, nous ne savons
rien de sa carrière. Il pourrait être le même que ce Maxi-

---

1. Nous nous rallions sur ce point à une suggestion de M. Michel
Meslin (*Les ariens d'Occident*, p. 94-95).

2. La plus récente édition est celle des mauristes, qui est reproduite dans *PL* 42, col. 709-742 ; nous renvoyons à la colonne et à la
ligne de la *Patrologie latine* (édition de 1841). Ce texte n'est pas
satisfaisant, du moins pour ce qui concerne les interventions de
Maximinus, et nous avons cherché à l'améliorer dans une certaine
mesure, en attendant la parution d'une édition critique, ainsi que
nous l'expliquons dans l'introduction à notre *Concordance*. Nous
ferons toujours état, bien entendu, du texte amélioré. Il faut rapprocher de la *Collatio* les deux livres écrits ensuite par AUGUSTIN
pour exposer les arguments qu'il n'avait pu développer oralement,
faute de temps (*Contra Maximinum haereticum arianorum episco-
pum libri II, PL* 42, 743-814) et un sermon dirigé contre le même
adversaire (*Sermo* CXL, *PL* 37, 773-775).

3. *CM* 715,4.

4. C'est à M. M. MESLIN (*Les ariens d'Occident*, p. 92-93) que
revient le mérite d'avoir redressé cette erreur fort répandue, et qui
s'affiche encore, malgré cela, dans le plus récent article consacré à
ce personnage (J. M. HANSSENS, « Massimino il visigoto », dans
ScCatt 102 [1974], p. 475-514), où les erreurs abondent. On prendra
garde, cependant, à ce que toutes les références données à ce propos
par M. Meslin ne sont pas pertinentes, car il attribue à tort à notre
Maximinus plusieurs œuvres qui ne sont pas de lui (v. ci-dessous,
p. 69).

minus, chef des ariens de Palerme, qui appuya de l'intérieur
l'action du roi vandale Geiseric assiégeant cette ville en
440 ; mais rien ne prouve l'identité des deux personnages [1].
Une quarantaine d'années plus tard, Cerealis, évêque de
Castellum Ripense, en Maurétanie Césarienne, fut mis au
défi par un évêque arien nommé Maximinus de produire ne
fût-ce que deux ou trois témoignages scripturaires à l'appui
des principales affirmations de la foi catholique. Il releva ce
défi dans un petit écrit où il citait abondamment l'Ancien
et le Nouveau Testament [2]. Cerealis prit part au débat contradictoire entre ariens et catholiques organisé par le roi
vandale Hunerich le 1er février 484, et il figure à l'avant-
dernière place sur la liste des 120 évêques de sa province
qui y furent présents ; il n'était donc alors évêque que depuis
peu de temps, et le défi de son collègue arien ne peut être,
par conséquent, antérieur à 480 [3]. Notre Maximinus serait
à cette date au moins octogénaire, mais nous connaissons
d'autres polémistes ariens qui avaient conservé à cet âge
tout leur mordant. Bien qu'il soit peu vraisemblable qu'il
s'agisse du même homme, ce n'est pas tout à fait impossible.
On ne saurait trancher de façon catégorique, car l'opuscule
de Cerealis ne rapporte qu'une seule phrase de son contradicteur et ne permet pas de se former une idée précise de sa
doctrine.

Dom Capelle a attribué à l'interlocuteur de S. Augustin
les homélies et les traités contenus dans le manuscrit LI (49)
de la bibliothèque capitulaire de Vérone (*CPL* 693-698) [4].
Nous n'en ferons pas état ici, car nous ne sommes pas pleinement convaincu que toutes ces pièces lui appartiennent,
et un examen plus approfondi de la question nous paraît

---

1. Voir Hydace, *Chronique*, 120 (*SC* 218, p. 136).
2. C'est le *Libellus contra Maximinum arianum* (*CPL* 813 ; *PL* 57,
col. 757-768), qui a été transmis dans un ancien recueil d'écrits
anti-ariens (voir D. de Bruyne, « Un florilège biblique inédit », dans
ZNW 29 [1930], p. 199-200).
3. Voir O. Bardenhewer, *Geschichte der altkirchlichen Literatur*,
t. 4, Fribourg 1924, p. 548-549.
4. « Un homiliaire de l'évêque arien Maximin », dans *RB* 34
(1922), p. 81-108.

nécessaire. Nous nous proposons de donner prochainement une nouvelle édition de ces textes et de traiter en détail des problèmes critiques qu'ils posent[1].

Plus récemment, M. M. Meslin a encore voulu élargir considérablement l'héritage littéraire de Maximinus en lui attribuant non seulement la fin d'une version latine des *Constitutions apostoliques* contenue dans le même manuscrit de Vérone, mais aussi la *Vetus interpretatio* du commentaire d'Origène sur Matthieu, l'*Opus imperfectum in Matthaeum* et le commentaire latin sur Job attribué à Origène[2]. M. P. Nautin a fait justice de ces hypothèses fort aventurées[3].

L'évêque Maximinus, auteur des commentaires L'adversaire de saint Augustin est-il l'auteur des commentaires contenus dans les marges du *Parisinus* ? Waitz était d'avis que non ou, du moins, qu'on n'a pas de raison précise de le penser[4]. Bessell, Bernhardt, Kaufmann se sont rangés à cet avis[5]. Massmann, en revanche, répond par l'affirmative, mais sans donner aucun argument consistant[6]. Fr. Kauffmann n'en donne pas davantage[7], ainsi que l'a fait remarquer Saltet[8]. Néanmoins, la thèse de l'identité a été généralement admise par la suite sans autre forme de procès[9].

La méthode à suivre dans un cas de ce genre est bien connue. Elle consiste à comparer le fond et la forme du texte en cause avec le texte de référence.

1. On trouvera une première approche du problème dans notre article sur « Les citations scripturaires des œuvres attribuées à l'évêque arien Maximinus », dans *RB* 88 (1978), p. 45-80.
2. *Les ariens d'Occident*, p. 150-226.
3. Compte rendu, p. 74-80.
4. *Bruchstücke*, p. 27.
5. BESSELL, *Leben Ulfilas*, p. 1 ; BERNHARDT, *Gotische Bibel*, p. XI ; KAUFMANN, « Untersuchungen », p. 194.
6. Compte rendu, col. 211-212.
7. *Dissertatio*, p. LIV-LVII.
8. « Un texte nouveau », p. 129.
9. ZEILLER, *Provinces danubiennes*, p. 479 et 482 ; CAPELLE, « Un homiliaire », p. 96-97 ; MESLIN, *Les ariens d'Occident*, p. 93-94 et 104-105.

Il est relativement rare que l'étude du contenu autorise à elle seule une conclusion ferme dans le sens affirmatif. Le plus souvent, elle mène simplement à dire que les idées exprimées de part et d'autre ne sont pas incompatibles. C'est ce qu'on constate dans le cas présent. La théologie trinitaire des commentaires ressortit à la même tendance subordinatienne que celle du contradicteur d'Augustin, mais sans nuance bien particulière qui permettrait d'y reconnaître à coup sûr la marque du même esprit [1].

L'étude de la langue est généralement plus révélatrice. L'ordinateur permet aujourd'hui de la mener d'une façon plus rigoureuse et plus approfondie qu'auparavant, en ajoutant à la lecture discursive une lecture synthétique, qui met en relief les moindres détails du texte. Nous n'avons pas manqué de recourir à cette nouvelle possibilité, étant donné la complexité des problèmes posés par les scolies.

Une étude complète de la langue doit examiner successivement les aspects lexicographique, morphologique, syntaxique et stylistique, c'est-à-dire le choix des mots, les particularités éventuelles de leur déclinaison ou de leur conjugaison, leur mise en œuvre dans le cadre des structures grammaticales, leur ordre, enfin, dans la mesure où il est laissé à l'initiative de l'auteur.

La difficulté vient, dans le cas présent, de la brièveté du texte en cause. Quand on retranche du premier bloc de scolies le texte des actes et de la lettre d'Auxentius, qui servent de support aux commentaires, ainsi que les citations scripturaires et les autres citations qui interviennent dans le cours même des commentaires, notamment la longue citation de Cyprien aux fol. 299v-300r, il reste seulement 1 688 mots qui

---

1. Les rapprochements qu'on peut faire entre *SM* 300v,34-35 et *CM* 718,10-13, ou entre *SM* 304r,18-37 et *CM* 738,21-45, par exemple, ne concernent que des idées et des citations banales en milieu subordinatien. L'examen des citations scripturaires, dont nous avons traité en détail ailleurs, montre seulement, pour les textes en question ici, qu'il n'est pas exclu que ces citations soient le fait du même auteur ; mais il n'est pas possible de prouver qu'elles le sont effectivement (« Citations scripturaires », p. 47-51). Quant aux conceptions théologiques, leur homogénéité ressortira suffisamment des références que nous donnerons au chapitre IV.

constituent le discours propre de l'évêque Maximinus [1]. C'est
dire qu'il serait vain, dans ce cas, d'entreprendre une analyse syntaxique et stylistique, car 1 688 mots, cela ne représente qu'environ une centaine de phrases, et ce nombre est
trop petit pour que la répétition des phénomènes observés
ou l'étude de leur distribution permette de repérer ceux qui
sont caractéristiques. Il en va de même pour l'étude d'éventuelles particularités morphologiques, par exemple les temps
surcomposés. On compte seulement 14 formes de ce type
dans la *Collatio* et les commentaires. On ne peut dès lors
considérer comme significatif le fait qu'on rencontre une fois
(sur deux au total) le parfait surcomposé *ausus fui* dans la
Collatio et que, d'autre part, le commentateur des scolies
semble avoir une préférence pour cette forme dans le cas
du verbe *audeo* (→ *s. v.*).

Il reste l'étude du vocabulaire, grâce à laquelle on peut
espérer obtenir un résultat par des méthodes statistiques
dès qu'un texte comporte quelques centaines de mots, pour
autant qu'on dispose d'une base de référence suffisamment
large [2]. Mais il existe un seuil critique — qu'on peut situer
vers 4 000 ou 5 000 mots — au-dessous duquel la recherche
est difficile à conduire, car une série d'opérations ne peuvent
aboutir à des résultats significatifs, notamment l'étude des
constellations sémantiques et des formules d'introduction
aux citations scripturaires.

Par constellation sémantique, nous entendons un ensemble
de mots exerçant la même fonction sémantique, par exemple
l'ensemble des conjonctions copulatives affirmatives (*ac,
atque, et, -que*), l'ensemble des pronoms démonstratifs (*hic,
idem, ille, ipse, is, iste*), l'ensemble des adjectifs évoquant

1. Malgré leur apparente précision, les totaux donnés pour les
scolies doivent s'entendre comme des approximations, à cause du
caractère lacuneux du texte. L'ordinateur compte une lacune comme
un mot, qu'elle soit d'une seule lettre ou d'une ligne entière. Du fait
que les erreurs par excès et par défaut tendent à s'annuler, la marge
d'erreur ne doit cependant pas être grande ; vérification faite, on
peut considérer qu'elle est généralement inférieure à un pour cent.

2. C'est le cas ici, puisque les interventions de Maximinus dans
sa discussion avec Augustin comptent 9 515 mots, dont 6 928 représentent le discours propre de l'orateur, citations exclues.

l'idée de totalité (*cunctus, omnis, totus, uniuersus*), etc. A l'intérieur de ces ensembles, la proportion entre les mots tend généralement, dans la littérature patristique, à rester constante chez un auteur déterminé, même quand il varie de style [1]. Toutefois, cela ne se vérifie que pour des textes suffisamment longs, de telle façon que joue la loi des grands nombres. Dans un texte aussi bref que les commentaires de Maximinus, les occurrences sont trop peu nombreuses pour faire des études de distribution valables.

Un autre champ d'étude intéressant est celui des formules d'introduction aux citations scripturaires. Il y en a de toutes sortes : propositions principales ou subordonnées, compléments circonstanciels ou régis par une préposition, ablatifs absolus, participes apposés, etc. A l'intérieur de ces structures, le verbe ou le substantif-clé, de même que tous les éléments, sont interchangeables. Le verbe peut être *ait, dicit, inquit, locutus est, praecinuit*, etc. ; le substantif, *dictum, sermo, testimonium, uerbum*, etc. L'auteur, divin ou humain, peut être indiqué de multiples manières ; ainsi, certains désigneront de préférence Paul par son nom, d'autres en disant « l'Apôtre », d'autres en combinant les deux termes, d'autres en ajoutant une épithète comme *beatus*, etc. Ou bien l'auteur n'est pas indiqué, et la citation est rapportée d'une façon générale à « l'Écriture » ou aux « Écritures », lesquelles sont qualifiées tantôt de « saintes », tantôt de « divines », etc. Quand on relève systématiquement ces détails, on constate que chaque auteur a ses formules favorites. Mais là encore, cela n'apparaît et cela ne saurait constituer un élément de preuve que pour des œuvres suffisamment vastes, toujours pour les mêmes raisons. Ainsi, l'interlocuteur arien de la *Collatio*, dans les formules d'introduction aux citations évangéliques ou en faisant expressément référence à une parole évangélique, utilise fréquemment le titre *Saluator*

---

1. Voir MOHRMANN, « Observations », p. 115-116. — Des recherches récentes, portant notamment sur S. Bonaventure, semblent montrer qu'il n'en va pas de même chez les scolastiques, pour lesquels le latin est une langue savante, acquise de manière artificielle et dont l'usage ne met pas en œuvre les mêmes mécanismes inconscients que celui de la langue maternelle.

pour désigner Jésus, et il l'utilise uniquement dans ce cas-là
(→ *s. v.*) ; on retrouve cet usage dans les commentaires [1],
mais la brièveté de ceux-ci ne permet pas de vérifier si leur
auteur utilisait fréquemment ce terme. De même, l'interlocuteur de la *Collatio* utilise volontiers comme substantif
d'introduction dans ce genre de formules le mot *sententia*
(*secundum Saluatoris sententiam, secundum sententiam Scripturarum*, etc. → *s. v.*) ; cela aussi se retrouve dans les commentaires, mais ce pourrait être le fait du hasard [2].

L'examen des mots isolés ne permet pas non plus de trancher la question. On constate, par exemple, que le contradicteur de saint Augustin a une prédilection marquée pour
le verbe *prosequor*, qui signifie au sens premier « poursuivre »
et au sens figuré « poursuivre un exposé », d'où simplement
« exposer ». Il emploie fréquemment ce verbe dans le sens
banal de « dire », là où *dico* ou *loquor* auraient parfaitement
convenu. Il en va de même pour le substantif *prosecutio*,
qu'on trouve là où on attendrait *sermo, uerba, dicta*. Or, on
retrouve le verbe et le substantif employés de la même façon
respectivement deux fois et une fois dans les commentaires
(→ *s. v.*). De même, Maximinus use assez souvent dans la
Collatio de l'adverbe *sane* pour appuyer une affirmation. Cet
usage se rencontre trois fois dans les commentaires (→ *s. v.*).
Maximinus aime les formules qui mettent en œuvre le terme
ratio (*dare rationem, reddere rationem, requirere rationem*,
etc.). Il y en a deux de ce genre dans les commentaires
(→ *s. v.*). Ces indices sont intéressants, mais ils ne suffisent
pas encore pour conclure de façon formelle.

En fin de compte, dans un cas-limite comme celui-ci, seule
une analyse extrêmement fine, qui prend en considération
les associations de mots-outils, permet d'arriver à des résultats décisifs. Ces associations sont mises en évidence par les
concordances triées dans l'ordre du contexte conséquent.
L'association de deux mots donnés étant plus improbable
que l'usage d'un mot isolé, une récurrence peut être considé-

1. *SM* 310v,5-6.
2. Encore moins pourrait-on tirer argument d'un rapprochement
isolé comme celui de *SM* 301r,39 *(quod Paulus interpretans dicit)* et
CM 725,32-33 *(quod interpretans beatus apostolus dicit).*

rée comme caractéristique à partir d'une fréquence moindre, à condition qu'on prenne soin de s'assurer, par comparaison avec une série de textes-témoins convenablement choisis, que cette association n'est pas courante dans ce milieu littéraire [1]. On arrive ainsi à rassembler un faisceau d'indices dont chacun, considéré à soi seul, resterait peut-être en rigueur contestable, mais dont la convergence, s'ajoutant aux remarques déjà faites à propos des annonces de citation et des mots isolés, exclut finalement tout doute raisonnable ; la coïncidence de nombreuses particularités reconnues comme caractéristiques, même si la brièveté du texte en cause rend impossible qu'on les retrouve avec des fréquences élevées en chiffres absolus, ne peut plus, en bonne méthode, être considérée comme le fait du hasard.

Épinglons l'un ou l'autre exemple caractéristique. Un des tics verbaux les plus notoires de Maximinus dans la *Collatio* consiste à redoubler de façon pléonastique *etiam* par l'adverbe *et* (un peu comme si nous disions régulièrement en français « même aussi » ou « également aussi » [2]) ; ce fait se rencontre

---

1. Il convient, pour que la comparaison soit valable, que les textes-témoins aient été traités selon les mêmes principes. Nous avons donc choisi quatre textes d'auteurs ecclésiastiques à peu près contemporains de Maximinus qui avaient déjà été enregistrés, lemmatisés et au moins partiellement analysés au Centre de traitement électronique des documents de l'U. C. L. : la *Vita Martini* de Sulpice Sévère, le *De paenitentia* d'Ambroise, l'*Apologia contra Rufinum* de Jérôme et les interventions d'Augustin dans la *Collatio*. Toutefois, dans le souci d'élargir quelque peu cette base, nous y avons ajouté un texte du début du IIIe s. et un autre de la fin du VIe s., en utilisant, avec les précautions voulues, la *Concordance verbale du « De corona »* de Tertullien, de H. Quellet (Hildesheim 1975) et l'index linguistique accompagnant l'édition de l'*Itinerarium Antonini Placentini* par C. Milani (Milan 1977).

2. C'est le cas au moins 14 fois sur 30 (→ ETIAM). Maximinus introduit même ce *et* à l'intérieur de citations scripturaires, p. ex. *CM* 736,42. La fréquence de la formule *etiam et* est certainement plus considérable encore qu'il n'apparaît au vu de la concordance, car, en raison de son caractère pléonastique, les manuscrits suivis par les mauristes ont souvent supprimé un des deux termes. Dans le texte provisoire qui a servi de base à l'élaboration de la concordance, nous n'avons rétabli le terme manquant que là où il est garanti par au moins deux des meilleurs manuscrits. Mais un texte

ailleurs, mais il est beaucoup plus rare [1] ; dès lors, il n'est pas indifférent de noter que pareille association se retrouve à deux reprises dans les commentaires [2]. De même, Maximinus juxtapose à plusieurs reprises de façon pléonastique les conjonctions *cum quando*, dans le sens adversatif (souvent affaibli) de « alors que » (→ CUM 2) ; on connaît d'autres exemples de cette tournure, mais ils sont très rares [3] ; dans ces conditions, on peut considérer comme significatif que cette particularité apparaisse dans les commentaires [4]. La force probante de chacune de ces observations est multipliée par leur nombre. L'étude détaillée de notre *Concordance* permettra au lecteur de repérer beaucoup d'autres associations à propos desquelles il pourra faire les mêmes constatations, par exemple *et ipse* et *hic ipse* (où c'est tantôt la nuance démonstrative, tantôt la nuance d'identité du pronom *ipse* qui est soulignée), *nam denique* (= « car en effet »), *nam et* (où il n'y a pas de nuance précise attachée au *et*), *qui quidem* (où *quidem* est quasiment explétif, n'apportant pas d'autre nuance que le δέ grec le plus faible), *adhuc autem* (pour annoncer que quelque chose va encore être ajouté, dans le même sens que ce qui précède), etc. Ces associations se retrouvent parfois ailleurs, certes, mais on ne les retrouvera jamais toutes ensemble avec une fréquence significative, de la même façon que chez Maximinus.

Nous pouvons donc désormais conclure de façon formelle : l'auteur des commentaires contenus dans les scolies du *Parisinus* n'est autre que l'évêque arien Maximinus, adversaire d'Augustin dans le débat trinitaire de 427/428.

---

critique définitif, sur base de l'ensemble de la tradition manuscrite, fera sans aucun doute apparaître la formule dans d'autres cas, p. ex. *CM* 737,49.

1. 0/27 chez Tertullien ; 1/25 chez Sulpice Sévère ; 0/45 chez Ambroise ; 3/53 chez Jérôme ; 0/10 chez Augustin ; 1 fois dans l'*Itinerarium*.

2. *SM* 299r,24 ; 303v,14-15 ; *etiam* apparaît 6 fois dans les commentaires.

3. Aucun exemple dans les textes-témoins ; le dictionnaire de Blaise en donne un au mot *cum* (chez l'Ambrosiaster) et un autre au mot *quando* (dans une ancienne version latine du Deutéronome).

4. *SM* 311r,24.

**Date
des commentaires** Maximinus était-il déjà évêque quand il a rédigé ses commentaires ? Kauffmann a prétendu que non, et qu'il s'agit d'une œuvre de jeunesse. Les mots *episcopus disserens* dans les formules d'introduction aux commentaires seraient interpolés. En effet, dit Kauffmann, dans les premières pages des scolies, seuls les évêques rarement nommés sont mentionnés avec leur titre (Constantius, Eusebius, etc.) [1]. Zeiller a suivi Kauffmann sur ce point et fait observer, en outre, que l'auteur des commentaires appelle Palladius et Secundianus *episcopi nostri et religiosi parentes* [2], ce qui s'entendrait mal s'il avait été leur collègue [3]. M. Meslin s'est inscrit en faux contre la thèse de Kauffmann, mais sans la bien comprendre. Il argumente, en effet, comme si Kauffmann attribuait l'interpolation au scribe du *Parisinus*, alors que dans l'esprit de Kauffmann, elle serait le fait d'un glossateur antérieur. En revanche, M. Meslin a raison de noter que dans le texte allégué par Zeiller, les mots *episkopi nostri* sont une glose, et que, de toute façon, le possessif peut avoir eu sous la plume de Maximinus un sens plus affectif que hiérarchique [4].

En réalité, la thèse de Kauffmann ne résiste pas à un examen attentif. Parmi les évêques rarement nommés, Eusebius est mentionné 3 fois avec son titre, 3 fois sans son titre (→ EUSEBIUS 2). Quant aux deux principaux orateurs, ils sont mentionnés 22 fois sans leur titre, 9 fois avec leur titre (→ AMBROSIUS, PALLADIUS). Prétendre, comme Kauffmann, que dans ce dernier cas, la mention du titre serait interpolée par le scribe du *Parisinus* revient à une pétition de principe. On n'a donc aucun motif de supposer que Maximinus n'était pas évêque quand il écrivit ses commentaires.

Trouve-t-on dans les commentaires des indications sur la date à laquelle ils ont été rédigés ? Il est clair qu'il y a une certaine distance entre l'auteur et les faits dont il traite, car

1. *Dissertatio*, p. xxiv, n. 1 ; v. aussi p. 91.
2. Cf. *SM* 308v,37.
3. *Provinces danubiennes*, p. 488.
4. *Les ariens d'Occident*, p. 336, n. 51.

il oppose l'attitude irénique dont fit preuve Palladius « en ce temps-là » (*illo in tempore*) à celle des ariens de son temps (*nunc*), qui ont été chassés des lieux de culte par leurs adversaires et conduits, dès lors, à les traiter en ennemis déclarés [1]. Cela n'implique pas nécessairement que cette distance soit grande, car les ariens ont été réduits à l'état de secte marginale peu de temps après le concile d'Aquilée, ainsi qu'en témoigne l'évolution de la législation impériale dans les années 380 [2]. Mais on ne peut pas situer les commentaires de Maximinus dans ces années-là, car les erreurs historiques qu'ils contiennent ne s'expliqueraient pas de la part d'un témoin proche des faits, ainsi que l'avaient déjà remarqué Saltet et Vogt [3]. Maximinus écrit certainement plus longtemps après le concile d'Aquilée.

Cependant, Saltet et surtout Zeiller hésitent à repousser la date des commentaires jusqu'à l'époque de la *Collatio* et au-delà. Selon Zeiller, « il serait peu croyable que Maximin eût pris Ambroise à partie comme il le fait dans la *Dissertatio*, si Ambroise n'eût été vivant [4] ». En réalité, Maximinus ne s'adresse pas directement à Ambroise dans ses commentaires — mise à part une interpellation purement oratoire qui survient dans le cours d'une citation de Cyprien, et dont la tournure est commandée par le ton du texte dans lequel elle s'insère [5] —, mais il en parle à la troisième personne. Ambroise a été le fossoyeur de l'arianisme latin, et on comprend sans peine que les rescapés du massacre l'aient poursuivi d'une hargne persistante, même plusieurs dizaines d'années après sa mort [6].

Saltet cite, d'autre part, une phrase des commentaires dont il tire que l'auteur a connu personnellement les con-

1. *SM* 310r,11-38.
2. Voir les titres 1 et 5 au livre XVI du Code théodosien ; NOETLICHS, *Gesetzgeberischen Massnahmen*, p. 140-141.
3. SALTET, « Un texte nouveau », p. 123 ; VOGT, Compte rendu, p. 207. V. ci-dessous, p. 162-165.
4. *Provinces danubiennes*, p. 487.
5. *SM* 300r,24-30.
6. Il n'est que de songer à la façon dont les polémistes catholiques traitaient encore un Luther, par exemple, quatre siècles après sa mort.

damnés d'Aquilée [1]. Mais cette phrase a été mal déchiffrée
par Kauffmann. Voici, en confrontant l'édition avec la trans-
scription, comment elle devrait se lire d'après ce dernier :
« Vt et ⌈e⌉gǫ ab ipsis patribus nǫbiş ⌈..⌉ C⌈r⌉(ist)⌈.⌉
şeruⵑ.⌉sedeⵑ...⌉ş ịn memoratạm ụrḅeṃ saepius audiuimus, ḥạẹç fuit ratio, etc. [2] ». On ne voit pas comment faire
de cela quelque chose de sensé. Aussi Usener a-t-il proposé de
corriger de la façon suivante : « Vt et nos ab ipsis patribus
nostris Crist⌈i⌉ seru⌈is⌉ sede⌈nte⌉s in memoratam urbem saepius audiuimus, etc. [3] » En réalité, une étude soigneuse du manuscrit et surtout, dans le cas présent, l'infrarouge montrent
qu'il faut lire comme suit : « Vţ ẹrgǫ ab ipsis patribus
nobis eşţ ẹxpǫsitum, sed et ipsi in memoratam urbem saepius audiuimus, etc. » Maximinus se réclame donc de deux
sources différentes : d'une part, un exposé des Pères et, d'autre
part, des témoignages oraux qu'il a recueillis à plusieurs reprises à Constantinople. *Exponere* ne se dit pas seulement d'un
exposé oral ; Maximinus emploie également ce mot à propos
d'un exposé écrit (→ *s. v.*). Quant aux Pères, il ne s'agit pas
nécessairement des condamnés d'Aquilée ; ce pourraient être
d'autres autorités du parti arien. Si l'auteur avait entendu
les intéressés exposer les faits de vive voix, il n'y aurait
aucune progression dans la phrase ; le fait que d'autres personnes lui aient répété la même chose par la suite n'ajou-
terait rien. Au contraire, si la première proposition renvoie à
un texte provenant des Pères, la phrase se comprend bien.
L'auteur fait état, pour accréditer sa version des événements,
non seulement d'un document remontant à l'époque des
Pères (*a Patribus nobis est expositum*) — il s'agit de la
lettre d'Auxentius qu'il vient de citer [4] —, mais aussi (*sed
et*) d'une tradition orale encore vivante de son temps, tradition qu'il a personnellement recueillie (*ipsi audiuimus*) et
qui, s'il faut l'en croire, confirmerait son interprétation
erronée du document auquel il se réfère [5]. La phrase implique

1. « Un texte nouveau », p. 123, n. 1.
2. *SM* 309v,38-39.
3. Compte rendu, col. 364.
4. Cf. *SM* 349r,7-8 : ... Vt s(an)c(tu)s Aux[en]tius *exposuit*.
5. V. ci-dessous, p. 162-165.

donc le contraire de ce que croyait Saltet : Maximinus n'a pas
connu directement ceux qu'il appelle les « Pères », il appartient à une autre génération qu'eux, il n'est au courant des
faits dont il parle que par des documents ou par des souvenirs.

Les commentaires ne sont donc certainement pas antérieurs au début du ve siècle, et rien n'empêcherait de les
repousser jusqu'au deuxième ou même au troisième quart
du ve siècle. Pour préciser davantage, il faut attendre de
voir si le second bloc de scolies, dans la mesure où il entre-
tiendrait des rapports avec le premier, ne fournit pas des
indications supplémentaires [1].

II. Les fragments de Palladius (= *SP*)

Le second bloc de scolies s'ouvre sur deux extraits du
livre I du *De fide* d'Ambroise [2], suivi chacun d'une réplique
attribuée, sans autre précision, à un nommé Palladius
(336r,1-337r,49). Puis, on lit une apologie passionnée des
deux évêques ariens condamnés au concile d'Aquilée de
381, Palladius de Ratiaria et Secundianus de Singidunum,
qui sont présentés comme des victimes de la haine aveugle
et de la fourberie d'Ambroise et comme des champions de
la saine doctrine (337r,50-349r,4) [3]. Ce morceau occupe tout

1. V. ci-dessous, p. 97-100.
2. *SF* 336r,1-6 = *De fide*, I, v, 41-42 (*CSEL* 78, p. 17,21-18,30) ;
SF 336r,45-336v,42 = *De fide*, I, vi, 43-47 (p. 18,2-21,43).
3. M. Pierre Nautin (Compte rendu, p. 71) est d'avis que la seconde réplique de Palladius se poursuit jusqu'au § 89 de l'édition de
Kauffmann, c.-à-d. jusqu'au fol. 337v,22. De fait, au début du § 88
(fol. 337r,50-51), l'auteur fait allusion à *De fide*, I, vi, 44-46. Cependant, il est impossible de rattacher les §§ 88-89 au même ouvrage
que les précédents, car, dans ceux-ci, Palladius reproche à Ambroise
de se cantonner dans la société des siens et d'éviter toute confrontation publique avec ses adversaires (337r,16-28) — et nous verrons
dans un instant que la réfutation du *De fide* date de 379 —, tandis
que, dans les §§ 88-89, nous sommes après le concile d'Aquilée,
donc après septembre 381 (voir 337r,53-337v,1). Il semble que les
extraits du *De fide*, avec les répliques correspondantes de Palladius,
aient été reproduits précisément pour servir d'introduction au
texte suivant, qui s'ouvre et se termine (348v,36-349r,4) sur des
allusions à ce passage du traité d'Ambroise.

le reste des scolies, à l'exclusion des 39 dernières lignes
(349r,4-43), qui sont manifestement écrites d'une autre
main [1] et qui apparaissent comme une note inspirée par la
conclusion de l'apologie.

1. Fragments d'une réfutation du *De fide* d'Ambroise

Nous savons par Ambroise lui-même que la première édition du *De fide*, c'est-à-dire les deux premiers livres, publiés
vers la fin de 378 [2], avaient été critiqués par certains, qu'il
qualifie d'« esprits faux, cherchant la petite bête », et qui lui
reprochaient un style trop fleuri. Il signale dans le prologue
au livre III, paru deux ans plus tard, qu'on lui faisait grief,
notamment, d'un des deux passages repris dans les scolies,
où il avait fait allusion à des légendes païennes [3]. Vigile de
Thapsa indique, d'autre part, qu'un évêque arien nommé
Palladius avait écrit contre la doctrine trinitaire d'Ambroise [4]. En rapprochant ces différentes indications, on est
amené à conclure que nous avons dans les scolies deux fragments de l'ouvrage dans lequel l'évêque arien Palladius, en
379, avait entrepris de réfuter les deux premiers livres du
De fide [5]. Cet ouvrage est aujourd'hui perdu, mais il circu-
lait encore à la fin du Ve siècle, puisque Vigile de Thapsa
jugea utile de consacrer un opuscule à y répondre [6]. On ne
saurait douter raisonnablement que le contradicteur d'Ambroise était celui-là même qui fut condamné deux ans plus

---

1. Voir GRYSON-GILISSEN, *Parisinus*, p. 22.
2. V. *CSEL* 78, p. 5*-8*.
3. *De fide*, III, ɪ, 2-3 (*CSEL* 78, p. 108-109) ; pour la date, v.
CSEL 78, p. 9*-10*.
4. *Contra arianos*, II, ʟ (*PL* 62, col. 230 A).
5. C'est KAUFFMANN (*Dissertatio*, p. xxxv-xxxvi) qui a le premier isolé et daté cette section ; la date est confirmée par FALLER
(*CSEL* 78, p. 8*-9*). Vigile de Thapsa croit que la réfutation de
Palladius est postérieure à la mort d'Ambroise, c'est-à-dire à 397,
mais, ainsi que l'a fait justement observer ZEILLER (« Palladius »,
p. 174), il n'est pas affirmatif sur ce point (*credo*, dit-il à l'endroit
cité), et comme l'évêque arien aurait été alors à peu près centenaire,
on n'est pas tenu d'accorder crédit à un auteur qui écrit un siècle
plus tard, pour ce détail chronologique.
6. *Contra arianos*, loc. cit.

tard à Aquilée. La suite des scolies l'indique, du reste, clairement.

L'évêque Palladius de Ratiaria

Palladius était évêque de Ratiaria [1], importante cité située au bord du Danube, à l'emplacement actuel d'Arcer, en Bulgarie. Métropole de la province de Dacie ripuaire, elle était le siège du quartier général de la XIIIe légion et le port d'attache d'une flottille du Danube. Il s'y trouvait également une fabrique d'armes renommée [2].

Au moment du concile d'Aquilée, en 381, Palladius était un homme âgé, à peu près octogénaire. Il avait derrière lui onze années de prêtrise, suivies de trente-cinq années d'épiscopat [3], ce qui situe son accession au siège de Ratiaria en 346, son ordination sacerdotale en 335 et sa naissance, vraisemblablement, dans les années 300 [4]. Le président du concile, Valérien d'Aquilée, prétendit qu'il avait été ordonné par les photiniens [5] et condamné avec eux ; mais, prié aussi-

1. *SP* 349r,1. Il est possible que le nom du siège ait figuré également au fol. 298r,3-4.

2. Voir N. VULIĆ, *s. v.* « Ratiaria », dans *PW*, 2e sér., Hbd 1 (1914), col. 261.

3. *SP* 342v,34-41. Cette indication chronologique se rapporte à l'époque du concile d'Aquilée (*tunc*), c.-à-d. à l'année 381, et non à celle de la rédaction du texte, comme le dit M. MESLIN (*Les ariens d'Occident*, p. 85). L'évêque visé dans ce passage est certainement Palladius, et non son collègue Secundianus, car celui-ci, succédant à Ursacius sur le siège de Singidunum, ne peut être évêque depuis aussi longtemps (v. ci-dessous, p. 105).

4. A cette époque, on n'accédait normalement pas à la prêtrise avant la trentaine ; v. P. H. LAFONTAINE, *Les conditions positives de l'accession aux ordres dans la première législation ecclésiastique (300-492)*, Ottawa 1963, p. 143-145.

5. Compatriote de Marcel d'Ancyre, formé à son école et élevé par lui au diaconat, Photin est mentionné pour la première fois par l'*Ecthèse macrostiche* (345). Il était alors depuis quelque temps évêque de Sirmium, et ses ouailles appréciaient fort sa science et son éloquence. Sa doctrine trinitaire reproduisait pour une bonne part celle de Marcel et rejoignait par certains aspects celle de Paul de Samosate (voir SIMONETTI, *Studi*, p. 135-159). Il fut condamné successivement au concile de Milan de 345, puis dans un concile réuni à Sirmium en 347, mais il demeura néanmoins sur son siège. Il ne fut déposé pour de bon qu'au concile de Sirmium de 351. Que

tôt par Palladius d'en donner la preuve, il ne dit mot [1]. Tillemont admet la véracité de cette accusation [2], Kauffmann croit qu'il s'agit d'une chicane [3], Zeiller reste hésitant : « Cette volte-face du photinianisme à l'arianisme, si elle a eu lieu, resterait en soi-même assez mystérieuse. Elle n'a cependant rien d'impossible, les deux doctrines, en apparence opposées, ayant des affinités entre elles [4]. » Il y a, ajouterons-nous, dans l'histoire de l'Église au ive siècle des exemples de variations doctrinales plus spectaculaires que ne serait celle-là. M. Meslin, pour sa part, est persuadé que c'est pure calomnie [5]. Son argumentation porte en partie à faux, car le passage des fragments de Bobbio auquel il renvoie pour montrer que l'œuvre de Palladius porte la marque d'une polémique personnelle contre Photin, n'est pas de Palladius [6], et même sans cela, on pourrait concevoir que Palladius ait engagé une polémique contre son maître après s'être détaché de lui et rallié à l'arianisme. Mais une autre remarque de M. Meslin est pertinente : si le fait allégué par Valérien était avéré, Ambroise, qui se révèle tout au long des débats d'Aquilée comme un procureur impitoyable, attentif à ne rien laisser échapper de ce qui peut desservir la cause de son adversaire [7], n'aurait pas manqué de le relever. Cette allégation doit donc être tenue pour peu vraisemblable.

Nous ne savons pratiquement rien des faits et gestes de Palladius avant qu'il entre en controverse avec Ambroise.

ses partisans aient ordonné en 346 un évêque d'Illyricum ne serait donc pas en soi invraisemblable. Photin survécut longtemps à sa déposition. Ses disciples étaient encore actifs à Sirmium à l'époque du concile d'Aquilée ; v. PALANQUE, *Saint Ambroise*, p. 91 ; MESLIN, *Les ariens d'Occident*, p. 69.

1. *Gesta*, 49.
2. *Mémoires*, t. 10, p. 126.
3. *Dissertatio*, p. LII.
4. *Provinces danubiennes*, p. 153, n. 4.
5. *Les ariens d'Occident*, p. 85-86.
6. V. ci-dessous, p. 83.
7. Voyez, par exemple, comment il s'indigne de ce que Palladius ait réclamé la présence au concile d'auditeurs laïcs, ce qui, selon lui, revient à méconnaître les droits du sacerdoce et suffirait à justifier la condamnation de l'évêque arien (*Gesta*, 51-52).

Il faut probablement l'identifier avec l'évêque de ce nom qui eut des démêlés avec certains clercs de Germinius de Sirmium en 366 [1] et qui figure parmi les destinataires de la lettre adressée par ce dernier à huit de ses collègues, pour se justifier des reproches d'Ursacius et de Valens, qui l'accusaient de dévier de la ligne de Rimini [2]. Nous n'avons pas davantage de trace d'une activité littéraire de Palladius avant 379 ; les fragments de Bobbio et le *Sermo arianorum* réfuté par saint Augustin ne peuvent lui être attribués, contrairement à ce qu'a prétendu M. Meslin [3]. S'il a écrit, en 379, une réfutation du *De fide*, c'est probablement parce qu'il était le doyen des évêques ariens d'Illyricum encore en fonction, et que, toutes les grandes figures de sa génération (Ursacius, Valens, Germinius) ayant disparu, il convenait que sa voix se fasse entendre pour combattre l'étoile montante du parti nicéen. Mais il serait peu croyable qu'une plume aussi exercée soit auparavant restée inactive, et il n'est pas exclu qu'on retrouve dans les bribes de la littérature arienne latine qui ont été conservées, l'une ou l'autre page qui témoignerait du contraire.

2. Fragment d'une apologie des condamnés d'Aquilée

Enchaînant sans transition sur la deuxième réplique de Palladius, nous lisons une longue apologie des condamnés d'Aquilée, qui sont exaltés comme des confesseurs de la foi face à un faux évêque, Ambroise, et à une bande de conspirateurs ignorants.

---

1. HILAIRE DE POITIERS, *Opus hist.*, frg. XIV (Coustant ; Feder p. 160,10-14).
2. *Ibid.*, frg. XV (Coustant ; Feder p. 160,20-164,11). On comprend mal pourquoi Tillemont (*Mémoires*, t. 10, p. 54) veut qu'il s'agisse, dans ces documents contemporains, de deux Palladius différents. Palladius de Ratiaria serait le Palladius du frg. XIV ; celui du frg. XV serait un autre évêque illyrien du même nom. Il nous semble que c'est multiplier les êtres sans raison.
3. Voir NAUTIN, Compte rendu, p. 71-73.

**État
de la question**
Il règne au sujet de ce texte une grande confusion. Waitz, apparemment, ne voyait pas de difficulté à l'attribuer au même auteur que les commentaires constituant le premier bloc de scolies [1]. Bessell, au contraire, attribuait tout le second bloc, sauf la note additionnelle, à Palladius, sans distinguer entre la réfutation du *De fide* et l'apologie qui suit [2]. Kauffmann a reconnu clairement la provenance des fragments cités en tête du second bloc, mais il refuse d'attribuer la suite à Palladius ; il croit que Maximinus a simplement fait état dans ces pages de renseignements qui lui auraient été communiqués oralement par Palladius [3]. Zeiller et, plus tard, Klein considèrent que la réfutation et l'apologie sont extraites de deux œuvres différentes de Palladius [4]. Mais, tout récemment encore, Hanssens affirmait sans autre discussion que l'apologie est l'œuvre de Maximinus et constitue la suite des commentaires [5]. D'autre part, le supplément à la *Patrologie latine* de Migne imprime à la façon de Kauffmann, comme formant un seul tout, sous le titre unique de *Maximini contra Ambrosium dissertatio*, l'ensemble des scolies, de sorte que de nombreux auteurs ont cité de confiance l'ensemble comme étant de Maximinus. Il importe donc de vider, si possible définitivement, la question.

**Maximinus
n'est pas
l'auteur
de l'apologie**
Dès la première lecture, on ne peut manquer d'être frappé par le contraste entre le ton de l'apologie et celui des commentaires et de la *Collatio*. L'éclat du style contraste vivement avec la platitude de celui auquel nous avait accoutumés Maximinus. Cependant, cette remarque n'a rien de décisif. On pourrait concevoir qu'un texte longuement poli en vue de sa publication, dans le calme d'un cabinet de travail, soit d'une autre qualité littéraire que des

1. *Bruchstücke*, p. 22.
2. *Leben Ulfilas*, p. 6-15.
3. *Dissertatio*, p. XXXV-XXXVI et XXXIX.
4. ZEILLER, *Provinces danubiennes*, p. 489-490 ; KLEIN, « Dissertatio als Quelle », p. 255-261.
5. « Massimino », p. 503-510.

répliques improvisées au fur et à mesure du déroulement d'une controverse ou un commentaire dicté sans beaucoup de soin à l'intention de jeunes clercs aux études. On a souvent dénié à Ambroise la paternité du *De sacramentis*, dont le style assez terne faisait piètre figure à côté de la prose élégante du *De mysteriis*, sans s'aviser qu'on se trouvait devant l'enregistrement tachygraphié de sermons dont le texte avait été ensuite retravaillé pour être publié sous le titre *De mysteriis*.

De même, l'étude de la syntaxe n'autorise pas de conclusion à elle seule, car on n'a pas affaire à un genre littéraire unique. Il y a des différences notables entre la syntaxe de l'apologie et celle des textes examinés précédemment, par exemple une proportion beaucoup plus considérable de propositions infinitives par rapport aux subordonnées complétives avec *quia, quod, quoniam*. Mais cela peut s'expliquer par la différence des genres littéraires, car il est constant qu'en style oral, la construction hypotactique par excellence que constitue en latin la proposition infinitive, recule devant la construction paratactique et devant d'autres formes moins serrées de construction hypotactique, comme les subordonnées avec conjonction [1]. D'autres phénomènes, comme la fréquence plus grande, dans l'apologie, de l'adjectif verbal pour exprimer la nécessité ou l'obligation [2], ou bien de phrases articulées à l'aide des corrélatifs *tam... quam* peuvent s'expliquer de la même manière. On comprendrait sans peine, également, qu'un sujet parlant fasse des phrases nettement plus courtes, en moyenne, que le même sujet écrivant. En fin de compte, la seule différence syntaxique qui ait quelque valeur probante, indépendamment du genre des textes en cause, est que chez Maximinus, *siquidem* apparaît plutôt comme une conjonction de coordination, car elle est toujours suivie de l'indicatif et n'implique qu'un lien assez lâche avec ce qui précède, tandis que l'apologiste emploie toujours ce terme comme conjonction de subordination, suivie du subjonctif (→ *s. v.*).

1. Voir MOHRMANN, « Observations », p. 115-116.
2. De préférence à *debeo, necesse est, oportet*.

Ici comme pour les commentaires, c'est l'analyse lexico-graphique qui sera déterminante. Le volume des textes à comparer la rend moins délicate que dans le cas précédent. En groupant les commentaires avec la *Collatio*, nous disposons d'une base de référence de 11 936 mots, dont 8 616 représentent le discours propre, citations exclues, de Maximinus. L'apologie, quant à elle, compte 4 918 mots, dont 4 089 constituant le discours propre de l'auteur.

Les principales caractéristiques du vocabulaire de Maximinus ayant été dégagées dans l'étude précédente [1], la première chose à faire est de voir si elles se retrouvent ou non dans l'apologie. La réponse est négative. On ne rencontre dans l'apologie ni *saluator*, ni *sententia* suivi d'un génitif dans les annonces de citation, ni *prosequor* ou *prosecutio*, ni *sane*, ni *ratio*, ni aucune des associations de mots fréquentes chez Maximinus. *Etiam*, qui apparaît 34 fois, n'est jamais redoublé par *et* [2]. Le couple *cum quando* fait défaut. Le démonstratif *ipse*, qui est utilisé 43 fois, n'est jamais appuyé ni par l'adverbe *et*, ni par *hic*. *Denique* est toujours employé seul (7 fois), et *nam* n'est nulle part suivi de *et*. *Quidem* n'accompagne en aucun cas le relatif, mais se trouve toujours en corrélation avec *uero*, comme μέν et δέ en grec (quand il est en corrélation chez Maximinus, c'est avec *sed*). On ne trouve pas dans l'apologie *adhuc autem*, mais bien *adhuc uero* ou *sed et adhuc*. Enfin, l'apologiste ne recourt pas aux raisonnements a fortiori articulés autour du couple *quanto magis*, dont Maximinus est coutumier [3].

En revanche, on constate que le vocabulaire de l'apologie offre de nombreuses caractéristiques qui sont absentes chez Maximinus. Le texte étant plus long que celui des commentaires, on peut faire cette fois des observations intéressantes à propos des constellations sémantiques. Le nombre de mots

---

1. V. ci-dessus, p. 69-75.
2. Dans *SP* 342v,37, *et* n'est pas adverbe, mais conjonction (construction polysyndétique *et... et...*, cf. *infra*, p. 88).
3. Nous n'avons pas retenu ce dernier trait comme caractéristique dans l'analyse lexicographique des commentaires, car il s'agit d'une formule courante ; mais le contraste entre les commentaires et l'apologie sur ce point n'en est pas moins significatif.

n'est pas encore suffisant pour qu'il soit justifié de présenter des tableaux complets comportant, dans chaque cas, les pourcentages calculés à la deuxième décimale près, mais on peut du moins comparer valablement des ordres de grandeur.

Ainsi, l'examen de la constellation des adjectifs-pronoms démonstratifs fait apparaître deux distributions complètement différentes. Pour ne pas encombrer l'exposé avec des chiffres et des graphiques, bornons-nous à relever les deux traits les plus frappants : *iste*, qui est utilisé 31 fois par Maximinus, ne se rencontre jamais chez l'apologiste ; en revanche, celui-ci a une prédilection pour *idem* (5,1 pour mille mots, en moyenne), qui est rare chez Maximinus ($<$ 1 p. m.) ; il emploie frequemment, en particulier, la tournure *idemque* pratiquement dans le même sens que *ac* ou *atque* [1]. Quant aux adverbes démonstratifs, Maximinus préfère nettement *sic* à *ita* (employés respectivement 35 et 9 fois), alors que c'est le contraire chez l'apologiste (2 fois et 8 fois).

De même, pour exprimer l'idée de totalité, Maximinus utilise presque toujours l'adjectif-pronom *omnis*, et jamais *cunctus*. L'apologiste, lui, préfère comme adjectif *omnis*, comme pronom *cunctus* [2].

Particulièrement intéressante est l'étude de certaines constellations de conjonctions de coordination. La conjonction adversative la plus employée, par Maximinus comme par l'apologiste, est *sed*, mais elle est plus fréquente chez l'apologiste (12,7 pour mille contre 7,5 p. m.) et elle est accompagnée une fois sur deux chez lui de l'adverbe *et*, ce couple de mots n'ayant cependant qu'une portée très faible, puisqu'il ne marque généralement ni une véritable oppo-

---

1. P. ex. *SP* 342v,26-31 : *longeuus idemque inreprehensibilis episcopatus*, « un épiscopat prolongé et irréprochable » ; 347r,37 : *de uno sedente eodemque postulante pro nobis*, « un seul qui siège et qui intercède pour nous » ; etc.

2. Il emploie cependant aussi *omnis* comme pronom, mais c'est généralement sous l'influence d'une citation scripturaire (*SP* 345v,35 ; 346r,1.4) ou dans des formules toutes faites comme *ante omnia* ou *in omnibus*.

sition, ni même une progression notable de la pensée ; chez Maximinus, *sed et* est rare (< 1 p. m.) et a un sens plus fort, car ce couple est employé le plus souvent en corrélation avec *non solum* ou *non tantum* [1] ; en pareil cas, l'apologiste emploie *sed etiam*. A côté de *sed*, Maximinus utilise volontiers *autem* (4,6 p. m.), qui est plus rare chez l'apologiste (1,5 p. m.). En revanche, l'apologiste utilise *uero* plus fréquemment que Maximinus (3,2 p. m. et < 1 p. m.). Enfin, on trouve parfois chez Maximinus *attamen*, qui est absent chez l'apologiste, tandis que celui-ci utilise quelquefois *at*, qui ne se rencontre jamais chez Maximinus.

Quant aux conjonctions copulatives, on remarquera d'abord que l'enclitique *-que*, rare chez Maximinus (< 1 p. m.), est couramment employé par l'apologiste (7,3 p. m.). *Et* est à peu près aussi fréquent chez les deux, mais l'apologiste use assez souvent de la construction polysyndétique, qui est plus rare chez Maximinus. Le contraste entre les deux auteurs est tout à fait frappant pour *ac* et *atque*. Maximinus utilise *ac* uniquement dans l'expression *ac per hoc* (1 fois) et dans la formule *tantus ac talis*, qui revient 9 fois sous sa plume. L'apologiste, en revanche, utilise fréquemment la conjonction *ac* (19 fois), presque toujours pour unir deux adjectifs ; la formule *tantus ac talis* n'apparaît pas chez lui [2]. *Atque*, d'autre part, est employé généralement par Maximinus pour unir deux mots semblables, étroitement rapprochés et ayant la même fonction grammaticale ; souvent, l'association est redondante et le second terme n'ajoute pas grand-chose au premier (p. ex. *sublimitas atque maiestas, pares atque aequales, audenter atque praesumenter, sanctificauerit atque purgauerit, uniti atque conflati*, etc.). L'apologiste, de son côté, utilise *atque* pour conjoindre non pas deux mots, mais deux propositions [3].

A propos des conjonctions disjonctives, on observe que Maximinus utilise plus souvent *aut* que *uel* (21 fois et 9 fois), alors que c'est l'inverse chez l'apologiste (5 fois et 18 fois).

1. Maximinus emploie indifféremment *non solum* ou *non tantum*, alors que l'apologiste utilise toujours *non solum*.
2. On rencontre une fois *talis ac tantus* (*SP* 346r,5).
3. Sauf peut-être dans *SP* 342v,42, mais le contexte est lacuneux.

Ajoutons encore ici que pour signifier « c'est-à-dire », Maximinus dit indifféremment *hoc est* ou *id est*, alors que l'apologiste dit toujours *id est*.

L'examen des annonces de citation n'est pas moins instructif que celui des constellations sémantiques. On constate par exemple que Maximinus fait un usage abondant de *aio* (49 fois, dont 42 pour introduire une citation scripturaire et 7 pour renvoyer à d'autres textes), alors que l'apologiste n'utilise qu'une seule fois ce verbe, dans la formule *ut ait scriptura*, qui n'introduit pas une citation, mais renvoie de façon globale et imprécise à l'Écriture en général [1]. Pour désigner l'apôtre Paul comme l'auteur d'une citation scripturaire, Maximinus utilise une fois sur deux *apostolus* sans autre précision et ajoute dans l'autre moitié des cas le nom de l'apôtre ; l'apologiste utilise 10 fois *apostolus* sans plus et ajoute une fois seulement le nom de l'apôtre. Pour enchaîner deux citations scripturaires, l'apologiste emploie couramment *item* ; cette façon de faire ne se rencontre pas chez Maximinus ; ce dernier emploie à cette fin *iterum*, terme qui n'est pas utilisé par l'apologiste. Dans l'apologie, on trouve habituellement *scriptura* sans épithète ; deux fois seulement (sur 18), ce terme est suivi de l'épithète *diuina*. Chez Maximinus, au contraire, *scriptura* est généralement précédé d'une épithète (*diuina* ou *sancta*) ; en aucun cas, celle-ci ne suit le substantif. D'autre part, Maximinus emploie beaucoup plus souvent *scriptura* au pluriel qu'au singulier, alors que la balance est égale dans l'apologie. Enfin, Maximinus parle très souvent de *testimonium* à propos d'argumentation scripturaire (41 fois) ; ce terme n'est employé qu'une seule fois dans ce sens par l'apologiste [2], quoique l'argumentation scripturaire soit tout aussi développée chez lui que chez Maximinus.

En dehors des constellations sémantiques et des annonces de citation, le vocabulaire de l'apologie présente encore d'autres particularités caractéristiques qui n'apparaissent pas chez Maximinus. Voici les plus notables. L'apologiste emploie 9 fois *duco* suivi de l'adjectif verbal pour signifier

1. *SP* 342r,40.
2. *SP* 348r,36.

« Tu as cru devoir (faire telle chose) », p. ex. 338r,49 : *Tu aḅ eis qu̯aẹ[r]eṇḍum duxisti an...*, « Tu as cru devoir leur demander si... », etc. (→ DUCO); ce tour ne se retrouve pas chez Maximinus. L'apologiste emploie 11 fois *eiusmodi* au sens de « tel », p. ex. 338r,50 (suite du précédent) : *... an eiusmodi professio il[lis] placeret*, « ... si une telle confession avait leur agrément », etc. (→ EJUSMODI); Maximinus n'utilise pas cette expression. L'apologiste emploie 9 fois *pro* au sens causal, p. ex. 344v,4 : *Petrus qui pro primatu suo apostolorum columna erat*, « Pierre qui, en raison de sa primauté, était la colonne des apôtres », etc. (→ *s. v.*); cet usage ne se rencontre pas chez Maximinus. L'apologiste emploie 6 fois *similitudine*, suivi d'un génitif, à peu près de la même façon qu'une préposition, au sens de « comme, à l'instar de », p. ex. 339v,2 : *Vnum eundemque et Patrem et Filium similitudine Sabelli uultis uideri*, « Vous voulez, comme Sabellius, que le Père et le Fils apparaissent une seule et même personne », etc. (→ SIMILITUDO); Maximinus ne recourt pas à cette construction. On relève encore plusieurs mots chers à l'apologiste et qui font défaut chez Maximinus, p. ex. *quippe*, employé 9 fois dans l'apologie, absent dans les commentaires et la *Collatio* (→ *s. v.*), etc.

A ces constatations concernant la forme de l'apologie s'ajoute, quand on considère le contenu du texte, le fait que la relation du concile d'Aquilée qu'il contient est indépendante des actes du concile, et que son auteur ne connaît même pas les actes, alors que Maximinus en est réduit à suivre le fil de ceux-ci. En effet, l'apologiste nous apprend sur le concile d'Aquilée nombre de détails à propos desquels les actes sont muets. Il sait comment était disposée la salle du concile [1]. Il nous instruit de la teneur des discussions qui ont précédé la séance officielle du 3 septembre 381 [2]. Il rappelle une intervention de Secundianus dont les actes, du moins tels que nous les avons aujourd'hui, n'ont pas conservé la mémoire [3]. Il mentionne le fait que Damase avait

1. *SP* 337v,5-7.
2. *SP* 337v,22-339r,5.
3. *SP* 341r,40-44.

adressé à Ambroise trois lettres dans lesquelles il excusait l'absence d'autres évêques, et dont Ambroise tint à donner lecture lui-même, contrairement à l'usage qui réservait cette tâche à un subalterne [1]. Il reproche aux nicéens d'avoir, au mépris de toute logique, refusé leur communion à Léonce de Salone, qui avait été admis dans celle de Damase, tout en ne rompant pas avec celui-ci [2]. De tout cela, les actes et les autres documents conciliaires ne soufflent mot. D'autre part, l'apologiste n'a pas les actes à sa disposition, car il cite approximativement et de mémoire la lettre d'Arius qu'Ambroise imposa comme fil conducteur du débat sur la divinité du Christ [3], tout comme il ne rend compte qu'approximativement du débat lui-même [4]. Maximinus, au contraire, ne sait que ce que disent les actes ; ainsi, il est incapable de dire si une lettre dans laquelle Palladius invitait Ambroise et les siens à tenir séance fut effectivement lue au concile comme il le demandait, car les actes ne précisent pas la chose [5].

Rappelons enfin que le texte biblique de l'apologie présente des divergences assez nettes avec celui de la *Collatio* et des commentaires de Maximinus [6].

Dès lors, la cause est entendue : l'auteur de l'apologie, c'est-à-dire du plaidoyer en faveur des condamnés d'Aquilée qui constitue l'essentiel du second bloc de scolies, ne peut être Maximinus.

L'auteur de l'apologie est Palladius Il reste à déterminer, si possible, qui est l'auteur de ce morceau. Il doit s'agir d'un des ariens qui étaient présents au concile d'Aquilée ou, du moins, de quelqu'un qui dispose de renseignements fournis par un de ces témoins oculaires. Or, les ariens présents au concile d'Aquilée n'étaient

1. *SP* 344r,1-5.
2. *SP* 344v,30-345v,2.
3. Comparer *SP* 339r,43-45, avec le texte cité dans les actes (§§ 5 s.) ; noter aussi les mots qui suivent la citation de l'apologie (339r,45-46) : « ... sed et plura al[ia] eiusmodi, singulari prestantiae conuenientia, *quae detineri non potuerunt*. »
4. Comparer *SP* 339v,31-341r,26 avec *Gesta*, 17-41.
5. *SM* 301v,8-31.
6. Voir GRYSON, « Citations scripturaires », p. 51-53.

pas nombreux : outre les évêques Palladius et Secundianus, il y avait un prêtre nommé Attalus ; les deux évêques devaient être accompagnés de l'un ou l'autre clerc inférieur, mais il n'est pas certain que ceux-ci assistèrent à l'ensemble des discussions.

En y regardant bien, nous nous apercevons alors que Maximinus lui-même, qui fait allusion dans ses commentaires à différents passages de l'apologie, indique expressément, au moins une fois, que l'auteur en est Palladius. Nous lisons, en effet, dans l'apologie les lignes suivantes : « Cumquę primum ex orę eius principal[em] reuerentiam Patris omnipo[ten]tis continentia recitarentur, id est : Credo in unum solum uerum D(eu)m, auctorem omniuṃ, solum ingenitum, solum sempiternum D(eu)m, (...) tu cum omni conspiratione tua ad singul[as] professiones (...) *anathema magna cum uociferatione subclamasti* [1]. » Or, Maximinus attribue nommément à Palladius une expression contenue dans ces lignes : « *Magna cum uociferatione*, ut exposuit supradictus Palladius, per sıngula uerba fidei *anathema succlamauerunt* [2]. » Il se réfère également plus haut à ce passage, mais malheureusement, la ligne-clé a été emportée à cet endroit par la rogneuse : « Nam cum Arri epistula quam recitatam ụṭ ipse s(an)c(tu)s ⌐...⌐ [...20...]p̣[...32...]g̣[...12...] ⌐.....⌐ Patręṃq(ue), hi subtraxerunt ingenitum (...). Vt autem percenseam ipsa uerba, sicut indicaṭ ṭęxtus : Credo in unum solum uerum D(eu)m, auctorem omnium, solum ingenitum, solum sempiṭęrnụm D(eu)m [3]. » La lettre d'Arius est citée ici dans la version approximative qui est particulière à l'auteur de l'apologie, et le texte dont Maximinus reproduit les « propres termes » ne saurait donc être que celui-là. Par conséquent, le « saint » au témoignage duquel le commentateur fait appel ne peut être que Palladius, qui reçoit fréquemment ce titre dans les commentaires [4], et son nom figurait sans doute dans la ligne mutilée.

1. *SP* 339r,38-44.47-48.49-50.
2. *SM* 308v,13-21.
3. *SM* 303v,39-304r,2.3-5.
4. V. ci-dessous, p. 94-95.

Une troisième allusion, plus fugitive, au même passage, en même temps qu'à d'autres qui figurent plus loin dans l'apologie, est particulièrement intéressante à relever : « Hi autem aduersarii in modum iudeorum dicentium : Tolle, tolle, crucifige eum, non solum quod in religione *anathema succlamauerunt*, sed et in eorum iniuriam dicentes : Porro taceant, et aliuş : Ţaceat nec saluus, sed et ausi fuerunt episkopatu(m) quem non habebant habentibus interdicere, şiçuţ compositio g⌈esto⌉ ruṃ eọ̧rụṃ iṇ̣ḍiçaṭ... ¹. » Le second incident d'audience évoqué ici, à savoir l'ordre de se taire intimé à deux reprises à l'accusé, se situe au cours de l'interrogatoire de Secundianus ; Maximinus ne peut le connaître que par l'apologie ², car les actes du concile n'en font pas mention. L'idée que les évêques authentiques, c'est-à-dire les ariens, ont été dépouillés de l'épiscopat par de faux évêques provient également de l'apologie ³. Les huit courtes lignes qui suivent dans le commentaire sont lacuneuses ou incertaines ⁴. Mais quand on peut lire à nouveau clairement, on constate que la phrase s'achève sur un renvoi au « texte qui se trouve plus loin » (*textus indicat lectịọnị̣s qui infra habetur*) ⁵. Ce texte n'est pas la suite du commentaire, où il ne se trouve rien qui corresponde à ce qui vient d'être dit, ni les actes du concile d'Aquilée, où on chercherait en vain, nous l'avons dit, la trace de l'affront fait à Secundianus. Il ne peut donc s'agir que du texte de l'apologie figurant dans le second bloc de scolies. Ceci indique que le texte de l'apologie se trouvait déjà dans les marges quand y ont été consignés les commentaires de Maximinus, en d'autres mots, que le second bloc de scolies a été transcrit avant le premier (réserve faite pour la note additionnelle dont il sera question ci-après). Il serait étonnant, du reste, si le second bloc de scolies ne se

1. *SM* 309v,2-9.
2. Cf. *SP* 343r,3-6 : ... non iam a ministris, sed a uobis ipsis extremis iniuriis ageretur, te quidem Ambrosio dicente : « Porro taceat », Euseuio uero adsessore tuo subiungente et ad augendam tuam ut iudicis auctoritatem dicente : « Taceat nec saluus ! »
3. Cf. *SP* 343r,44-343v,17.
4. *SM* 309v,10-17.
5. *SM* 309v,18-22.

trouvait pas déjà dans le manuscrit, que les commentaires n'aient pas été transcrits en marge des actes du concile qu'ils sont censés éclairer, mais en marge du *De fide*. On pourrait objecter qu'il serait tout aussi surprenant, dans l'hypothèse contraire, que le second bloc de scolies ne débute pas en regard du passage du *De fide* qu'il cite pour commencer. Mais ce n'est pas la même chose. Le second bloc de scolies n'est pas un commentaire du *De fide*. Le passage en question n'est cité qu'en guise d'introduction à l'apologie, laquelle exprime le point de vue arien sur le concile d'Aquilée. Il est donc tout à fait normal que le copiste du second bloc, se trouvant en face des marges vierges, ait choisi de consigner son texte en regard des actes du concile. Dans l'hypothèse où le scribe des commentaires se serait trouvé devant la même situation, son choix s'expliquerait difficilement.

On décèle encore l'influence de l'apologie en d'autres endroits des commentaires que ceux qui sont relevés ci-dessus, mais elle n'y est pas avouée, et ces parallèles n'éclairent pas la question de l'auteur de l'apologie [1].

Remarquons, d'autre part, que si on prend le texte à la lettre, l'apologie est comprise sous l'intitulé *Palladius dixit* qui figure en tête du second extrait de la réfutation du *De fide* [2]. Il n'y a, en effet, aucune solution de continuité dans le manuscrit entre les fragments de la réfutation et celui de l'apologie, et c'est la critique interne seule qui conduit à les distinguer. Le lecteur doit normalement comprendre que c'est toujours Palladius qui parle.

Si Palladius est l'auteur de l'apologie, on s'explique aisément la raison d'une différence entre les commentaires et l'apologie dont nous n'avons pas encore fait état. Dans les commentaires de Maximinus, Palladius reçoit fréquemment le titre de « saint » (→ PALLADIUS), et il est plusieurs fois désigné par ce simple titre, soit seul, soit en même temps que

---

1. Comparer p. ex. *SM* 303v,11-12 et *SP* 339v,3-4 ; *SM* 303v, 16-29 et 345v,19-34 ; etc. Il semble que l'idée d'assimiler Ambroise au païen Demetrianus réfuté par S. Cyprien (*SM* 299v,1-300r,39) vienne également de Palladius (*SP* 345v,6).

2. *SP* 336v,42.

le deuxième des « saints évêques », son collègue Secundianus
(→ SANCTUS 2). Dans l'apologie, par contre, ce titre ne
lui est jamais donné, bien que son nom soit cité 8 fois. Il va
de soi qu'il ne pouvait songer à s'attribuer à lui-même une
qualification réservée aux défunts dont la mémoire faisait
l'objet d'une vénération particulière.

Il convient, à ce stade, de faire la contre-épreuve de l'analyse lexicographique, c'est-à-dire de vérifier si les traits caractéristiques du vocabulaire de l'apologie se retrouvent dans
les fragments de la réfutation du *De fide* attribués nommément à Palladius. C'est effectivement le cas : malgré la brièveté des fragments de la réfutation, qui comptent moins de
500 mots, plusieurs des particularités relevées dans l'analyse qui précède s'y rencontrent également. On y voit apparaître, en effet, *idemque*, *sed et* (dans un sens affaibli), *ac*
unissant deux adjectifs et *atque* unissant deux propositions,
eiusmodi, *quippe* et *similitudine* (→ *s. v.*).

Il reste à rencontrer l'objection qu'on pourrait tirer du
fait que dans l'apologie, il est toujours question de Palladius
à la troisième personne. La raison en est simple. Dans ce
texte, Palladius ne s'exprime pas seulement en son nom
propre, mais aussi au nom de ses co-accusés, spécialement
de son collègue Secundianus, et même plus largement au
nom du parti auquel il appartient. Par sa plume, c'est le
parti arien tout entier qui fait appel de la condamnation qui
a frappé ses représentants à Aquilée, car, à travers eux, c'est
lui qui était visé. Ce n'est pas seulement pour rendre justice
aux victimes du « brigandage » d'Aquilée, que la conclusion
de l'apologie réclame un grand débat public à Rome, où les
experts des deux partis auront tout le loisir de faire valoir
leurs arguments devant l'élite intellectuelle de l'Empire ;
c'est parce que l'avenir de la foi est en jeu. Ce n'est pas seulement Palladius, mais aussi Auxentius et tous les autres
collègues de Démophile de Constantinople, qui se promettent
alors de faire valoir les droits de la vérité [1]. Bref, l'apologie
de Palladius est aussi le manifeste d'un parti ; on comprend,
dès lors, que la personne de l'auteur s'efface devant la cause

1. *SP* 348r,35-349r,4.

qu'il incarne, et qu'au lieu de se mettre en avant, il se can-
tonne dans l'anonymat.

**Date
de l'apologie**
Il n'est pas difficile de dater l'apologie de
Palladius. Elle est postérieure à la séance du
concile d'Aquilée où il fut condamné, le
3 septembre 381. Elle est antérieure, d'autre part, à la mort
du pape Damase, c'est-à-dire au 11 décembre 384, car il est
fait allusion à celui-ci comme à un personnage encore vivant [1].
Il semble qu'elle doive être située plus près de la première
date que de la seconde, car on s'expliquerait plus facilement
ainsi que Palladius ne soit pas encore en possession des
actes du concile. Le sens tactique le plus élémentaire imposait, du reste, de ne pas tarder à réagir. A mesure qu'on
s'éloigne davantage de 381, et surtout après l'échec du concile de Constantinople de 383, l'idée d'une grande confrontation publique entre ariens et nicéens, sur pied d'égalité,
comme le propose la conclusion de l'apologie, devient plus
invraisemblable.

**Valeur
du témoignage
de Palladius**
Le témoignage de Palladius à propos du
concile d'Aquilée, étant celui d'un témoin
oculaire, est de grande valeur. Bien entendu, il ne peut être reçu, a priori, qu'avec
réserve, car il émane d'un témoin passionné et personnellement intéressé aux faits qu'il rapporte. Néanmoins, après
examen, on ne voit pas de raison de douter, pour l'essentiel,
de sa crédibilité. Dans la mesure où son témoignage recoupe
celui des actes, ils concordent, d'une façon générale, quant
à la matérialité des faits et à la substance des paroles prononcées. Les détails supplémentaires qu'il fournit n'ont rien
d'invraisemblable, et leur omission dans les actes s'explique
sans peine. Beaucoup d'entre eux sont de ceux qui ne s'in-
ventent pas, par exemple le fait anodin, mais néanmoins
révélateur, qu'un siège particulier avait été réservé à Ambroise, à côté de l'estrade élevée où trônait l'évêque du
lieu, président du concile [2], ou encore le fait que Secundianus

1. *SP* 348r,37-40.
2. *SP* 337v,6-7.

dut rester debout pendant qu'on l'interrogeait [1]. L'objet des actes était avant tout de rendre compte des déclarations des participants, et on comprend que le rédacteur n'ait pas fait état d'incidents d'audience peu édifiants, comme les injures des jeunes clercs nicéens à l'adresse des accusés [2].

III. Note de Maximinus (= *SM*)

L'apologie de Palladius s'achève, nous l'avons vu, par la proposition d'un grand débat public, à Rome, entre ariens et nicéens, et par la promesse solennelle, assortie d'une formule en style doxologique, que les évêques ariens ne feront jamais défaut à un débat sur la foi, quel que soit l'endroit où il doit avoir lieu. Ce défi lancé à l'adversaire constitue certainement la conclusion de l'ouvrage. Les dernières lignes du texte marginal (349r,4-43) sont une note historique indiquant que, lorsque des évêques ariens se présentèrent par la suite à la cour de Constantinople et obtinrent des empereurs la promesse d'un concile, les nicéens s'employèrent à faire promulguer une loi prohibant toute discussion sur la foi. Et on cite le texte de cette loi, qui serait l'édit « Nulli egressum » du 16 juin 388, ainsi qu'une autre encore, datée du 23 janvier 386, qui tendrait au même but [3].

Bessell a démontré que la loi du 23 janvier 386 était citée dans une version abrégée qui ne se trouve que dans le Code théodosien et qui n'a pas pu circuler avant la publication de cette compilation [4]. Ce point doit être considéré comme

1. *SP* 343r,2.
2. *SP* 342v,38-41.
3. *SM* 349r,23-38 = *C. Theod.*, XVI, iv, 2 (éd. Mommsen, t. 1-2, p. 853-854) ; 349r,39-43 = *C. Theod.*, XVI, iv, 1 (p. 853).
4. *Leben Ulfilas*, p. 15-20. Le texte complet de la loi est dans *C. Theod.*, XVI, i, 4 (éd. Mommsen, t. 1-2, p. 834). Il importe peu que la version abrégée soit l'œuvre des compilateurs du code, ainsi que le croyait Bessell, ou qu'elle ait été exhumée dans les archives de la cour d'Orient, comme le suggère M. K. L. Nötlichs (*Gesetzgeberischen Massnahmen*, p. 122-123 et 146-147), car celui-ci doit admettre, en tout cas, que si une expédition partielle de la loi de Valentinien II fut adressée en 386 à la cour d'Orient, elle ne fut certainement pas publiée. Mais l'hypothèse de M. Nötlichs apparaît plutôt tirée par les cheveux, et celle de Bessell est plus vraisemblable.

Scolies ariennes. 7

acquis. Bessell en déduit que l'ensemble des scolies, réserve
faite pour l'apologie de Palladius citée dans le second bloc,
est postérieur à 438, date de la promulgation du code [1].
Cette conclusion a été unanimement acceptée jusqu'à la
fin du XIXᵉ siècle [2]. Kauffmann, qui refuse de reconnaître
dans l'apologie une œuvre de Palladius et qui y voit simplement une partie de la *Dissertatio Maximini*, est conduit,
par voie de conséquence, à soutenir que les scolies tout
entières ont été rédigées entre 381 et 384, puisque c'est
manifestement le cas de l'apologie [3] ; les dernières lignes,
postérieures à 438, ne peuvent être, dès lors, qu'une addition
d'un glossateur [4]. Müller, qui persiste dans la même erreur
que Kauffmann au sujet de l'apologie, situe la composition
des scolies durant l'hiver 382-383 [5] ; il ne pouvait, à partir
de là, qu'aboutir à une conclusion analogue à propos de la
note finale, mais il n'a pas jugé utile de s'expliquer sur ce
point. Klein a fait confiance à Müller pour la date des
scolies [6] ; la note finale est pour lui une addition du copiste
du texte marginal [7]. En même temps que Müller, Klein cite
Vogt à l'appui de la date qu'il assigne aux scolies [8]. Ceci
montre qu'il ne l'a pas lu avec beaucoup d'attention. Vogt,
en effet, maintient contre Kauffmann que l'apologie est
l'œuvre de Palladius ; les commentaires lui paraissent se
situer à une date plus tardive [9], ce qui permettrait d'y rattacher la note finale, comme le faisait Bessell ; mais Vogt ne
s'est pas prononcé à ce sujet. Saltet et Zeiller ont envisagé
explicitement cette hypothèse, mais, ainsi que nous l'avons
vu [10], ils se refusent à repousser la date des commentaires
jusqu'après 438. La note finale reste donc à leurs yeux « une

1. *Leben Ulfilas*, p. 20-30.
2. P. ex. KAUFMANN, « Untersuchungen », p. 195, n. 1 ; VOGT,
« Wulfila », p. 270 ; etc.
3. *Dissertatio*, p. XL-XLI.
4. *Ibid.*, p. XXIV.
5. « Ulfilas Ende », p. 142-145.
6. « Dissertatio als Quelle », p. 244.
7. *Ibid.*, p. 261.
8. *Ibid.*, p. 244.
9. Compte rendu, p. 195 et 207.
10. Ci-dessus, p. 76-79.

sorte de pièce rapportée, une simple glose », qui n'est pas de Maximinus [1].

En réalité, il n'est pas difficile de voir que la note finale est l'œuvre du même auteur que les commentaires sur la lettre d'Auxentius, c'est-à-dire de Maximinus. La raison déterminante en est qu'elle véhicule la même interprétation erronée, tout à fait particulière, du récit d'Auxentius, ainsi que nous le verrons au chapitre suivant [2]. Mais même au niveau de la langue, on peut en trouver la preuve, malgré l'extrême brièveté du texte (65 mots de discours propre). *Unde et* (*SM* 349r,4) est une cheville qui apparaît plusieurs fois chez Maximinus, aussi bien dans la *Collatio* (*CM* 730,41 ; 739,47) que dans les commentaires (*SM* 308v,39). Ulfila (*SM* 349r,5) reçoit également le titre de « saint » dans les commentaires (*SM* 309v,37). *Etiam et* (*SM* 349r,6), nous le savons, est un tic verbal tellement caractéristique de Maximinus qu'il équivaut presque à une signature. L'incise *ut s(an)c(tu)s Aux[en]tius exposuit* (*SM* 349r,7-8) est, elle aussi, bien dans sa manière (voir p. ex. *SM* 308v,15-17 : « ... ut exposuit supradictus Palladius », etc. → UT 1). Enfin, l'annonce de citation *sic[ut] textus indicat [le]gis* (*SM* 349r,21-23) a de nombreux parallèles dans les commentaires ; voir *SM* 299r,33-34 : « Sicut sequens ind[icat] textus » ; 304r,4 : « Sicut indicat textus » ; 308r,38 : Vt gesta ab ipsis ereticis confecta indicant » ; 309v,7-9 : « Sicut compositio g[esto]rum eorum indicat » ; 309v,18-20 : «... textus indicat lectionis qui infra habetur ».

Il est donc établi que la note ajoutée à l'apologie est l'œuvre de Maximinus, comme les commentaires, et qu'elle est postérieure à la promulgation du Code théodosien, c'est-à-dire à 438. L'examen paléographique fait voir que cette note a été écrite par la même main que celle qui a transcrit dans les marges la plus grande partie des commentaires, sans que son écriture ait évolué dans l'entre-temps [3]. On peut démontrer, d'autre part, que ces textes, au contraire

---

1. ZEILLER, *Provinces danubiennes*, p. 488.
2. Ci-dessous, p. 162-165.
3. Voir GRYSON-GILISSEN, *Parisinus*, p. 22.

des fragments de Palladius, ne sont pas des copies, mais des « originaux », c'est-à-dire des textes écrits en la présence même de l'auteur, soit de sa main, soit sous sa dictée ou d'après un brouillon qu'il communique au fur et à mesure à des secrétaires. La date de la transcription du texte est aussi celle de sa composition. Il faut situer, par conséquent, la rédaction des commentaires à la même époque que celle de la note, c'est-à-dire dans les années qui ont suivi la publication du Code théodosien, vers le milieu du ve siècle [1].

1. *Ibid.*, p. 9-11 et 22-23.

CHAPITRE III

L'ARIANISME ILLYRIEN AU IVᵉ SIÈCLE

I. L'ARIANISME ILLYRIEN AVANT LE CONCILE D'AQUILÉE

1. L'époque d'Ursacius et de Valens

La grande controverse doctrinale touchant la relation du Verbe au Père, à l'origine de laquelle se trouve Arius et qui agita si vivement les esprits en Orient, ne suscita guère d'écho en Occident avant le milieu du IVᵉ siècle. Les Latins n'étaient pas par tempérament portés à la spéculation comme les Grecs, et la représentation occidentale à Nicée n'avait été que symbolique. Il fallut l'arrivée en Occident d'exilés illustres pour que l'on commençât à se rendre compte de l'ampleur et de l'enjeu de la lutte dont l'Orient était le théâtre. Athanase fut accueilli fraternellement à Trèves lors de son premier exil, en 336, puis à Rome, lorsqu'il fut à nouveau contraint de quitter son siège trois ans plus tard. Ce n'est sans doute pas un hasard si la Gaule et l'Italie, par la suite, demeurèrent toujours foncièrement attachées à la foi de Nicée. Dans les provinces danubiennes, en revanche, où avaient été bannis Arius et ses partisans de la première heure, l'arianisme poussa des racines profondes. Dès le concile de Tyr (335), où fut déposé Athanase, deux jeunes évêques illyriens, Ursacius de Singidunum et Valens de Mursa, se signalent par leur acharnement contre l'évêque d'Alexandrie. Au concile de Philippopolis (343), on les voit siéger de nouveau avec les Orientaux, et ils sont excommuniés avec eux par l'assemblée rivale réunie à Sardique. Leur période de gloire se situe entre 351 et 360, au moment où l'empereur Constance est amené à séjourner fréquemment en Illyricum. Avec Germinius, appelé au siège de Sirmium en 351 pour remplacer Photin, ils sont alors les hommes de confiance du prince pour tout ce qui touche aux affaires ecclésiastiques.

Constance, quand il fut devenu le seul maître de l'Empire en 353, résolut de faire reconnaître par l'Occident, qui s'y était refusé jusqu'alors, la condamnation portée contre Athanase au concile de Tyr. Aux conciles d'Arles (353), puis de Milan (355), il fit signifier sa volonté à l'épiscopat par ses conseillers illyriens et il exila impitoyablement les quelques évêques qui voyaient assez clair ou qui étaient assez courageux pour protester ; ce fut le cas de Paulin de Trèves, puis d'Eusèbe de Verceil, de Lucifer de Cagliari et de Denys de Milan, puis de l'évêque de Rome, Libère, du vieil Ossius de Cordoue, vétéran de Nicée, et enfin d'Hilaire de Poitiers. Milan, qui était devenue résidence impériale à la fin du IIIe siècle, reçut pour évêque un arien bon teint, venant de Cappadoce, qui se nommait Auxentius. Le couronnement de cette politique, après quelques années de fluctuations et d'intrigues qui ne sont point parmi les plus glorieuses de l'histoire de l'Église, fut le double concile qui réunit séparément à Rimini et à Séleucie, en 359, les épiscopats d'Occident et d'Orient et qui aboutit, au début de l'année 360, à Constantinople, à l'approbation d'une formule de foi qui déclarait simplement le Fils « semblable au Père dans le sens des Écritures », en proscrivant toute précision d'allure spéculative, comme était le « consubstantiel » de Nicée.

L'avènement de Julien comme Auguste en Occident (février 360), puis la mort de Constance (novembre 361), marquèrent la fin de ces dix années durant lesquelles l'influence du trio illyrien avait été prépondérante. L'épiscopat gaulois fut le premier à se ressaisir, sous l'énergique impulsion d'Hilaire de Poitiers, qui avait pu rentrer d'exil dès le début de 360. En Italie du Nord, Eusèbe de Verceil ne revint qu'après avoir pris part au concile d'Alexandrie de 362. Dans cette assemblée, Athanase fit approuver une politique de conciliation qui consistait, tout en condamnant fermement les chefs du parti homéen, à tendre la main à ceux qui avaient été abusés par eux en 359 et à leur offrir la communion sans exiger d'eux autre chose que la profession de la foi de Nicée. Cette politique, qui rejoignait celle d'Hilaire en Gaule, fut appliquée avec succès par Eusèbe dans sa zone d'influence. Toutefois, il ne put, même avec le concours énergique d'Hilaire, venir à bout d'Auxentius à Milan. Fort de l'appui de l'empereur Valentinien Ier (364-375), qui s'en tint toujours à la politique de neutralité affirmée au début de son règne, l'évêque arien se maintint sans difficulté sur son siège jusqu'à sa mort, survenue en 374, en dépit des condamnations répétées dont il était l'objet de la part des nicéens.

En Italie centrale et méridionale, d'autre part, le ton était donné par l'évêque de Rome. Le courage de Libère ne s'était point soutenu dans son exil oriental, et il avait acheté son retour à Rome au prix de concessions qu'Hilaire jugea sévèrement (357-358). Mais il n'avait pas pris part au concile de Rimini, peut-être parce que Constance ne savait comment trancher entre lui et le remplaçant qu'il lui avait donné après son départ en exil. C'est ce qui lui permit, à la mort de Constance, de condamner les actes du concile et de ramener progressivement à la foi de Nicée ceux qui avaient cédé aux pressions de Valens et d'Ursacius à Rimini. Son successeur Damase (366-384) entretint des rapports étroits avec Athanase et accueillit à Rome le frère et successeur de celui-ci, Pierre, durant la persécution de l'empereur Valens en Orient (373-378).

C'est en Illyricum, comme on pouvait s'y attendre, que l'arianisme garda après 361 les positions les plus solides. Certes, il y a dans cette région, dès 363, des évêques acquis à la foi de Nicée. Hilaire a conservé le texte d'une lettre adressée par les évêques nicéens de Haute-Italie à des collègues illyriens, dans laquelle ils recommandent à ceux-ci l'attitude conciliante qui était alors celle d'Athanase et des siens en Orient, celle d'Hilaire et de Libère en Occident[1]. Comme l'a justement observé Zeiller, « son envoi et son contenu prouvent que les expéditeurs comptaient, de la part des destinataires, sur une correspondance de sentiments, et nous

1. HILAIRE DE POITIERS, *Opus hist.*, frg. XII (Coustant ; Feder p. 158,3-159,2). Sur cette lettre, voir ZEILLER, *Provinces danubiennes*, p. 301-303.

pouvons en conclure qu'il s'était dès ce moment reconstitué
un épiscopat catholique dans les provinces du Danube. On
en a la confirmation par diverses lettres d'Athanase [1] ».
Athanase, en effet, dans sa lettre à Jovien de 363, cite parmi
les Églises qui adhèrent à la foi de Nicée celles de Dalmatie,
de Dacie et de Mésie, ainsi que celles de Macédoine et de
toute la Grèce [2], et quelques années plus tard, dans une lettre
aux évêques d'Afrique (369), il affirme à nouveau que cette
foi est professée, entre autres, par les chrétiens de Dalmatie,
de Dardanie, de Macédoine, d'Épire et de Grèce [3]. Il n'ignore
pas, cependant, qu'il reste dans ces régions des opposants,
et cela est également établi par ailleurs. Au début de 366,
dans une discussion publique qui l'oppose à trois laïcs
nicéens, on voit Germinius de Sirmium défendre une théologie nettement subordinatienne, qui rappelle celle qu'il
professait en 357, au point extrême de son évolution en
direction des thèses proprement ariennes [4]. Toutefois, le
procès-verbal de cette discussion semble avoir été interpolé
par un reviseur nicéen, qui a probablement caricaturé la
doctrine de l'évêque [5]. Dans une profession de foi rédigée à
la même époque, Germinius se révèle partisan d'une position plus modérée, celle du « credo daté » qu'il souscrivit en
359, et d'après lequel le Fils est « semblable au Père en
toutes choses [6] ». Cela lui valut une demande d'explication
de la part d'Ursacius, de Valens et de deux autres évêques
ariens d'Illyricum, qui lui reprochèrent de s'écarter de la
ligne de Rimini [7]. Germinius leur opposa une fin de non-

1. *Op. cit.*, p. 303.
2. Voir Théodoret de Cyr, *Hist. eccl.*, IV, iii, 8 (*GCS* 44, p. 214,
14-15).
3. Athanase d'Alexandrie, *Ep. ad Afr.*, 1 (*PG* 26, col. 1029 A-
B).
4. Un compte rendu de cette discussion a été conservé : c'est
l'*Altercatio Heracliani laici cum Germinio episcopo Sirmiensi*, dans
PLS 1, col. 345-350.
5. Voir M. Simonetti, « Osservazioni sull'*Altercatio Heracliani
cum Germinio* », dans *Vig. christ.*, 21 (1967), p. 39-58.
6. Hilaire de Poitiers, *Opus hist.*, frg. XIII (Coustant ; Feder
p. 47,16-48,6).
7. *Ibid.*, frg. XIV (p. 159,4-160,18).

recevoir, de sorte que l'unité du trio illyrien se trouva rom-
pue [1]. En 367, Valens de Mursa réussit à obtenir de l'empereur, de concert avec Domninus de Marcianopolis, le rappel
d'Eunome, qui avait été condamné à l'exil [2]. Valens et Ursacius ont dû mourir tous deux sur leur siège peu après 371,
car le dernier document qui en parle comme de personnages
vivants date de cette année [3]. Nous ignorons qui succéda à
Valens. Quant à Ursacius, il fut remplacé à l'évêché de Singidunum par un de ses prêtres nommé Secundianus. Celui-ci
avait été au service de l'Église depuis sa jeunesse et était
passé successivement par tous les degrés de la cléricature
avant d'accéder à la dignité suprême [4]. C'est lui qui fut chargé
de remettre à Germinius, en 366, la lettre des quatre dont il
a été question plus haut [5]. On peut conjecturer qu'il était né
vers 330. Nous le retrouverons en compagnie de Palladius
de Ratiaria au concile d'Aquilée.

2. L'entrée en scène d'Ambroise

Lorsque Valens et Ursacius eurent disparu, les nicéens
entreprirent de donner l'assaut au bastion illyrien, sous
l'impulsion d'Ambroise, qui accéda au siège de Milan à la
fin de 374.

A la mort d'Auxentius, les chrétiens de Milan, qui avaient
à se prononcer sur le choix d'un nouvel évêque, se trouvèrent
fort divisés. En dix-neuf ans d'épiscopat, Auxentius avait
su gagner à sa cause un nombre important de clercs et de
fidèles ; beaucoup avaient été baptisés ou ordonnés par lui ;
on ne voit pas que sa position ait jamais été menacée à l'intérieur de son Église, pas plus qu'elle ne l'était de l'extérieur
par les sentences d'excommunication qui s'accumulaient sur
sa tête. Il restait cependant à Milan des nicéens, une minorité selon toute apparence, à laquelle appartenait notamment le diacre Sabinus qui servit de messager entre l'Occi-

1. *Ibid.*, frg. XV (p. 160,20-164,11).
2. Philostorge, *Hist. eccl.*, IX, viii (*GCS* 21, p. 119,3-12).
3. Athanase d'Alexandrie, *Ep. ad Epict.*, 1 (*P G* 26, col. 1052 A).
4. *SP* 342v,41-42.
5. Hilaire de Poitiers, *Opus hist.*, frg. XIV (Coustant ; Feder
p. 160,15).

dent et l'Orient à partir de 372. Quand Auxentius quitta la scène, la minorité nicéenne releva la tête, ainsi qu'il arrivait généralement en pareille circonstance, et chacun des deux partis souhaitait naturellement que le nouvel évêque fût choisi en son sein. La situation à Milan devint rapidement tendue, et l'on pouvait craindre des incidents graves. Le gouverneur de la province, Ambroise, se rendit en personne à l'église où la foule était rassemblée, afin de calmer les esprits. A sa grande surprise, toutes les voix s'accordèrent pour le réclamer comme évêque, bien qu'il ne fût encore que catéchumène [1]. Il est certain qu'en tant que haut fonctionnaire de l'Empire, Ambroise avait fait sienne la politique de Valentinien Ier, qui était de ne pas intervenir dans les affaires religieuses. C'est cette attitude de neutralité qui rendit possible l'accord de tous sur son nom, en le faisant apparaître comme un non-engagé et, partant, comme un candidat de compromis.

Aussitôt élu, cependant, Ambroise fit voir de quel côté allaient ses préférences en exigeant d'être baptisé par un évêque nicéen [2]. Il renonça, semble-t-il, à épurer son clergé, sans doute pour ne pas compromettre prématurément la fragile union dont il avait bénéficié, et il reçut pour siens les clercs d'Auxentius sans les réordonner [3]. Mais ce fut la seule concession qu'il fit aux ariens. Très vite, il se posa en champion de l'orthodoxie nicéenne et entreprit de venger les droits de celle-ci partout où ils n'étaient pas reconnus. L'Italie du Nord, où il avait été précédé par Eusèbe de Verceil, n'offrait guère de prise à son zèle ; Auxentius y faisait figure, dès la seconde moitié de son épiscopat, de corps étranger. Mais il n'en allait pas de même en Illyricum, ainsi

1. PAULIN DE MILAN, *Vita Ambrosii*, vi, 1-2 (éd. A. Bastiaensen, *Vite dei santi*, t. 3, Vérone 1975, p. 60).

2. *Ibid.*, ix, 2 (p. 64).

3. D'après une lettre de Théophile d'Alexandrie à Flavien d'Antioche, citée par Sévère d'Antioche ; voir E. W. BROOKS, *The sixth book of the select letters of Severus, patriarch of Antioch, in the syriac version of Athanasius of Nisibis*, t. 2 : *Translation*, Londres 1904, p. 303-304. Quoique indirect et tardif, ce témoignage peut être accepté ; voir Y. M. DUVAL, « Ambroise de son élection à sa consécration », dans *Ambrosius episcopus*, t. 2, p. 254, n. 44.

que nous l'avons vu. L'évêque de Milan tourna donc ses
regards de ce côté. Cela n'avait rien que de très naturel,
étant donné la proximité géographique de la Haute-Italie
et de l'Illyrie, et les relations étroites qui ont toujours existé
entre ces régions. C'est ainsi qu'au moment où le siège de
Sirmium devint vacant, peu après celui de Milan, Ambroise
n'hésita pas à se rendre sur place pour favoriser l'installation
d'un évêque nicéen dans cette importante métropole [1]. A
dire le vrai, il n'avait juridiquement aucun titre pour intervenir ; mais les hommes de sa trempe ne s'embarrassent pas
de ces considérations quand ils sont persuadés d'agir pour la
bonne cause [2]. L'évêque de Milan, qui avait résidé plusieurs
années à Sirmium avant d'être nommé gouverneur de province, connaissait bien le terrain et, en dépit d'une forte
opposition, il parvint à arracher de haute lutte la désigna-
tion de son candidat, Anemius.

3. Le concile de Sirmium de 378

Quelque temps plus tard, à moins que ce ne soit précisément à l'occasion de cette élection épiscopale [3], se tint en

1. *Vita*, xi, 1-2 (éd. Bastiaensen, p. 66-68). C'est un des premiers
faits que Paulin rapporte après l'élection et l'ordination d'Ambroise.
2. Mgr Paredi (*S. Ambrogio*, p. 249), qui semble craindre qu'on
accuse Ambroise d'abus de pouvoir, fait valoir que la juridiction
métropolitaine de l'évêque de Milan comprenait alors également
les provinces de Vénétie et d'Istrie, et que, de ce fait, il se trouvait
être le métropolitain voisin le plus proche de Sirmium ; l'affaire
l'aurait donc concerné à ce titre. En réalité, il n'y a pas encore d'organisation métropolitaine dans cette région à l'époque d'Ambroise
(Gaudemet, *L'Église dans l'Empire*, p. 384-385.387) ; la province
de Vénétie et d'Istrie n'est pas limitrophe de la Pannonie Seconde,
dont Sirmium est la métropole ; et quand un siège métropolitain
devient vacant, les métropolitains voisins n'ont pas à intervenir
dans l'élection (Gaudemet, p. 382). Il est plus juste de dire, comme
Tillemont, qu'Ambroise « n'avait point besoin pour cela d'autre
autorité et d'autre raison que de son zèle et de l'obligation qu'ont
tous les évêques de procurer, autant qu'il leur est possible, le bien
de toute l'Église, sans avoir besoin d'autre juridiction dans les cas
extraordinaires que de celle de la charité et du caractère épiscopal
qui les rend pères de tous les fidèles » (*Mémoires*, t. 10, p. 52).
3. Cette suggestion avancée par M. R. Lorenz (*Die Kirche*,
p. 32-33) est tout à fait plausible. L'élection d'Anemius a eu lieu

Illyricum un concile qui déposa six évêques ariens de la région. D'après Théodoret, le seul historien qui en parle explicitement, cette assemblée aurait été réunie sur l'ordre de Valentinien Ier, qui avait appris que les esprits étaient divisés à propos de la foi en Asie Mineure ; les évêques jugèrent que le symbole de Nicée devait demeurer en cette matière la règle suprême ; l'empereur fit part de cette décision aux Orientaux en leur prescrivant de s'y tenir [1]. Théodoret reproduit le texte du rescrit impérial [2], auquel est joint un résumé des décrets du concile en forme de symbole [3] ; il donne aussi le texte d'une synodale adressée par les évêques eux-mêmes aux Orientaux [4].

Ce concile a bien eu lieu   Cet ensemble de documents soulève plusieurs difficultés. La principale est que Valentinien Ier, qui s'était fait une règle de ne pas intervenir dans les affaires religieuses, peut difficilement avoir adopté une position aussi tranchée, qui contredit directement la politique appliquée par son collègue

pendant le séjour à Sirmium de l'impératrice Justine, veuve de Valentinien Ier, qui est intervenue en cette circonstance, c'est-à-dire entre la fin de l'année 375 et la fin de l'été 378 (pour ce dernier terme, v. *CSEL* 79, p. 10*). La raison donnée par M. PALANQUE (*Saint Ambroise*, p. 496) pour la situer plus près du premier terme que du second est fort ténue. On ne connaît pas, dit-il, de successeur à Germinius avant Anemius ; or, Germinius ne fait plus parler de lui longtemps avant 380 ; cela conduit à placer le plus tôt possible l'installation d'Anemius. Il est vrai que nous ne savons plus rien de Germinius après 366, mais nous ignorons quel âge il avait à ce moment-là, et deux ans de différence ne font pas grand-chose à l'affaire. De plus, étant donné l'état des sources dont nous disposons, il peut y avoir eu un évêque à Sirmium entre Germinius et Anemius sans que nous le sachions. En acceptant la suggestion de M. Lorenz, on évite d'avoir à supposer qu'Ambroise ait fait deux fois en l'espace d'un ou deux ans le long voyage de Sirmium, et qu'il aurait ainsi été absent de nombreux mois, tout au début de son épiscopat, dans une conjoncture sans doute encore incertaine, de sa ville épiscopale.

1. *Hist. eccl.*, IV, vii, 6-7 (*GCS* 44, p. 219,20-220,4).
2. *Ibid.*, IV, viii, 1-7 (p. 220,5-223,3).
3. *Ibid.*, IV, viii, 7-11 (p. 223,4-224,9).
4. *Ibid.*, IV, viii, 11 - ix, 9 (p. 224,9-227,23).

Valens dans les provinces relevant de son autorité. C'est pourquoi Duchesne a rejeté les documents cités par Théodoret comme inauthentiques [1], et Bardy a même soutenu que ce concile n'avait jamais eu lieu [2]. Cependant, les difficultés se ramènent à peu de chose si on admet, comme l'a suggéré Zeiller, qu'une interversion s'est produite dans la suscription de la lettre impériale et qu'au lieu de Valentinien (Iᵉʳ), Valens et Gratien, il faut lire Valens, Gratien et Valentinien (II) ; ce n'est pas une conjecture gratuite, car on remarque plus d'une fois des accidents de ce genre dans le code théodosien. Dès lors, le concile, qui, dans la première hypothèse, ne pourrait s'être tenu après 375 (année de la mort de Valentinien Iᵉʳ), peut être repoussé jusqu'en juillet 378 (Valens étant mort le 9 août de cette année) ; et si on retient pour date ce terme extrême, cela lève les objections qui étaient attachées à celle de 375, indépendamment de ce que Valentinien Iᵉʳ ne pouvait être intervenu de cette manière [3].

Il n'y a donc, en fin de compte, aucune raison de récuser le témoignage de Théodoret, en tout cas quant au fait qu'un concile s'est réuni en Illyricum peu avant la mort de Valens et s'est préoccupé de défendre la foi de Nicée contre les ariens. Que les noms des évêques déposés par le concile ne soient pas connus par ailleurs, ne rend pas pour autant cette précision sujette à caution, comme l'a bien dit Zeiller. « Les sièges de l'Illyricum étaient nombreux ; il pouvait se trouver parmi leurs titulaires une demi-douzaine d'évêques obscurs, qui ne s'étaient pas mis en vedette dans les batailles des années précédentes, mais qu'on savait attachés à l'arianisme et que l'on jugea expédient de priver de leur dignité.

---

1. *Histoire ancienne de l'Église*, t. 2, 4ᵉ éd., Paris 1910, p. 398, n. 1.

2. « Sur un synode de l'Illyricum », dans *BALAC* 2 (1912), p. 259-274.

3. Voir la discussion détaillée de cette question dans Zeiller, *Provinces danubiennes*, p. 310-327. M. von Campenhausen (*Ambrosius von Mailand*, p. 93-95) a voulu maintenir la date de 375 malgré toutes les difficultés qu'elle présente ; son argumentation a été rencontrée par M. Palanque (*Saint Ambroise*, p. 497).

La juxtaposition, dans la courte liste qui nous est parvenue, de noms helléniques et de noms latins devient même un indice de son authenticité : les évêques de langue latine devaient appartenir à l'Illyricum occidental, à la Pannonie par exemple, ou à la Dalmatie, ou à la Mésie Supérieure, les évêques de langue grecque à l'Illyricum oriental, à la Mésie Inférieure peut-être, ou à la Macédoine, ou à l'Épire [1]. »

Quant aux différents textes cités par Théodoret, Zeiller a défendu victorieusement l'authenticité du rescrit impérial et de la synodale, mais à notre avis, il n'a pas réussi à dissiper les soupçons qui pèsent sur le symbole [2]. Celui-ci est rédigé dans un grec coulant qui est, selon toute apparence, la langue originale du document, alors que le rescrit et la synodale sont manifestement de mauvaises traductions d'un original latin. De plus, le symbole reproduit mot à mot à certains endroits la lettre adressée par Eusèbe de Césarée à son Église après le concile de Nicée et trahit nettement l'influence de la théologie de l'École d'Antioche [3]. Sur tous ces points, les explications de Zeiller sont laborieuses et n'emportent pas la conviction.

Ambroise a pris part au concile   Il résulte des indications qu'Ambroise nous donne à propos de la rédaction des deux premiers livres du *De fide*, qu'il a pris part au concile illyrien de l'été 378. Nous savons, en effet, qu'au moment où il se préparait à partir au combat contre les Goths, Gratien a sollicité de l'évêque, par lettre, un bref exposé de la foi catholique et qu'il a ensuite renouvelé cette

1. *Provinces danubiennes*, p. 325.
2. M. Lorenz ne doit pas avoir pris connaissance de l'argumentation de Zeiller lorsqu'il écrit : « Die Urkunden bei Theodoret sind unecht » (*Die Kirche*, p. 32), en renvoyant simplement à la note de Duchesne citée plus haut. M. von Campenhausen tient le symbole pour inauthentique, mais non la lettre impériale ; à propos de la synodale, il ne se prononce pas clairement et semble la considérer comme douteuse (*Ambrosius von Mailand*, p. 34-35 et 93). En réalité, il est clair que le rescrit et la synodale tiennent ou tombent ensemble, tandis que la cause du symbole peut être disjointe.
3. Voir les remarques de Parmentier dans *GCS* 19, p. lxxx-lxxxi.

demande de vive voix [1]. Cela implique que les deux hommes se sont rencontrés avant la publication de la première édition de l'ouvrage, qui se situe vers la fin de 378 ou, au plus tard, dans les tout premiers jours de 379 [2].

Pour Faller, la première démarche de Gratien ne serait pas antérieure à la mort de Valens, car il est présenté comme étant à ce moment-là le souverain de tout l'univers (*totius orbis Augustus*) [3]. Ambroise se serait ensuite rendu en Illyricum sur convocation de l'empereur durant l'automne de 378 [4]. Mais la chronologie de Faller est trop resserrée, car elle situe dans un intervalle de cinq mois au maximum une suite de faits qu'il est difficile de faire tenir dans un aussi court délai, compte tenu du temps que mettaient les courriers et les voyageurs d'autrefois pour se déplacer. D'autre part, Ambroise n'indique pas qu'il a été convoqué par l'empereur ; il dit seulement qu'il s'est trouvé en sa présence, et il n'est guère concevable que Gratien ait imposé à l'évêque un voyage de quelque 2 000 kilomètres pour lui rappeler simplement une requête toute récente, à laquelle il était bien excusable de n'avoir pas encore satisfait.

M. Nautin, le dernier qui se soit intéressé à cette question, suppose non pas un voyage d'Ambroise en Illyricum, mais un voyage de Gratien en Italie à la même époque [5]. Mais sa chronologie est encore plus serrée que celle de Faller, car il situe la lettre de Gratien vers le mois d'octobre, et ce voyage n'est pas plus aisé à concevoir que l'autre. Comment admettre que l'empereur, alors tout absorbé par les préparatifs de sa contre-offensive contre les Goths, ait quitté le front illyrien si dangereusement menacé, pour entreprendre une lointaine excursion dont on voit mal l'utilité ? M. Nautin croit qu'elle aurait pu avoir pour but d'« affirmer son autorité sur cette partie de l'Empire [6] », mais on ne voit pas

---

1. *De fide*, I, prol., 1-3 (*CSEL* 78, p. 3-6) ; II, xvi, 136-143 (p. 104-107) ; III, i, 1 (p. 108).
2. Voir Nautin, « Les premières relations », p. 231-235.
3. *De fide*, III, prol., 1 (p. 108,6).
4. *CSEL* 78, p. 5*-8*.
5. « Les premières relations », p. 236-238.
6. *Art. cit.*, p. 238.

que son autorité ait été sérieusement contestée à ce moment-là, et de « prendre contact avec les généraux italiens [1] », alors qu'on verrait plutôt le prince, surtout dans une pareille conjoncture, convoquer ses subordonnés auprès de lui. En tout cas, on n'a aucune trace d'un tel voyage par ailleurs [2].

A notre avis, il est normal d'admettre que si Gratien s'est adressé personnellement à Ambroise pour lui rappeler sa demande, c'est tout simplement parce que les circonstances ont fait que les deux hommes se trouvent ensemble au même endroit. Cet endroit doit être cherché dans les provinces danubiennes, que l'empereur, venant du nord de la Gaule, a traversées au début de l'été pour joindre ses forces à celles de Valens, et dans lesquelles il a séjourné ensuite jusqu'au début de 379 [3]. Comme l'entrevue de Gratien et d'Ambroise ne doit pas être postérieure à la mort de Valens, contrairement à ce que croyait Faller [4], on peut reconstituer les faits de la manière suivante. La lettre de Gratien se situe au printemps de 378, alors qu'il se préparait à venir en aide à Valens, ainsi que l'avait bien compris M. Palanque [5]. L'empereur a ensuite rencontré Ambroise en Illyricum et lui a rappelé sa demande. Le motif de la présence d'Ambroise dans cette région était de prendre part au concile qui devait s'y tenir à ce moment-là, et peut-être, si les deux événements vont de pair [6], d'assurer l'élection d'un évêque nicéen dans la capitale. On ne saurait s'étonner de l'intérêt avec lequel il suivait l'évolution de la situation religieuse dans une contrée où il avait longtemps séjourné et où il avait certainement gardé beaucoup de relations. Le concile en question s'est probablement réuni à Sirmium, tout comme les synodes illyriens de 345, 351, 357, 358 et 359, et Ambroise a dû être reçu en

1. *Ibid.*
2. Voir Seeck, *Regesten*, p. 250.
3. Voir Seeck, *loc. cit.* Cf. Ammien Marcellin, *Res gest.*, XXXI, x, 20 (éd. V. Gardthausen, *Bibliotheca Teubneriana*, 2ᵉ éd., t. 2, Stuttgart 1967, p. 259) ; xi, 6 (p. 261).
4. Voir H. Savon, « Quelques remarques sur la chronologie des œuvres de saint Ambroise », dans *Studia patristica*, t. 10 (*TU* 107), p. 156-160.
5. *Saint Ambroise*, p. 498.
6. Voir ci-dessus, p. 107, n. 3.

audience durant la brève halte de quatre jours que l'empereur s'est ménagée dans cette ville en juillet, tandis qu'il
marchait vers l'est [1]. Même s'il avait bien des soucis en tête à
cette époque, Gratien pouvait cependant consacrer quelques
moments à un membre de l'aristocratie romaine, ancien
gouverneur de province, devenu évêque d'une des principales cités de l'Occident. Il n'est pas impossible qu'Ambroise
se soit entremis en cette occasion pour que le prince appuie
l'intervention du concile en faveur des nicéens d'Orient.
Certes, il faut renoncer, comme nous y invite à juste titre
M. Nautin, à l'image d'Épinal qui montre Gratien totalement
asservi à l'influence d'Ambroise dès leur première rencontre [2].
Mais on peut concevoir que la forte personnalité d'Ambroise,
son passé de haut fonctionnaire, ses relations à la cour, son
entregent dont il donnera maints exemples en d'autres circonstances, lui aient permis d'obtenir de l'empereur un geste
en faveur de ses coreligionnaires en difficulté sous la férule
de Valens, bien que ce ne fût pas dans la ligne de cette politique de neutralité religieuse à laquelle le jeune prince s'était
tenu jusqu'alors, suivant l'exemple de son père. On n'ira pas,
pour autant, jusqu'à attribuer à Ambroise lui-même la
rédaction du rescrit conservé par Théodoret [3]. En revanche,

1. Ammien Marcellin, *Res gest.*, XXXI, xi, 6 (éd. Gardthausen,
p. 261).
2. « Les premières relations », p. 243-244.
3. Cette hypothèse, avancée un peu à la légère par Zeiller
(*Provinces danubiennes*, p. 323), a trouvé crédit auprès de M. Palanque (*Saint Ambroise*, p. 51-54). Zeiller affirme que « la pensée,
sinon le style, du rescrit rend une note assez ambrosienne », mais
il n'en dit pas plus long. Pour ce qui concerne le style, il serait difficile de se faire une opinion, puisqu'on ne dispose que d'une mauvaise traduction grecque de l'original latin. Quant à la pensée,
M. Palanque a relevé deux traits qui lui paraissent caractéristiques.
Tout comme Ambroise, dans le *De fide*, invite Gratien à faire passer
la foi avant l'affection qui le lie à ses proches parents, la lettre impériale recommande de ne pas tirer prétexte du respect dû au roi qui
gouverne la terre, pour dédaigner le Maître qui nous indique le
chemin du salut. Ailleurs, dans le même ouvrage, l'évêque de Milan
promet la victoire au prince fidèle, de même que la lettre attribue
aux prières des prélats orthodoxes le pouvoir d'apaiser les guerres.
En d'autres mots, il vaut mieux obéir à Dieu qu'aux hommes, et
l'orthodoxie est un gage de succès dans le domaine temporel. Il est

il pourrait être intervenu dans celle de la synodale ; le fait
que la suscription du document donne comme expéditeurs
« les évêques d'Illyricum » (οἱ ἐπίσκοποι τοῦ Ἰλλυρικοῦ) n'y fait pas
obstacle, car le texte n'est connu que par une version grecque
provenant d'archives ecclésiastiques orientales, et on se
souviendra que Basile écrivait à Valérien d'Aquilée comme
à un « évêque d'Illyrie [1] ».

Notons en passant qu'il est difficile d'admettre, comme le
voudrait M. Nautin, que Gratien aurait demandé à Ambroise
un ouvrage sur la foi non pour s'instruire de celle-ci, mais
pour complaire aux évêques homéens d'Illyricum, qui sou-
haitaient prendre en défaut l'évêque de Milan [2]. Les raisons
avancées à ce propos ne sont pas convaincantes. Ambroise,
dès le début de son épiscopat, s'impose comme une des principales figures de l'épiscopat occidental. Il est tout naturel
que l'empereur, désireux d'approfondir la foi de Nicée dans
laquelle il avait été élevé, se soit adressé à lui, et il n'est pas
surprenant que l'évêque, qui n'avait point l'âme d'un laquais,
ne se soit pas précipité sur sa plume pour répondre, mais ait
fait attendre quelque peu son correspondant, occupé comme
il l'était par les devoirs de sa charge. Il n'y avait pas lieu de
craindre, nous semble-t-il, que les évêques de la rive droite
du Danube, et moins encore celui de Constantinople, soient
tentés de pactiser avec l'envahisseur goth parce que celui-ci
partageait leurs positions doctrinales ; le cas d'un Julianus
Valens paraît avoir été isolé [3], et la masse du peuple goth
était encore païenne en ce temps-là [4]. La prière tendant à
sanctifier et à purifier les oreilles du prince, à la fin du
livre I du *De fide*, n'implique pas qu'il se trouvait déjà
exposé à la contagion de l'hérésie arienne au moment où il

exact qu'on retrouve assez souvent chez Ambroise l'affirmation
d'une solidarité d'intérêts entre l'Empire devenu chrétien et la foi
catholique. Mais ce sont là des idées très générales et pas suffisamment caractéristiques pour attribuer la paternité du document au
docteur milanais.

1. *Ep.* XCI (éd. Y. Courtonne, *Coll. des Universités de France*,
t. 1, Paris 1957, p. 197).
2. « Les premières relations », p. 238-243.
3. V. ci-dessous, p. 142.
4. V. ci-dessous, p. 148-149.

a écrit à Ambroise [1]. Et n'y a-t-il pas une contradiction,
dans l'étude de M. Nautin, entre le fait d'exclure l'hypothèse que Gratien aurait donné son exemplaire à quelqu'un
d'autre, car l'usage était de ne se dessaisir en aucun cas de
l'exemplaire reçu et d'en faire prendre copie si on souhaitait
communiquer le texte à autrui [2], et celui d'avancer en même
temps l'hypothèse que Gratien aurait communiqué son
exemplaire à un théologien homéen pour qu'il y consigne
ses observations [3] ?

**Le « blasphème »
de Sirmium**   Un indice supplémentaire de la participation d'Ambroise à un concile illyrien
où il fut question de la foi trinitaire, en
même temps qu'une confirmation touchant l'endroit où ce
concile s'est réuni, nous est fourni par l'apologie de Palladius de Ratiaria, ainsi que l'a bien vu M. von Campenhausen [4]. Dans ce document, où c'est essentiellement Ambroise
qui est visé, l'évêque arien reproche en effet à ses adversaires d'avoir approuvé *à Sirmium*, peu avant le concile
d'Aquilée, la doctrine blasphématoire de Damase (*talem
blasfemiam aput Sirmium confirmandam duxistis*). Il en veut
pour preuve la formule de foi qui se trouvait incluse dans
un opuscule émanant d'eux (*sicut expoşiţio libello inserta
redarguit*) et qui parlait de trois tout-puissants, trois éternels, trois égaux, etc. (*uos tres omnipotentes deos credendos
duxisti<s>, tres sempiternos, tres aequales,* etc.) [5].

1. I, xx, 134-136 (*CSEL* 78, p. 56-57).
2. « Les premières relations », p. 242, n. 36.
3. *Ibid.*, p. 243.
4. *Ambrosius von Mailand*, p. 32. Notons cependant que l'expression employée par cet auteur pour caractériser le rôle prépondérant joué par Ambroise dans cette assemblée (*spiritus rector*) est
de lui, et non de Palladius, comme l'a cru M. Palanque (*Saint
Ambroise*, p. 52, n. 65). Elle paraît lui avoir été suggérée par Kauffmann, qui l'emploie dans un contexte différent, à propos des relations entre Ambroise et Gratien (*Dissertatio*, p. L).
5. *SP* 345v,10-34. Il est également question de cette *expositio*
dans les débats d'Aquilée (*Gesta*, 50 et 74). Maximinus y fait allusion, sans doute en dépendance de Palladius, dans ses commentaires (*SM* 303v,16-29).

Zeiller s'est expliqué à propos de ce texte important de façon assez confuse et, à mon sens, inexacte [1]. Voyons point par point ce qu'il en dit. 1º Pour lui, l'*expositio libello inserta* n'est pas l'œuvre des Pères de Sirmium ; elle en est seulement un dérivé. Le concile n'a fait que promulguer à nouveau une doctrine déjà formulée antérieurement (*talem blasfemiam confirmandam duxistis*), et cette formule ne peut être que celle du concile damasien *in causa Auxentii*, qu'il date de 369 ou 370, et d'après laquelle le Père et le Fils étaient *unius substantiae simul et Spiritus Sanctus*. Zeiller ne cite pas exactement le texte de la synodale de ce concile [2], et de toute façon, les expressions qu'on y trouve ne correspondent pas à celles que dénonce et réfute Palladius dans son apologie. 2º Cette formule, poursuit Zeiller, « fut encore confirmée par un concile tenu à Antioche en 379 ». En réalité, le P. Dossetti a montré que cela était fort douteux [3]. 3º Zeiller ajoute que la même formule fut « approuvée une seconde fois à Rome même en 380, en présence de Damase et d'Ambroise ». Il n'y a aucune référence à l'appui de cette affirmation, et nous n'avons pas connaissance d'une assemblée qui aurait réuni Damase et Ambroise à Rome en 380. En fait, le document que Zeiller a en vue ici est le « Tome de Damase » (*Tomus Damasi*). Le concile romain qui l'a approuvé s'est tenu à la fin de 377 ou au début de 378 [4]. La présence d'Ambroise à ce concile n'est attestée que par un témoignage tardif et peu sûr [5]. Galtier a cru néan-

---

1. *Provinces danubiennes*, p. 316-317. Les erreurs de Zeiller proviennent en partie de Kauffmann (*Dissertatio*, p. xxxix-xl).

2. Voir M. Richard, « La lettre *Confidimus quidem* du pape Damase », dans *AIPHOS* 11 (1951), p. 323-340 ; cf. p. 326-327, l. 27-29 : « ... ut Patrem Filium Spiritumque Sanctum unius deitatis, unius uirtutis, unius figurae, unius credere oporteret substantiae. »

3. *Il simbolo*, p. 108, n. 147.

4. *Ibid.*, p. 102-108.

5. Il s'agit d'une lettre du pape Vigile à propos des Trois-chapitres (voir *ACO* 4, 2, p. 167,1-9). Le P. Dossetti (*Il simbolo*, p. 109) admet la présence d'Ambroise comme possible, mais il commet une erreur en identifiant le synode qui approuva le Tome de Damase, à la fin de 377 ou au début de 378, à celui qui adressa à Gratien la lettre *Et hoc gloriae* ; en effet, cette lettre est postérieure à la mort de Valens, et ce deuxième synode se situe à l'automne de 378.

moins pouvoir déceler son influence dans le Tome [1], mais ses
arguments ne sont pas convaincants, ainsi qu'en a correctement jugé M. Simonetti [2]. 4º Zeiller enchaîne comme suit :
« L'*expositio fidei* de ce concile fut encadrée dans un *libellus*
dogmatique, que Damase adressa à l'évêque Paulin d'Antioche et aux catholiques de cette ville, peut-être seulement
en 382. » Il est exact qu'une copie du Tome de Damase fut
adressée à Paulin d'Antioche, peut-être au moment où
celui-ci fit le voyage d'Italie pour prendre part au concile
romain de 382. Il y a, en effet, deux recensions du Tome,
l'une où il est donné simplement comme l'œuvre d'un concile
romain, et l'autre où il est présenté comme envoyé par
Damase à Paulin [3]. Mais il n'est pas exact que dans cette
deuxième recension, l'*expositio fidei* du concile soit encadrée
dans un *libellus* dogmatique ; cette affirmation de Zeiller,
reprenant les termes utilisés par Palladius dans son apologie, ne correspond à rien dans la tradition manuscrite du
Tome de Damase [4]. 5º Enfin, dit Zeiller, « sous cette dernière forme ou sous celle que lui avait donnée l'assemblée
d'Antioche, la *confessio* fut acceptée par le concile de Constantinople de 382 ». Nous venons de voir qu'il est douteux
que le concile d'Antioche de 379 ait connu le Tome de
Damase, et que la forme sous laquelle il fut adressé à Paulin ne diffère pas substantiellement de la forme originale.
Il faut ajouter que le τόμος τῶν Δυτικῶν dont parle le concile de Constantinople de 382 n'a probablement rien à voir
avec le Tome de Damase [5]. 6º « C'est ce *libellus* », conclut

1. « Le *Tome de Damase*. Date et origine », dans *RSR* 26 (1936),
p. 385-418 et 563-578.
2. *Storia*, p. 432, n. 103. L'argumentation de Galtier tient surtout dans le rapprochement entre le vingt-quatrième anathématisme et les écrits dogmatiques d'Ambroise composés entre 378 et
381. Comme il rattache le tome au concile romain de 382, l'hypothèse d'une influence d'Ambroise sur le tome lui paraît plausible.
Mais en réalité, le tome est antérieur à ces écrits, de sorte que l'influence, si influence il y a, aurait pu tout aussi bien s'exercer en sens
inverse.
3. Dossetti, *Il simbolo*, p. 95-101.
4. Voir C. H. Turner, *Ecclesiae occidentalis monumenta iuris
antiquissima*, t. 1, fasc. 2, Oxford 1913, p. 281-296.
5. Dossetti, *Il simbolo*, p. 102-103.

Zeiller, « dont parle Palladius, et qu'un autre passage de la
Dissertatio contra Ambrosium appelle le *libellus perfidiae* des
ambrosiens. Il est aujourd'hui perdu. » C'est trop peu dire
qu'il est perdu. En fait, on n'a aucune trace que le *libellus*
imaginé par Zeiller ait jamais existé. Le *libellus* dont parle
Palladius n'est pas un écrit dogmatique de Damase dans
lequel se trouvait encadré le Tome adressé à Paulin, mais
un texte d'Ambroise et des siens dans lequel était insérée
une *expositio* témoignant de ce que, à Sirmium, ils avaient
repris à leur compte la doctrine blasphématoire de Damase.
Cette doctrine était, selon toute apparence, celle qu'ils
avaient trouvée dans le Tome promulgué quelques mois auparavant [1]. 7° Zeiller ajoute encore : « Si l'*expositio fidei* diffère verbalement du symbole de Sirmium, tel que l'a conservé Théodoret, tout en ayant le même sens, elle diffère
aussi du texte auquel semble s'attaquer Palladius ; et c'est
cependant elle qu'il a en vue dans sa diatribe écrite après
381, en même temps qu'une formule illyrienne qui marquait
une étape antérieure de cette définition de foi ou en fournissait le commentaire. » Si le texte auquel s'attaque Palladius
diffère, dans l'esprit de Zeiller, de l'*expositio fidei*, c'est parce
qu'il identifie à tort l'*expositio fidei* au Tome de Damase.
Et s'il diffère du symbole de Sirmium conservé par Théodoret, c'est parce que ce symbole n'est pas authentique [2].
Mais le rescrit impérial et la synodale suffisent à montrer
quelle fut l'idée maîtresse du concile de Sirmium : la Trinité
consubstantielle [3]. Le véritable symbole de Sirmium, c'est
précisément l'*expositio* à laquelle s'en prend Palladius dans

---

1. M. Lorenz (*Die Kirche*, p. 33) considère le concile de Sirmium
comme antérieur au concile romain qui approuva le Tome de
Damase. Mais cela n'est pas exact, car le premier se situe au début
de l'été 378, alors que le second s'est tenu avant le retour de Pierre
d'Alexandrie en Égypte, au printemps de 378 ; Pierre a quitté Rome
dès la reprise de la navigation après les tempêtes hivernales (v.
Palanque-Bardy-de Labriolle, *La paix constantinienne*, p. 281).
Il est donc inutile de postuler un ouvrage antiarien de Damase qui
serait distinct du *Tomus Damasi*.

2. Voir ci-dessus, p. 110.

3. Voir *GCS* 44, p. 220,10-11 ; 224,15 ; 225,16 ; 226,2.4-5 ; 227,
8-12.

son apologie et à laquelle il fait allusion dans les débats du concile d'Aquilée. Cette formule développait l'affirmation de la Trinité consubstantielle dans les termes indiqués par l'évêque arien et réfutés ensuite par lui l'un après l'autre. Elle n'a pas été conservée, pas plus que le *libellus* dans lequel elle figurait [1], mais nous en connaissons du moins, grâce à Palladius, les mots clés : « Vos *tres omnipotentes* deos credendos duxistis, *tres sempiternos, tres aequales, tres ueros,* etc. » Zeiller soutient que Palladius ne peut avoir reproduit exactement les termes de la formule illyrienne, pour le motif qu'il prête à ses adversaires une véritable « monstruosité doctrinale » : il en fait des trithéistes, dit-il, et « il est bien évident que le concile de Sirmium n'a pu canoniser pareille énormité [2] ». Je crois, quant à moi, que Palladius a ajouté de son propre cru le mot *deos*, mais que pour le reste, l'*expositio* parlait effectivement de « trois tout-puissants, trois éternels, trois égaux, trois véritables, etc. », dans le même sens que le Tome de Damase, c'est-à-dire le texte blasphématoire que les Pères de Sirmium avaient approuvé [3]. L'addition du mot *deos* modifie, bien entendu, tout à fait le jugement qu'il convient de porter sur la formule incriminée. Alors qu'elle est recevable, tout au moins pour un nicéen, si on l'entend au sens de trois *personnes* toutes-puissantes, éternelles, égales, etc. [4], il est inadmissible de parler de trois

1. D'après BESSELL (*Leben Ulfilas*, p. 4), le *libellus* ne serait autre que le *De fide* d'Ambroise. On y trouve, de fait, une *expositio fidei* (I, I, 6-9 ; *GCS* 78, p. 6-7), mais les termes dénoncés par Palladius ne s'y trouvent pas, et, ainsi que l'a fait remarquer KAUFFMANN (*Dissertatio*, p. 95), il n'est guère question du Saint-Esprit dans le *De fide*. D'après Kauffmann (*loc. cit.*), le *libellus* pourrait être le *De Spiritu Sancto* ; mais on y chercherait en vain l'*expositio* visée par Palladius, quoique la doctrine en soit à peu près celle que l'évêque arien condamne.

2. *Provinces danubiennes*, p. 315-316.

3. Dans la suite du texte (*SP* 345v,34-348r,35), Palladius revient successivement sur chacun de ces adjectifs, mais il ne reproche pas à ses adversaires d'avoir affirmé en propres termes qu'il y avait « trois dieux », ce qui aurait dû, plus que tous les qualificatifs en question, susciter son indignation et appeler, en réponse, les citations familières aux ariens pour souligner qu'il n'y a qu'un seul Dieu.

4. Comparer avec le vingt et unième anathématisme du Tome de

dieux tout-puissants, éternels, égaux, etc. Mais les ariens rétorquent couramment à leurs adversaires que la doctrine de la Trinité consubstantielle revient à affirmer l'existence de trois dieux égaux, c'est-à-dire à un polythéisme analogue à celui des païens, et qu'elle fait d'eux, par conséquent, des idolâtres comme ceux-ci. Palladius ne dit pas autre chose : « Talem blasfemiam aput Sirmium confirmanda(m) duxistis, quae *omnibus retro temporibus inauditum idolatriae malum* Ecclesiis ⌈pr⌉ebere<t> D(e)i. Etenim, sicut expoșițio libello inserta redarguit, uos tres omnipotentes deos credendos duxisti<s>, tres sempiternos, tres aequales, etc. » Pour lui, Damase et Ambroise sont à mettre dans le même sac : ils sont les faux prêtres de faux dieux.

Le concile de Sirmium ne marqua pas la fin de l'influence arienne en Illyricum. Malgré les sentences de déposition prononcées en cette occasion, il restait encore des évêques ariens sur leurs sièges, notamment Palladius de Ratiaria et Secundianus de Singidunum. M. Meslin voudrait voir là un nouveau motif de douter de la réalité du concile [1], mais à ce compte, on pourrait aussi bien douter de la réalité de tous les conciles ariens antérieurs à celui de Tyr, puisque c'est alors seulement que fut déposé Athanase, ou bien de la réalité des conciles d'Arles et de Milan, dans les années 350, sous prétexte qu'Hilaire ne fut déposé qu'au concile de Béziers. Dans l'ignorance où nous sommes du détail de la situation, il y a au répit accordé à Palladius et à Secundianus maintes raisons plausibles. La moins vraisemblable n'est certainement pas, malgré le point d'interrogation par lequel M. Meslin s'en débarrasse, celle avancée par M. Palanque, à savoir que ces évêques n'avaient point paru à Sirmium, et que l'usage ecclésiastique était de ne condamner des absents qu'en dernier recours [2]. Ce que les nicéens cher-

---

Damase (éd. Turner, p. 291) : « Si quis *tres personas* non dixerit ueras Patris et Filii et Spiritus Sancti, aequales, semper uiuentes, omnia continentes uisibilia et inuisibilia, omnia potentes, etc., hereticus est. »

1. *Les ariens d'Occident*, p. 86-87.
2. *Saint Ambroise*, p. 60.

chaient, c'était à obtenir des rétractations plutôt qu'à ful-
miner des excommunications, et l'on conçoit que, n'ayant
pas eu la possibilité d'entendre des suspects, ils ne se soient
pas crus autorisés à les condamner sans autre forme de procès. Ambroise ne pouvait manquer, cependant, de saisir la
première occasion pour amener ces récalcitrants à s'expliquer. Elle lui fut offerte, quelques années plus tard, par la
convocation d'un concile à Aquilée.

II. LE CONCILE D'AQUILÉE

1. La convocation du concile

Les circonstances dans lesquelles fut convoqué le concile
qui se réunit à Aquilée à la fin de l'été 381 ne sont pas parfaitement claires. Le premier projet paraît avoir été de réunir
dans cette ville un concile général, où se retrouveraient les
évêques de l'Orient et ceux de l'Occident ; des dispositions
furent prises en ce sens par l'autorité impériale [1]. Gratien
lui-même donna à Palladius l'assurance qu'il avait convoqué
les Orientaux [2]. Au cours d'une audience que l'évêque eut à
Sirmium, il posa expressément la question au prince et reçut
à ce propos une réponse catégorique [3].

Si Palladius se préoccupait tellement de la présence des
Orientaux au futur concile, c'est évidemment parce qu'il ne
pouvait guère espérer d'appui que de ce côté. L'épiscopat
occidental ne comptait pratiquement plus que des adeptes
de la foi de Nicée, et les événements des années précédentes
montraient que ceux-ci ne feraient pas de quartier à leurs
adversaires. En Orient, par contre, les ariens avaient tenu
le haut du pavé pendant toute la durée du règne de Valens,
et Palladius pouvait penser que malgré les changements sur-
venus à la tête de l'Empire, il trouverait là de nombreux
partisans.

1. *Gesta*, 3. Le choix d'Aquilée s'explique par le fait que cette
ville était à la fois un nœud routier facilement accessible depuis
l'Italie, la Gaule et l'Illyricum, et un port en relations régulières
avec l'Afrique du Nord et l'Orient.
2. *Gesta*, 8.
3. *Gesta*, 10.

Le rescrit « Ambigua » Pour des motifs exactement opposés, Ambroise ne désirait pas voir arriver à Aquilée les évêques orientaux, dont une bonne partie n'était pas sûre à ses yeux. Il représenta donc à Gratien qu'il n'était pas besoin, pour juger quelques hérétiques, de déplacer tant de monde, et que lui-même et ses voisins suffiraient à faire prévaloir les droits de la vérité. L'empereur se rallia à cette suggestion et, revenant sur les instructions données précédemment, il expédia un rescrit destiné à dissuader les autres évêques de faire le voyage d'Aquilée (rescrit *Ambigua*) [1].

La suscription de ce document n'étant pas reproduite dans les actes du concile, on peut se demander à qui était adressé l'exemplaire dont il fut donné lecture au commencement des débats. Tillemont, suivi par Kauffmann, affirme que le destinataire en était l'evêque Valérien d'Aquilée [2]. Pour Cipolla, ce serait le vicaire d'Italie [3] ; pour M. von Campenhausen, le « préfet d'Italie-Gaule [4] » ; pour M. Palanque, enfin, le préfet d'Italie Syagrius [5]. La question doit être tranchée à

---

1. *Gesta*, 4.
2. Tillemont, *Mémoires*, t. 10, p. 54 et 315 ; Kauffmann, *Dissertatio*, p. 92.
3. *Giurisdizione*, p. 47.
4. *Ambrosius von Mailand*, p. 103. Quoique M. von Campenhausen ne s'explique pas à ce sujet, ce titre apparemment curieux pourrait se justifier par le fait qu'à la mort de Valentinien Ier (fin 375), les provinces de Gaule, d'Espagne et de Bretagne, qui constituaient habituellement depuis 337 une préfecture distincte de celle formée par la réunion des provinces d'Italie, d'Afrique et d'Illyricum, ont été regroupées pendant quelques années avec les provinces d'Italie et d'Afrique en une préfecture unique, tandis que l'Illyricum constituait une préfecture séparée. La grande préfecture d'Occident fut d'abord gouvernée par un seul préfet, puis, à partir du mois d'août 378 jusqu'en septembre 380, par deux préfets agissant collégialement. On ne voit pas très clairement comment la situation a évolué dans les années suivantes ; M. Palanque est d'avis que la collégialité et le jumelage des préfectures en Occident ont pris fin au début de 381. Voir J. R. Palanque, *Essai sur la préfecture du prétoire du Bas-Empire*, Paris 1933, p. 51-60 ; Stein-Palanque, *Histoire du Bas-Empire*, p. 515, note complémentaire 147 ; Piganiol, *L'Empire chrétien*, p. 226 et 355-356.
5. *Saint Ambroise*, p. 80. De même Dudden, *St. Ambrose*, p. 201.

partir de la phrase suivante : « Conuenire in Aquileiensium ciuitatem *ex diocesi meritis excellentiae tuae credita* epis- copos iusseramus [1]. » Le personnage auquel les empereurs s'adressent ainsi ne peut pas être l'évêque d'Aquilée, comme le voulait Tillemont. En effet, les évêques ne reçoivent pas à cette époque le titre protocolaire d'« excellence [2] », et le mot « diocèse », même si on le trouve parfois employé à par- tir de la fin du IVᵉ siècle à propos de circonscriptions ecclé- siastiques [3], désigne habituellement dans les textes de cette époque les diocèses civils, c'est-à-dire les grandes circons- criptions administratives regroupant plusieurs provinces, qui furent créées par Dioclétien, et à la tête desquelles se trou- vaient placés des « vicaires », c'est-à-dire des substituts du préfet du prétoire [4]. On notera toutefois que le préfet exer- çait souvent lui-même les fonctions du vicaire dans le dio- cèse où il avait sa résidence ou, plus exactement, ne désignait pas de vicaire pour le représenter à cet endroit [5]. Il n'est pas possible de donner raison à Cipolla, car le titre d'« excel- lence » était réservé alors aux plus hauts fonctionnaires de l'administration centrale de l'Empire, et on n'a pas d'exemple où il soit attribué à un vicaire [6]. Nous pensons, dès lors, que le rescrit *Ambigua* était une circulaire adressée aux vicaires des différents diocèses de l'Empire, mais que l'exemplaire dont il fut donné lecture à Aquilée était celui qui fut adressé, avec une titulature adaptée, au préfet d'Italie, qui résidait alors à Milan et administrait en personne le diocèse d'Italie [7].

1. *Gesta*, 3.
2. Le seul exemple allégué par le *Thesaurus linguae latinae* est notre texte (*s. v.* « Excellentia », t. 5, 2, col. 1212).
3. Voir *DLFAC*, *s. v.*, 2 ; aux références données à cet endroit, ajouter SIRICE DE ROME, *Epist.*, I, xv, 20 (*PL* 13, col. 1146 A), où ce mot désigne la province en tant que ressort d'un métropolitain.
4. Voir *TLL*, *s. v.* « Dioecesis », t. 5, 1, col. 1223-1224.
5. JONES, *Later roman Empire*, t. 1, p. 373-374.
6. O. HIRSCHFELD, « Die Rangtitel der römischen Kaiserzeit », dans *Sitzungsber. der königl. preuss. Akad. der Wiss.*, Berlin 1901, p. 579-610 ; voir p. 602-606.
7. Le préfet d'Italie fut de 380 à 382 Syagrius, honoré du con- sulat en 381 ; voir *Prosopography*, *s. v.* « Syagrius 3 », p. 862-863.

En dépit de ce qui était dit dans le rescrit, le préfet d'Italie, pour sauver les apparences et marquer que les Orientaux n'avaient pas été formellement exclus du concile — ce qui aurait diminué d'autant l'autorité de ses décisions —, fit expédier des lettres portant que si certains désiraient malgré tout venir au concile, ils étaient libres de le faire [1]. Ce subterfuge ne trompa personne, ni les Orientaux, qui avaient entre-temps été convoqués par Théodose à Constantinople et dont aucun ne se présenta à Aquilée [2], ni Ambroise et ses amis, qui l'avaient sans doute inspiré [3], ni Palladius, qui découvrit, mais trop tard, qu'il avait été abusé [4]. Cela permit néanmoins à l'évêque de Milan de plaider par la suite auprès de Théodose que le concile occidental était, du moins au niveau des intentions, œcuménique [5].

La date de la convocation Les avis divergent sur le point de savoir à quand remonte la première idée du concile, et qui en a, le premier, souhaité la convocation. La plupart des auteurs croient que ce sont Palladius et Secundianus, parce qu'ils se sentaient menacés après le concile illyrien de l'été 378, qui ont sollicité et obtenu de Gratien la décision de convoquer un concile général, devant lequel ils pensaient pouvoir avantageu-

1. *Gesta*, 7.
2. V. cependant ci-dessous, p. 131.
3. D'après l'apologie de Palladius, Syagrius était hostile aux ariens ; interprétant son patronyme, qui signifie étymologiquement « cochon sauvage » (συ-αγριος), l'évêque reconnaît en lui le sanglier qui ravage la vigne du Seigneur, selon le psaume LXXIX (*SP* 343v,36-41). Syagrius partageait donc probablement les vues d'Ambroise sur la tactique à suivre à Aquilée. On ne voit pas de raison de soupçonner, pour autant, un véritable complot ourdi par Ambroise et Syagrius derrière le dos de l'empereur pour saboter le concile projeté, ainsi que l'imagine M. von Campenhausen (*Ambrosius von Mailand*, p. 61-62). Les accusations de Palladius au commencement des débats et l'embarras d'Ambroise se comprennent fort bien si on admet qu'Ambroise est intervenu directement et ouvertement auprès de l'empereur pour l'amener à revenir sur son premier projet, comme l'indique le rescrit *Ambigua*.
4. *Gesta*, 8.
5. *Ep.* « *Fidei* », 4 (*PL* 16, col. 991B-992A).

sement plaider leur cause grâce à l'appui des Orientaux. Ils situent la démarche des deux évêques durant l'automne de 378, car après l'avènement de Théodose, disent-ils, Palladius et Secundianus sont devenus sujets de celui-ci, et Gratien, n'étant plus seul maître de l'Empire, n'aurait plus été en mesure de réunir seul un concile général. Ils font observer qu'à la fin de 378, Gratien s'en tient encore à la politique de neutralité religieuse qui avait été celle de son père ; on comprend ainsi que la requête de Palladius ait été bien accueillie.

Il faut expliquer, toutefois, le long délai qui se serait écoulé entre ce moment-là et la réunion du concile en septembre 381. On allègue principalement à ce propos la situation troublée des années 379-380, durant lesquelles la montée du péril gothique aurait requis toute l'attention des empereurs. Certains supposent aussi qu'Ambroise s'employa à faire différer la réalisation d'un projet qui ne lui agréait pas. Il réussit finalement à rallier Gratien à l'idée d'une assemblée plus restreinte, et c'est alors que l'affaire aurait été remise en route. M. Palanque croit, pour sa part, que Palladius a d'abord évité d'insister pour que l'empereur tienne sa promesse, car l'évolution de la conjoncture politico-ecclésiastique durant l'année 379 lui était plutôt favorable, et qu'il n'est revenu à la charge auprès de Gratien qu'en septembre 380, après que Théodose se fut nettement déclaré favorable aux nicéens [1].

M. Meslin n'a pas été convaincu par ces explications. Il juge improbable que, dans le climat de tolérance qui a prévalu après la mort de Valens et qui devait rassurer les ariens, Palladius ait cherché à soumettre sa cause à un

---

1. Voir TILLEMONT, *Mémoires*, t. 10, p. 54 et 315 ; KAUFFMANN, *Dissertatio*, p. L-LII et 91 ; ZEILLER, *Provinces danubiennes*, p. 324-325 et 328-331 ; PALANQUE, *Saint Ambroise*, p. 60-61 et 78-81 (cf. PALANQUE-BARDY-DE LABRIOLLE, *La paix constantinienne*, p. 280-285) ; DUDDEN, *St. Ambrose*, p. 199 ; KLEIN, « Dissertatio als Quelle », p. 246-248 ; PAREDI, *S. Ambrogio*, p. 258 et 268-269 (le même auteur, dans *Politica di sant'Ambrogio*, situe la première démarche de Palladius et Secundianus tantôt en 378, tantôt en 380 ; voir p. 44 et 54). HANSSENS (« Il concilio di Aquileia », p. 562-563) s'en tient à un *non liquet*.

concile général. Il pense, par conséquent, que la démarche
de Palladius auprès de Gratien n'est pas antérieure à septembre 380. A cette date, la situation des ariens apparaît
nettement compromise. Gratien, sur qui l'influence d'Ambroise s'est affermie dans l'entre-temps, a rapporté les mesures
de tolérance édictées aux jours les plus sombres de 378, et
Théodose a clairement donné à entendre qu'il était partisan
du consubstantiel. Les deux empereurs se sont rencontrés à
Sirmium à la fin de l'été 380. C'est alors que Palladius aurait
eu une audience de Gratien et qu'il aurait demandé et
obtenu la convocation d'un concile général. M. Meslin voit
toutefois une difficulté dans le fait que Palladius, étant sujet
de Théodose, se soit adressé à Gratien. Il la résoud en ima-
ginant que Secundianus, évêque de Singidunum, avait con-
tinué d'appartenir à la *pars occidentalis* de l'Empire et que
c'est lui qui aurait approché l'empereur d'Occident et obtenu
d'être reçu avec son collègue [1].

Il convient avant tout de redresser certaines erreurs touchant des points de géographie administrative. Ratiaria,
métropole de la province de Dacie Ripuaire, et Singidunum,
cité de la province de Mésie Supérieure, appartiennent toutes
deux au diocèse civil de Dacie, lequel forme, avec celui de
Macédoine, ce qu'on est convenu d'appeler l'Illyricum oriental [2]. Ces deux diocèses constituent à cette époque avec
celui de Pannonie (Illyricum occidental) la préfecture d'Illyricum, qui était devenue après la mort de Valentinien Ier
l'apanage de son fils Valentinien II. Toutefois, comme celui-

---

1. *Les ariens d'Occident*, p. 87-89. De même SIMONETTI, *La crisi
ariana*, p. 441-442 ; mais le même auteur déclare plus loin (p. 542,
n. 43) qu'il est impossible de se prononcer avec certitude.

2. KAUFFMANN (*Dissertatio*, p. 91) affirme que Ratiaria appartenait à la province de Mésie Supérieure ; c'est un anachronisme,
car il se réfère là à la division en provinces antérieure à la réforme
de Dioclétien. Ailleurs (p. LI), il dit que Ratiaria était située *in
latere Daciae Ripensis ac Moesiae* ; il reprend ici une expression de
la synodale *Quamlibet* (*PL* 16, col. 988 B) qu'il n'interprète pas
correctement ; cette expression vise à la fois Palladius et Secundianus, et elle correspond au fait que le siège du premier est en Dacie
Ripuaire, celui du second en Mésie Supérieure, ainsi que nous
l'avons dit.

ci n'était encore qu'un enfant, c'est son aîné, Gratien, qui exerçait en fait l'autorité sur ces régions. Au moment de l'avènement de Théodose, Gratien confia à son nouveau collègue l'administration de l'Illyricum oriental [1]. Mais ce ne fut pas pour longtemps ; lors de la conférence de Sirmium, en septembre 380, l'empereur d'Occident a repris en charge le gouvernement de ce territoire. Il ne sera définitivement réuni à la *pars orientalis* qu'à la mort de Théodose, en 395 [2].

Cela étant, une éventuelle démarche de Palladius auprès de Gratien se justifierait aussi bien en septembre 380 qu'à la fin de 378, puisque dans les deux circonstances, l'évêque relevait de l'autorité de l'empereur d'Occident. Il ne faut pas exagérer, du reste, la portée de cette division entre les différentes *partes imperii*. Théoriquement, l'autorité est détenue solidairement et de façon indivise par les différents titulaires du pouvoir suprême, comme l'exprime le fait que les constitutions impériales, même valables seulement pour une partie de l'Empire, sont toujours promulguées en leur nom à tous ; et pratiquement, il n'est pas rare qu'un des empereurs intervienne auprès de son collègue pour une affaire se situant dans le territoire de celui-ci. La difficulté que M. Meslin, tout en plaidant à bon droit pour elle, trouve à la plus tardive des deux dates, est donc illusoire. En revanche, la date de septembre 380 permet de faire l'économie d'une difficulté réelle attachée à l'autre, à savoir le long délai qui se serait écoulé entre la convocation du concile en 378 et sa réunion en 381, et qui n'a pas reçu d'explication satisfaisante. Nous retiendrons donc cette date de préférence à l'autre. Gratien pouvait fort bien s'entendre

---

1. M. MESLIN n'est pas fondé à croire qu'au moment du partage de l'Illyricum, Secundianus est resté sujet de l'empereur d'Occident, « la Pannonie, frontalière de sa ville épiscopale, restant rattachée à la préfecture d'Italie » (*Les ariens d'Occident*, p. 89). Quoique Singidunum fût située à la frontière des diocèses de Pannonie et de Dacie, elle appartient sans contestation possible à la province de Mésie Supérieure et donc au diocèse de Dacie, qui fut soumis alors à l'empereur d'Orient ; voir W. FLUSS, *s. v.* « Singidunum », dans *PW*, 2ᵉ sér., Hbd 5 (1927), col. 234-235.

2. Voir V. GRUMEL, « L'Illyricum de la mort de Valentinien Iᵉʳ (375) à la mort de Stilicon (408) », dans *REB* 9 (1951), p. 5-46.

avec Théodose, à la conférence de Sirmium, pour convoquer de commun accord un concile général, comme Constant et Constance l'avaient fait pour le concile de Sardique. Les mouvements des Goths n'étaient pas moins inquiétants durant l'été de 380 qu'à l'automne de 378, de sorte que le pouvoir ne devait pas être moins porté alors, dans un souci de conciliation et de ralliement général face à l'ennemi commun, à accueillir favorablement une requête des évêques ariens.

Qui a pris l'initiative ? Mais la convocation d'un concile général a-t-elle vraiment été résolue par les empereurs à la demande de Palladius et de Secundianus ? Les auteurs qui se placent dans cette hypothèse la considèrent presque comme allant de soi. Zeiller renvoie sur ce point de façon imprécise à une « lettre de saint Ambroise sur le concile [1] ». On trouve effectivement dans la synodale *Benedictus* la phrase suivante : « Nec ulli de haereticis episcopi sunt reperti, nisi Palladius et Secundianus, nomina uetustae perfidiae, *propter quos congregari concilium postulabant* de extrema orbis parte romani [2]. » Mais cette phrase n'a pas le sens que lui prête Zeiller, si c'est bien elle qu'il a en vue. Si le rédacteur voulait dire que Palladius et Secundianus avaient réclamé la convocation d'un concile général pour examiner leur cause, il aurait dû écrire : « Palladius et Secundianus... *qui propter se congregari concilium postulabant.* » Tel que le texte se présente en réalité, il faut comprendre *postulabant* comme impliquant, semble-t-il, un sujet indéfini : « Palladius et Secundianus... à cause de qui on demandait la réunion d'un concile œcuménique », cette indétermination recouvrant apparemment dans l'esprit du rédacteur une revendication du parti arien en général [3].

---

1. *Provinces danubiennes*, p. 324, n. 3 ; cf. p. 328, n. 3. Cette référence vient apparemment de Tillemont (*Mémoires*, t. 10, p. 54).
2. *Ep.* « *Benedictus* », 2 (*PL* 16, col. 980 C).
3. Voir R. Kuehner-C. Stegmann, *Ausführliche Grammatik der lateinischen Sprache*, t. 2 : *Satzlehre*, 1re partie, Hanovre 1912, p. 5-7. On pourrait aussi concevoir que le sujet non exprimé soit les *haeretici* dont il est question dans la proposition principale, ce qui revient au même.

Quel crédit peut-on accorder à cette assertion ? Le rédacteur n'a-t-il pas imputé rétrospectivement au parti arien la
revendication d'un concile général que Palladius fit valoir
pour des raisons tactiques à Aquilée, bien qu'il n'eût pas
été l'auteur de cette idée ? N'a-t-il pas cherché à rendre
raison ainsi de l'inconséquence apparente des directives
impériales ? Le plus sûr est de s'en tenir aux pièces officielles.
Le rescrit *Ambigua* ne fait pas état d'une démarche quelconque du parti arien. Ce document n'hésite pas à avouer
l'influence d'Ambroise dans la décision de ramener le concile initialement projeté à des proportions plus restreintes.
En revanche, il n'attribue à personne d'autre qu'aux empereurs eux-mêmes l'idée initiale [1]. Leur décision repondait,
d'après le texte, au souci d'apaiser les querelles dogmatiques et de réaliser l'unanimité de l'épiscopat, souci constant de la politique impériale au IVᵉ siècle, spécialement
dans les périodes de crise politique ou de péril militaire. Le
conflit dont ils voulaient, aux termes de leur rescrit, que les
évêques eux-mêmes soient les arbitres, n'était pas précisément celui qui opposait Palladius à Ambroise ; à lui seul, il
n'aurait pas justifié une aussi vaste entreprise ; c'était, plus
généralement, le conflit entre ariens et nicéens qui demeurait
latent en Illyricum et dans tout l'Orient. Peut-être cette
décision des empereurs rencontrait-elle un vœu des ariens,
spécialement de ceux d'Illyricum. Cela n'est pas garanti,
cependant, par la synodale *Benedictus*.

Palladius a obtenu, certes, une audience de Gratien à Sirmium en septembre 380. Mais elle n'avait pas pour objet
de solliciter de l'empereur la réunion d'un concile. Elle se
situe à un moment où la décision de réunir un concile a déjà
été prise. Palladius demande si les Orientaux *ont été convoqués*, et Gratien lui répond qu'il *a ordonné* aux Orientaux de
venir [2]. L'évêque paraît être venu aux renseignements,
méfiant, craignant un piège, cherchant peut-être à se dérober. On le devine réticent, et le *Vade* du prince sonne sinon
comme un ordre, du moins comme un conseil fortement

1. *Gesta*, 3-4.
2. *Gesta*, 10.

Scolies ariennes.   9

appuyé : « Sois tranquille, les Orientaux seront là, tu dois aller à ce concile. »

Notre conclusion sera donc que la décision de convoquer un concile général à Aquilée fut prise par Gratien et Théodose de leur propre mouvement, à la fin de l'été 380, probablement lorsqu'ils se rencontrèrent à Sirmium. Elle était motivée par le désir de mettre un terme aux querelles dogmatiques, afin d'assurer l'union des esprits dans cette période difficile pour l'Empire. Elle fut abandonnée quelques mois plus tard, Théodose décidant de réunir séparément les évêques d'Orient à Constantinople, Gratien se ralliant, sous l'influence d'Ambroise, à l'idée d'un concile restreint, à Aquilée, pour l'Occident.

2. Les membres du concile

Suite aux nouvelles directives de Gratien, l'assemblée qui se réunit à Aquilée à la fin de l'été 381 était très peu nombreuse. Au début de septembre, deux douzaines d'évêques seulement avaient rallié la ville où devait se tenir le concile. Si l'on se rapporte à l'énoncé des sentences qui clôtura l'interrogatoire de Palladius, le 3 septembre, vingt-cinq Pères étaient en séance, parmi lesquels une majorité venait de l'Italie du Nord, conformément à la suggestion faite par Ambroise à l'empereur [1]. Outre Ambroise lui-même, il y avait l'évêque du lieu, Valérien, ainsi que ceux de Pavie, Trente, Bologne, Plaisance, Verceil, Emona, Tortone, Lodi, Brescia, Altinum et Gênes. Ce sont ceux-là qui constituaient proprement la « bande » d'Ambroise (*conspiratio*), dont Palladius relève qu'elle ne comptait que douze ou treize évêques [2]. L'Afrique du Nord avait envoyé deux légats, Felix et Numidius, dont les sièges ne sont pas indiqués [3]. La Gaule était représentée officiellement par les évêques de Lyon, de Marseille et d'Orange ; ceux de Grenoble et d'Octodurum étaient

1. *Gesta*, 52-64.
2. *SP* 338v,47 ; 343v,42.
3. M. S. Lancel croit, mais sans raison décisive, qu'il s'agissait respectivement des évêques de Selemseli et de Maxula, mentionnés dans les actes de la conférence de Carthage en 411 (*SC* 194, p. 169, n. 3).

présents à titre personnel. De l'Illyricum étaient venus Anemius de Sirmium, ainsi que les évêques de Zara, de Jovia et
de Sciscia. Nous ignorons d'où venait l'évêque Januarius,
dont la sentence figure en dernier lieu.

On avait donc voulu que le concile ne se limitât pas stric-
tement à l'épiscopat d'Italie septentrionale, mais il s'en
fallait de beaucoup que l'ensemble de l'épiscopat occidental
y fût présent ou représenté. Personne n'était venu d'Espagne, ni de Bretagne. La délégation africaine était bien
maigre, et les quatre illyriens présents ne paraissent avoir
été investis d'aucun mandat par leurs collègues. Pour la
Gaule, seuls quelques évêques du sud-est s'étaient déplacés.
Personne, d'autre part, — et cela est plus surprenant —
n'était venu de l'Italie centrale et méridionale, c'est-à-dire
de la région directement soumise à l'autorité de l'évêque de
Rome. Nous savons par Palladius que c'est Damase lui-même
qui avait interdit aux évêques de ces régions de se rendre à
Aquilée ; il s'en expliquait dans trois lettres adressées à Ambroise, où tout ne devait pas être agréable à entendre ou du
moins bon à publier, car l'évêque de Milan prit soin de donner
lui-même lecture de ces documents, contrairement à l'usage
qui réservait cette tâche à un ministre inférieur [1]. Personne,
enfin, n'était venu de l'Orient, si ce n'est peut-être cet
Evagrius qui est qualifié de « presbytre et légat », et en qui
M. Palanque a proposé, mais sans raison décisive, de reconnaître le futur successeur de Paulin d'Antioche [2].

Après la séance du 3 septembre où furent condamnés Palladius et Secundianus, quelques évêques rejoignirent encore
Aquilée. Il est dit, lors de cette séance, que d'autres évêques
pouvaient encore arriver [3], et la synodale *Benedictus*, par
laquelle le concile fit connaître aux empereurs les condamnations qu'il avait prononcées, porte 34 signatures [4]. La

---

1. *SP* 343v,41-344r,5. Sur les raisons de cette divergence entre
Ambroise et Damase, voir GRYSON, *Le Prêtre*, p. 187-191.
2. *Saint Ambroise*, p. 82, n. 11.
3. *Gesta*, 10.
4. La liste des signataires figure dans le *Parisinus latinus* 8907
aux fol. 339r-339v ; elle n'est pas reproduite dans Migne. La liste
qu'on trouve à la suite des actes dans *PL* 16, col. 979 A-C est factice.

liste des présents, en tête du procès-verbal de la séance du
3 septembre, mentionne 32 noms [1], mais on peut se demander si tous les évêques cités à cet endroit furent effectivement présents et si on n'a pas ajouté, pour faire bonne mesure, les noms de retardataires, quand le procès-verbal a été mis au net et publié par la suite. On s'expliquerait mal, autrement, que tous les évêques présents n'aient pas rendu leur sentence ou que toutes les sentences n'aient pas été reprises au procès-verbal ; or, celui-ci ne contient, nous l'avons vu, que 25 sentences. Nous ne saurions dire d'où arrivaient ces quelques évêques qui vinrent grossir les rangs de l'assemblée après le 3 septembre, car leurs sièges ne sont pas indiqués.

Il ne se trouvait, parmi tous ces évêques, aucune personnalité d'envergure, à part Ambroise. Le plus en vue était Justus de Lyon, le seul à qui Ambroise donne du « Monseigneur » [2]. Proculus de Marseille était tout jeune alors et n'avait pas encore fait parler de lui. La présidence fut laissée à l'évêque du lieu, Valérien, mais il ouvrit à peine la bouche, et ses rares interventions s'avèrent particulièrement hargneuses et inopportunes ; il semble penser qu'on a bien tort d'essayer d'obtenir une rétractation de ces hérétiques notoires, et qu'on ferait mieux de les condamner sans autre forme de procès [3]. La conduite des débats fut assurée, en fait, par Ambroise, qui s'acquitta de cette tâche avec la maîtrise et l'habileté qu'on pouvait attendre d'un ancien haut fonctionnaire formé à l'école de la procédure romaine. Eusèbe de Bologne, présenté par Palladius comme son « assesseur » [4], prit assez souvent la parole pour le relayer. Les autres, à part quelques interventions isolées et souvent maladroites, ne firent que de la figuration.

1. *Gesta*, 1.
2. *Gesta*, 15.
3. *Gesta*, 49.
4. *SP* 343r,4-5.

3. La journée du 3 septembre 381

Les discussions officieuses En voyant les évêques présents à Aquilée, Palladius comprit bien vite que sa cause était perdue d'avance devant une assemblée ainsi constituée, et qu'il était tombé dans un piège. Alors que les nicéens espéraient encore recevoir du renfort, il décida de brusquer les choses et, sans attendre une citation à comparaître, il invita lui-même, par écrit, ses adversaires à le rencontrer au matin du 3 septembre dans l'église d'Aquilée. Dans son esprit, il s'agissait uniquement d'avoir avec eux une conversation privée, destinée à leur faire observer que l'assemblée devant laquelle on voulait qu'il réponde de sa foi, n'était pas le concile général dont lui avait parlé l'empereur, et qu'il se refusait, en l'absence des Orientaux, à engager un débat doctrinal. Sa lettre devait cependant être tournée de telle façon que, sans contenir aucune promesse formelle à cet égard, elle laissait entrevoir aux nicéens la possibilité d'une discussion sur le fond, de manière à les déterminer à venir au rendez-vous [1].

La contradiction n'est qu'apparente entre les sources nicéennes qui affirment que la réunion du 3 septembre s'est tenue à l'initiative de Palladius, et l'affirmation de celui-ci selon laquelle il a rencontré ses adversaires pour déférer à leur volonté [2]. Elle se résout aisément au niveau des intentions profondes. Ce n'est pas Palladius qui a voulu le concile d'Aquilée, et il s'y est rendu plus ou moins contraint et forcé. Ce n'est pas lui, en fin de compte, qui souhaitait se trouver en présence d'Ambroise, dont il n'avait rien à attendre ; c'est Ambroise qui voulait l'avoir en face de lui pour lui arracher une profession de foi orthodoxe ou le faire déposer. Voyant comment les choses se présentaient sur le terrain, Palladius ne pouvait pas s'éclipser purement et simplement sans affaiblir sa position ; on aurait pu trop facilement l'accuser de dérobade. Il décida donc d'indiquer à ses adversaires, sans attendre que leur nombre augmente

1. *Gesta*, 10-12 ; *Ep. « Benedictus »*, 4.
2. *SP* 337v,2.

davantage, pour quelles raisons il ferait défaut au procès qu'on voulait lui intenter. La suite de l'histoire révélera qu'il avait fait un mauvais calcul en espérant s'en tirer de cette façon.

Il n'y a pas de contradiction non plus entre l'indication donnée au cours des débats, selon laquelle « quatre jours avant », puis « deux jours avant » la réunion du 3 septembre, Palladius avait promis d'être présent et d'engager la discussion au jour dit, et celle de la synodale *Benedictus* selon laquelle il avait appelé les nicéens à cette discussion « trois jours avant [1] ». L'indication de la synodale peut se référer à la lettre de Palladius, celle des actes à des promesses verbales (*dixeras*) que Palladius aurait faites à l'occasion de rencontres individuelles avec des évêques.

Les évêques nicéens se retrouvèrent donc au matin du 3 septembre 381 [2] en présence de Palladius, de son collègue Secundianus et d'un prêtre arien nomme Attalus [3], dans les

---

1. *Gesta*, 11 ; *Ep.* « *Benedictus* », 4.
2. La date donnée par les actes (*Gesta*, 1) doit être admise, malgré les difficultés qu'on a soulevées contre elle ; voir J. ZEILLER, « La date du concile d'Aquilée », dans *RHE* 33 (1937), p. 39-45.
3. KAUFFMANN affirme que le cas d'Attalus n'avait rien de commun avec celui des deux évêques (*Dissertatio*, p. XXXII et LI, n. 2), mais la lettre *Benedictus* dit clairement qu'il était solidaire des sacrilèges de Palladius et demande en conséquence qu'une sentence analogue le frappe (§ 9). Sa situation était cependant un peu différente, en ce sens que les évêques étaient simplement des « hérétiques », alors qu'il était proprement un « apostat » (voir *Ep.* « *Benedictus* », 9 : « Adtalum quoque presbyterum de *praeuaricatione* confessum... » ; sur le sens de *praeuaricatio* chez saint Ambroise, voir *SC* 179, p. 54, n. 2). En effet, il avait souscrit au symbole de Nicée à la suite de son évêque Agrippinus (*Gesta*, 44). M. VON CAMPENHAUSEN (*Ambrosius von Mailand*, p. 32, n. 6) suggère que ce fut peut-être à l'occasion du concile illyrien de 378 (qu'il date de 375, v. ci-dessus, p. 109) ; c'est possible, sans plus. En tout cas, cela n'implique pas nécessairement qu'Attalus ait été présent au concile de Nicée, comme le suppose Kauffmann (*Dissertatio*, p. LI, n. 2) ; la chose est même peu vraisemblable. Nous ignorons qui est l'évêque Agrippinus, ce qui nous empêche de savoir où débuta la carrière ecclésiastique d'Attalus. Par la suite, il se rallia au parti arien et se mit à l'école de Julianus Valens (*Ep.* « *Benedictus* », 9 : « Nam quid de eius magistro Iuliano Valente dicamus ? » ; sur ce personnage, v. ci-dessous, p. 142). On n'est pas fondé à supposer, pour autant,

locaux de la basilique d'Aquilée. La réunion, à laquelle aucun
laïc n'avait été admis à assister, ne se tint pas dans l'église
proprement dite, mais dans une petite salle annexe, qui
pouvait contenir seulement quelques dizaines de personnes [1].
L'évêque du lieu, qui présidait, siégeait seul sur une estrade
élevée. A côté du sien, un siège particulier avait été réservé
à Ambroise. La disposition même des lieux rendait manifeste, aux yeux de Palladius, que ce n'était pas là un concile,
c'est-à-dire que ses adversaires n'entendaient pas se prêter à
une discussion libre entre égaux, mais instruire un procès
sommaire [2]. De simples prêtres siégeaient aux côtés des
évêques nicéens, sans que la distinction fût clairement marquée entre eux [3], notamment cet Evagrius dont nous avons
déjà parlé [4] et Chromace, le futur évêque d'Aquilée [5]. Il y
avait également d'autres clercs du même parti, tel le diacre
Sabinianus, qui donna lecture du rescrit de convocation [6],
ainsi que des lecteurs et d'autres ministres qui injurièrent

qu'Attalus était de Poetovio comme son maître, ainsi que le suggère M. Palanque (*Saint Ambroise*, p. 88), et encore moins que
Julianus fit comparaître Attalus à sa place devant le concile d'Aquilée, comme le prétend Zeiller (*Provinces danubiennes*, p. 130).
     1. *SP* 337v,1-2.5 ; 338v,5 Sur la basilique d'Aquilée au ivᵉ s.,
voir R. Krautheimer, *Early christian and byzantine architecture*,
s. l. 1965, p. 22-23 (avec plan et bibliographie).
     2. *SP* 337v,6-7. Le siège élevé de l'évêque du lieu n'est pas la
chaire épiscopale, puisque nous ne sommes pas dans l'église, mais
dans un local attenant (*secretarium*). D'ailleurs, le terme employé
par Palladius (*pulpita*) ne désigne jamais, à notre connaissance, la
chaire épiscopale. Il s'agit plutôt d'une estrade d'où le président
domine l'assemblée, comme un juge sur son tribunal. Il faut noter,
toutefois, qu'on observe dès cette époque une tendance à placer la
chaire de l'évêque sur une estrade et à la pourvoir d'ornements qui
en font un véritable « trône » plutôt que le simple siège du docteur.
C'est sans doute à cela que Palladius fait allusion quand il dénonce
les manières de grands seigneurs qui caractérisent ses adversaires.
Voir E. Stommel, « Die bischöfliche Kathedra im christlichen
Altertum », dans *Münch. theol. Zeitschr.*, 3 (1952), p. 17-32 ;
H. U. Instinsky, *Bischofsstuhl und Kaiserthron*, Munich 1955.
     3. *SP* 338v,47-49.
     4. Ci-dessus, p. 131.
     5. Il intervient à deux reprises dans le cours des débats (*Gesta*,
45 et 51).
     6. *Gesta*, 3.

Palladius, sans que personne se soucie de les rappeler à plus de décence [1]. Derrière le dos des deux évêques ariens, on plaça des clercs connaissant la sténographie, qui étaient chargés de prendre note à leur insu de leurs déclarations [2].

En dépit de l'accueil peu aimable qui lui avait été réservé, Palladius eut des paroles iréniques à l'adresse de ses interlocuteurs. « Nous sommes venus », leur déclara-t-il, « comme des chrétiens vers des chrétiens [3]. » Mais Ambroise, conformément à une tactique soigneusement mise au point à l'avance, soumit aussitôt aux ariens le texte de la lettre d'Arius à Alexandre d'Alexandrie [4] en leur demandant de se prononcer à son sujet [5]. Palladius répliqua qu'il n'était pas venu pour examiner des documents ou pour juger de la foi d'un mort, mais qu'il voulait bien, quoiqu'on ne fût pas dans un véritable concile, avoir avec ceux qui étaient présents un échange d'idées à propos de la foi. Il demanda que des laïcs fussent admis à le suivre [6]. Ambroise refusa, en déclarant que des laïcs ne devaient pas être institués juges des évêques [7]. Palladius fit valoir que si les évêques étaient ordonnés sur le témoignage des laïcs, il n'y avait rien d'inconvenant à ce que ceux-ci s'assurent par la suite que les

1. *SP* 342v,38-41.
2. *SP* 339r,7-9.
3. *Gesta*, 12.
4. *CPG*, n° 2025 ; texte grec dans H. G. Opitz, *Athanasius Werke*, t. 3, 1, Berlin-Leipzig 1934, p. 12-13 ; sur ce document, voir E. Boularand, *L'hérésie d'Arius et la « foi » de Nicée*, t. 1 : *L'hérésie d'Arius*, Paris 1972, p. 47-54.
5. *SP* 337v,22-48. Cf. *Gesta*, 5, d'où il ressort clairement que la lettre d'Arius a déjà été lue une première fois avant la séance officielle.
6. *SP* 337v,48-338r,1s. Nous ne sommes renseignés sur cette première partie de la réunion que par l'apologie de Palladius, dont le texte est malheureusement en très mauvais état au fol. 338r ; le contenu des différentes interventions ne peut être reconstitué, à cet endroit, que de manière approximative.
7. *SP* 338r,7-9 : ... non debere laicos episcopo[rum] iudices constitu[i]. — Cette réponse est caractéristique de l'idée qu'Ambroise se fait des relations entre clergé et laïcat ; il dira plus loin que Palladius mériterait d'être condamné pour le seul fait qu'il a demandé à être jugé en présence de laïcs (*Gesta*, 52). Voir Gryson, *Le Prêtre*, p. 98-102.

évêques demeuraient fidèles à la règle de foi [1]. Ambroise
passa outre et revint à la lettre d'Arius, en insistant notamment sur le terme de « créature » qui est employé dans ce
texte à propos du Fils de Dieu [2]. Palladius répondit que ce
terme ne lui est jamais appliqué de manière aussi directe
dans l'Écriture, à laquelle il faut s'en tenir avec la plus
grande rigueur, mais qu'au contraire, saint Paul l'appelle le
créateur du monde [3]. Ambroise exigea alors que les deux
évêques souscrivent une condamnation formelle de la
lettre d'Arius [4]. Palladius refusa, en opposant un calme
imperturbable à l'énervement croissant de ses interlocuteurs. Il déclara qu'il avait fait ce qui était en son pouvoir
pour dissiper les soupçons injustifiés qu'on concevait à son
endroit, mais qu'il n'avait pas à donner de signature à une
assemblée aussi restreinte, qui n'avait pas qualité pour l'exiger. Le faire, explique-t-il dans son apologie, eût été lui
reconnaître l'autorité d'un concile, dont elle cherchait indûment, à tout prix, à se parer, et donner l'impression de
renier sa foi, que ses contradicteurs assimilaient purement
et simplement à celle d'Arius, pour adhérer à la leur. Les
questions de foi ne doivent pas être tranchées de façon expé-
ditive, mais réservées au concile général, qui leur accordera
l'attention voulue [5].

La séance officielle   On discuta ainsi sans succès pendant plusieurs heures. Convaincu qu'il n'obtiendrait
rien par la persuasion, Ambroise résolut alors de
procéder en bonne et due forme contre les deux « hérétiques ».

---

1. *SP* 338r,10s. On peut rappeler à ce propos, par exemple, que
le peuple avait assisté à la première séance du concile de Milan en
355 et qu'il n'était pas resté passif ; v. Sulpice Sévère, *Chron.*, II,
xxxix, 4-6 (*CSEL* 1, p. 92,22-31). Sur la part prise par les laïcs dans
l'élection des évêques à cette époque, voir Fr. Ganshof, « Note sur
l'élection des évêques dans l'empire romain au ivᵉ et pendant la
première moitié du vᵉ siècle », dans *Mélanges de Visscher*, t. 3 =
RIDA 4 (1950), p. 467-498.
2. *SP* 338r,31s.
3. *SP* 338r,50-338v,7 ; cf. *Gesta*, 43.
4. *SP* 338v,7-29.
5. *SP* 338v,29-339r,5.

Il demanda à ses collègues d'ordonner qu'il soit dorénavant dressé un procès-verbal officiel des déclarations de chacun et fit avancer les clercs sténographes qui s'étaient tenus jusqu'alors derrière le dos des évêques ariens. Voyant qu'on allait à un procès en règle, ceux-ci se levèrent et voulurent quitter la salle ; mais on les retint de force [1].

Ambroise commença par faire donner lecture, conformément à l'usage, du rescrit impérial de convocation [2]. Puis il

1. *Gesta*, 2 ; *SP* 339r,5-32. Ambroise dit qu'on avait discuté longtemps avant d'en arriver là : « *Diu* citra acta tractauimus. » Nous pensons que ce *diu* vise uniquement la discussion qui a précédé immédiatement la partie officielle de la réunion du 3 septembre, et non des entretiens qui auraient eu lieu dans les jours, voire dans les semaines qui précèdent, comme le suppose Zeiller (*Provinces danubiennes*, p. 235). On voit mal Palladius laisser traîner les choses dans une situation sans issue pour lui, et Ambroise omettre de ferrer le poisson dès qu'il l'avait à sa merci. Du reste, Palladius souligne la brièveté de la discussion consacrée à son cas, contrairement à l'usage qui était, dit-il, d'étaler les débats de ce genre sur plusieurs jours, afin que chacun ait tout le loisir de reconsidérer sa position (*SP* 342v,11-25). La réunion du 3 septembre se prolongea depuis l'aube, soit vers 6 heures du matin, jusqu'à une heure de l'après-midi : « ... de primo ortu diei usque in horam septimam » (*Ep.* « *Benedictus* », 5). La séance officielle, dûment enregistrée, a duré entre deux et trois heures. En effet, la durée de l'interrogatoire de Palladius, le seul dont on ait le texte complet, peut être estimée à une heure et quart environ. C'est ce que révèle l'expérience d'une lecture faite à haute voix, et cela est confirmé par une intervention d'Ambroise qui se place à peu près aux deux tiers de cet interrogatoire et qui, évoquant la fin de la discussion officieuse qui a précédé, la situe moins d'une heure auparavant : « ... ante horam citra actam » (*Gesta*, 43 ; cf. *SP* 338r,50-339r,5). L'interrogatoire de Secundianus a probablement été plus court, puisque tout avait déjà été dit et redit, et le cas du prêtre Attalus, qui était un apostat notoire, a dû être tranché assez vite. Les évêques avaient donc déjà discuté pendant quatre ou cinq heures avant que débute l'interrogatoire officiel dont nous avons le compte rendu dans les actes.

2. *Gesta*, 2-4. Cf. p. ex. *Acta coll. Carth.*, I, 4 (*SC* 195, p. 563-568) ; *Acta conc. Ephes.*, 35 (*ACO* 1, 2, p. 8). Le document n'a pas été lu dans son intégralité ou, du moins, il n'a pas été reproduit intégralement dans les actes, comme l'indiquent à la fin de la citation les mots *et reliqua*. Nous savons par la synodale *Benedictus* (§ 12) qu'il contenait une disposition écartant les photiniens, conformément aux mesures légales antérieures de Gratien qui proscrivaient les tendances extrémistes en théologie trinitaire.

entreprit à nouveau d'interroger systématiquement Palladius à propos de la lettre d'Arius [1]. La version latine qu'il utilise diffère légèrement de celle qu'on trouve dans le *De Trinitate* d'Hilaire [2], mais rend fidèlement le sens du texte. Celui-ci proclame que le Père est « seul inengendré, seul éternel, seul sans commencement, seul véritable, seul à posséder l'immortalité, seul sage, seul bon, seul puissant, juge de tous », et plus loin « créature parfaite de Dieu [3] ». Ambroise escamota le premier attribut, qui est capital, comme le fait remarquer Maximinus, car c'est lui qui indique en quel sens doivent être entendus les suivants [4], et il demanda d'emblée à son interlocuteur de dire clairement si, pour lui, le Fils de Dieu est ou non éternel [5].

Palladius refuse de répondre en dehors d'un concile général, où seraient présents les Orientaux, et il accuse ses interlocuteurs d'avoir empêché par leurs manœuvres la réunion d'un tel concile, qui avait cependant été convoqué par l'empereur. Les nicéens ont de la peine à se défendre sur ce point, où ils n'étaient pas sans reproche. Ils font observer à Palladius, avec agacement, qu'il y a quelque paradoxe, après leur avoir lui-même fixé rendez-vous, à refuser de discuter avec eux. Palladius proteste qu'il n'avait pas d'autre intention que de faire constater que l'assemblée devant laquelle on prétendait le contraindre à s'expliquer sur sa doctrine, n'avait aucune autorité pour agir de la sorte [6].

Ambroise revient néanmoins à son idée : si Palladius ne veut pas condamner la doctrine d'Arius, il avoue par là-

1. *Gesta*, 5 ; *SP* 339r,32-38.
2. IV, 12 et VI, 5 (*PL* 10, col. 104-105 et 160). L'attention accordée par Hilaire à ce document et le soin qu'il met à le réfuter, témoignent de sa diffusion et de sa vogue persistante.
3. Voici ce qu'on peut reconstituer de la version lue à Aquilée, d'après les actes : «... solum aeternum, solum sine initio, solum uerum, solum immortalitatem habentem, solum sapientem, solum bonum, solum potentem, omnium iudicem, ... natum autem non putatiue, ... creaturam (Dei) perfectam... ». Palladius, dans son apologie, ne cite qu'approximativement et de mémoire (*SP* 339r,38-46) ; cf. supra, p. 91.
4. *SM* 303v,39-304r,18.
5. *Gesta*, 5.
6. *Gesta*, 6-12.

même être de ses disciples. « Je n'ai jamais vu Arius »,
réplique Palladius, « et je ne sais pas qui c'est. » Puis il se
renferme obstinément dans le silence. Sans plus attendre,
Ambroise fait alors prononcer l'anathème contre celui qui
nie l'éternité du Fils [1].

Ici se situe un tournant dans les débats. Palladius perçoit
clairement que l'exception d'incompétence qu'il a soulevée
n'arrêtera pas ses juges, et qu'ils sont déterminés à poursuivre jusqu'au bout. Perdu pour perdu, il se dit qu'il serait
déshonorant de céder le terrain sans combattre et il accepte
finalement, contrairement à son intention initiale, de se
laisser entraîner dans la discussion sur le fond à laquelle
voulait l'amener Ambroise. Cette discussion est un exemple
achevé du dialogue de sourds, chacun se cramponnant à ses
formules, sans faire aucun effort pour tenter de comprendre
et, si possible, de rejoindre l'autre. A propos de chacun des
cinq attributs suivants (véritable, immortel, sage, bon,
puissant), qu'il se refuse à appliquer au Fils dans le même
sens qu'au Père, Palladius s'entend chaque fois, après un
bref duel oratoire, assener l'anathème [2].

Quand Ambroise en vient au septième attribut de la série
(juge de tous), Palladius passe brusquement à la contre-
attaque. « Dis-tu que le Père est plus grand ou non ? »,
lance-t-il à son adversaire. Cette fois, c'est Ambroise qui
refuse de répondre. Mais Palladius s'entête, et Eusèbe de
Bologne finit par prendre la question en considération, vite
relayé par son collègue de Milan. La profession de foi subordinatienne de l'évêque arien lui vaut un nouvel anathème.
Sabinus de Plaisance va jusqu'à dire, en exagérant manifestement, que les blasphèmes de Palladius sont bien pires
que ceux d'Arius. Cela fait bondir le vieil évêque, qui cherche
à nouveau à quitter la salle ; mais cette fois encore, on l'en
empêche [3].

---

1. *Gesta*, 13-16 ; *SP* 339r,46-339v,19. La synodale *Benedictus*
(§ 4) indique que les ariens ont commencé par refuser la discussion,
mais sans faire état de leurs motifs.
2. *Gesta*, 17-32 ; *Ep.* « *Benedictus* », 5 ; *SP* 339v,19-341r,3. Sur
la portée théologique de cette discussion, v. ci-dessous, p. 196-200.
3. *Gesta*, 33-41 ; *Ep.* « *Benedictus* », 6-7 ; *SP* 341r,3-26.

Ambroise veut poursuivre et demande si Arius a eu raison d'appeler le Fils une « créature parfaite ». Mais la discussion s'enlise pour de bon. Palladius refuse définitivement de répondre. Il répète qu'il n'a rien à voir avec Arius, qu'il ne reconnaît pas ses interlocuteurs comme juges et que, s'il a voulu les rencontrer, c'est uniquement pour dénoncer leurs intrigues auprès de l'empereur. Il conteste l'objectivité des sténographes et réclame à nouveau la présence d'auditeurs laïcs. Tous les efforts d'Ambroise pour le ramener au débat sont vains. Ambroise échoue de la même façon auprès du prêtre Attalus, qu'il interpelle à un moment donné, sans doute dans l'espoir de trouver un point de moindre résistance dans le front arien [1].

Sentant qu'il ne tirera plus rien de Palladius, Ambroise décide alors de conclure. Il prononce sa sentence et invite ses collègues à faire de même : Palladius est déclaré définitivement déchu du sacerdoce, et un successeur « catholique » lui sera donné [2].

C'est maintenant au tour de Secundianus d'affronter Ambroise [3]. Contrairement à Palladius, auquel on n'osa pas infliger cet affront en raison de son grand âge, il dut se tenir debout pendant qu'on l'interrogeait, ce qui marquait bien qu'on entendait le traiter en accusé, et non en collègue [4]. Usant toujours de la même tactique, Ambroise demanda à l'évêque arien s'il reconnaissait Jésus-Christ pour « Dieu véritable ». Secundianus ne s'avère pas inférieur à Palladius comme polémiste. Plus jeune, il a même plus de mordant, sinon plus d'assurance, et plus d'esprit de repartie, sinon plus d'habileté. Comme son aîné, il demeure ferme dans sa profession de foi subordinatienne, tout en affirmant ne pas connaître Arius. Tout comme lui, il mêle aux réponses sur le fond des considérations de procédure, notamment à pro-

1. *Gesta*, 41-52 ; *SP* 341r,26-39.
2. *Gesta*, 52-64.
3. Durant l'interrogatoire de Palladius, Eusèbe de Bologne avait déjà interpellé Secundianus (*Gesta*, 28). Mais Ambroise avait aussitôt coupé court, préférant sans doute isoler ses adversaires plutôt que les amener à s'épauler mutuellement.
4. *SP* 343r,2.

pos de l'objectivité des sténographes [1]. Tout cela ne le sau-
vera pas davantage que Palladius. Nous n'avons pas la fin
de son interrogatoire dans les actes. D'après l'apologie de
Palladius, Ambroise revint sur l'appellation de « créature »
donnée au Fils par Arius et tenta encore une fois d'arracher
à ce propos une signature à Secundianus. Celui-ci s'étonna
de son insistance, en lui opposant le texte fameux des Proverbes où la Sagesse proclame que le Seigneur l'a « créée,
commencement de ses voies, en vue de ses œuvres » ; à quoi
Ambroise répliqua, selon son habitude, que cette parole devait
s'entendre de la chair du Christ [2]. Finalement, Secundianus
tomba sous le coup de la même condamnation que son collègue [3]. Le prêtre Attalus subit également le même sort [4].

4. La fin du concile

Le concile écrivit alors aux empereurs pour les informer des
sentences qu'il avait prononcées et leur demander d'en assurer
l'exécution [5]. Le pouvoir civil fut également prié de sévir
contre Julianus Valens, un autre évêque arien d'Illyricum,
qui n'avait point paru à Aquilée. Après la prise de sa ville
épiscopale par les Goths, dans des circonstances suspectes,
il avait déployé une grande activité à Milan et dans toute
l'Italie du Nord, où il s'était efforcé de reconstituer une hiérarchie arienne ; Ambroise en était évidemment fort contrarié
et souhaitait beaucoup qu'on le renvoyât chez lui [6]. Le

1. *Gesta*, 65-75.
2. *SP* 341r,39-341v,41.
3. *Ep.* « *Benedictus* », 8 ; *SP* 341v,41-343v,17.
4. *Ep.* « *Benedictus* », 9.
5. *Ep.* « *Benedictus* », 8 : « Vestram fidem, uestram gloriam depre-
camur ut reuerentiam imperii uestri deferatis auctori censeatisque
impietatis assertores et adulteros ueritatis, datis apicibus clemen-
tiae uestrae ad iudicia competentia, ab ecclesiae arcendos esse
liminibus, et ut in damnatorum locum per nostrae paruitatis legatos
sancti subrogentur sacerdotes. » On trouvera une analyse péné-
trante des idées politiques d'Ambroise, qui sont sous-jacentes à ce
document, dans PALANQUE, *Saint Ambroise*, p. 319-386.
6. *Ep.* « *Benedictus* », 9. Sur ce personnage et, en particulier,
sur les accusations portées contre lui dans ce texte, voir R. EGGER,
« Die Zerstörung Pettaus durch die Goten », dans *JOAI* 18 (1915),
Beiblatt, col. 253-266.

concile se plaignit aussi de ce que les photiniens continuaient
de se réunir impunément à Sirmium, en dépit des lois qui les
avaient frappés, et insista pour que les empereurs ne permettent pas que leur autorité soit bafouée de la sorte [1].

Dans une autre lettre, le concile dénonça les agissements
d'Ursinus, le concurrent de Damase évincé lors de l'élection
au Siège romain qui avait suivi la mort de Libère. Après
plusieurs années d'exil, il essayait maintenant de circon-
venir Gratien et avait suscité des difficultés à Ambroise dans
sa propre ville épiscopale, en s'acoquinant notamment avec
Julianus Valens. Les évêques forment le vœu que l'empereur n'ait pour lui aucune indulgence [2]. Le concile tenta également, de façon assez maladroite, d'intervenir dans les
affaires d'Orient en manifestant son soutien à Paulin et aux
nicéens de stricte observance [3]. Nous apprenons enfin par
Palladius qu'on s'occupa à Aquilée des cas d'Urbain de
Parme, de Léonce de Salone et d'autres encore, qui étaient
probablement aussi des évêques ariens [4]. De tout cela, nous
avons traité ailleurs de façon suffisamment détaillée pour
ne pas devoir y revenir ici [5].

III. DE L'ARIANISME LATIN A L'ARIANISME GERMANIQUE : ULFILA ET LA CONVERSION DES GOTHS AU CHRISTIANISME [6]

Il pouvait sembler, après le concile d'Aquilée, que la
cause de l'arianisme était définitivement perdue en Occi-

1. *Ep.* « Benedictus », 12.
2. *Ep.* « *Prouisum* » (*PL* 16, col. 985-987).
3. *Ep.* « *Quamlibet* » (*PL* 16, col. 987-990). Ambroise revint à la
charge après la clôture du concile, au nom des seuls évêques d'Italie
septentrionale (*Ep.* « *Sanctum* » ; *PL* 16, col. 990-993). Il essuya de
la part de Théodose une rebuffade cinglante (cf. *Ep.* « *Fidei* » ;
PL 16, col. 994-995).
4. *SP* 344v,24-345v,2.
5. *Le Prêtre*, p. 158-161 ; 174-176 ; 187-196.
6. On a beaucoup discuté la question de savoir si le nom de
l'évêque goth était Wulfila ou Ulfila ; voir notamment W. LUFT,
« Wulfila oder Ulfila », dans *ZVS* 36 (1899), p. 257-264, E. SCHROE-
DER, « Ulfila », dans *Festschrift Adalbert Bezzenberger*, Göttingen
1921, p. 132-139, et K. K. KLEIN, « Der Name Wulfilas », dans
ZVS 70 (1952), p. 154-176. Ce dernier auteur soutient que la forme

dent. Il n'en fut rien. L'arianisme latin se trouva effectivement réduit à l'état de survivance marginale. Mais parmi
les tribus germaniques qui se répandirent à travers l'Europe
centrale et occidentale à la fin du IVe siècle et au début du
V^e, plusieurs, à la suite des Goths, embrassèrent le christianisme sous sa forme arienne et reprirent à leur manière le
flambeau [1]. De ce nouveau chapitre de l'histoire de l'arianisme en Occident, seul le début nous intéresse ici, car le
personnage d'Ulfila, le grand apôtre des Goths, est évoqué à
plusieurs reprises dans les commentaires de Maximinus.

1. Le ministère d'Ulfila

Les Goths, peuplade germanique originaire de Scandinavie,
avaient découvert le christianisme à l'occasion de raids qu'ils
effectuèrent en Asie Mineure au milieu du IIIe siècle, avant de
s'installer dans les régions situées au nord du Bas-Danube
et de la mer Noire [2]. Ulfila descendait, probablement par sa
mère, de prisonniers chrétiens qui avaient été enlevés en
Cappadoce à cette époque-là [3]. Né vers 311, il fut sans doute

gothique du nom de l'évêque était Wulfila ; il s'agirait d'un dimi-
nutif de *wulfs*, « loup » (le suffixe se retrouve p. ex. dans Att-ila,
« petit père »). M. E. A. EBBINGHAUS (« Gotica », dans *GL* 11 [1971],
p. 14-15) a judicieusement qualifié cette étude de « imaginative, but
wholly uncritical ». En fait, la seule forme attestée dans des documents remontant au IVe s. est la forme latine *Ulfila*, utilisée par
l'évêque lui-même dans son credo et par son disciple Auxentius
dans la lettre qu'il écrivit immédiatement après la mort de son
maître. A cette forme latine correspond la forme grecque Οὐλφίλας
(parfois Οὐρφίλας;, v. EBBINGHAUS, *loc. cit.*), qu'on trouve chez
les historiens grecs du Ve s. C'est plus tard seulement qu'apparaissent les formes *Hulfila, Gulfila, Vulfila*, etc. Il est possible, mais
il n'est pas démontré, que la forme *Ulfila* provienne d'une forme
gothique **Wulfila*. Dès lors, il convient de s'en tenir à la seule
forme qui soit attestée dans les écrits contemporains du personnage.
  1. Voir K. D. SCHMIDT, *Die Bekehrung der Ostgermanen zum
Christentum (Der ostgermanische Arianismus)*, Göttingen 1939 ;
L. SCHMIDT, *Geschichte der deutschen Stämme bis zum Ausgang der
Völkerwanderung. Die Ostgermanen*, 2e éd., Munich 1941.
  2. Voir SCHMIDT, *Geschichte*, p. 195-301.
  3. PHILOSTORGE, II, v (*GCS* 21, p. 17,3-17). Il n'y a aucune raison valable de rejeter le témoignage de l'historien arien à ce propos.
Les réticences de BESSELL (*Leben Ulfilas*, p. 110-119) n'ont guère

chrétien dès son jeune âge, car il exerça la fonction de lecteur [1], qui était alors souvent confiée à des enfants ou à des
adolescents [2]. Cette fonction témoigne d'une connaissance
des langues à laquelle ses origines familiales le prédispo-
saient ; à ce moment-là, en effet, les Écritures n'étaient pas
encore traduites en langue gothique.

Auxentius dit qu'Ulfila, « de lecteur qu'il était, fut ordonné
évêque à l'âge de trente ans [3] ». Philostorge donne quelques
détails supplémentaires [4]. Il rapporte qu'Ulfila, ayant été
envoyé en ambassade avec d'autres par le chef du peuple
goth à la cour de Constantin — auquel étaient alors soumis
ces barbares, — reçut l'ordination des mains d'Eusèbe et
des évêques qui étaient avec lui, pour le service des chrétiens
vivant en pays goth. A lire Philostorge, on a l'impression
que l'ordination d'Ulfila a eu lieu à l'occasion de cette ambassade dont il fit partie sous le règne de Constantin. Mais
Auxentius nous apprend, d'autre part, qu'Ulfila est mort
après quarante années d'épiscopat en juin 383 [5]. Ceci exclut
que son ordination se situe sous le règne de Constantin
(† 337), car, si l'on peut admettre qu'Auxentius a forcé

suscité d'écho ; même BERNHARDT, qui le suit pourtant toujours
de très près, s'en écarte sur ce point (*Gotische Bibel*, p. IX-XI) ; dans
le même sens que Bessell, on peut citer seulement C. P. V. KIRCH-
NER, *Die Abstammung des Ulfilas* (Jahresbericht der städtliche
Realschule), Chemnitz 1879, C. A. A. SCOTT, *Ulfilas apostle of the
Goths together with an account of the gothic Churches and their decline*,
Cambridge 1885, p. 49-51, et A. G. HOPKINS, « Ulfilas and the conversion of the Goths », dans *The Andover review*, 18 (1892), p. 162-
179 (v. p. 165-166). SALTET a sans doute fait confiance à Bessell
lorsqu'il écrit, sans autre explication : « La donnée de Philostorge
sur l'origine grecque de Wulfila est regardée comme légendaire »
(« Un texte nouveau », p. 124, n. 4). Mais l'argumentation de Bessell
a été réfutée de façon circonstanciée par KAUFMANN (« Untersuchungen », p. 215-219). Depuis lors, on accepte généralement le
témoignage de Philostorge sur ce point, comme l'avaient déjà fait
auparavant Waitz et Krafft.

1. *SA* 306v,23-24.
2. Voir E. PETERSON, « Das jugendliche Alter der Lektoren »,
dans *Ephem. liturg.*, 48 (1934), p. 437-442.
3. *SA* 306v,23-27.
4. *Hist. eccl.*, II, v (*GCS* 21, p. 17,17-18,2).
5. *SA* 307v,9-34 ; pour la date, v. ci-dessous, p. 157-161.

Scolies ariennes.   10

légèrement sur les dates pour faire entrer la vie de son héros dans un cadre biblique [1], on ne peut concevoir qu'il ait pris une telle liberté avec la vérité historique ou qu'il ait commis une pareille erreur chronologique, alors qu'il a vécu dans l'intimité de l'évêque goth et que le temps n'a pas encore pu altérer ses souvenirs. Ulfila a certainement été ordonné par Eusèbe de Nicomédie très peu de temps avant la mort de celui-ci, dans la seconde moitié de 341 [2]. On pourrait penser qu'il y a eu un accident dans la transmission du texte de Philostorge, et que le nom de Constantin se trouve pour celui de son fils et successeur Constance (337-361) ; de pareilles erreurs, qui tiennent en grec à une seule lettre, ne sont pas rares dans la tradition manuscrite. Toutefois, une ambassade du peuple goth à la cour de Constantinople se place mieux vers la fin du règne de Constantin qu'au début du règne de Constance [3], et d'autre part, Philostorge ne dit pas expressément qu'Ulfila a été ordonné à l'occasion de cette ambassade. Il faut rappeler ici que nous n'avons conservé l'*Histoire ecclésiastique* de Philostorge qu'à travers un résumé de Photius. Il est possible que l'abréviateur ait bloqué des événements sur lesquels l'historien s'étendait davantage, en distinguant mieux les moments successifs de la vie de l'évêque goth. La meilleure façon de faire droit aux sources nous paraît, dès lors, d'admettre qu'Ulfila a fait partie d'une ambassade du peuple goth auprès de Constantin vers la fin du règne de celui-ci, sans doute en qualité d'interprète. Il a pris contact alors avec les milieux ecclésiastiques de Constantinople, et quelques années plus tard, soit qu'il fût demeuré entre-temps en terre romaine pour y parfaire sa formation, soit qu'il eût fait par la suite un nouveau voyage, il a été ordonné par Eusèbe peu avant la mort de celui-ci.

Ulfila a dû être le premier évêque des Goths transdanu-

---

1. V. ci-dessous, p. 161.

2. L'expression ὑπὸ Εὐσεβίου καὶ τῶν σὺν αὐτῷ ἐπισκόπων (PHILOSTORGE, *loc. cit.*) ne signifie pas nécessairement que l'ordination ait eu lieu au cours d'un synode, comme on l'a souvent répété. Il est possible, sans plus, que le concile d'Antioche de 341 en ait fourni l'occasion.

3. Voir THOMPSON, *The Visigoths*, p. 9-17.

biens, car on n'en connaît pas d'autre avant lui [1], et l'état
d'indigence spirituelle dans lequel végétait son peuple au
début de son ministère [2] s'expliquerait mal s'il s'y trouvait
déjà une Église bien organisée. Cela n'empêche pas qu'il y
avait déjà des chrétiens et même des clercs chez les Goths,
puisque Ulfila lui-même fut lecteur avant d'être évêque et
qu'il fut ordonné précisément pour prendre la tête des chrétiens demeurant en pays goth [3]. Ces chrétiens se recrutaient
certainement parmi les descendants des populations roma-
nisées de la région, qui avait fait partie de l'Empire jusqu'au
règne d'Aurélien, parmi les descendants de prisonniers chrétiens ramenés par les Goths de leurs razzias à l'intérieur de
l'Empire, et sans doute aussi parmi les Goths eux-mêmes,
dans les rangs desquels les fidèles des deux premiers groupes
avaient pu susciter des conversions. On sait que l'usage de
l'Église ancienne n'était pas d'envoyer un évêque évangé-
liser une terre païenne, mais d'attendre qu'il y ait un noyau
de convertis avant de leur donner un chef et de les reconnaître comme communauté autonome.

Rentré en pays goth, Ulfila entreprit d'amener ses frères
de race à mener une vie conforme aux enseignements de
l'Évangile, de faire en sorte que les chrétiens soient dignes
de ce nom, et d'en augmenter le nombre [4]. Alors qu'il avait
achevé la septième année de son épiscopat, soit vers 348-
349, une persécution fut déclenchée contre les chrétiens par
le chef suprême du peuple goth, qui était païen [5]. La cause
en fut sans doute un nouvel épisode du conflit entre Goths et
Romains, qu'on a de bonnes raisons de situer en ces années-
là ; on conçoit aisément que les chrétiens soient apparus en
cette circonstance comme suspects de constituer une cin-
quième colonne dont il était prudent de se débarrasser [6]. Il

1. L'évêque « Théophile de Gothie », qui figure dans la liste des
Pères de Nicée, doit être situé chez les Goths de Crimée ; voir
ZEILLER, *Provinces danubiennes*, p. 407-417.
2. *SA* 307r,3-4.
3. PHILOSTORGE, *loc. cit.*
4. *SA* 307r,3-6.
5. *SA* 307r,6-33.
6. Voir la fine analyse de M. Thompson à ce sujet (*The Visigoths*,
p. 16-17). On remarquera, en particulier, que l'auteur de la persé-

y eut des martyrs, et Ulfila fut contraint de passer en terre romaine avec un grand nombre de ses ouailles. Il fut accueilli avec honneur par Constance [1], qui permit aux exilés de s'établir au pied du mont Haemus, près de Nicopolis, en Mésie Inférieure [2].

C'est là qu'Ulfila vécut les trente-trois années restantes de son épiscopat, sur le détail desquelles nous n'avons guère de renseignements [3]. Auxentius dit qu'il prit part à de nombreux conciles [4], mais sa présence n'est attestée qu'au concile de Constantinople de 360 [5].

La fin de la vie d'Ulfila se déroula dans un climat troublé. On sait que l'immigration massive des Goths en terre romaine sous la pression des Huns donna lieu dans les années 376-378 à des affrontements d'une extrême violence, qui aboutirent finalement au désastre d'Andrinople et à la mort de l'empereur Valens. Il ne semble pas qu'Ulfila lui-même, ni ses fidèles, aient été directement impliqués dans ces événements, quoi qu'en aient dit les historiens ecclésiastiques [6]. Il serait invraisemblable, toutefois, qu'il n'y ait pas eu de contact à la fin des années 370 entre les Goths d'Ulfila et leurs frères de race qui les avaient rejoints sur la rive droite du Danube. Ces contacts ont certainement préparé et sans doute déjà amorcé le ralliement des nouveaux venus, encore en majorité païens, à la foi chrétienne — ralliement qui ira de pair avec leur admission définitive au sein de l'Empire sous Théodose. Sans cela, on ne comprendrait pas qu'ils aient embrassé le christianisme sous sa forme arienne à une

cution est désigné par Auxentius comme le « juge » des Goths (*SA* 307r,10), ce qui est le titre porté par le chef suprême de la confédération des tribus gothiques, élu uniquement en cas de guerre.

1. *SA* 307r,33-307v,4.
2. Philostorge, *Hist. eccl.*, II, v (*GCS* 21, p. 18,7-14).
3. *SA* 307v,4-8.
4. *SA* 305r,21-25.
5. Socrate, *Hist. eccl.*, II, xli (*PG* 67, col. 349 C) ; Sozomène, *Hist. eccl.*, IV, xxiv, 1 (*GCS* 50, p. 178,9-14).
6. Voir Socrate, *Hist. eccl.*, IV, xxxiii (*PG* 67, col. 553 A-B) et surtout Sozomène, *Hist. eccl.*, VI, xxxvii, 2-10 (*GCS* 50, p. 294,17-296,10) ; bonne mise au point à ce sujet dans Lippold, « Ulfila », col. 519-520.

époque où la doctrine officielle de l'Empire était désormais partout celle de Nicée [1]. C'est tout ce qu'on peut dire à propos du rôle joué par Ulfila au terme de sa carrière, et la règle de l'historien doit être de ne pas chercher à suppléer à la carence des sources par l'affabulation. On n'accordera, pour ce motif, aucun crédit aux articles inutilement prolixes dans lesquels Müller et, à sa suite, Klein ont présenté une version haute en couleur des dernières années de l'évêque goth, qui tient beaucoup plus du roman historique que de l'histoire [2]. Ces auteurs méritent pleinement les jugements sévères qui ont été portés sur leurs travaux. L'épopée qu'ils ont échafaudée est un pur produit de leur imagination [3].

2. Le dernier voyage et la mort d'Ulfila

La question des circonstances et de la date de la mort d'Ulfila est la plus complexe de toutes celles que pose la biographie de l'évêque goth. Il n'est pas étonnant qu'une abondante littérature y ait été consacrée. Mais avant de peser les arguments échangés, il convient de prendre une vue claire et complète des sources. Beaucoup se sont fourvoyés pour avoir négligé cette démarche essentielle.

1. Voir à ce propos THOMPSON, *The Visigoths*, p. 78-93, avec le compte rendu nuancé de M. J. Fontaine dans *Latomus*, 26 (1967), p. 226-228 ; voir aussi les observations de W. H. C. FREND, « Mission in der alten Kirche bis zum 7. Jahrhundert », dans *Kirchengeschichte als Missionsgeschichte*, t. 1 : *Die alte Kirche*, Munich 1974, p. 39-41, et J. VOGT, « Die kaiserliche Politik und die christliche Mission im 4. und 5. Jahrhundert », *ibid.*, p. 184-186.

2. MUELLER, « Ulfilas Ende », p. 101-132 ; KLEIN, « Auxentiusbrief als Quelle », p. 119-143. De la même veine est également l'article de K. K. KLEIN, « Ambrosius von Mailand und der Gotenbischof Wulfila », dans *Südost-Forschungen*, 22 (1963), p. 14-47.

3. Voir p. ex. LIPPOLD, « Ulfila », col. 520-524, qui qualifie les élucubrations de ces auteurs de *weitgehend phantastisch, haltlose Kombinationen, nur auf Vermutungen beruhende Hypothese*, etc. M. Thompson est du même avis : « Klein's reconstruction of Ulfila's last year or two is very hazardous » (*The Visigoths*, p. xxi, n. 2). Voir également STUTZ, *Gotische Literaturdenkmäler*, p. 12.

Les sources   On pourrait penser que l'art du critique
                 n'aura guère l'occasion de s'exercer ici, puisque
la fin d'Ulfila n'est évoquée que dans un seul document, à
savoir les scolies ariennes sur le concile d'Aquilée. Mais les
différentes indications que livre ce texte composite ne se
laissent pas aisément concilier. Examinons-les successivement dans l'ordre où elles se présentent :

1° En introduisant la longue citation qu'il fait de la lettre
   d'Auxentius, Maximinus affirme que, d'après ce document,
   Palladius et Secundianus se sont rendus en Orient à la
   cour de Théodose, en compagnie d'Ulfila [1].

2° Auxentius raconte dans sa lettre en quelles circonstances
   mourut Ulfila. Après quarante années d'épiscopat, il se
   rendit à Constantinople, sur ordre de l'empereur, en vue
   d'un débat contradictoire avec des adversaires dont le nom
   est malheureusement illisible. Dès son arrivée, alors que
   les « impies », c'est-à-dire les partisans du consubstantiel,
   avaient repensé le règlement du concile pour éviter d'y
   être confondus, Ulfila tomba malade, et cette maladie
   l'emporta. Si la main de Dieu le conduisit alors à Constantinople, c'est pour que ce saint évêque reçoive de saints
   évêques comme lui les derniers honneurs, au milieu d'une
   grande foule de chrétiens, dans cette ville chrétienne entre
   toutes, ainsi qu'il convenait à ses mérites [2].

3° Enchaînant immédiatement sur la citation de la lettre
   d'Auxentius, Maximinus répète, comme il l'avait déjà dit
   en introduisant cette citation, que Palladius et Secundianus se sont rendus en Orient, après avoir fait en vain
   le voyage d'Aquilée, pour y demander la réunion d'un
   vrai concile. Puis, à partir de la phrase sur le règlement
   du concile que les impies avaient repensé pour éviter d'y
   être confondus, alors qu'ils se trouvaient condamnés par
   leur propre jugement, Maximinus explique que les nicéens
   s'étaient condamnés eux-mêmes à Aquilée en rejetant la
   doctrine de Palladius et de Secundianus. Il affirme que ce

1. *SM* 304r,40-42.
2. *SA* 307v,9-38.

sont des lettres écrites par Ambroise et les siens qui ont déterminé Théodose à revenir sur la promesse d'un concile qu'il avait faite aux appelants, et à aligner sa politique sur celle de Gratien [1].

4° Maximinus évoque également cette intervention des nicéens dans la note qui fait suite à l'apologie de Palladius. Après que Palladius et les chefs du parti homéen, dit-il, en compagnie d'Ulfila et d'autres collègues, se furent rendus à la cour de Constantinople et qu'un concile leur eut été promis, ainsi que l'a rapporté Auxentius, les chefs des « hérétiques », ayant eu vent de cette promesse, s'employèrent de toutes leurs forces à ce qu'une loi fût promulguée pour rendre impossible ce concile, de même que toute discussion, publique ou privée, au sujet de la foi. Cette loi serait, d'après Maximinus, l'édit *Nulli egressum* du 16 juin 388, qu'il associe au fragment de la loi du 23 janvier 386 qui précède immédiatement dans le Code théodosien [2].

État de la question Le premier qui se soit penché sur ce problème est Waitz. Il date la mort d'Ulfila de 388, étant donné que Maximinus cite une loi de cette année dont la promulgation serait consécutive au dernier voyage que l'évêque goth fit à Constantinople [3]. Il a été suivi par Massmann [4] et par Krafft [5].

Mais Bessell a montré que les lois alléguées dans la note finale des scolies sont citées d'après le code théodosien, et que Maximinus, par conséquent, a écrit ces lignes après 438, soit plus d'un demi-siècle après les faits. Il a montré également que le voyage d'Ulfila et de ses collègues qui est évoqué dans la note, sur la base du récit qu'en avait fait Auxentius, ne peut pas être situé à une date aussi tardive que 388, et que l'édit *Nulli egressum*, qui est cité dans la note, n'a pas la portée que lui prête Maximinus. Il en déduit que le récit d'Auxentius, sur lequel Maximinus dit se fonder, ne pouvait

1. *SM* 308r,35-310r,11.
2. *SM* 349r,4-43.
3. *Bruchstücke*, p. 46-49.
4. Compte rendu, col. 230-231.
5. *Anfänge*, p. 233-239.

être entaché de l'erreur grossière qui consiste à rattacher au
voyage d'Ulfila une loi postérieure de plusieurs années et,
au surplus, interprétée à contresens ; Auxentius, en effet,
est un témoin contemporain des événements. L'erreur doit
être le fait de Maximinus ; celui-ci a recherché dans le code
théodosien la loi dont faisait mention Auxentius sans la citer,
mais il s'est mépris à ce sujet. Dès lors, Bessell entreprend,
avec les mêmes éléments que ceux dont disposait Maximinus,
c'est-à-dire le récit d'Auxentius dont la note a retenu les
traits essentiels, et le code théodosien, de découvrir la loi
en question [1]. Pour cela, il appelle à la cause l'historien
Sozomène, qui a conservé le souvenir des événements sur-
venus à Constantinople après l'entrée de Théodose dans cette
ville (fin novembre 380) [2]. Bien que l'empereur eût expulsé
l'évêque arien Démophile et fait remettre les églises à Grégoire
de Nazianze, les ariens restaient alors nombreux et influents
dans la capitale. On se pressait pour entendre Eunome,
qui résidait en Bithynie, sur l'autre rive du Bosphore, et
l'empereur lui-même avait exprimé l'intention de se rendre
auprès de lui. Mais l'impératrice Flacilla l'en dissuada, et un
évêque, en refusant publiquement d'accorder au fils de l'empereur les mêmes marques de respect qu'à son père, lui fit
mieux comprendre la portée de la doctrine arienne et le
détourna de fréquenter les ariens. Il interdit même, ajoute
Sozomène, de débattre ces questions en public ou en privé,
et il promulgua une loi contre ceux qui oseraient discuter,
sans discernement, de l'essence et de la nature de Dieu.
D'après Bessell, ce chapitre de Sozomène a trait aux mêmes
événements que le récit d'Auxentius auquel se réfère Maximinus dans sa note, et la loi en question serait l'édit *Nullus
haereticis* du 10 janvier 381, repris dans *C. Theod.*, XVI, v, 6.
Le voyage d'Ulfila et de ses collègues à Constantinople, à
l'occasion duquel ils allèrent trouver l'empereur et obtinrent
de lui la promesse d'un concile, retirée ensuite sous la pression des nicéens, se situerait dans les dernières semaines de
380 et les premiers jours de 381. Ce voyage est le même que

1. *Leben Ulfilas*, p. 15-53.
2. *Hist. eccl.*, VII, vi, 1-7 (*GCS* 50, p. 307,9-308,13).

celui dont parle la lettre d'Auxentius citée dans la première
partie des scolies, bien que le récit d'Auxentius allégué dans
la note soit distinct de cette lettre ; c'est au cours de ce
voyage, par conséquent, qu'Ulfila a trouvé la mort, au début
de 381. Le motif de la venue d'Ulfila à Constantinople était,
toujours selon Bessell, de prévenir, à la demande de l'empereur, un schisme naissant parmi les ariens, celui des *psathy-
ropolistae* [1] ; c'est précisément ce mot qu'il faudrait restituer dans *SA* 307v,16. L'évêque goth mourut avant d'avoir
pu mener à bien sa tâche et fut enterré avec de grands honneurs par les ariens réunis en concile pour débattre de cette
question.

Bessell a été suivi sans restriction par Bernhardt, dans
l'introduction de sa *Gotische Bibel* [2]. Il a été suivi également
par Kaufmann [3] et par Scott [4], sauf que ces deux auteurs
rejettent la conjecture *psathyropolistas* pour des raisons à la
fois philologiques et historiques. En effet, le mot est inconnu
par ailleurs et il ne s'accorde pas parfaitement avec les
lettres lues par Waitz à l'endroit litigieux. D'autre part, la
doctrine des psathyriens concordait avec celle d'Ulfila, et
on ne voit pas, dès lors, celui-ci discutant *contre* ces gens,
ainsi que le dit Auxentius [5]. Enfin, le schisme des psathyriens, d'après Socrate, date de 384 et est donc postérieur à la
date que Bessell assigne à la mort d'Ulfila. Kaufmann et
Scott n'expliquent pas, cependant, quel est le concile auquel

---

1. C'est Socrate qui nous instruit des dissensions survenues
chez les ariens de Constantinople sous le règne de Théodose (*Hist.
eccl.*, V, xxiii ; *PG* 67, col. 645B-649B). Ils en vinrent à se demander
si Dieu pouvait être dit « Père » avant que le Verbe n'existât.
Dorothée, qu'ils avaient fait venir d'Antioche, répondait par la
négative. Marin, qui avait été mandé de Thrace avant Dorothée
et qui était contrarié de ce que celui-ci lui eût été préféré comme
évêque, opta pour la sentence contraire. Les partisans de Marin
furent surnommés « psathyriens », parce que leur propagandiste
le plus ardent était un pâtissier (ψαθυροπώλης) syrien nommé
Théoctiste.
2. *Gotische Bibel*, p. xx-xxii.
3. « Untersuchungen », p. 198-202 et 209-212.
4. *Ulfilas*, p. 44-48 et 157-159.
5. *SA* 307v,15.

Ulfila vint prendre part sur ordre de l'empereur, comme en témoigne la lettre d'Auxentius.

Une nouvelle solution fut proposée par Krafft, qui avait précédemment adhéré aux conclusions de Waitz. Ayant été convaincu par Bessell que Waitz était dans l'erreur, il ne se rallie pas pour autant à la date proposée par Bessell et affirme que l'apôtre des Goths est mort à Constantinople durant le concile de juin 383 [1]. Indépendamment de lui, Sievers arrive un peu plus tard à une conclusion analogue. Il introduit en outre une distinction entre le dernier voyage, dont parle la lettre d'Auxentius, et un voyage antérieur, qui aurait eu lieu à la date indiquée par Bessell (fin 380/début 381) et au cours duquel Ulfila et ses collègues auraient obtenu de l'empereur la promesse d'un concile, contredite aussitôt après par la loi du 10 janvier 381. C'est de ce voyage antérieur, selon Sievers, que parle Maximinus [2].

Sievers s'est vu aussitôt reprocher par plusieurs auteurs, notamment Martin [3], de mettre en cause le témoignage d'Auxentius ; en effet, si Ulfila a été ordonné par Eusèbe de Nicomédie, comme l'affirme Philostorge, son épiscopat a débuté au plus tard en 341 ; mettre sa mort en 383 implique qu'il aurait été évêque pendant 41 ou 42 ans, et non 40 ans, ainsi que le dit Auxentius. Sievers a développé alors ses raisons dans une étude très fouillée, où il suggère, pour résoudre la difficulté qu'on lui oppose, qu'Auxentius a pu légèrement arrondir les chiffres pour arriver aux nombres bibliques que les historiens aimaient à retrouver dans la vie de leurs héros [4]. Martin a maintenu néanmoins la date de 381, mais sans donner aucun argument nouveau [5]. Sievers lui a fait observer qu'il ne résolvait aucune des difficultés qui tiennent

1. W. Krafft, « Ulfila », dans *RPTK* 16 (1885), p. 145-146.

2. Ed. Sievers, « Gotische Literatur », dans *Grundriss der germanischen Philologie*, éd. H. Paul, t. 2, 1, Strasbourg 1889, p. 68-69.

3. E. Martin, Compte rendu du précédent, dans *ZDP* 23 (1891), p. 369-370.

4. Ed. Sievers, « Das Todesjahr des Wulfila », dans *BGDS* 20 (1895), p. 302-322.

5. E. Martin, « Vulfilas Todesjahr », dans *ZDADL* 40 (1896), p. 223-224.

au système de Bessell, et dont la principale est que les historiens anciens ne font pas mention d'un concile réuni à Constantinople en janvier 381 [1]. Après cela, la date de 381 n'a plus guère trouvé de partisans [2].

Il y a, malgré tout, une remarque de Martin qui n'est pas dépourvue de pertinence, et que Sievers omet de relever : Maximinus, à propos du voyage que fit Palladius à Constantinople en compagnie d'Ulfila, se réfère explicitement à Auxentius dans sa note. Par conséquent, le *Bittreise*, c'est-à-dire le voyage au cours duquel Ulfila aurait appuyé la démarche de Palladius, qui était venu solliciter la réunion d'un concile digne de ce nom, est identique dans l'esprit de Maximinus au *Konzilsreise*, c'est-à-dire au voyage que fit Ulfila à Constantinople, d'après la lettre d'Auxentius, pour prendre part à un concile convoqué par l'empereur. On n'est pas fondé, dit Martin, à distinguer deux voyages là où les textes ne parlent que d'un seul. Cette objection a été reprise par Jostes, qui fait valoir, au surplus, que Palladius ne peut pas s'être rendu à Constantinople à la fin de 380 pour faire appel de la sentence du concile d'Aquilée, qui a eu lieu en septembre 381. C'est en 383, selon lui, que Palladius a fait avec Ulfila le voyage de Constantinople, au cours duquel l'évêque goth a trouvé la mort [3]. Cela étant admis, Streitberg a proposé de reconnaître dans les édits *Omnes omnino* et *Vitiorum institutio* du 25 juillet et du 3 décembre 383 (*C. Theod.*, XVI, v, 11 et 12) la loi dont parlait le récit d'Auxentius, et que la note de Maximinus identifiait erronément à celle du 16 juin 388 [4].

Jostes a eu l'assentiment de Vogt, dans l'*Allgemeine deutsche Biographie* [5], mais non celui de Kauffmann. L'édi-

1. Ed. Sievers, « Nochmals das Todesjahr des Wulfila », dans *BGDS* 21 (1896), p. 247-251.

2. Citons pour mémoire W. Luft, « Die arianischen Quellen über Wulfila », dans *ZDADL* 42 (1898), p. 303-308 ; A. C. Bouman, « Wulfila's sterfjaar », dans *TNTL* 38 (1919), p. 165-177 (complètement aberrant).

3. « Todesjahr Ulfilas », p. 158-168.

4. W. Streitberg, « Zum Todesjahr Wulfilas », dans *BGDS* 22 (1897), p. 567-570.

5. F. Vogt, « Wulfila », dans *ADB* 44 (1898), p. 277-280.

teur des scolies admet qu'Ulfila est mort en 383, mais, d'accord avec Sievers contre Jostes, il maintient que l'évêque goth s'était rendu auparavant à Constantinople en compagnie de Palladius et de Secundianus, pour faire appel avec eux de la sentence d'Aquilée. Toutefois, il situe ce voyage antérieur non plus au tournant des années 380/381, comme Sievers, mais un an plus tard, puisque cette démarche doit nécessairement suivre le concile d'Aquilée. D'autre part, il croit que la loi annulant la promesse d'un nouveau concile n'est pas celle du 25 juillet, ni celle du 3 décembre 383, ainsi que l'avait suggéré Streitberg, mais celle dont parle Sozomène dans le chapitre dont il a été question plus haut [1] ; elle doit être située en juin 383, et Bessell se trompait en l'identifiant à l'édit du 10 janvier 381 [2].

La théorie de Kauffmann (*Bittreise* fin 381/début 382, *Konzilsreise* et mort d'Ulfila en juin 383) a été reprise plus tard par Böhmer [3] et par M. Lippold [4], mais elle n'a pas fait l'unanimité. Saltet n'admet qu'un seul voyage d'Ulfila à Constantinople, au début de 382 [5]. Vogt, qui s'était rangé précédemment à l'opinion de Jostes, est amené à changer d'avis au vu du texte complet des scolies, publié dans l'entretemps par Kauffmann. Il situe le *Bittreise*, comme Kauffmann, vers la fin de 381, mais le voyage suivant, au cours duquel Ulfila est mort, a eu lieu selon lui quelques mois seulement plus tard, dans le courant de 382, probablement à l'occasion du concile qui s'est réuni à Constantinople durant l'été de cette année-là [6]. Cette version des faits est aussi celle de Müller [7] et de Klein [8]. Par contre, Leuthold est revenu purement et simplement au système de Jostes [9]. Quant à Zeiller, il tient pour certain le *Konzilsreise* de 383, mais il

1. V. ci-dessus, p. 152.
2. Kauffmann, *Dissertatio*, p. lxi-lxiv.
3. « Wulfila », p. 552-554.
4. « Ulfila », p. 521-524.
5. « Un texte nouveau », p. 122-123.
6. Compte rendu, p. 199-210.
7. « Ulfilas Ende », p. 132-139.
8. « Auxentiusbrief als Quelle », p. 119-125.
9. H. Leuthold, « Ulfila. Eine chronologische Behandlung », dans *BGDS* 39 (1914), p. 376-390 (v. p. 384-390).

hésite à accepter, sur la foi du témoignage de Maximinus,
la réalité d'un *Bittreise* qui aurait eu lieu un an ou un an et
demi plus tôt [1]. Streitberg, dans la dernière édition de son
Gotisches Elementarbuch, est encore plus réservé à propos
du témoignage de Maximinus [2].

Après tout cela, on comprend que plus personne ne s'y
retrouve, et que l'incertitude règne à propos de la date
exacte de la mort d'Ulfila et des événements qui l'ont précédée. La plupart des auteurs récents situent les derniers
jours de l'apôtre des Goths en 383, mais souvent avec un
point d'interrogation [3]. Mᵐᵉ Stutz donne comme date de la
mort d'Ulfila 382 ou 383 [4], M. Thompson « peut-être fin 381,
plus probablement 382 ou 383 [5] ».

Le témoignage d'Auxentius   Pour y voir clair, il faut bien distinguer
le témoignage d'Auxentius et celui de Maxi-
minus. L'erreur de beaucoup d'auteurs,
notamment Vogt et ceux qui se sont laissés guider par lui,
a été de ne pas poser clairement cette distinction au départ
et de confondre sans cesse les deux témoignages. Le témoignage d'Auxentius, au moins dans un premier temps, doit
être considéré en lui-même, indépendamment des commentaires de Maximinus, car nous ne pouvons être assurés a
priori que Maximinus a bien compris Auxentius.

Rappelons que d'après Auxentius, Ulfila est mort après
quarante années d'épiscopat, à Constantinople, où il s'était
rendu sur ordre de l'empereur en vue de prendre part à un
débat contradictoire. Quand il arriva dans la ville, les impies
avaient repensé le règlement du concile, pour éviter que la
discussion ne tourne en leur défaveur. Il tomba malade aussi-

---

1. *Provinces danubiennes*, p. 454-460.
2. *Gotisches Elementarbuch*, p. 15.
3. Ainsi Schmidt, *Bekehrung*, p. 238 (renvoie à Kauffmann et à
Streitberg) ; G. Bardy, « Ulfila », col. 2053 (se base sur Zeiller) ;
G. Haendler, *Wulfila und Ambrosius*, p. 7 et 11 (sans référence) ;
Marchand, « Gotisch », p. 105 (hésitant) ; Scardigli, *Die Goten*,
p. 135, n. 5 (de même).
4. *Gotische Literaturdenkmäler*, p. vi et 12.
5. *The Visigoths*, p. xxi.

tôt, pour ne plus se relever. Ses funérailles furent célébrées par de saints évêques, au milieu d'une grande foule de chrétiens [1].

Comme nous ignorons la date exacte à laquelle Ulfila fut consacré évêque, seules les circonstances de sa mort peuvent nous éclairer sur la date de celle-ci. Les indications données par Auxentius ne laissent aucun doute à ce sujet : Ulfila est mort durant le « synode de toutes les sectes » réuni sur l'ordre de Théodose en juin 383, à Constantinople. L'*Histoire ecclésiastique* de Socrate contient une relation détaillée de cet événement, que cet auteur doit sans doute à sa source novatienne, car les novatiens y jouèrent un rôle important [2]. Les mesures de rigueur prises par l'empereur d'Orient contre les adversaires du « consubstantiel », à la suite du concile de Constantinople de 381, donnèrent lieu à des troubles dans de nombreuses villes. Pour les apaiser, Théodose décida quelque temps plus tard de changer de tactique et de réunir une assemblée où seraient représentées toutes les sectes (σύνοδον πασῶν τῶν αἱρέσεων), ce qui n'avait pas été le cas en 381. Il pensait que s'il laissait les évêques discuter librement entre eux, ils réussiraient à se mettre d'accord. Nous retrouvons ici une des constantes de la politique impériale à partir de Constantin : maintenir l'unité de l'Église, afin qu'elle soit un facteur de cohésion, et non de division et de désordre, dans l'Empire menacé. Nous retrouvons aussi le parti pris affiché par Gratien dans le rescrit *Ambigua* : il revient aux évêques de discuter les questions de foi, en vue de réduire les divergences qui peuvent surgir dans ce domaine. Les prélats de tout bord se retrouvèrent donc dans la capitale, conformément au vœu de l'empereur, au mois de juin 383. Théodose convoqua alors l'évêque de Constantinople et lui signifia clairement sa volonté de voir les discussions déboucher sur un accord. Nectaire craignit que la recherche d'un compromis n'aboutisse à une formule vague, comme

1. *SA* 307v,9-34.
2. *Hist. eccl.*, V, x (*PG* 67, 584A-593B). Le récit parallèle de Sozomène (*Hist. eccl.*, VII, xii) dépend entièrement de Socrate et n'apporte rien de plus.

cela avait été le cas à la fin du règne de Constance, de sorte
que les partisans du consubstantiel seraient perdants dans
l'aventure. Il s'ouvrit de ce souci à son collègue Agelios, qui
dirigeait l'importante communauté novatienne de Constantinople ; le désaccord qui existait entre novatiens et catholiques dans le domaine disciplinaire ne les empêchait pas
d'être d'accord, et donc alliés, en matière de doctrine trinitaire. Agelios recourut aux lumières de son lecteur Sisinnios,
qui était son conseiller et son porte-parole attitré dans les
discussions doctrinales. Sisinnios était un homme éloquent,
habile, expert en exégèse comme en théologie spéculative.
Il savait bien que les discussions n'ont généralement pas
pour effet de mettre fin aux schismes, mais ne font au contraire qu'exciter les passions. Il fit donc la suggestion suivante : puisque les anciens ont évité d'assigner un commencement à l'existence du Fils de Dieu, qu'on renonce à discuter et qu'on prenne leurs écrits à témoin ; que l'empereur
demande aux chefs des différentes sectes s'ils reconnaissent
l'autorité des Pères qui ont illustré l'Église avant qu'elle
ne se divise sur la question de la divinité du Verbe. Ils n'ose-
ront pas répondre par la négative. Il suffira alors de montrer
l'accord de la doctrine de Nicée avec celle des Pères pour
confondre les adversaires du consubstantiel. Quand s'ouvrit
le concile, Théodose commença donc par demander aux participants s'ils vénéraient les Pères anténicéens. Tous étant
unanimes sur ce point, il leur demanda ensuite s'ils les reconnaissaient pour arbitres de la foi. Devinant où on voulait les
amener, les évêques et les experts qui les assistaient se divi-
sèrent, non seulement d'une secte à l'autre, mais à l'intérieur
même de chaque secte, les uns optant pour l'affirmative, les
autres pour la négative. Face à cette confusion, qui le mettait
d'emblée devant un résultat contraire à celui qu'il escomp-
tait de la réunion, l'empereur coupa court et enjoignit à
chaque parti de lui faire tenir, dans un délai déterminé, une
profession de foi écrite. Les théologiens se mirent au travail,
pesant les mots avec le plus grand soin, et au jour dit, les
représentants de chacune des grandes tendances se retrouvèrent au palais : Nectaire et Agelios pour les tenants du
consubstantiel, Démophile pour les ariens, Eunome en per-

sonne pour les eunomiens, Eleusius de Cyzique pour les macédoniens. Quand les professions de foi lui eurent été remises,
Théodose se retira et, après avoir imploré les lumières
divines, dit Socrate, il déchira tous les textes qui introdui-
saient une division au sein de la Trinité et admit seulement
comme correct celui des nicéens.

Les circonstances de cette assemblée correspondent exactement à celles évoquées par Auxentius à propos de la mort
d'Ulfila. En 383, les évêques ariens étaient venus à Constantinople sur l'ordre de l'empereur, qui leur avait fait entrevoir
la possibilité de défendre leur point de vue dans une discussion libre [1]. Mais les nicéens, redoutant qu'une pareille discussion ne tourne à leur désavantage, firent en sorte que le
concile se déroule d'une autre manière. Cette réunion permit
du moins providentiellement à Ulfila de recevoir de ses
coreligionnaires des funérailles dignes de lui. Seule l'assemblée de 383 vérifie les indications données par Auxentius. Il
ne se trouve aucune autre circonstance, au début des années
380, dans laquelle Ulfila aurait pu recevoir à Constantinople,
dans un concile, les derniers honneurs *a sanctis et consacerdotibus*, *a dignis dignus digne*, ainsi que l'écrit Auxentius [2].
Au concile de 381, les seuls adversaires du consubstantiel
présents à Constantinople étaient les macédoniens ; pour ce
qui concerne le Verbe, ils étaient homéousiens, et on ne
désespérait pas de les amener à composition. Mais les ariens
et, à plus forte raison, les eunomiens ne furent pas invités ; l'empereur ne souhaitait pas du tout provoquer
une discussion, mais seulement faire avaliser par une ins-
tance ecclésiastique les mesures qu'il avait prises les mois
précédents, de son propre mouvement, en faveur de la foi
de Nicée, à laquelle il était personnellement attaché. Quant
au concile qui se réunit à Constantinople en 382, il mit en
présence exclusivement des prélats nicéens ; les évêques
ariens avaient été privés de leurs sièges, et la liberté de culte

1. « Ad *disputationem* » (*SA* 307v,14-15) ; les mots διάλεξις, δια-
λεκτικός, διαλέγεσθαι) n'apparaissent pas moins de sept fois dans le
récit de Socrate.
2. *SA* 307v,36-37.

n'était plus reconnue alors aux ariens à l'intérieur des villes.
La cause est donc entendue : Ulfila est mort au début du
« synode de toutes les sectes », en juin 383.

La difficulté qui résulte de la confrontation du témoignage
d'Auxentius avec celui de Philostorge se laisse aisément sur-
monter. D'après Philostorge, ainsi que nous l'avons vu [1],
Ulfila a été ordonné par Eusèbe de Nicomédie, ce qui implique
que son ordination a eu lieu au plus tard dans la seconde
moitié de 341, peut-être à l'occasion du concile de la Dédi-
cace qui s'est réuni à Antioche cette année-là. Dès lors, en
juin 383, il avait achevé non pas quarante ans d'épiscopat,
comme l'écrit Auxentius, mais bien quarante et un ans.
Cependant, on admettra sans difficulté qu'Auxentius, qui
témoigne du souci constant de présenter son maître comme
un homme providentiel, à l'instar des grands personnages de
l'Ancien Testament, n'ait pas regardé à un an près et qu'il
ait pris cette petite liberté avec la chronologie pour retrouver
dans la vie de son héros le chiffre biblique de quarante, qui
est celui de l'exode, celui du règne de David, etc. [2]. C'est par
un processus analogue que le nombre des Pères de Nicée, qui
étaient environ trois cents, a été fixé par la tradition, un
demi-siècle plus tard, à trois cent dix-huit, qui était le nombre
des serviteurs d'Abraham lors de l'expédition punitive
contre les agresseurs de Lot [3].

---

1. Ci-dessus, p. 145-146.
2. Ulfila a commencé sa carrière officielle à l'âge de 30 ans,
comme David (*SA* 306v,34-35), Joseph en Égypte (*SA* 306v,39-40),
Jésus-Christ lui-même (*SA* 307r,1-3). Il a fait passer le Danube à
ses fidèles de la même façon que Moïse a fait passer la mer Rouge
au peuple hébreu, et, comme le législateur d'Israël, il leur a appris à
servir Dieu dans la montagne où il les a menés (*SA* 307r,38-307v,4).
Il a exercé son ministère durant sept ans en pays goth et durant
trente-trois ans en terre romaine, soit au total quarante années
(*SA* 307v,4-8), tout comme David a régné durant sept ans à
Hébron, puis durant trente-trois ans à Jérusalem, soit au total
quarante années (*II Sam.* 2, 11 ; 5, 4-5 ; *III Rois*, 2, 11 ; etc.).
3. Voir M. Aubineau, « Les 318 serviteurs d'Abraham (*Gen.* 14,
14) et le nombre des Pères au concile de Nicée », dans *RHE* 61
(1966), p. 5-44.

Le témoignage de Maximinus   Venons-en maintenant au témoignage de Maximinus. Celui-ci affirme que Palladius et Secundianus, après leur échec à Aquilée, se sont rendus en compagnie d'Ulfila et d'autres collègues à la cour de Théodose, pour lui demander de convoquer un nouveau concile. Mais, après qu'ils en aient obtenu la promesse, on aurait reçu à Constantinople les documents par lesquels les Pères d'Aquilée portaient à la connaissance de l'autorité civile la condamnation des deux évêques illyriens. Théodose aurait alors aligné sa politique sur celle de Gratien, en publiant la loi du 16 juin 388.

Prise en soi, une démarche de Palladius et de Secundianus appuyés par Ulfila, immédiatement après le concile d'Aquilée, auprès de l'empereur d'Orient, n'est pas absolument inconcevable. Elle est cependant très peu vraisemblable. Palladius et Secundianus étaient des Occidentaux, condamnés dans les formes par un concile occidental, au nom d'une orthodoxie à laquelle Théodose avait manifesté son soutien depuis deux ans par une série de mesures retentissantes. Il aurait fallu être très mal informé ou très optimiste pour espérer quelque secours de l'empereur d'Orient dans une telle situation. D'autre part, les démêlés de Théodose avec les Goths n'étaient pas encore terminés à ce moment-là, de sorte qu'Ulfila n'aurait pas été dans cette conjoncture un allié particulièrement bien choisi.

Mais ce qui est, de toute façon, absolument inconcevable, c'est le scénario imaginé par Maximinus. D'après lui, Palladius et Secundianus se seraient rendus à Constantinople avec Ulfila *au moment du concile de 383*. A cette occasion, ils auraient demandé et obtenu de Théodose la promesse d'un nouveau concile. Ensuite seraient arrivés les documents adressés aux empereurs par les Pères d'Aquilée. Au vu de ces documents, Théodose aurait promulgué une loi, en date du 16 juin 388, interdisant toute discussion sur la foi. Il y a là une telle accumulation d'absurdités et d'incohérences qu'elle ne saurait être prise au sérieux. Pourquoi Palladius et Secundianus, lorsqu'ils se seraient précisément trouvés, en 383, devant un concile répondant à leur vœu, auraient-ils demandé et obtenu de l'empereur la convocation d'un autre

en tous points semblable ? Comment admettre que les syno-
dales d'Aquilée aient mis près de deux ans pour parvenir à
Constantinople, alors que le concile réuni dans cette ville en
382 en accuse réception ? Et le comble, c'est la loi de 388
présentée comme la conséquence directe de ces événements,
alors que, venant cinq ans plus tard, elle n'a rien à voir avec
cette affaire, et que le sens n'en est pas du tout celui que lui
prête Maximinus !

Les historiens se sont acharnés cependant, avec une obsti-
nation et une ingéniosité dignes d'une meilleure cause, à
sauver le témoignage de Maximinus ou du moins une partie
de celui-ci. Certains ont rejeté comme une addition postérieure, dont Maximinus ne porterait pas la responsabilité,
la note finale des scolies, qui fait référence à la loi en question.
Mais la note finale est bien de Maximinus [1], et de toute façon,
cela ne lèverait que la dernière des difficultés signalées ci-
dessus. Plus subtilement, Bessell croit pouvoir sauver le
début de la note en écartant les lois citées. Il prétend que
ces citations seraient le fruit d'une recherche personnelle de
Maximinus, sur la base d'un récit d'Auxentius résumé dans
la phrase d'introduction. Maximinus se serait fourvoyé dans
cette recherche, mais cela n'empêcherait pas que le récit
d'Auxentius garde sa valeur [2]. D'une façon analogue, Böhmer et M. Lippold écartent les commentaires de Maximinus
sur la lettre d'Auxentius, d'après lesquels le ralliement de
Théodose à la politique de Gratien aurait été provoqué en
383 par la synodale Benedictus [3]. Mais ils retiennent la phrase
qui introduit la citation de la lettre d'Auxentius et celle qui
suit immédiatement cette citation — phrases dans lesquelles
Maximinus fait état d'un voyage de Palladius et de Secundianus à Constantinople en compagnie d'Ulfila, pour demander à Théodose la convocation d'un nouveau concile [4]. A
cet endroit, Maximinus ne ferait rien d'autre, selon eux, que
résumer des indications contenues dans la lettre d'Auxentius.

1. V. ci-dessus, p. 97-99.
2. V. ci-dessus, p. 151-153.
3. Boehmer, « Wulfila », p. 553-554 ; Lippold, « Ulfila », p. 523.
4. SM 304r,40-42 ; 308r,35-308v,2.

De cette manière, on lèverait la deuxième des difficultés signalées plus haut. Mais le témoignage de Maximinus se trouve ainsi vidé de tout contenu propre et, dans ce qu'il a de valable, se ramène finalement à celui d'Auxentius. Et ceci soulève de nouvelles difficultés. Comme l'avait déjà observé Sievers, il n'y a rien dans la citation de la lettre d'Auxentius qui corresponde exactement à ce que dit Maximinus dans la phrase qui introduit cette citation et dans celle qui la suit immédiatement. Il faudrait donc supposer que Maximinus se réfère à une partie non conservée de la lettre d'Auxentius [1], supposition toute gratuite, et qu'un examen attentif amène à rejeter. En effet, outre qu'il serait paradoxal de ne pas inclure dans la citation d'un document le passage de ce document sur lequel on attire l'attention en introduisant et en concluant la citation, un rapprochement de vocabulaire confirme que Maximinus n'avait rien d'autre en vue, dans l'introduction et la conclusion, que le passage dans lequel Auxentius rapporte le voyage d'Ulfila à Constantinople en vue du concile de 383. Voici ce qu'écrit Auxentius : « Quị çụ[m] precepto inperiali conpletis quadraginta annis ad Constantinopolitanam urbem (...) *perrexit* [2]. » Et voici ce qu'écrit Maximinus dans l'introduction : « Nam et ad Oriente *perrexisse* memorato[s] episkopos cum Vlfila episkopo ad comitatum Theodosi inperatoris epistula declar[at] ... [3] » ; et dans la conclusion : « ... etiam ad Orientem *perrexerunt* idem postulantes [4]. » Ce verbe n'est jamais utilisé ailleurs par Maximinus.

Dès lors, la conclusion s'impose. Maximinus a lu la lettre d'Auxentius en fonction du centre d'intérêt qui lui est propre, c'est-à-dire le conflit entre Palladius et Ambroise. De ce qu'Ulfila, venu à Constantinople en vue d'un débat sur la foi, s'y trouva en compagnie d'évêques de son bord, il a déduit que Palladius s'y est trouvé en même temps que lui, d'autant plus qu'en terminant son apologie, ce valeureux

---

1. C'est ce qu'ont fait Sievers, Kauffmann, Vogt, Böhmer, etc.
2. *SA* 307v,9-17.
3. *SM* 304r,40-42.
4. *SM* 308v,1-2.

champion de l'arianisme promettait de ne point faire défaut partout où se présenterait l'occasion de combattre pour la vraie foi [1]. Il s'est dit ensuite que Palladius n'a pas pu manquer de demander alors la revision de sa cause, puisqu'il n'avait pas cessé au concile d'Aquilée d'en appeler aux Orientaux. La phrase sur les impies qui avaient « repensé le règlement du concile, pour éviter d'y être misérablement confondus », lui a donné à penser que le déroulement des événements avait été le même qu'à Aquilée, c'est-à-dire que l'intervention d'Ambroise auprès de l'empereur avait rendu vain l'espoir d'une libre discussion que les ariens avaient pu un moment concevoir. Le témoignage de Maximinus ne mérite donc aucune créance. Le voyage de Palladius à Constantinople n'a jamais existé que dans son imagination, et les remarques qu'il fait à ce propos procèdent de cette volonté de charger Ambroise qui sous-tend ses commentaires d'un bout à l'autre.

3. La foi d'Ulfila

Il y a une dernière question qu'il convient de se poser à propos d'Ulfila : la foi de ses derniers moments, celle dans laquelle il a « fait le passage vers son seigneur », pour reprendre sa propre expression, a-t-elle bien été celle de toute sa vie, comme il l'affirme en tête de son credo testamentaire [2], et comme Auxentius le souligne à plusieurs reprises dans l'exposé qu'il fait de la doctrine de son maître [3] ?

Les historiens du Ve siècle Les historiens orthodoxes du ve siècle affirment que l'apôtre des Goths n'est venu à l'arianisme que sur le tard. Socrate situe son ralliement à la foi de Rimini au moment du concile de Constantinople de 360 ; auparavant, il aurait adhéré à la foi de Nicée, à la suite de l'évêque des Goths, Théophile, qui avait pris part au premier concile général et souscrit au symbole [4]. Sozomène, qui signale également la présence d'Ul-

1. *SP* 348v,38-349r,4.
2. *SU* 308r,2-3.
3. *SA* 304v,4.40 ; 306r,27-306v,1 ; etc.
4. *Hist. eccl.*, II, xli (*PG* 67, col. 349 C).

fila au concile de 360 [1], affirme qu'il siégea aux côtés d'Acace et d'Eudoxe sans bien comprendre de quoi il était question, et qu'il demeura par la suite en communion avec les nicéens. Il n'aurait rompu avec ceux-ci qu'à la fin des années 370, lorsqu'il se serait trouvé à Constantinople à la tête de la délégation gothique qui était venu demander asile en terre romaine. Il aurait eu alors des entretiens avec les chefs de la secte arienne, qui lui auraient promis leur appui auprès de l'empereur à condition qu'il se rangeât à leurs dogmes. Ulfila y aurait consenti, sous l'empire de la nécessité, à moins qu'il ne se fût effectivement convaincu à ce moment-là de la supériorité de leur doctrine. Ainsi s'expliquerait que le peuple goth tout entier ait embrassé finalement la foi au Christ sous sa forme arienne [2]. La version de Théodoret est encore moins flatteuse pour Ulfila. D'après lui, le ralliement des Goths à l'arianisme serait dû à l'intervention d'Eudoxe, évêque de Constantinople dans les années 360. Les Goths avaient reçu de leurs premiers missionnaires la foi catholique. Mais quand ils passèrent le Danube et firent alliance avec Valens, Eudoxe persuada l'empereur de les engager à entrer dans sa communion, afin de consolider leur pacte. Et comme ils refusaient d'abandonner la foi de leurs pères, Eudoxe exposa à Ulfila, leur évêque, en qui ils avaient la plus grande confiance, que la controverse trinitaire était née de l'ambition de certaines personnes, mais qu'il n'y avait aucune différence dogmatique entre les communions rivales. Quelques cadeaux achevèrent de convaincre le trop crédule prélat, qui entraîna sans scrupule son peuple dans l'hérésie [3].

Il n'a pas fallu longtemps à la critique pour mesurer le peu de crédit qu'on pouvait accorder à ces témoins tardifs et intéressés, et pour juger, avec raison, qu'ils ne sauraient prévaloir contre les déclarations explicites d'Ulfila et d'Auxentius, jointes aux faits que l'apôtre des Goths reçut l'ordination des mains d'Eusèbe de Nicomédie et qu'il prit part au concile homéen de Constantinople en 360. Krafft [4] et

1. *Hist. eccl.*, IV, xxiv, 1 (*GCS* 50, p. 178,9-14).
2. *Hist. eccl.*, VI, xxxvii, 8-10 (*GCS* 50, p. 295,22-296,9).
3. *Hist. eccl.*, IV, xxxvii, 1-5 (*GCS* 44, p. 273,16-274,15).
4. *Anfänge*, p. 327-334.

surtout Kaufmann [1] ont montré comment cette légende de
l'orthodoxie première et de la conversion tardive d'Ulfila
a pris naissance. L'orthodoxie triomphante n'a pu admettre
qu'une œuvre aussi considérable et aussi méritoire que la
conversion du peuple goth au christianisme ait été le fait
d'un hérétique. Elle a entrepris, par conséquent, de le récu-
pérer dans la mesure du possible, en tablant notamment sur
le fait qu'un évêque goth figurait parmi les Pères de Nicée,
et qu'il pouvait paraître plausible qu'Ulfila eût été son disciple. C'était perdre de vue que l'évêque Théophile, présent
à Nicée, exerçait son ministère parmi les Goths de Crimée,
alors qu'Ulfila était un Visigoth. Oubliant ou ignorant le
fait de son ordination par Eusèbe de Nicomédie, on butait
alors sur celui de sa participation au concile de 360. Socrate
ne retarde pas davantage le ralliement d'Ulfila aux thèses
ariennes, mais Sozomène esquive ce fait en supposant que
l'évêque goth fut inconscient de l'enjeu des débats. Il excuse
sa prétendue trahison de 376 par la nécessité dans laquelle
il se trouvait d'obtenir un asile pour son peuple aux abois,
tandis que Théodoret, qui accumule les erreurs chronolo-
giques, le charge autant que possible pour innocenter le
peuple goth lui-même, en accusant l'évêque à la fois de cupi-
dité et de naïveté [2].

1. « Untersuchungen », p. 224-240.
2. Dans le même sens, voir p. ex. Boehmer, « Wulfila », p. 554 ;
Zeiller, *Provinces danubiennes*, p. 443. Le seul auteur moderne,
à notre connaissance, qui ait entrepris de défendre l'orthodoxie
d'Ulfila est Jostes (« Todesjahr Ulfilas », p. 180-187). Celui-ci va
plus loin encore que Socrate et Sozomène, puisque, d'après lui,
Ulfila aurait été, au fond, orthodoxe jusqu'à ses derniers jours.
Auxentius aurait mobilisé indûment au service de la doctrine ano-
méenne quelqu'un qui aurait toujours été, en fait, un modéré, et
qui n'aurait été acculé à l'opposition qu'au moment où les ultimes
précisions ont été apportées au dogme trinitaire, au début des
années 380. Jostes a été rapidement réfuté par Fr. Kauffmann
(« Der Arrianismus des Wulfila », dans *ZDP* 30 [1898], p. 93-112),
et sa réplique ne convainc pas (« Antwort auf den Aufsatz Kauffmanns *Der Arrianismus des Wulfila* », dans *BGDS* 22 [1897], p. 571-
573). Müller s'est également inscrit en faux contre la thèse de
Jostes (« Ulfilas Ende », p. 76-79). Saltet, sans aller aussi loin que
Jostes, croit du moins qu'on peut faire confiance à Socrate (« Un
texte nouveau », p. 123-126) ; mais il n'est pas au fait de la critique

Les documents   Étant admis que les historiens orthodoxes ne sauraient nous éclairer sur la doctrine d'Ulfila, de quels documents disposons-nous pour la
connaître ? Nous savons qu'il a laissé de nombreux sermons
et commentaires en latin, en grec et en gothique [1], mais rien
de cette vaste production littéraire n'a été transmis jusqu'à
nous [2]. Le seul texte théologique que nous ayons conservé
de lui est la profession de foi citée dans la lettre d'Auxentius. Böhmer affirme que la langue originale de ce texte était
le grec [3], et Zeiller, suivi par M. Lippold, a avancé l'hypothèse qu'il était peut-être traduit du gothique [4], mais aucun
n'a donné d'argument philologique à l'appui de ces suppo-
sitions. Massmann a proposé une rétroversion en grec et en
gothique du texte latin [5]. Cet exercice n'aide en rien à mieux
comprendre celui-ci, qui ne contient pas trace d'hellénisme,
ni de gothicisme. Certains ont supposé que cette profession
de foi avait été rédigée pour être remise à l'empereur durant
le concile de juin 383, conformément au désir exprimé par
Théodose, quand il vit que les discussions entre les différents
partis ne pourraient pas mener à un accord [6]. En réalité, ce

qui a été exercée contre ce témoignage, et il se débarrasse beaucoup
trop cavalièrement de celui de Philostorge.

1. *SA* 306v,2-4 ; cf. 306r,27-36.

2. L'étude de base sur cette question est celle de H. BOEHMER-
ROMUNDT, « Ueber den litterarischen Nachlass des Wulfila und
seiner Schule », dans *ZWT* 46 (1903), p. 233-269 et 361-407. Voir
également, du même, « Ein neues Werk des Wulfila ? », dans
NJKA 11 (1903), p. 272-288, et la réplique de G. PFEILSCHIFTER,
« Kein neues Werk des Wulfila », dans *Festgabe Alois Knöpfler
gewidmet (Veröffentlichungen aus dem Kirchenhistorischen Seminar
München*, 3e sér., n° 1), Munich 1907, p. 129-224. On a voulu notamment attribuer à Ulfila, parmi les écrits ariens latins, le commentaire sur saint Luc (*CPL* 704), certains des fragments de Bobbio
(*CPL* 705), ainsi que l'*Opus imperfectum in Matthaeum* ; on lui a
attribué également la passion de S. Sabas et le *Skeireins*. Aucune
de ces attributions ne peut être retenue.

3. « Wulfila », p. 556.

4. ZEILLER, *Provinces danubiennes*, p. 461, n. 1 ; LIPPOLD,
« Ulfila », col. 524.

5. Compte rendu, col. 233-236.

6. V. ci-dessus, p. 158-160. Ainsi Krafft, Sievers, Jostes et la plupart des auteurs qui situent la fin d'Ulfila en 383, cf. *supra*, p. 154 s.

n'est pas à chaque évêque individuellement que l'empereur demanda alors une profession de foi, mais à chaque parti (ἑκάστην θρησκείαν). Nous savons par Socrate quels évêques comparurent comme représentants de leur parti, et Ulfila, qui était peut-être déjà mort à ce moment-là, ne figure pas parmi eux ; c'est Démophile qui représenta le parti homéen. D'autre part, Auxentius dit explicitement que l'ultime profession de foi d'Ulfila était destinée « au peuple à lui confié », en guise de testament spirituel [1].

On peut se demander si la version gothique de la Bible ne livrerait pas certaines indications à propos de la doctrine d'Ulfila. En effet, quoiqu'il soit impossible de fournir la preuve apodictique que les fragments d'une version des Écritures dans une ancienne langue germanique qui ont été conservés dans le *Codex argenteus* d'Uppsala et dans quelques autres manuscrits de moindre importance, représentent bien la version en langue gothique dont les anciens historiens ecclésiastiques attribuent le mérite à Ulfila [2], on ne saurait douter raisonnablement que ce soit bien le cas [3]. Mais cela n'avance guère, car la version gothique est dans l'ensemble une bonne traduction, fidèle et littérale, dans laquelle le traducteur s'efface derrière le texte qu'il rend. Elle ne nous

1. *SA* 308r,1.
2. Philostorge, *Hist. eccl.*, II, v (*GCS* 21, p. 18,2-7) ; Socrate, *Hist. eccl.*, IV, xxxiii (*PG* 67, col. 553 A) ; Sozomène, *Hist. eccl.*, VI, xxxvii, 11 (*GCS* 50, p. 296,12-13).
3. L'identification de la version du *Codex argenteus* avec la version gothique d'Ulfila a été contestée récemment, après d'autres, par A. A. Leont'ev, « K probleme avtortsva vul'filanskogo perevoda », dans *Problemy sravnit'noj filologii. Sbornik statej k 70-letijy člena korrespondenta AN SSSR V. M. Zirmunskogo*, Moscou-Leningrad 1964, p. 271-276 (non consulté). Mais il n'a pas été suivi. Le problème est correctement posé dans Marchand, « Gotisch », p. 99-100. Bien entendu, on ne peut être assuré que les manuscrits gothiques représentent bien dans tous ses détails la version primitive d'Ulfila. A l'époque où nous le découvrons, le texte goth a déjà toute une histoire derrière lui. La meilleure preuve en est que là où un écrit biblique a été conservé par deux manuscrits différents, comme c'est le cas pour certains fragments des épîtres pauliniennes, les deux textes offrent parfois des variantes notables. Des variantes qui auraient une portée théologique ne devraient donc pas nécessairement être imputées à Ulfila.

éclaire pas plus sur la théologie d'Ulfila que la Vulgate hié-
ronymienne ne nous éclaire sur la théologie de Jérôme. Les
ariens avaient suffisamment confiance dans le bien-fondé
de leur position doctrinale pour chercher la solution de difficultés éventuelles dans l'exégèse, plutôt que dans une falsi-
fication du texte. Pas plus que Jérôme ne songe à dénaturer
la parole dans laquelle Jésus déclare que le Père est plus
grand que lui, Ulfila n'éprouve pas le besoin d'escamoter
celles dans lesquelles Jésus affirme que le Père et lui-même
sont un. Bien au contraire, il en renforce la portée en choi-
sissant le duel, qui ne s'impose pas grammaticalement, pour
rendre le pluriel grec : « Ik jah atta meins ain *siju* » (*Jn* 10,
30) ; « ... swaswe wit ain *siju* » (17, 22) [1]. Il ne semble pas
que d'une façon générale, il insiste sur la subordination du
Fils au Père plus que ne le comporte le texte original [2]. Le
seul passage à propos duquel on pourrait vraiment hésiter
est *Phil.* 2, 6, où la version gothique traduit τὸ εἶναι ἴσα θεῷ
par *wisan sik galeiko gudha*. On a souvent répété, à la suite
de Castiglione [3], que le choix de *galeiks* pour rendre ἴσος
dénotait une tendance arianisante dans le chef du traducteur [4], car ce terme signifie « semblable » plutôt que « égal »,
et l'équivalent exact de ἴσος serait *ibns*. Mais le contresens
n'est pas évident, car le sens de *galeiks*, comme celui de
gleich en allemand moderne, est relativement flou. Il est vrai
que dans certaines phrases du *Skeireins*, *galeiks* s'oppose

1. Sur la portée du duel en gothique, voir Stutz, *Gotische Literaturdenkmäler*, p. 50-52.
2. Ce que dit G. W. S. Friedrichsen (*The gothic version of the
epistles. A study of its style and textual history*, Oxford 1939, p. 236-
237) à propos de *I Cor.* 15, 25-28, n'est pas convaincant, car au
v. 25, l'équivalent de *is* se trouve dans des témoins grecs et dans
certaines versions anciennes, et *gudh* pourrait être une interpolation
postérieure ; quant au v. 28, la nuance introduite par *gakunnan
sik* est très ténue.
3. *Gothicae versionis epistularum d. Pauli ad Galatas, ad Philip-
penses, ad Colossenses, ad Thessalonicenses primae quae supersunt*,
éd. C. O. Castillionaeus, Milan 1835, p. 63-65.
4. Ainsi entre autres Krafft, *Anfänge*, p. 345-348 ; Jostes,
« Todesjahr Ulfilas », p. 186, n. 1 ; Streitberg, *Gotisches Elemen-
ta: buch*, p. 19-20.

à *ibns* comme « semblable » à « égal » [1], mais cela ne suffit pas à conclure qu'il en était de même ici dans l'esprit du traducteur.

Pour le détail de la théologie d'Ulfila, nous sommes donc tributaires de son disciple Auxentius, qui en a donné un exposé assez fouillé dans sa lettre. Auxentius est un peu pour nous par rapport à Ulfila ce que Baruch est à Jérémie ou l'évangéliste à Jésus. On peut donc se demander s'il a bien compris la doctrine de son maître et s'il l'a fidèlement transmise, en d'autres mots, s'il ne l'a pas, consciemment ou non, volontairement ou non, déformée. Jostes a accusé Auxentius de prêter à Ulfila des idées que celui-ci n'avait jamais défendues, et il ne pouvait faire autrement, puisqu'il entendait soutenir que l'apôtre des Goths était demeuré dans l'orthodoxie jusqu'en ses derniers jours [2]. En effet, l'exposé d'Auxentius ne laisse planer aucun doute sur l'hostilité d'Ulfila à l'égard de la doctrine de Nicée. Mais Jostes est demeuré seul de son opinion, et tous les historiens modernes sont pratiquement unanimes pour constater l'accord substantiel de l'exposé d'Auxentius et du credo d'Ulfila [3]. Cet accord résultera clairement, pensons-nous, de l'étude doctrinale qui fera l'objet du chapitre suivant. Tout en étant moins développée et moins explicite que l'analyse du disciple, la profession de foi du maître révèle une tendance nettement subordinatienne. Tout au plus pourrait-on supposer qu'Auxentius, engagé après 383 dans une lutte désespérée pour la

---

1. *Skeireins*, Ia, 12-15 (éd. W. H. Bennett, New York 1960, réimpr. 1966, p. 51) : « ... ni ibna nih galeiks unsarai garaihtein », et surtout Vd, 11-13 (p. 70) : « ... ni ibnon ak galeika sweritha usgiba(n). »
2. « Todesjahr Ulfilas », p. 168.
3. Ainsi Kaufmann, « Untersuchungen », p. 112 ; Vogt, « Wulfila », p. 281 ; Idem, « Zu Wulfilas Bekenntnis », p. 317 ; Idem, Compte rendu, p. 211 ; Saltet, « Un texte nouveau », p. 123-124 ; Van Bakel, « Het credo van Wulfila », p. 365-392 ; Zeiller, *Provinces danubiennes*, p. 451-452 et 463-464 ; Streitberg, *Gotisches Elementarbuch*, p. 18 ; Giesecke, *Die Ostgermanen*, p. 40 ; Klein, « Auxentiusbrief als Quelle », p. 110-114 ; Lippold, « Ulfila », col. 524-526 ; Thompson, *The Visigoths*, p. 115, n. 2 ; Simonetti, « Arianesimo latino », p. 687-688 ; etc.

INTRODUCTION

survie de l'arianisme, a formulé certaines idées d'Ulfila d'une façon plus tranchante que celui-ci n'avait coutume de le faire. Mais même cela n'est nullement évident, le credo sonnant également d'une façon très catégorique.

Il n'y a donc, en fin de compte, aucune raison de penser qu'Ulfila ait jamais professé une autre foi que celle qu'il expose dans son credo testamentaire, et on peut faire confiance à Auxentius quand il affirme que son père spirituel, tout au long de son glorieux épiscopat, n'a jamais cessé de prêcher à temps et à contretemps la seule doctrine qui sauve, celle de l'unique Dieu véritable, dans l'unique Église du Christ.

CHAPITRE IV

LA THÉOLOGIE DES SCOLIES

C'est essentiellement de théologie trinitaire qu'il s'agira dans ces pages, car, si les scolies nous livrent incidemment des indications sur d'autres aspects de la théologie des auteurs qui y sont représentés, par exemple sur leur ecclésiologie, ces notations éparses ne sauraient fournir la matière d'une synthèse et sont suffisamment claires en elles-mêmes [1]. L'objet propre des scolies est le problème trinitaire, puisqu'elles visent à éclairer le débat entre Palladius et Ambroise, qui culmine au concile d'Aquilée.

Notre propos est d'exposer la théologie des auteurs représentés dans les scolies. Nous n'indiquerons pas, sauf exception, les rapprochements nombreux et évidents qu'on pourrait faire avec les écrits ariens latins contemporains ou postérieurs, car nous n'entendons pas proposer ici une étude d'ensemble sur l'arianisme latin. Des vues synthétiques de la théologie des ariens d'Occident ont, du reste, déjà été

---

1. Nos auteurs se montrent très négatifs dans leur jugement sur les autres confessions chrétiennes. Ulfila soutenait avec force qu'il n'y a qu'une seule Église du Christ, et que toutes les communautés dissidentes ne sont que des « synagogues de Satan » (*SA* 306r,36-306v,1). Maximinus explique, en se référant au chapitre 16 de Matthieu, que seuls détiennent les clés du Royaume ceux qui partagent la foi de Pierre, c'est-à-dire ceux qui confessent que le Christ est le « Fils de Dieu » et qui ne l'identifient pas au Père, comme le font d'après lui les nicéens ; ces derniers ne sont pas de vrais chrétiens ; il n'y a chez eux ni baptême, ni eucharistie, ni sacerdoce véritables (*SM* 310r,11-310v,18). Conformément à cette conception, Palladius, qui avait traité ses adversaires comme des coreligionnaires à Aquilée, aussi longtemps qu'il avait pu espérer parvenir avec eux à un accord sur la foi, refuse par la suite de reconnaître à Ambroise la qualité d'évêque : à ses yeux, Auxentius de Milan n'a pas reçu de successeur (*SP* 348v,38).

esquissées par d'autres [1]. Elles sont un peu trop synthétiques à notre gré ou, du moins, elles nous paraissent prématurées, en ce sens qu'elles fondent l'ensemble de ces documents, qui s'étalent sur plus d'un siècle, et dont la parenté doctrinale n'empêche pas qu'il y ait entre eux des nuances importantes, dans un moule commun, où les traits propres de la doctrine de chaque auteur ne sont pas suffisamment mis en évidence ; une synthèse pleinement respectueuse de ces traits propres présuppose une description minutieuse de la théologie de chacun des documents considérés en particulier, alors que beaucoup d'entre eux n'ont pas encore reçu d'édition satisfaisante et posent des problèmes critiques non résolus.

Certes, même dans une première étape de la recherche, on ne peut perdre de vue qu'un texte particulier n'est pas le fruit d'une génération spontanée et qu'il est toujours dans une certaine mesure le produit d'une histoire. C'est la raison pour laquelle nous avons eu le souci de montrer que la doctrine de nos auteurs s'inscrit dans le courant de pensée subordinatien du IVe siècle, qui se réclame à bon droit d'une tradition ancienne, illustrée avec éclat par Origène. Il n'en reste pas moins que nous avons cherché avant tout ici à reconstituer l'articulation d'un système de pensée, et non à dérouler le fil d'une histoire.

Après ces remarques, on se demandera peut-être s'il est justifié de décrire dans un exposé unique la pensée des différents auteurs représentés dans les scolies, à savoir Maximinus, Ulfila-Auxentius et Palladius. Il nous semble qu'on peut répondre par l'affirmative. En effet, en dépit de quelques différences d'accent et de détails de vocabulaire que nous aurons soin de relever, la pensée de ces théologiens, au stade où nous la saisissons dans les scolies, offre une grande homogénéité [2]. Cette homogénéité trahit leur appartenance à une

---

1. V. p. ex. M. SIMONETTI, « Arianesimo latino », dans *StMed* 8 (1967), p. 663-744 ; MESLIN, *Les ariens d'Occident*, p. 253-324.
2. De ce point de vue, Ambroise a raison quand il affirme dans le *De fide* que sous des noms divers, c'est toujours la même erreur que l'on retrouve (I, 44-47, cité *SF* 336v,1-42). On remarquera que Palladius, dans sa réfutation (*SP* 336v,42-337r,49), ne récuse pas cette affirmation, sauf la note d'« erreur » appliquée à la doctrine en cause.

même école théologique, celle que Kauffmann a appelé, par
un réflexe pan-germaniste évident, l'école d'Ulfila, mais
qu'il serait plus objectif de dénommer — car il n'est nullement prouvé qu'Ulfila y ait joué un rôle prépondérant —
l'arianisme tardif d'Europe orientale ; cette tendance re-
groupe après la mort de l'empereur Valens les ariens d'Illyricum et de Thrace qui sont restés fidèles à la foi de Rimini ;
s'il fallait lui assigner un chef de file, ce ne pourrait être
qu'Eunome, dont la pensée domine l'arianisme de la troisième génération et dont l'influence se retrouve à tout
moment dans la théologie de nos auteurs.

I. « CONFORMÉMENT AUX ÉCRITURES »

La foi des ariens entend se fonder exclusivement sur
l'Écriture [1]. Chez nos auteurs, les références à l'autorité des
Écritures (*secundum sanctarum scribturarum auctoritatem,
de auctoritate diuinarum scripturarum*, etc.) sont fréquentes.
Elles se retrouvent aussi bien sous la plume d'Auxentius
que sous celle de Palladius et sous celle de Maximinus [2].
Auxentius rappelle que son maître Ulfila avait été « instruit
avec soin sur la base des divines écritures » et souligne que
son enseignement ne puisait pas à d'autre source que celle-
là [3]. Palladius affirme que l'on doit s'attacher avec le plus

---

1. Voir p. ex. la profession de foi d'Eusèbe de Césarée (HAHN,
p. 257-258) : καθὼς ἀπὸ τῶν θείων γραφῶν μεμαθήκαμεν. — 2e formule
d'Antioche (HAHN, p. 184) : ἀκολούθως τῇ εὐαγγελικῇ καὶ ἀποστολικῇ
παραδόσει. — 2e formule de Sirmium (HAHN, p. 200) : le terme *usia*
est proscrit, de même que *homousion* et *homoeusion*, « ea de causa
et ratione quod nec in diuinis scripturis contineatur ». — 4e formule
de Sirmium (HAHN, p. 204), formule de Nice-en-Thrace (p. 206),
formule de Rimini (p. 208), formule de Constantinople-360 (p. 209) :
le Fils est semblable au Père « dans le sens où l'entendent les Écritures ». — Profession de foi d'Auxentius de Milan (HAHN, p. 149) :
« Sicut accepi de sanctis scripturis. »
2. SA 304v,38 ; SP 348v,2 ; CM 724,47.56 ; 728,52 ; 735,10.
Maximinus en appelle également au « témoignage » (*testimonium*)
des Écritures (CM 715,1 ; 724,13 ; 730,56), ce qui revient au même ;
voir T. G. RING, *Auctoritas bei Tertullian, Cyprian und Ambrosius*
(*Cassissiacum*, 29), Würzburg 1975, notamment p. 190-195.
3. SA 305r,19-21 ; 306v,1-2.

grand soin à la lettre des Écritures, et que son témoignage ne peut être récusé [1]. Maximinus proclame hautement sa vénération pour le texte sacré ; il n'a d'autre ambition que d'être un disciple fidèle des Écritures, dont l'enseignement ne souffre aucune discussion [2]. Ce qui est contenu dans l'Écriture doit être admis, ce qui est étranger à l'Écriture est irrecevable [3]. Si un homme rompu aux subtilités de l'art oratoire tisse de belles phrases auxquelles rien ne correspond dans la Bible, il perd son temps [4]. *Quod lego credo* : ce slogan qu'à plusieurs reprises, l'évêque arien lance à Augustin résume toute sa théologie fondamentale [5]. Les applications de ce principe sont nombreuses : « Dilectum lego, et credo quod Pater est qui diligit, et Filius qui diligitur [6] » ; « Ista enim legentes credimus et profitemur secundum Apostolum quod ei omnia subiecta sint ut magno deo [7] » ; « Natum lego, profiteor quod lego ; primogenitum lego, non discredo ; unigenitum lego, etiamsi ad equuleum suspendar aliter non sum dicturus ; nisi quod docent nos sanctae scripturae confiteor [8] » ; « Si ita referunt Euangelia, teneatur quod legimus [9] ». En d'autres mots, la vérité religieuse ne se déduit pas par un raisonnement, mais se prouve par des témoignages autorisés : « Veritas non ex argumento colligitur, sed certis testimoniis comprobatur [10]. »

De fait, nos auteurs citent abondamment l'Écriture. L'index des citations scripturaires que nous publions par ailleurs permet de s'en rendre compte. Nous indiquerons dans l'exposé qui suit les citations qui reviennent le plus souvent à l'appui des principales affirmations. La plupart proviennent d'un arsenal dont le fonds remonte aux origines de la con-

1. *SP* 338v,1-2 ; 341v,4-5.
2. *CM* 730,8-12 ; 736,16-20 ; 740,30-31.
3. *CM* 709,13-710,2.
4. *CM* 718,3-6.
5. *CM* 716,19 ; 726,48 ; 737,10.
6. *CM* 718,53-54.
7. *CM* 719,15-17.
8. *CM* 719,37-41.
9. *CM* 732,35-36.
10. *CM* 736,29-31.

troverse arienne, et qui s'est progressivement étoffé au fil
de celle-ci, certaines citations en vogue à l'origine ayant été
par la suite délaissées au profit d'autres [1].

En même temps qu'ils se réclament de l'Écriture pour
autoriser leur confession de foi, les ariens soulignent que leur
foi n'est pas une foi nouvelle, mais qu'ils ont toujours cru
ainsi, que leur foi est la foi de leur enfance, celle de leurs
pères, celle qu'ils ont reçue de leurs devanciers au baptême [2] :
« *Semper sic credidi* », proclame Ulfila en tête de son credo [3].
C'est en ce sens qu'il faut entendre l'affirmation qu'il ne
sont pas des sectateurs d'Arius [4] ou qu'ils ne connaissent
pas Arius [5], affirmation que Palladius et Secundianus
répètent à plusieurs reprises au concile d'Aquilée, alors
qu'Ambroise s'efforce de les impliquer dans la même condamnation qu'Arius : « Arium nec uidi, nec scio qui sit [6] » ;
« Ego Arium non noui [7] » ; « Quis fuerit Arius ignoro, quid
dixerit nescio [8]. » Cela ne signifie pas qu'ils ne se sentent pas
en communion de pensée avec Arius, mais bien qu'ils n'entendent pas reconnaître Arius comme l'auteur de leur foi ;
celle-ci n'est autre que la foi enseignée dans l'Église depuis

---

1. Il n'existe pas, à notre connaissance, d'étude d'ensemble de
l'argumentation scripturaire utilisée dans le cadre de la controverse arienne. En revanche, certains versets particulièrement
importants ont fait l'objet d'utiles monographies, p. ex. T. E. Pollard, « The exegesis of John X 30 in the early trinitarian contro-
versies », dans *NTS* 3 (1957), p. 334-349. Les tableaux de M. Meslin
(*Les ariens d'Occident*, p. 231-234) sont très incomplets.
  2. Ainsi Arius lui-même (Hahn, p. 255) : Ἡ πίστις ἡμῶν ἡ ἐκ
προγόνων, ἣν καὶ ἀπό σου μεμαθήκαμεν, μακάριε πάπα, ἔστιν αὕτη. —
Eusèbe de Césarée (p. 257) : Καθὼς παρελάβομεν παρὰ τῶν πρὸ
ἡμῶν ἐπισκόπων καὶ ἐν τῇ κατηχήσει καὶ ὅτε τὸ λουτρον ἐλαμβάνομεν. —
Auxentius de Milan (p. 149) : « Ex infantia, quemadmodum doctus
sum, (...) credidi et credo in unum solum uerum Deum, etc. »
  3. *SU* 308r,2.
  4. Première formule d'Antioche (Hahn, p. 183) : Ἡμεῖς οὔτε
ἀκόλουθοι Ἀρείου γεγόναμεν, etc.
  5. Auxentius de Milan (Hahn, p. 148) : « Numquam sciui Arium,
non uidi oculis, non cognoui eius doctrinam. »
  6. *Gesta*, 14.
  7. *Gesta*, 25.
  8. *Gesta*, 66.
Scolies ariennes.   12

les origines [1]. Arius est un témoin parmi d'autres de cette foi, mais il n'est ni le premier, ni le seul. Bien des générations auparavant, comme le fait remarquer Maximinus, saint Cyprien ne disait pas autre chose [2], et de grands évêques contemporains d'Arius, tels Eusèbe de Césarée ou Théognis de Nicée, professaient la même foi [3]. C'est Arius qui a suivi les évêques, et non les évêques Arius [4].

1. Première formule d'Antioche (Hahn, p. 183) : ... οὔτε ἄλλην τινὰ πίστιν παρὰ τὴν ἐξ ἀρχῆς ἐκτεθεῖσαν ἐδεξάμεθα (...) μεμαθήκαμεν γὰρ ἐξ ἀρχῆς εἰς ἕνα θεὸν τὸν τῶν ὅλων πιστεύειν, etc.

2. SM 300v,3-12. Voir à ce propos Y. M. Duval, « L'influence des écrivains africains du IIIe siècle sur les écrivains chrétiens de l'Italie du Nord dans la seconde moitié du IVe siècle », dans Aquileia e l'Africa (Antichità altoadriatiche, 5), Udine 1974, p. 191-225, spécialement p. 217-223. La tendance à recourir de plus en plus aux Pères dans la controverse trinitaire est caractéristique de la fin du IVe siècle. Au concile de Constantinople de 383, l'empereur prescrivit, à l'instigation des partisans du consubstantiel, que la discussion porte sur la conformité de la doctrine de chaque parti avec celle des Pères (v. ci-dessus, p. 158-160) ; ainsi, c'est la tradition qui devenait la pierre de touche de l'orthodoxie, plutôt que l'Écriture. La raison en est que les nicéens se sentaient mal à l'aise sur le terrain scripturaire, car les auteurs sacrés ignoraient la notion philosophique de consubstantialité, et leurs expressions favorisaient plutôt la théologie archaïsante des ariens ; souvent, les nicéens ne se tiraient d'affaire qu'au prix de prouesses exégétiques assez hasardeuses ; sitôt qu'ils furent assez forts pour imposer le choix des armes, ils préférèrent porter le débat sur le terrain de l'histoire plutôt que sur celui de l'Écriture. Faisant contre mauvaise fortune bon cœur, leurs adversaires les suivirent sur ce terrain, au moins en partie, et on verra un peu plus tard Maximinus et ses coreligionnaires se réclamer des 330 Pères de Rimini avec la même ferveur qu'Ambroise et les siens mettaient à évoquer le souvenir des 318 Pères de Nicée.

3. SM 304r,38-40. Il est bien question, dans ce texte, d'Eusèbe de Césarée, et non d'Eusèbe de Nicomédie, comme le voulait Kauffmann (Dissertatio, p. XXII.XXIV.XLVIII-XLIX). L'évêque de Césarée apparaît à Nicée comme l'un des principaux porte-parole du parti origénien, c'est-à-dire du parti subordinatien traditionnaliste. Rallié au symbole de Nicée conformément à la volonté de Constantin, il n'en a pas moins, dans ses grands ouvrages théologiques et surtout dans sa polémique contre Marcel d'Ancyre, des expressions voisines de celles des ariens. On comprend sans peine que ceux-ci le comptent au nombre de leurs autorités.

4. SM 300v,5-6 : « Constat ergo Arrium episcopos secutu(m) fuisse, non episcopos Arrium. » Cette phrase de Maximinus fait

La foi arienne est donc aux yeux des ariens la foi traditionnelle de l'Église. C'est pourquoi Auxentius, à côté des
Écritures, mentionne également deux fois la « tradition »
comme critère d'orthodoxie [1]. Mais il est clair que la tradition ne joue qu'un rôle subsidiaire. Sa fonction consiste à
transmettre, conformément aux Écritures, la foi révélée
dans les Écritures [2]. L'autorité des Pères découle de celle des
Écritures, dont elle n'est que le reflet. Elle s'exprime de
façon privilégiée dans les anciens conciles [3], qui ont confirmé
les croyants dans la foi reçue des Écritures [4].

Quant au présent, seul un concile général, réunissant les
évêques de toutes les Églises et de toutes les tendances, a
compétence pour trancher les conflits qui surgiraient en
matière de foi [5]. C'est la raison pour laquelle Palladius refuse
à maintes reprises, au concile d'Aquilée, de répondre aux
questions d'Ambroise, l'absence des Orientaux privant dans
son esprit l'assemblée de toute autorité contraignante [6].

II. Le Père, seul Dieu véritable

« Je crois qu'il y a un seul Dieu, le Père » : telle est l'affirmation de base à partir de laquelle se développe le credo testamentaire d'Ulfila [7]. Auxentius n'entame pas autrement
l'exposé de la doctrine de son maître : « Un seul Dieu véritable, le Père du Christ, conformément à l'enseignement du
Christ lui-même, voilà ce qu'en termes parfaitement clairs
et explicites à souhait, il n'a jamais craint de prêcher, à ceux

écho à la première formule d'Antioche, déjà citée ci-dessus (Hahn,
p. 183) : Ἡμεῖς οὔτε ἀκόλουθοι Ἀρείου γεγόναμεν, — πῶς γὰρ ἐπίσκοποι
ὄντες ἀκολουθήσομεν πρεσβυτέρῳ, — (...) ἀλλὰ ἡμεῖς ἐξετασταὶ καὶ δοκι-
μασταὶ τῆς πίστεως αὐτοῦ γενόμενοι μᾶλλον αὐτὸν προσηκάμεθα ἤπερ ἡμεῖς
ἠκολουθήσαμεν.
  1. *SA* 304v,38 ; 305r,39.
  2. *CM* 711,12-14.
  3. *CM* 730,24-27.
  4. *SA* 305r,19-25.
  5. *SP* 339r,3-5 ; 343r,42-43.
  6. *Gesta*, 6-14.29.32.48.52.54.
  7. *SU* 308r,3.

qui voulaient et à ceux qui ne voulaient pas [1]. » Quarante-
cinq ans plus tard, invité par Augustin à professer sa foi,
Maximinus usera des mêmes mots que l'apôtre des Goths :
« Je crois qu'il y a un seul Dieu, le Père, lequel ne reçoit de
personne la vie [2]. »

Seul le Père est vraiment Dieu. Le Christ lui-même l'enseigne, lorsqu'à l'heure solennelle de sa passion, il s'adresse
à son Père en ces termes : « La vie éternelle, c'est qu'ils te
connaissent, toi le seul Dieu véritable » (Jn 17, 3). Ce texte
est cité implicitement dans la profession de foi d'Arius [3] et
dans la plupart des professions de foi subordinatiennes à
partir de la fin des années 350, reflétant une certaine radicalisation de la théologie subordinatienne sous l'influence
d'Eunome [4]. Palladius le cite explicitement, en s'opposant

1. *SA* 304v,2-4.

2. *CM* 711,28-29.

3. L'allusion est plus évidente dans la version latine de Palladius
(*SP* 339r,43 : « Credo in unum solum uerum Deum, etc. ») que dans
l'original grec (Hahn, p. 255) : Οἴδαμεν ἕνα θεόν (...) μόνον ἀληθινόν, etc.
Étant donné que Palladius cite de mémoire (cf. *SP* 339r,46), il est
possible que la tournure de la phrase initiale reflète les professions
de foi familières à Palladius, plutôt qu'une version latine différente
de celles d'Hilaire et des actes d'Aquilée, qui situent les mots *solum
uerum* à la quatrième place dans l'énumération des attributs divins,
comme dans l'original grec.

4. Cette radicalisation se marque bien dans la formulation tranchante de la deuxième formule de Sirmium (Hahn, p. 200) : « Vnum
constat Deum esse omnipotentem et Patrem », que l'on ne peut
manquer de rapprocher des phrases initiales d'Ulfila, Auxentius et
Maximinus, citées plus haut. Voir ensuite la quatrième formule de
Sirmium (Hahn, p. 204), les formules de Nice-en-Thrace (p. 205),
Rimini (p. 208), Constantinople-360 (p. 208, n. 285), les confessions d'Eudoxios de Constantinople (p. 261), d'Auxentius de Milan
(p. 148), de Germinius de Sirmium (p. 262). La référence à *Jn* 17, 3
est explicite dans la profession de foi d'Eunome (*BHP* 115,9-10).
— Les théologiens nicéens n'ont pas manqué de s'expliquer sur ce
texte. Athanase en traite déjà dans son troisième discours contre
les ariens (*C. arian.*, III, 9 ; *PG* 26, 337C-340A). Hilaire de Poitiers (*De Trin.*, III, 14 ; *PL* 10, col. 83C-84A) et le *De Trinitate*
attribué à Didyme l'Aveugle (III, 16 ; *PG* 39, col. 865B-C.868D-
869A) s'attachent également à combattre l'interprétation arienne.
En s'inspirant d'une première édition du *De Trinitate* cité en dernier
lieu, qui est aujourd'hui perdue, et du *Contra arianos* d'Athanase,
Ambroise s'y attarde longuement dans le *De fide* (V, 1, 16 - III,

à l'idée que le Fils, confondu avec le Père, puisse être le Dieu véritable ou qu'il puisse y avoir trois dieux véritables [1]. Maximinus fait de même, en relevant la citation implicite contenue dans les premiers mots du *Contra Demetrianum* de saint Cyprien, qui, plusieurs générations auparavant, cautionnait sur ce point capital la doctrine d'Arius [2].

La raison pour laquelle le Père seul est Dieu au sens plein du terme, est simple : le Père seul « ne reçoit de personne la vie », il ne doit à personne d'autre que lui-même d'exister [3]. En d'autres mots, il est seul inengendré. De tous les attributs divins, celui-ci est pour les ariens le plus important. C'est le premier de ceux qu'énumère Arius dans sa profession de foi [4]. C'est le premier, et d'ailleurs l'un des deux seuls, que mentionne Ulfila dans son credo lapidaire [5]. Il se retrouve 23 fois au total chez Auxentius, Palladius et Maximinus (→ INGENITUS). Employé substantivement, il est comme un autre nom du Père [6]. Maximinus dénonce la supercherie d'Ambroise qui, interrogeant Palladius à Aquilée sur la base de la lettre d'Arius, avait escamoté ce mot-clé, ce qui modifiait complètement la portée du texte [7]. Il était évidemment impensable de demander si le Fils était inengendré, et cette omission rendait manifeste aux yeux du commentateur

48 ; *CSEL* 78, p. 222-235) ; il y revient, mais plus brièvement, dans le *De Spiritu Sancto* (II, iii, 26-28 ; *CSEL* 79, p. 96-97).
  1. *SP* 339v,31-42 ; 346v,5-7 ; cf. *Gesta*, 20.
  2. *SM* 300v,2-301r,4 ; voir aussi *CM* 733,16-20. Maximinus prend soin de désamorcer au passage l'argument que les nicéens opposaient fréquemment à *Jn* 17, 3 — à savoir *I Jn* 5, 20, où le Fils est dit « Dieu véritable et vie éternelle » — en soulignant que le Fils est un dieu *envoyé*, ce qui implique à ses yeux une infériorité radicale par rapport au Père (cf. *infra*, p. 193). L'argument en question avait été employé entre autres par ATHANASE (*C. arian.*, III, 9.19 ; IV, 26 ; *Epist. ad episc. Aeg. et Lyb.*, 13), par AMBROISE dans le *De fide* (I, xvii, 71-73 ; *CSEL* 78, p. 50) et au concile d'Aquilée (*Gesta*, 20), par AUGUSTIN contre Maximinus lui-même (*Collatio*, 14 ; *PL* 42, col. 721).
  3. *CM* 711,28-29 ; 715,11-12 ; 718,8.
  4. HAHN, p. 255 : Οἴδαμεν ἕνα θεὸν μόνον ἀγέννητον, etc.
  5. *SU* 308r,4.
  6. *SA* 305v,36 ; *SP* 336r,14 ; *SM* 304r,19.
  7. *SM* 304r,2-20.

des actes l'erreur des nicéens, qui refusaient de reconnaître la « singularité » du Père, c'est-à-dire ce qui fait qu'il est unique [1].

Pour tenter de cerner de plus près cette « singularité », c'est-à-dire l'être propre du Père, nos textes accumulent les attributs, principalement négatifs, en des listes parfois interminables ; alors qu'Ulfila dans son credo se contente de deux [2], Auxentius en énumère plus de trente d'affilée [3]. Cette théologie apophatique est avant tout le fait d'Auxentius, dont Maximinus a manifestement subi l'influence ; Palladius s'avance beaucoup moins dans cette voie négative.

Parmi ces attributs, on peut ranger d'abord ceux qui sont synonymes d'inengendré. Le Père ne « naît » pas, il est « non-né » (*innatus*) ; ce terme est, parmi nos auteurs, propre à Maximinus, qui l'emploie 12 fois (→ *s. v.*). Il n'est pas non plus « créé » (*increatus*) [4] ou « fait » (*infectus*) [5].

N'ayant pas de géniteur, ne devant l'existence à personne d'autre que lui-même, le Père n'a personne qui lui soit supérieur [6] ; il est « sans roi » (*inregnatus*) [7]. Il est « au-dessus de

---

1. *Singularitas*, toujours employé à propos du Père, se rencontre chez Auxentius (*SA* 304v,26) et chez Maximinus (*CM* 715,3 ; 737,23), *singularis* chez Palladius (*SP* 339r,46 ; 345v,39 ; 346r,6), *unicus* une fois chez Palladius (*SP* 345v,39).
2. *SU* 308r,4.
3. *SA* 304v,5-30. Les lieux parallèles ne manquent pas. Eusèbe de Césarée développe abondamment cette théologie négative, et il n'est pratiquement pas de formule de foi subordinatienne où ne figure pas l'un ou l'autre des attributs en question. Mais encore une fois, c'est chez Eunome qu'ils se retrouvent les plus nombreux ; G. WAGNER (« Zur Herkunft der apostolischen Konstitutionen », dans *Mélanges liturgiques offerts au R. P. Dom Bernard Botte*, Louvain 1972, p. 525-537) en a relevé plusieurs qui se rencontrent aussi bien dans son *Apologie* que dans les *Constitutions apostoliques* ; v. surtout *Apol.*, I, 8.11.18.23 (*PG* 30, col. 844B.848A.853A.857D). Il ne semble pas, cependant, que les *Constitutions apostoliques* doivent être attribuées à Eunome, mais plutôt à Julien l'Arien (v. D. HAGEDORN, *Der Hiobkommentar des Arianers Julian*, Berlin 1973, p. XXXIV-LVII).
4. *SA* 304v,24 ; cf. *SM* 301r,18.
5. *SA* 304v,24 ; *CM* 718,14 ; 719,33.
6. *CM* 728,3.
7. *SA* 304v,23.

tout », comme le dit l'Apôtre [1], plus grand que tout [2], « surpassant toute prééminence [3] ». Il est le Très-Haut, l'Être suprême, le Transcendant [4]. Il se suffit à lui-même, il n'a besoin de rien ni de personne (*inindigens*) [5]. C'est un être achevé, complet en lui-même, en un mot « parfait » (*perfectus*) [6].

N'étant pas engendré, le Père n'a pas de commencement, il existe depuis toujours ; il n'aura pas non plus de fin, il est éternel [7]. Tout comme il est en dehors du temps, il est aussi en dehors de l'espace. Son être n'a pas de bornes (*interminatus*) [8], il est infini (*infinitus*) [9]. Il ne peut être ni mesuré (*immensus*) [10], ni saisi (*incapabilis*) [11]. Personne ne peut l'envelopper d'un regard circulaire (*non habet a quo circumspiciatur*), puisque personne n'est au-dessus de lui et ne peut le voir d'en-haut. Il ne peut être ni défini correctement à l'aide de mots humains, ni conçu adéquatement par un quelconque esprit créé ; sa grandeur, non seulement le langage des hommes, mais aussi toutes les puissances célestes réunies l'expriment comme elles peuvent, mais ne la décrivent pas telle qu'elle est ; il est au-delà de tout ce qu'on peut en dire [12].

L'être du Père ne peut être ni divisé (*indiuisus*) [13], ni scindé (*inscissus*) [14]. Il n'est pas composé de plusieurs parties (*incompositus*) [15], il est rigoureusement simple (*simplex*) [16]. Il n'y a en lui ni passion (*impassibilis*) [17], ni mouvement

1. *SP* 346r,29 ; cf. *CM* 719,32.
2. *SA* 304v,28-29.
3. *SA* 304v,6-7.
4. *SA* 304v,6 ; *CM* 736,28 ; 739,12.
5. *SA* 304v,20.
6. *SA* 304v,25 ; *CM* 718,30.
7. *SA* 304v,5 ; *CM* 734,44, etc. → SEMPITERNUS.
8. *SA* 304v,9.
9. *CM* 716,24 ; 728,4.
10. *SA* 304v,12 ; *CM* 716,24, etc. (→ *s. v.*).
11. *SA* 304v,10 ; *CM* 728,31 ; 740,29.
12. *CM* 728,3-9.
13. *SA* 304v,18.
14. *SA* 304v,21.
15. *SA* 304v,16 ; cf. *CM* 728,58.
16. *SA* 304v,17 ; *CM* 729,1.
17. *SA* 304v,56 ; 305r,12.

(*immobilis*) [1], ni changement (*immutabilis*) [2]. Il n'est sujet ni à la corruption (*incorruptibilis*) [3], ni à la mort (*immortalis*) [4].

Le Père n'a pas de corps (*incorporalis*) [5] et, par conséquent, il est invisible (*inuisibilis*) [6]. Ce dernier trait est celui qui le distingue le plus manifestement du Fils, car celui-ci est apparu souvent aux hommes et a finalement pris un corps pour vivre au milieu d'eux. C'est sans doute la raison pour laquelle il est le seul qu'Ulfila mentionne dans son credo à côté d'« inengendré », et pour laquelle il intervient si souvent chez Maximinus. Il est aussi, avec l'éternité et l'immortalité, un des seuls qui soit directement attesté dans l'Écriture, les autres relevant plutôt de la spéculation théologique.

A côté de cela, on nous dit aussi que le Père est bon, sage et puissant [7]. Mais ces rares attributs positifs, perdus dans la masse des autres, ne pèsent pas d'un grand poids en face d'eux. L'image qu'on retient du Père est celle d'un Dieu lointain, inaccessible (*inaccessibilis*) [8], avec lequel on ne peut entrer en communication ou en communion (*incommunicabilis*) [9]. Il ne se compromet pas avec l'humanité : « Ad humana contagia nec ad humanam carnem non descendit [10]. » Il faudra donc un intermédiaire entre Dieu et les autres êtres : cet intermédiaire sera le Fils.

1. *SA* 304v,19.37.
2. *SA* 304v,38.
3. *SA* 304v,13.37 ; *CM* 730,54.
4. *SA* 304v,12 ; *SM* 304r,12.
5. *SA* 304v,15.
6. *SU* 308r,4 ; *SA* 304v,11 ; *SM* 304r,12 ; *CM* 716,24 ; 718,15 ; 728,2 ; 739,18 ; 740,2.29.
7. Voir ci-dessous, p. 198-199.
8. *SA* 304v,20.
9. *SA* 304v,14. A propos de ce terme, v. É. DES PLACES, « Un terme biblique et platonicien : ἀκοινώνητος », dans *Forma futuri. Studi in onore del cardinale Michele Pellegrino*, Turin 1975, p. 154-158.
10. *CM* 718,15-16.

III. LE FILS, DIEU DE TOUTE LA CRÉATION

Alors qu'il se trouvait seul [1], sans recourir à l'aide de quiconque, sans avoir besoin d'une matière préexistante [2], Dieu
a appelé à l'existence le Fils. Auxentius juxtapose en évoquant cet acte les quatre verbes qui se succèdent dans
Prov. 8, 22-25, et qu'Arius et les ariens de la première heure
traitaient comme pratiquement synonymes : le Fils a été
« créé et engendré, fait et établi » par le Père (*creauit et
genuit, fecit et fundauit*) [3]. En dehors de ce cas, le terme le
plus souvent utilisé est « engendrer » (*gigno*, → *s. v.*, plus
rarement *genero*, → *s. v.*) ; ce terme peut s'autoriser, outre le
texte des *Proverbes* cité ci-dessus, de *Ps.* 2, 7, et 109, 3. Au
passif, on dira aussi bien que le Fils « a été engendré » ou
qu'il « est né » (surtout chez Maximinus, → NASCOR) [4].
« Établir » n'est pas utilisé ailleurs que dans le texte d'Auxentius déjà cité. De temps en temps, nos auteurs écrivent que
le Père a « fait » le Fils [5]. En revanche, ils hésitent, semble-
t-il, à dire que celui-ci a été « créé » par le Père, pour qu'on
ne puisse pas les accuser d'assimiler le Fils aux autres créa-
tures. Certes, on peut dire que le Fils est « créé », comme les
autres êtres sont « créés », en ce sens que, comme les autres,
il doit au Père d'exister. Mais sa relation au Père est d'un
type particulier : elle est immédiate, le Fils reçoit l'être
directement du Père, avec une mission et des pouvoirs qui
n'appartiennent qu'à lui. C'est ce qu'Arius soulignait déjà
en professant que le Verbe n'avait pas été créé, engendré

1. *SA* 304v,30-31.
2. *CM* 730,18-20.
3. *SA* 304v,37-38.
4. Maximinus parle également de la « naissance » du Fils « au
commencement » (*natiuitas in principio*, *CM* 734,55), qu'il faut
distinguer de sa naissance charnelle (*carnis natiuitas*, *SM* 301r,35)
— la seule que les juifs reconnaissaient. Qu'il y ait une « naissance »
antérieure à la venue du Fils dans le monde, ressort clairement à
ses yeux de la déclaration de Jésus à Pilate : « Ego in hoc *natus sum
et in hoc ueni in hunc mundum, etc.* » (*Jn* 18, 37, cité *CM* 719,37 ;
cf. *SP* 340r,1-2).
5. *SP* 346r,3 ; *SA* 305r,14.

ou fait de la même manière que les autres êtres (κτίσμα τοῦ Θεοῦ τέλειον, ἀλλ'οὐχ ὡς ἓν τῶν κτισμάτων, γέννημα, ἀλλ'οὐχ ὡς ἓν τῶν γεγεννημένων) [1] ; il entendait marquer ainsi qu'on lui cherchait une querelle de mots, et qu'il était indifférent d'employer l'un ou l'autre terme pourvu qu'on l'entendît correctement, c'est-à-dire qu'on eût conscience que l'être du Fils, reçu du Père comme celui des autres êtres, n'en était pas moins fondamentalement différent de ceux-ci. Les conciles de tendance subordinatienne insistent sur ce point [2], et Maximinus, citant expressément le concile de Rimini, abonde dans le même sens, en dénonçant les imputations calomnieuses des nicéens [3]. Néanmoins, les ariens évitent généralement de dire que le Fils est une « créature », car, au contraire du verbe « créer », le substantif qui en dérive ne lui est jamais appliqué dans l'Écriture. C'est précisément la raison pour laquelle Palladius, sur ce point, se démarqua d'Arius au cours des discussions qui précédèrent la séance officielle du concile d'Aquilée. Il n'accepta pas, pour autant, de souscrire à une condamnation en bonne et due forme d'Arius, jugeant que les explications qu'il avait données devaient suffire à ses interlocuteurs pour abandonner une prévention qui n'était pas fondée [4]. Ambroise revint à la charge durant la séance proprement dite, tant auprès de Palladius qu'auprès de Secundianus. Conformément à son système de défense, le premier refusa alors de répondre [5]. Secundianus fit front et opposa à Ambroise *Prov.* 8, 22 : « Le Seigneur m'a créée, commencement de ses voies, en vue de ses œuvres. » Ambroise répliqua, comme toujours devant des textes de ce genre, que cette parole devait s'entendre de la chair du Christ [6]. Mais il est évident, observe Palladius dans son apo-

1. Hahn, p. 256.
2. V. p. ex. la deuxième formule d'Antioche (Hahn, p. 186).
3. *CM* 730,21-27.
4. *SP* 338v,2-47.
5. *Gesta*, 41-43.
6. Sur l'interprétation patristique de *Prov.* 8, 22, voir M. Simonetti, *Studi sull'arianesimo*, Rome 1965, p. 9-87. L'interprétation d'Ambroise, qui remonte à Eustathe d'Antioche et à Marcel d'Ancyre, a été définitivement accréditée en milieu nicéen par Athanase. On la retrouve notamment chez Grégoire de Nazianze, Grégoire de

logie, que ce n'est pas la chair qui a été « créée au commencement », ni « établie avant les siècles », ni « engendrée avant
les montagnes », comme le dit la suite du texte, et que celui-ci
vise la personne même du Fils. Du reste, poursuit-il, les mots
importent peu ; ce qui compte, c'est le sens qu'on leur donne.
Ce n'est certainement pas faire affront au Père de dire qu'il
a « créé » le Fils, puisque celui-ci, parlant de lui-même en
tant que sagesse, et l'Esprit-Saint, inspirateur des livres
saints, ont eux-mêmes consacré l'usage de ce terme, à côté
d'« engendrer » et de « faire » [1].

Le Fils est seul à recevoir l'être directement du Père ; en
cela, il n'a personne qui lui soit semblable (*non habentem
similem suum*) [2]. C'est ce qu'indique le titre d'« unique-
engendré » qui lui est donné très fréquemment (→ UNIGE-
NITUS) et qui provient de l'Écriture (*Jn* 1, 14.18 ; 3, 16).
C'est ce que les ariens veulent signifier également en disant
qu'il est le Fils « véritable », par opposition aux hommes, qui
ne sont fils de Dieu que par adoption ; cela ressort clairement,
par exemple, de la discussion qui oppose Palladius à Ambroise
à propos de cette formule [3].

Concernant la génération du Fils, Auxentius nous donne
un certain nombre de précisions [4] : elle n'implique aucune
division, ni aucune diminution de l'être du Père (*non ad
diuisionem uel dimminutionem diuinitatis suae*) [5] ; elle a pour

Nysse, Épiphane de Salamine, Cyrille d'Alexandrie et saint Augustin. L'interprétation de Secundianus se situe dans la ligne des apologistes, d'Origène et de l'école d'Alexandrie, ainsi que d'Arius lui-
même. Eusèbe de Césarée et Hilaire de Poitiers sont plus nuancés.

1. *SP* 341r,26-341v,41.
2. *SU* 308r,5.
3. *Gesta*, 17-21 ; cf. *SP* 339v,31-44 ; *CM* 733,9-16.
4. *SA* 304v,31-37.
5. Les apologistes du deuxième siècle insistent déjà sur ce point ;
v. p. ex. JUSTIN, *Dial.*, 128 ; TATIEN, *Graec.*, 5. ARIUS refuse d'admettre que le Fils tire son origine de l'*ousia* du Père, car cela impli-
querait une scission en deux parties de la monade divine ; v. sa
lettre à Eusèbe de Nicomédie et sa profession de foi adressée à
Alexandre d'Alexandrie (éd. Opitz, p. 2-3.13). EUSÈBE DE CÉSARÉE
affirme également que le Fils n'a pas été engendré par la division
de l'*ousia* du Père (*Dem. evang.*, V, 1 ; *Eccl. theol.*, II, 14). Eunome
(*Apol.*, 9.28) combat la même erreur.

fin de manifester la bonté et le pouvoir du Père (*ad ostensionem bonitatis et uirtutis suae*) par l'œuvre de la création, dont le Fils sera l'instrument [1] ; elle s'opère par le seul fait de la volonté et de la puissance du Père (*sola uolumtate et potestate*) [2] ; comme il convient au Père, qui n'est sujet ni à la passion, ni à la corruption, ni au mouvement, elle a lieu sans passion, sans corruption et sans mouvement (*inpassiuilis inpassiuiliter, incorruptiuilis incorruptiuiliter et inmouilis inmouiliter*) [3]. La génération divine n'a donc rien de commun avec la génération humaine ou animale, comme le souligne Maximinus. Il s'offusque de ce qu'Augustin ait osé la comparer à celles-ci dans son argumentation [4]. Le Fils ne naît pas du Père comme un chien naît d'un chien, comme un corps humain naît d'un autre corps humain. S'il fallait comparer cette génération à un fait de l'expérience humaine, ce serait plutôt au processus par lequel une âme en engendre une autre, sans cette perte de substance et cette souillure qu'impliquent le commerce charnel et l'enfantement, en gardant toute son intégrité [5]. Mais en fait, Dieu seul connaît le secret de cette génération [6], ainsi que le prophète le donne à entendre quand il demande : « Qui racontera sa génération ? [7] »

1. Voir ci-dessous, p. 189-190.
2. Cf. Arius, *Ep. ad. Eus. Nic.* (éd. Opitz, p. 3) : θελήματι καὶ βουλῇ ; *Ep. ad Alex. Alex.* (p. 13) : θελήματι τοῦ Θεοῦ ; Eusèbe de Césarée, *Dem. evang.*, IV, 3 : Βουληθεὶς γὰρ ὁ Θεὸς γέγονεν Ὑιοῦ Πατήρ ; Eunome, *Apol.*, 12 : γνώμῃ τοῦ Θεοῦ καὶ Πατρός ; 28 : τῇ βουλήσει μόνῃ.
3. Les ariens aussi bien que les nicéens insistent fréquemment sur ce point, déjà souligné dans la tradition antérieure ; v. p. ex. Simonetti, *La crisi ariana*, p. 62.
4. *CM* 726,5-9.
5. *CM* 730,42-731,3. Ici encore, l'influence d'Auxentius sur Maximinus est perceptible. Comparer *SA* 304v,31-34 : « Non ad dimminutionem diuinitatis suae », et *CM* 730,47-48 : « Nullam sentiens diminutionem » ; *SA* 304v,36 : « Sola uolumtate et potestate », et *CM* 731,1-2 : « Genuit ut uoluit, uoluit ut potens » ; *SA* 304v, 36-37 : « Inpassiuilis inpassiuiliter, incorruptiuilis incorruptiuiliter », et *CM* 730,46-55 : « Si ergo nostra anima incorruptibiliter generat et impassibiliter, (...) quanto magis Deus Pater incorruptibilis incorruptibiliter genuit Filium. »
6. *CM* 730,20.
7. *Is.* 53, 8, cité *CM* 730,56-731,1 ; citation classique, v. Simo-

La génération du Fils se situe « au commencement », avant
la création du monde, avant toutes choses, avant le temps,
avant les jours, les mois, les années, avant tous les siècles,
avant que quoi que ce soit ait existé, avant tout ce à quoi on
pourrait penser [1]. Ceci ne signifie cependant pas que le Fils
soit coéternel au Père [2]. Qu'il soit « engendré », « fils » ou
« christ », c'est-à-dire « oint », implique nécessairement qu'il
y ait avant lui un géniteur, un père, quelqu'un qui confère
l'onction [3]. Celui-ci, étant inengendré, existe « avant le commencement » (*ante principium*) et est « sans commencement » (*sine principio*) [4]. Nos auteurs ne font pas de distinction entre principe au sens ontologique et principe au sens
chronologique du mot ; pour eux, *sempiternus* est pratiquement synonyme d'*ingenitus* [5].

La fonction du Fils est d'être l'artisan de la création
(*opificem et factorem uniuerse creature*) [6]. Il est le fondé de
pouvoir du Père, qui en a fait l'exécuteur de ses œuvres [7].
C'est par lui que tout a été fait (→ *Jn* 1, 3). Il est le « premier-
né de toute la création, parce qu'en lui ont été créées toutes
choses, dans les cieux et sur la terre, les choses visibles
comme les choses invisibles » (→ *Col.* 1, 15-17). En dernière
analyse, c'est le Père qui est l'unique auteur de toutes choses
(*unus omnium auctor*) [8]. Mais c'est le Fils qui concrétise sa
volonté créatrice ; à ce titre, il mérite également d'être
reconnu, en dépendance du Père, comme l'auteur de toutes
choses (*auctorem omnium a Patre et post Patrem et propter*

NETTI, « Arianesimo latino », p. 672 ; elle apparaît notamment dans
la deuxième formule de Sirmium (HAHN, p. 200).
1. *CM* 734,55, etc. → *Jn* 1, 1-2 ; *CM* 726,1-3,etc. → ANTE 2.
2. *SP* 336r,13-20.
3. *SM* 301r,12-31.
4. *CM* 734,43-44.
5. Cf. *SM* 303v,20-22.
6. *SU* 308r,3.
7. *SP* 346r,2-10.
8. *CM* 715,4, etc. → AUCTOR). Le terme *principium* n'est pas
appliqué au Père dans nos textes. Mais Palladius emploie l'adjectif
principalis (*SP* 339r,40 ; 341v,40 ; 348r,26) et l'adverbe *principa-
liter* (*SP* 341v,39 ; 345v,36 ; 346r,2) pour qualifier ce qui revient
au Père ou ce que le Père accomplit au titre de premier principe.

Patrem et ad [g]loriam Patris) [1]. Il est le « principe » en qui
« Dieu a fait le ciel et la terre », selon les premiers mots de
la Genèse [2].

En tant que créateur, le Fils est l'intermédiaire naturel
entre Dieu et le monde. C'est par son intermédiaire que nous
parviennent les dons de Dieu [3], et c'est par lui que nous avons
accès auprès du Père [4]. Il ne cesse pas d'être attentif à son
œuvre (*prouisor*) [5]. Il est le porte-parole du Père (*propheta
sui genitoris*) [6]. A maintes reprises, il est apparu aux hommes
sous l'Ancien Testament. C'est lui qui se promène dans le
jardin d'Eden et qui signifie à Adam la punition de sa faute
(*Gen.* 3, 8-19). C'est lui qu'Abraham accueille au chêne de
Mambré (*Gen.* 18, 1-15). C'est lui qui lutte avec Jacob au
gué du Yabboq (*Gen.* 32, 23-33). C'est lui que rencontre
Josué avant la conquête de Jéricho (*Jos.* 5, 13-15), etc. [7].

1. *SA* 304v,39-40.
2. *SM* 301r,36-40. Il est rare, en dehors de ces deux textes, que
les titres d'« auteur » et de « principe » soient donnés au Fils ; habituellement, celui-ci est désigné comme le créateur (→ CREATOR),
l'ouvrier de la création (→ OPIFEX), celui qui a fait toutes choses
(→ FACTOR) ; ces titres sont parfois opposés à celui d'*auctor*,
désignant le Père (*SA* 306r,4 ; *SP* 346r,14-16).
3. *CM* 712,59 ; 713,49 ; 738,38 ; *SM* 304r,28 ; *SP* 349r,3, etc.
→ PER).
4. *CM* 738,54 ; *SM* 301r,2 ; *SA* 306r,24 ; *SP* 336v,48, etc. →
PER).
5. *SA* 304v,42.
6. *CM* 739,32.
7. *CM* 739,24-25 ; *SP* 340v,6-8 ; 346v,37-38. Les Pères anténicéens attribuent couramment les théophanies de l'Ancien Testament au Fils, à commencer par les apologistes (v. surtout JUSTIN,
Dial., 56 ; cf. G. AEBY, *Les missions divines de saint Justin à Origène*, Fribourg 1958). Eusèbe de Césarée, dans son traité sur les
théophanies, est tout à fait dans la ligne de cette interprétation
traditionnelle. Les 15e et 16e anathématismes de la première formule de Sirmium condamnent expressément ceux qui attribuent
les théophanies de Mambré et du Yabboq au Père, et non au Fils
(HAHN, p. 198). Les ariens tenaient beaucoup à cette interprétation, qui leur permettait d'opposer nettement le Père invisible au
Fils qui s'est rendu visible. Les nicéens, au contraire, surtout à partir des années 360, tendent à faire de la Trinité tout entière le
sujet des théophanies ; v. SIMONETTI, *La crisi ariana*, p. 506-511.
Cette interprétation deviendra classique avec saint Augustin ; voir
B. STUDER, *Zur Theophanie-Exegese Augustins*, Rome 1971.

C'est de lui que le peuple élu a reçu la Loi [1]. C'est lui également qui est apparu sous le Nouveau Testament et qui a pris un corps pour être notre rédempteur et notre sauveur [2]. C'est sur lui, enfin, que le Père, juge de tous, s'est déchargé du soin de juger les vivants et les morts [3].

Parce qu'il est notre créateur, parce que c'est à lui que nous devons directement l'existence, le Fils est notre dieu, — non pas Dieu tout simplement, au sens absolu, car ce titre est celui du Père, mais *notre* dieu, celui par qui nous avons été faits [4]. Nos auteurs ne refusent donc nullement au Fils l'appellation de « dieu », pas plus que ne l'avaient fait Arius et l'ensemble de la tradition subordinatienne [5]. Et ils affirment explicitement qu'en tant que dieu, il a droit à être adoré, célébré, glorifié, honoré, vénéré, tout comme le Père : « Auctoritate sanctarum scripturarum adoramus Patrem, aeque ab ipsis diuinis scripturis instructi colimus et adoramus Christum [6]. » Ceux-là sont chrétiens qui adorent

1. *SA* 304v,42.
2. *SA* 304v,42-305r,1 ; *CM* 731,6 ; 735,15-17 ; 739,55-56. On ne trouve chez nos auteurs aucun écho des controverses christologiques de la fin du ive siècle, ni aucune réflexion explicite sur le mystère de l'incarnation. On y remarque seulement le souci de refuser et de combattre, conformément à la tradition subordinatienne, l'exégèse à tiroirs des nicéens, selon laquelle les paroles du Christ doivent s'entendre tantôt selon la chair, tantôt selon la divinité. Les discussions de Palladius avec Ambroise à Aquilée révèlent la tendance plutôt « monophysite » de la christologie arienne, par opposition à la tendance plutôt « diphysite » des nicéens. Dans la passion, c'est, pour Palladius, le Christ-dieu qui est mort ; sa divinité n'y est pas moins impliquée que sa chair ; le « Seigneur de gloire » a été crucifié *utroque statu socio* (*Gesta*, 22-26.33-41 ; *SP* 340v, 16-341r,26). Maximinus, qui connaît la façon d'argumenter de ses adversaires, prend soin de leur opposer des paroles ou des situations postérieures à la résurrection du Christ (*CM* 716,26-31 ; 735,15-19).
3. *SA* 305r,1-2 ; *SP* 339r,49 ; *CM* 735,19-22 ; *Gesta*, 33.
4. *SU* 308r,4.6 ; *SA* 306r,38 ; 307r,1 ; *SP* 339r,48 ; 339v,42 ; 349r,3 ; *SM* 300v,13 ; *CM* 738,13 ; *Gesta*, 65. Formule traditionnelle : v. p. ex. 2e formule de Sirmium (HAHN, p. 201) ; Credo de Germinius (HAHN, p. 262), etc.
5. Notamment EUNOME, qui professe que le Fils est « le dieu unique-engendré de tous les êtres qui ont été faits après lui et par lui » (*Apol.*, 15 ; *PG* 30, col. 849 D).
6. *CM* 724,56-58 ; v. aussi 724,19-48 ; 735,24.

le Christ « dans l'Esprit et en vérité » et qui, par son intermédiaire, rendent grâces au Père avec amour [1]. Dans le
même sens, on dira également que le Fils est « seigneur »
et qu'il est « roi », cette domination, cette souveraineté résultant naturellement de ce que nous sommes son œuvre,
de ce que nous lui devons ce que nous sommes, de ce que
sans lui, nous n'existerions pas et nous retomberions dans le
néant [2].

Ainsi donc, Dieu a engendré un dieu, le Seigneur un seigneur, le Roi un roi, le Créateur un créateur [3]. Mais ces deux
êtres divins ne sont pas au même rang. Il y a une différence
entre la divinité du Père et celle du Fils, entre la divinité
du Dieu inengendré et celle du dieu unique-engendré. Le
Fils, parce qu'il est le créateur, est le dieu et le seigneur de
la création, donc en particulier notre dieu. Le Père, en tant
que premier principe, est le Dieu et le Seigneur de toutes
choses. Il est donc aussi, parce qu'il a créé le créateur, le
Dieu de celui-ci, le Dieu du Seigneur, le Dieu de notre dieu [4].
Le Fils le proclame ouvertement dans l'Évangile, aussi bien
avant la résurrection qu'après celle-ci, quand il a quitté la
forma serui [5], et l'Apôtre appelle souvent le Père le « Dieu

---

1. *SA* 306r,20-26.
2. *CM* 732,47-49 : « Quis enim negat Filium esse in forma dei ?
Quod enim sit deus, quod sit dominus, quod sit rex, iam puto
latius exposuimus. » Ces titres vont de pair avec celui de créateur ;
cf. 736,31-35.
3. *CM* 726,10-12 : « Quis autem ignorat quod Deus deum genuit,
quod Dominus dominum genuit, quod Rex regem genuit, quod
Creator creatorem genuit ? »
4. *SA* 305r,25-35 : « Per sermones et tractatus suo[s] ostendit
(Vlfila) differentia[m] esse diuinitatis Patris et Fili, D(e)i i[n]geniti
et d(e)i unigeni[ti], et Patrem quidem creatorem esse creatoris,
Filium uer[o] creatorem esse totius creationis, et Patrem esse
D(eu)m D(omi)ni, Filium autem d(eu)m esse uniuersa[e] creature. » — *SU* 308r,5-6 : « Ideo unus est omnium D(eu)s, Pater, qui
et d(e)i nostri est Deus. » — *SM* 300v,10-14 : « Vnum et solum
adseruit (Cyprianus) uerum D(eu)m, qui utique Cr(ist)i d(e)i n(ostri)
D(eu)s ab ipso Dei Filio adprobatur. »
5. Cf. *Jn* 17, 1-3, cité *SM* 300v,15-34 ; *Jn* 20, 17, cité *CM* 733,43-
50 (texte allégué également dans la 2e formule de Sirmium, Hᴀʜɴ,
p. 200).

de notre seigneur Jésus-Christ [1] ». L'Esprit-Saint, de même, s'adressant au Fils par la bouche du psalmiste et évoquant, bien avant l'incarnation, l'onction qu'il a reçue du Père et qui est liée à l'œuvre de la création, lui dit : « Voilà pourquoi, ô dieu (le Fils), *ton* Dieu (le Père) t'a oint d'une huile d'allégresse [2]. »

En d'autres mots, le Fils est seulement « dieu en second », *secundus deus* [3], ainsi que l'avaient dit, entre autres, Arius et Eusèbe de Césarée [4]. C'est un « grand dieu », un grand seigneur, un grand roi [5]. Mais le Père est plus grand que lui, ainsi qu'il le reconnaît lui-même quand il déclare : « Le Père est plus grand que moi » (*Jn* 14, 28). Auxentius aussi bien que Palladius et Maximinus se réclament de ce texte, dont les ariens avaient fait dès le début de la controverse un de leurs chevaux de bataille, et ils s'appliquent à montrer qu'il ne doit pas s'entendre uniquement « selon la chair », comme le voulaient leurs adversaires [6].

Cette supériorité (*praestantia*) du Père, qui tient au fait qu'il est celui qui engendre le Fils [7], se révèle de bien des façons. Elle apparaît en premier lieu dans le fait que le Père envoie le Fils, disposant ainsi de lui selon sa volonté [8]. Elle ressort de la soumission et de l'obéissance dont le Fils fait preuve à l'égard du Père dans l'accomplissement de sa mission [9], en lui rendant témoignage, en répétant ce qu'il a

1. Cf. *Rom.* 15,6 ; *II Cor.* 1, 3 ; 11, 31 ; *Éphés.* 1, 17, cités *CM* 734, 2-11.
2. *Ps.* 44, 8, cité *CM* 734,11-31.
3. *SA* 304v,39.
4. Voir Simonetti, *La crisi ariana*, p. 50 et 62 ; *PGL, s. v.* δεύτε-ρος, 1 a.
5. *SA* 304v,40-41 ; *CM* 718,16-20. Cf. *Tite* 2, 13.
6. *SA* 305r,2-3 ; *Gesta*, 33-41 ; *SP* 341r,3-26 ; *CM* 719,11-19 ; 738,56-739,14. Cf. 2e formule de Sirmium (Hahn, p. 200-201) : « Nulla ambiguitas est maiorem esse Patrem ; nulli potest dubium esse Patrem honore, dignitate, claritate, maiestate et ipso nomine Patris maiorem esse Filio, ipso testante : Qui me misit maior me est. »
7. *Gesta*, 39.
8. *Ibid.* — Cf. *SP* 347v,4-5.20-23 ; *SM* 300v,36-301r,3.
9. *Ibid.* — Cf. *SP* 337r,6 ; *CM* 714,7 ; 735,3-28, etc. → SUB-DITUS, SUBIECTUS.

Scolies ariennes. 13

entendu de lui, en acceptant d'être livré pour racheter
l'Église par son sang [1]. Elle se manifeste encore dans le fait
que le Fils adore le Père, qu'il le loue, le glorifie, l'honore, le
vénère, lui rend grâces et le prie, non seulement alors qu'il
était dans la « condition du serviteur », mais aussi maintenant dans le ciel [2].

Le Fils possède tous les attributs positifs du Père ; comme
lui, il est sage, bon, puissant, mais avec une nuance essentielle : le Père ne doit ces qualités à personne d'autre que lui-
même, tandis que le Fils ne les possède que pour les avoir
reçues du Père [3]. Dans ces limites, le Fils est semblable au
Père, dont il reflète la perfection. Palladius rejette énergi-
quement l'accusation de dire que le Fils est « dissemblable »,
et il reprend à son compte cette parole de l'Écriture : « Tout
ce que fait le Père, le Fils le fait semblablement [4]. » Ulfila,
au témoignage d'Auxentius, affirmait expressément que le
Fils est semblable à son Père, au sens où l'entendent les
Écritures et la tradition authentique [5]. Maximinus n'est pas
moins explicite : se réclamant du symbole de Rimini, il s'indigne qu'on l'accuse de dire que la nature du Fils est autre
que celle du Père, et que le Père aurait engendré quelqu'un
qui serait le contraire de ce qu'il est. Le Fils est vraiment
un fils, c'est-à-dire qu'il est semblable à celui qui l'a engendré. Dieu a engendré un dieu ; le Père, qui est esprit, a

1. *Ibid.* — Cf. *SP* 347v,5-6.9-11.15-17.24-26 ; *CM* 732,5-7 ; 733,
38-40, etc.
2. *SP* 347v,7-9 ; *CM* 716,25-44 ; 718,25-26 ; 728,9-27 ; 732,8-
12.17-24 ; 734,56-735,3.
3. V. ci-dessous, p. 198-199.
4. *Jn* 5, 19, cité dans *SP* 336r,7-20.
5. *SA* 305r,37-39. Ulfila adhérait donc à la formule du concile de
Constantinople de 360, auquel il avait pris part (v. ci-dessus,
p. 148), et qui reprenait celle qui avait été approuvée au concile de
Rimini peu de temps auparavant : elle déclarait le Fils « semblable
au Père dans le sens où l'entendent les Écritures ». L'évêque goth
rejetait la formule plus précise et plus extensive de Basile d'Ancyre
et des macédoniens, pour qui le Fils était semblable au Père « en
substance et en tout », c'est-à-dire l'ὁμοιούσιος. — A noter qu'il
est exclu, pour des raisons paléographiques, qu'on puisse restituer
les mots *similem secundum Scripturas* dans le Credo testamentaire
d'Ulfila (*SU* 308r,35), contrairement à ce que voulait Kauffmann.

engendré un autre esprit, qui est, comme lui, bon, sage et puissant [1].

IV. L'ESPRIT PARACLET, SERVITEUR DU FILS

Le Fils inaugure son œuvre créatrice en appelant à l'existence l'Esprit-Saint [2]. Celui-ci vient en troisième lieu après le Père et le Fils. Il n'est pas inengendré, comme le Père, ni engendré, comme le Fils, mais créé par le Père, par l'intermédiaire du Fils, avant toutes choses. Lui-même n'est pas principe, ni créateur à son tour ; il n'est donc ni dieu, ni seigneur, ni roi, il ne siège pas avec le Père et le Fils, il n'a pas droit à notre adoration [3]. Il n'est pas l'égal du Fils, mais son serviteur, comme le Fils l'est du Père [4]. Il se montre soumis et obéissant au Fils, comme celui-ci l'est au Père [5] ; il le regarde comme son dieu et son seigneur [6].

Il ne faut pas pour autant sous-estimer l'Esprit-Saint, mais au contraire lui accorder l'honneur qui lui revient. Manquer de respect envers l'Esprit-Saint, c'est manquer de respect envers le Fils qui l'a créé, tout comme celui qui ne rend pas honneur au Fils fait affront au Père qui l'a envoyé [7]. Sa grandeur et sa dignité sont telles que les anges eux-mêmes aspirent à pouvoir le contempler [8]. Sa nature et son pouvoir

1. *CM* 710,7-10 ; 714,8-10 ; 733,9-16.
2. *SP* 348r,34-35, etc. Ceci est prouvé par *Jn* 1, 3, *I Cor.* 8, 6, *Col.* 1, 16 : *tout* a été fait par l'intermédiaire du Fils, donc également l'Esprit-Saint ; v. p. ex. *SA* 305v,38-306r,1. L'argument est classique : cf. EUSÈBE DE CÉSARÉE, *Eccl. theol.*, III, 5-6 ; EUNOME, *Apol.*, 25-26.
3. *SU* 308r,26 ; *SA* 305v,26-306r,4 ; *SP* 346v,17-347r,40 ; 348r, 7-21.34-35 ; *CM* 724,49-725,4 ; 736,31-37. Ici encore, il s'agit d'une théologie traditionnelle ou, si l'on préfère, conservatrice ; v. SIMO-NETTI, *La crisi ariana*, p. 363 ; cf. en particulier EUNOME, *Apol.*, 25-26.
4. *SU* 308r,27-28 ; *SA* 306r,6 ; *SP* 347v,6 ; *CM* 724,49 ; 733, 2-6 ; 734,40-42. Eunome prêchait la même doctrine d'après PHILOS-TORGE (*Hist. eccl.*, VI, 2 ; *GCS* 21, p. 71, 3-9).
5. *SU* 308r,29-35 ; *SP* 347r,14 ; *CM* 714,6.
6. *SP* 347r,14 ; *CM* 734,11-13.
7. *CM* 725,21-22 ; 736,53-57 ; cf. *Jn* 5, 23.
8. *CM* 716,11-13 ; 736,42-43 ; cf. *I Pierre*, 1, 13.

sont tels qu'il est présent partout où un baptême est célébré, partout où quelqu'un invoque Dieu [1].

Sa mission, qu'il tient du Fils comme celui-ci tient la sienne du Père, est d'être l'agent de la grâce divine. Il est, de par la volonté du Fils, « puissance illuminante et sanctifiante [2] ». Il nous illumine, car c'est lui qui, après avoir inspiré les prophètes de l'Ancien Testament [3], nous désigne Jésus comme le sauveur [4] et nous amène à le reconnaître et à l'adorer comme notre seigneur [5]. Il pourvoit à notre instruction, en prêchant le Fils, en lui rendant gloire, en se faisant le témoin du Fils avec les apôtres et par l'intermédiaire des apôtres, en transmettant à ceux-ci ce qu'il a entendu du Fils [6]. C'est lui qui sanctifie la création et plus particulièrement les âmes des élus [7], qui veille sur l'Église, qui organise les ministères en son sein, qui établit les évêques, qui répartit les charismes [8]. Il nous est donné par le Fils pour nous guider, pour nous assister, pour être l'inspirateur et l'interprète de nos prières [9].

V. « Un dans l'amour »

Il ressort clairement de ce qui précède que le Père n'est pas le Fils, et que le Fils n'est pas le Saint-Esprit [10]. L'erreur des nicéens est de confondre les trois personnes. C'est du moins le grief essentiel qu'ont toujours articulé contre eux leurs adversaires depuis le début de la controverse arienne. On le retrouve sous la plume de Palladius et de Maximinus [11]. En réclamant pour le Fils les mêmes attributs que pour le

1. *CM* 716,13-18 ; 736,43-53.
2. *SU* 308r,7-9 ; *SA* 306r,4 ; *CM* 711,31-32 ; 725,22-23 ; 729, 5-10.
3. *CM* 725,11-13 ; 729,24.30-31.34-35 ; 734,12-13, etc.
4. *Index Iesu* : *SP* 347r,5 ; 348r,4.
5. *SA* 306r,8-14.19-23 ; *CM* 736,38-40.43-47.
6. *SA* 306r,5 ; *SP* 347v,4-20 ; *CM* 725,22.
7. *SP* 348r,34-35 ; *CM* 736,21-27.
8. *SA* 306r,6 ; *SP* 347v,27-34.
9. *SA* 306r,5 ; *CM* 735,30-41 ; 736,40-41, etc. → PARACLETUS.
10. *CM* 716,7-10 ; 718,34-719,3.
11. *SP* 339v,2-4 ; *SM* 303v,28.

Père, Ambroise et ses complices veulent que le Fils, inclus
en quelque sorte dans le Père, soit lui-même l'unique Dieu
véritable [1], ou bien que le Père, le Fils et l'Esprit constituent ensemble l'unique Dieu véritable [2], ou encore qu'il y
ait trois dieux véritables [3]. De toute manière, ils refusent de
reconnaître les propriétés des personnes [4].

Sans être entachée d'une erreur aussi grossière que celle
des nicéens, tenants de l'*homoousios*, la doctrine des macédoniens, partisans de l'*homoiousios*, ne peut pas davantage
être acceptée. Certes, les homéousiens ne confondent pas
purement et simplement les trois personnes, de sorte qu'Ulfila se montrait moins sévère à leur égard. Mais en affirmant
une similitude parfaite et totale entre les trois personnes, ils
oublient qu'il y a entre elles une différence essentielle [5]. Cette

1. *SP* 339v,31-44 ; *CM* 718,27-30.
2. *SM* 300v,3-35 ; *CM* 716,22-23 ; 718,10-13 ; 728,55-57 ; 733,
15-20.
3. *SP* 346v,15-17.
4. *SP* 336v,49-50 : « Nam nec Patrem nec Filium agnoscis, [non
agnoscen]do propriaetates personarum. » *Propriaetas* est encore
employé à propos des trois personnes dans *SP* 347v,38 et *CM* 729,7,
proprius dans *SP* 346r,9, *proprie* dans *SP* 340r,16.26. *Persona* se
trouve aussi bien chez Palladius (*SP* 336v,50 ; 347v, 35.38) que
chez Auxentius (*SA* 305r,36) et chez Maximinus (*CM* 734, 40).
5. Voir *SA* 305r,3-39. Ce texte important doit être lu attenti-
vement, pour en percevoir toutes les nuances. La doctrine des
nicéens est *odibilis et execrabilis, prava et peruersa*, c'est une invention diabolique ; Ulfila n'a que mépris pour eux et veut leur perte.
Quant à l'erreur des homéousiens, il la « déplore » et il « s'en garde » ;
il croit, comme eux, qu'il y a une ressemblance entre le Père et le
Fils, mais il entend cette similitude au sens des Écritures, comme
une ressemblance dans la différence. — On observera que nos textes
parlent toujours de « différence », jamais de « dissemblance », et
que Palladius rejette expressément le terme « dissemblable »
(*SP* 336r,7-20). Il est donc tout à fait inexact de présenter nos
auteurs comme des anoméens, ainsi qu'on l'a souvent fait. « Différent » ne s'oppose pas dans leur esprit à « semblable », mais à « identique », et la meilleure preuve en est qu'Auxentius, exposant la
doctrine d'Ulfila, affirme expressément la similitude du Père et du
Fils, aussitôt après avoir affirmé la différence. *Differens, differentia*,
s'opposent à *confusus, concretus, indifferens, inresolutus* (cf. *SP* 347r,
40-348r,6), c'est-à-dire à l'erreur de Sabellius, qui n'admettait
qu'une distinction purement nominale, et non réelle, entre les trois
personnes.

différence ne tient pas seulement à leurs relations person-
nelles, aux sentiments qu'ils éprouvent l'un pour l'autre [1].
Elle tient à leur « nature » ou à leur « substance » même.

Il n'y a pas une nature unique, commune au Père, au Fils
et au Saint-Esprit, comme il y a une nature commune aux
hommes [2]. Il n'y a pas une substance, une « déité » ou une
« divinité » unique que posséderaient ensemble les trois personnes de la Trinité. Si le Fils et l'Esprit étaient tous deux
« de la substance du Père », en quoi se distingueraient-ils [3] ?
Le Fils n'est pas inengendré, comme le Père ; il n'est donc
pas sans commencement, il n'est pas éternel, il est « né » [4].
Il n'est pas invisible [5], il n'est pas immortel [6], il ne possède
par nature aucun des attributs négatifs du Père. Quant aux
attributs positifs, il ne les possède que par participation.
Ainsi, il est un dieu bon, un « bon berger », etc., mais c'est
« parce qu'il a reçu du Père la bonté en même temps que la
vie ». Il n'est pas, comme le Père, la bonté inengendrée, la
bonté absolue, la bonté parfaite, la bonté par excellence ;
en un mot, il n'est pas le bon Dieu. On comprend ainsi comment nos auteurs concilient la foi trinitaire avec l'affirmation monothéiste. Le Père est Dieu, le Fils est dieu, l'Esprit
fait œuvre divine ; tous trois ressortissent de façon diverse
à la sphère du divin ; tous trois sont, en un sens différent,
bons, sages, puissants, etc. Mais en dernière analyse, il n'y a
qu'un seul Dieu bon, un seul sage, etc., c'est-à-dire un seul
Dieu véritable, un seul qui soit Dieu au sens propre et plein
du terme, parce qu'il n'y a qu'un seul Dieu inengendré, le
Père, source de toute bonté, de toute sagesse, de toute puissance, etc. Le Fils ne fait pas nombre avec le Père, car il ne

---

1. Cet aspect des choses, auquel se réduit finalement pour les
néo-nicéens et pour la théologie scolastique la différence entre les
personnes, n'échappe pas à nos auteurs (→ AFFECTUS), mais ils
vont plus loin que cela.
2. *CM* 736,58-737,11. En rigueur de termes, observe Maximinus,
on ne peut même pas parler d'une « nature » (*natura*) du Père,
puisqu'il n'est pas « né » (*natus*) (*CM* 733,7-8).
3. *CM* 730,30-41 ; 733,2-6 ; 740,30-38.
4. *SP* 339v,44-340r,7 ; cf. *Gesta*, 5-16.
5. *SP* 340v,1-16.
6. *SP* 340v,16-341r,3 ; cf. *Gesta*, 22-26.

saurait lui être comparé : « Vnus est Deus quia unus est
incomparabilis [1]. »

Il n'y a pas trois dieux véritables, trois tout-puissants,
trois qui œuvrent ensemble, trois qui siègent ensemble, etc. [2].
Les trois ne sont pas égaux [3], parce que leurs natures et, par
voie de conséquence, leurs opérations sont différentes [4]. Cette
différence de nature implique une différence de degré. Il y a
un premier, un second et un troisième dans l'ordre de l'être,
et pas seulement dans l'ordre d'énumération [5]. La trinité
arienne est une trinité hiérarchisée ; c'est précisément cette
subordination, cette sujétion du Fils au Père qui sauvegarde
l'unicité de Dieu : « De sua subiectione unum statuit Deum [6]. »

De quelle manière alors le Père, le Fils et l'Esprit sont-ils
un [7], tout en étant distincts, différents, inégaux ? C'est
parce qu'ils sont *concordes atque unanimes* [8]. De la même
façon que dans la première communauté chrétienne, « la multitude des croyants n'avait qu'un cœur et qu'une âme »
(*Act.* 4, 32), le Père, le Fils et l'Esprit sont un *in consensu,
in conuenientia, in caritate, in unanimitate* [9]. De la même
façon que « celui qui s'attache au Seigneur est spirituelle-
ment un avec lui » (*I Cor.* 6, 17), le Fils est un avec le Père
(cf. *Jn* 10, 30), parce qu'il s'applique à faire en tout la
volonté du Père [10]. C'est l'amour qui fait leur unité, comme
il fait l'unité des croyants (cf. *Jn* 17, 21-23). Par-delà les
années, la théologie de nos auteurs rejoint ainsi celle des
Pères d'Antioche qui, les premiers, s'appliquèrent à couler

---

1. *Gesta,* 27-32 ; *SP* 340r,7-340v,1 ; *SM* 304r,20-37 ; *CM* 711,
40-712,13 ; 726,12-22 ; 729,21-730,8 ; 738,7-45 ; → INCOMPARA-
BILIS, INCOMPARABILITAS, INCOMPARABILITER, FONS.
2. *SP* 345v,19-34, et la suite ; *SM* 303v,10-29.
3. *SP* 346r,38-346v,5, etc. → AEQUALIS, AEQUALITAS.
4. *SP* 347r,40-348r,6, etc. → DIFFERENS, DIFFERENTIA,
INDIFFERENS.
5. *SA* 305v,26-37, etc. → GRADUS.
6. *CM* 718,23-24 ; 738,11-14.
7. Le latin permet ici d'exprimer d'un mot une nuance qui
échappe au français, *unum, non unus* ; cf. *CM* 736,58-738,6.
8. *CM* 712,42.
9. *CM* 715,50-57.
10. *CM* 715,57-716,7 ; 735,44-736,20.

en formules la doctrine subordinatienne : à considérer la substance, le Père, le Fils et l'Esprit sont trois, mais ils sont un en raison de l'accord parfait qui existe entre eux (ὡς εἶναι τῇ μὲν ὑποστάσει τρία, τῇ δὲ συμφωνίᾳ ἕν) [1].

1. Hahn, p. 186.

ABRÉVIATIONS ET SIGNES CONVENTIONNELS

(Voir l'introduction, p. 44-51)

P	Paris, B. N., *lat. 8907*
‖[1]	Début d'une page dans le manuscrit (le foliotage est indiqué en marge)
|[2]	Début d'une ligne dans le manuscrit (la numérotation des lignes est indiquée en exposant)
a̧	Lettre de lecture douteuse
(a)	Lettre provenant de la résolution d'une abréviation
⌈a⌉	Lettre restituée (support illisible)
[a]	Lettre restituée (support détruit)
<a>	Lettre ajoutée par l'éditeur
a. corr.	ante correctionem (sans autre précision, cette indication et celles qui suivent s'entendent du manuscrit P)
abbr.	abbreuiauit
add.	addidit
canc.	cancellauit
corr.	correxit
p. corr.	post correctionem
sup. l.	supra lineam

TEXTE ET TRADUCTION

298r   1. ‖¹[...66...] |²imperatorum ei scribtae⌐...20
...⌐st⌐...20...⌉b⌐..⌉‖³⌐...⌉sc⌐...⌉as⌐...⌉iniuri⌐...7..
.⌉e⌐...⌉nc⌐..⌉r⌐.⌉m⌐.⌉e⌉ ipsorum s(an)c(t)i Palladi [......]⁴|tiarensis⌐...⌉sa⌐...10...⌉leg⌐....⌉fi⌐...
...⌉neri⌐...26...⌉ |⁵profes⌐......⌉s⌐....⌉sent⌐...14.
...⌉h⌐...20...⌉ scribturarum |⁶|[...12...⌉est⌐...10.
...⌉leg⌐....⌉quod⌐...⌉[....]⌐...12...⌉m⌐...7...⌉‖⁷f⌐...
12...⌉‖⁸dign⌐...⌉e⌐.....⌉‖⁹niqu⌐......⌉r⌐..⌉‖¹⁰uic⌐...10
...⌉‖¹¹t⌐...12...⌉‖¹²d⌐...12...⌉ |¹³Ambrosi⌐......⌉‖¹⁴r
⌐......⌉nti⌐...⌉‖¹⁵ter.

2. Ambrosius [d](ixit) : |¹⁶Ecce quod cristi[a]-
|¹⁷n⌐us constituit⌉ i[m]|¹⁸pe⌐rator. N⌉oluit |¹⁹i⌐niu-
riam face⌉re |²⁰s⌐acer⌉d⌐oti⌉bus; |²¹ipso⌐s inter⌉-
pre|²²tes ⌐consti⌉tuit |²³ep⌐iscopos. Ac⌉ per |²⁴h⌐oc
quonia⌉m in s[a]|²⁵cer⌐dota⌉li conc[i]|²⁶li⌐o conse⌉-
dimus, |²⁷responde ad e[a] |²⁸quae tibi propo-
|²⁹nuntur.

3. Max[i]|³⁰minus episcopu[s] |³¹disserens dixit :
|³²Ecce ⌐...9...⌉‖³³e⌐...7...⌉er⌐.....⌉p⌐...7...⌉el⌐...
8...⌉tensco⌐...7...⌉r⌐.....⌉to⌐...14...⌉‖³⁴ti⌐.....⌉
nquiuen⌐...20...⌉er⌐...13...⌉tate concord⌐......⌉.
4. |³⁵Nam denique sa⌐...8...⌉mper⌐.....⌉p⌐..
.. : «Ambi⌉gua d⌐ogma⌉tum reuerent[ia] |³⁶ne

298r, 3 iniuri + ⌐...⌉ sup. l. ‖ 4 —tiarensis
+ tunc sup. l. ‖ 31 ad haec add. sup. l. ante
disserens

COMMENTAIRES DE MAXIMINUS

I. Commentaire sur les Actes d'Aquilée

1. [...]

2. Ambroise a dit : Voilà ce qu'a décidé l'empereur chrétien. Il n'a pas voulu méconnaître les droits des prêtres ; il a désigné comme arbitres les évêques eux-mêmes. Et par conséquent, puisque nous siégeons dans une assemblée de prêtres, réponds aux questions qui te sont posées [1].

3. L'évêque Maximinus, commentant, a dit : [...]

(4) « Désirant constater au plus tôt que les prêtres ne sont point divisés par un respect équivoque des dogmes,

298r,35-298v,2 *Gesta*, 3

---

1. Le commentateur prend le texte des actes là où commence le débat proprement dit, après les formalités préliminaires. Ambroise se réfère dans cette intervention au rescrit impérial de convocation, dont il venait d'être donné lecture.

dissịdạnṭ sac⌈erdote⌉s quạm prịmụm ex⌈pe⌉ṛịṛị
çụpịẹntes, c⌈onuenire i⌉n [Aqui]|³⁷leiensi⌈um] ciui-
t⌈atem] ẹx dio⌈cesi meritis exce⌉lle⌈ntia⌉ẹ ṭụạẹ
çṛẹḍịṭạm ep[is]|³⁸copos iusse⌈ramus]. Nẹque enịm
⌈co⌉ntrouer⌈sia⌉ ḍụḅ⌈iae se⌉ntentiae rec⌈tiu⌉s potẹ-
|³⁹rat ex[pediri quam si obortae] ạltercạtionis
298v intẹṛpretes ips[os consti|⁴⁰tuissemus antistites], ‖¹ụṭ
[uidelicet a] quịḅụṣ pṛọfịçịṣcụnṭụṛ ịnṣṭịṭụṭạ
ḍọçṭṛịnạẹ, ạḅ hịṣḍẹm ḍịṣ|²cordantis eruditionis
repugnantia soluerentur.» **5**. Hoc utique et
respon|³sa continent s(an)c(t)i Palladi ubi ait :
«Vestro studio factum est ut non esset ge-
|⁴nerale et plenum concilium. Absentibus con-
sacerdotibus nostris |⁵nọṣ ḍẹ fịḍẹ ḍịịụḍịçạre non
possumus.»
    6. Ambrosius d(ixit) : Qụi ṣụnṭ consortes
uestri? |⁶Palladius d(ixit) : Orientales ẹp[i]scopi.
7. Ambrosius d(ixit) : Interim quia superiori-
|⁷bus temporibus |⁸concilium sic |⁹factum est
ut |¹⁰Orientales in |¹¹Orientis par|¹²tibus constitu-
|¹³ti haberent co(n)|¹⁴cilium, Occiden|¹⁵tales in
Occiden|¹⁶te, nos in Occi|¹⁷dentis partibus |¹⁸
constituti con|¹⁹uenimus ad A|²⁰quile<ie>nsium
|²¹ciuitatem iux|²²ta imperato|²³ris preceptu(m).
|²⁴Denique etiam |²⁵prefectus Ita|²⁶liae litteras
|²⁷dedit ut, si uellent |²⁸conuenire, in |²⁹potes-
tate habe|³⁰rent. Sed quia |³¹scierunt consu-

298v, 5 ḍịịụḍịçạre *p. corr.* (ḍịịụ— *in rasura*, —ḍịçạre
sup. l.) : ⌈. . . . .⌉ *a. corr.*

298v,3-5 *Gesta*, 6
298v,5-35 *Gesta*, 6-8

---

1. Maximinus cite ici le début du rescrit impérial de convocation, tel qu'il est reproduit dans les actes d'Aquilée. Sur les questions que soulève ce document, v. p. 122-123.

nous avions ordonné que se réunissent dans la cité d'Aquilée les évêques du diocèse confié aux mérites de votre
Excellence. En effet, la controverse née d'une opinion
incertaine ne saurait être mieux débrouillée que si nous
désignions comme arbitres du conflit qui a surgi les prélats eux-mêmes, de sorte que ceux dont émanent les instructions en matière de doctrine, soient également ceux
qui démêlent les inconséquences d'un enseignement
contradictoire ¹. » **5.** C'est évidemment aussi ce qu'impliquent les réponses de saint Palladius, là où il dit :
« C'est votre fanatisme qui a fait qu'il n'y ait pas de concile
général et plénier ². En l'absence de nos collègues dans
le sacerdoce, nous ne pouvons pas trancher une question
de foi. »

6. Ambroise a dit : Qui sont vos collègues ? — Palladius a dit : Les évêques orientaux ³. — **7.** Ambroise a dit :
En attendant, puisque précédemment un concile a eu
lieu de telle façon que les Orientaux, siégeant dans les
régions d'Orient, tiennent concile, et les Occidentaux
en Occident ⁴, nous, siégeant dans les régions d'Occident,
nous nous sommes réunis dans la cité d'Aquilée conformément à l'ordre de l'empereur. Du reste, le préfet d'Italie a même fait expédier des lettres portant que s'ils voulaient prendre part à l'assemblée, ils en avaient le droit ⁵.
Mais comme ils savaient bien que l'usage était qu'il y

---

2. Le premier projet fut effectivement de réunir à Aquilée un
concile général. C'est à l'intervention d'Ambroise que Gratien opta
ensuite pour l'idée d'une assemblée plus restreinte, réunissant seulement un petit nombre d'évêques occidentaux (cf. p. 121).
3. Cette affirmation apparemment surprenante de la part d'un
évêque de langue latine trouve sa justification non seulement dans
la communauté de doctrine entre Palladius et la fraction majori-
taire de l'épiscopat oriental jusqu'en 381, mais aussi dans le fait
que l'Illyricum « oriental », où se trouve son siège, est géographi-
quement et culturellement très proche de la partie orientale de
l'Empire, à laquelle il fut d'ailleurs rattaché une première fois de
janvier 379 à septembre 380, puis définitivement à partir de 395.
4. Le précédent historique auquel Ambroise fait allusion est
celui des deux conciles tenus parallèlement à Rimini et à Séleucie
en 359.
5. Sur le sens de cette précaution de pure forme, v. p. 124.

|³²aetudinem hu|³³iusmodi ut in Oriente Orien-
talium esset concilium, intra Occidente |³⁴Occi-
dentalium, ideo putauerunt non esse ueniendum.
Palladius d(ixit) : |³⁵Imperator noster Gratianus
iussit Orientales uenire.

8. Maximinus |³⁶episk(opu)s disserens d(icit) :
Hoc utique et in dictis Ambrosii datur intel-
legi |³⁷ubi ait : «Quia scierunt consuaetudinem
huiusmodi ut in [O]riente |³⁸Orientalium esset
concilium, intra Occidente Occ[iden]talium, |³⁹[ideo
puta]uerunt non esse ueniendum.»

299r 9. Palladiu[s d(ixit) : Imperator ||¹noster
Gratianus iussit Orientales uenire. Negas tu
iussisse eum? Ipse] |²imperator nobis dixit se
Orientales iussisse uenire.

Maximinus e[pisk(opu)s di]|³cit : Ecce Ambro-
sius qui superius non conuenisse Orientales
propter [con]|⁴suaetudinem dixerat nunc ad
aliud uertitur argumentum dicens : «|⁵Vtique
iussit qui non prohibuit huc uenire.»

10. Palladius d(ixit) : Sed ne ue|⁶nirent
tua petitio fecit. Sub speciae false uoluntatis
hoc impetrast[i] |⁷et distulisti co[n]|⁸cilium. Am-
br[o]|⁹sius epis(copus) d(ixit) : Euag[as]|¹⁰ti diu-

299r, 9-10 euag[as]|ti *a. corr.* : euag[a]|tus es *p. corr.*

298v,37-39 *Gesta,* 7
298v,39-299r,2 *Gesta,* 8
299r,5 *Gesta,* 8
299r,5-14 *Gesta,* 8-9

---

1. Palladius se réfère ici à une conversation qu'il a eue avec
Gratien à Sirmium en septembre 380, alors que la décision de réunir
un concile général avait été prise depuis peu (cf. p. 129-130).
2. C'est ce qu'Ambroise réplique dans les actes à l'intervention

ait en Orient un concile des Orientaux, et du côté de l'Occident un des Occidentaux, ils ont estimé par conséquent ne pas devoir venir. — Palladius a dit : Notre empereur Gratien a donné l'ordre aux Orientaux de venir.

8. L'évêque Maximinus, commentant, dit : C'est évidemment aussi ce qui est donné à entendre dans les paroles d'Ambroise, là où il dit : « Comme ils savaient bien que l'usage était qu'il y ait en Orient un concile des Orientaux, et du côté de l'Occident un des Occidentaux, ils ont estimé par conséquent ne pas devoir venir. »

9. Palladius a dit : Notre empereur Gratien a donné l'ordre aux Orientaux de venir. Nies-tu qu'il ait donné cet ordre ? L'empereur lui-même nous a dit qu'il avait donné l'ordre aux Orientaux de venir [1].

L'évêque Maximinus dit : Voilà qu'Ambroise, qui avait dit plus haut que les Orientaux ne s'étaient pas rendus à l'assemblée en raison de l'usage, se tourne maintenant vers un autre argument en disant : « Certes, il en a donné l'ordre, puisqu'il n'a pas défendu de venir ici [2]. »

10. Palladius a dit : Mais ta requête a fait en sorte qu'ils ne viennent pas [3]. Tu as obtenu cela sous un prétexte fallacieux [4] et tu as fait remettre le concile [5]. — L'évêque Ambroise a dit : Tu as trop longtemps esquivé

précédente de Palladius. Comme le lui fait observer aussitôt son interlocuteur, sa réponse n'est pas exempte de mauvaise foi. Les lettres du préfet d'Italie, dont il a été question plus haut, laissaient sans doute aux Orientaux, en théorie, la possibilité de venir au concile, mais il était clair pour tout le monde à ce moment-là que leur présence n'était pas souhaitée.

3. Cette requête est la *suggestio*, c'est-à-dire le rapport accompagné de propositions, qu'Ambroise fit tenir à Gratien, et dont fait état le rescrit de convocation (cf. *Gesta*, 4).

4. A savoir le souci de ménager la santé des évêques qui auraient dû venir de loin, de ne pas leur imposer un voyage trop coûteux pour leurs maigres ressources, de ne pas priver trop longtemps les Églises de la présence de leurs pasteurs (cf. *Gesta*, 4 ; *Ep.* « Benedictus », 2-3).

5. Dans l'esprit de Palladius, l'assemblée devant laquelle il se trouve n'est pas un vrai concile. Il persiste à réclamer la tenue du concile général dont lui a parlé Gratien et entend bien ne répondre de sa foi que devant lui.

Scolies ariennes.   14

tius, respọ[n]|¹¹de nunc. Bene dị|¹²xit **Arrius**
solu(m) |¹³sempiternum |¹⁴Patrem?

11. Max[i]|¹⁵minus episk(opu)s di[s]|¹⁶serens di-
cit : Eç[ce] |¹⁷exclusus et ab |¹⁸hac ratione
itẹ|¹⁹rum ad aliud |²⁰conuertitur |²¹argumentum.
|²²Nam tam peti|²³tio ipsorum quạ[m] |²⁴etiam
et resp[on]|²⁵sio imperator[is] |²⁶declarat uer[e]
|²⁷«sub speciae faḷ|²⁸sae uoluntatiṣ» |²⁹hoc eos
impetr[as]|³⁰se. Ideo ergo co[n]|³¹uictus ad Ar-
r[i e]|³²pistulam se uẹ[r]|³³tit, — si tamen
Arrii potest dici. Quam non conprobauit, sicut
sequens ind[icat] |³⁴textus : **(12)** «Et», adiecit
Ambrosius, «secundum Scribturas hoc dixit Ar-
rius a[n] |³⁵non?» Et ut ipsi aiunt, «Palladius
d(ixit) : Non tibi respondeo.»

Constantius epis(copus) [d](ixit) : |³⁶Non res-
pondes qui tamdiu blasfemasti? Euseuius epis-
(copus) d(ixit) : Sed dẹḅ[e]|³⁷bis fidei tuae
simpliciter prodere libertatem. Si a te gentilis
exigeret |³⁸quemadmodum in Cr(istu)[m crederes,
c]onfiteri erubescere non deb[eres].

299v   **13**. ‖¹[Maximinus e]p[is]k(opu)ṣ dịṣṣẹrẹns d(i-
cit) : Vtique gentilis fuit Demetrianus ad

---

29 eos *a. corr.* : eum *p. corr.* ‖ 30 —se + ut
differretur *sup. l.* ‖ 35 aiunt + in gestis suis *sup. l.*

299r,27-28   Cf. *supra* l. 6
299r,34-35   *Gesta*, 9
299r,35-38   *Gesta*, 9

---

1. Ambroise essaie de couper court au débat de procédure et de
ramener Palladius au débat sur le fond, en lui soumettant à nouveau la question qu'il lui avait posée d'entrée de jeu (cf. *Gesta*, 5).
2. L'interrogatoire de Palladius est basé sur la profession de foi
adressée par Arius à Alexandre d'Alexandrie. Ambroise demande à
l'évêque illyrien de reconnaître au Fils les différents attributs
qu'Arius entend réserver au Père seul (cf. p. 138-139).
3. Il n'y a, en fait, aucune raison de douter de l'authenticité de

le débat, réponds maintenant. Arius a-t-il eu raison de
dire que seul le Père est éternel [1] ?

11. L'évêque Maximinus, commentant, dit : Voilà que,
empêché également de recourir à cette explication-là, il
se retourne de nouveau vers un autre argument. Car
aussi bien leur requête que la réponse même de l'empereur rend manifeste que c'est effectivement « sous un
prétexte fallacieux » qu'ils ont obtenu cela. Se voyant
donc ainsi confondu, il se tourne vers la lettre d'Arius [2],
— si tant est qu'elle puisse être attribuée à Arius [3]. Elle
n'a pas reçu son approbation, comme l'indique la suite
du texte : **(12)** « Et ce disant », a ajouté Ambroise, « Arius
était-il d'accord avec les Écritures ou non ? » Et ainsi
qu'ils le disent eux-mêmes, « Palladius a dit : Je ne te
réponds pas [4]. »

L'évêque Constantius a dit : Tu ne réponds pas, après
avoir si longuement blasphémé [5] ? — L'évêque Eusèbe
a dit : Tu devrais pourtant, en toute simplicité, exposer
ta foi qui rend libre. Si un païen te demandait de quelle
façon tu crois au Christ, tu ne devrais pas avoir honte de
le confesser.

13. L'évêque Maximinus, commentant, dit : C'était
un païen, évidemment, ce Demetrianus [6] à qui saint

ce document, mais il semble avoir été inconnu de Palladius aussi
bien que de Maximinus.

4. Dans les actes qui ont été publiés par leurs soins, Ambroise
et son parti témoignent eux-mêmes que Palladius n'a pas approuvé
le contenu de la lettre d'Arius, puisqu'il refuse de répondre.

5. La séance officielle, dont les actes donnent le compte rendu,
avait été précédée de conversations officieuses qui avaient duré
plusieurs heures (cf. p. 133-137).

6. L'idée générale du commentaire de Maximinus est la suivante :
ce n'est pas mal à propos qu'Eusèbe insiste pour que Palladius
réponde à Ambroise, de la même façon qu'il répondrait à un païen
qui lui demanderait de l'éclairer sur sa foi. En effet, Ambroise a eu
la réaction d'un païen en imputant aux chrétiens d'Illyricum, dans
son *De fide* (II, xvi, 139-141), la responsabilité des ravages causés
dans cette région par les Goths en 376-377. Le païen Demetrianus,
à qui répliqua autrefois saint Cyprien, ne parlait pas autrement
quand il rendait les chrétiens responsables de toutes les calamités
du temps. — C'est sans doute à Palladius que Maximinus doit l'idée

quem |²[diu si]lentium tenens s(an)c(tu)s Cypria-
nus in ultimo sic respondit — quod |³et
iste s(an)c(tu)s fecisse conprobatur : «Oblatran-
tem te et aduersum |⁴D(eu)m qui unus et
uerus est ore sacrilego et uerbis impiis obstre-
|⁵pentem frequenter, Demetriane, contemseram,
uerecundius |⁶et melius existimans errantis inpe-
ritiam silentio spernere |⁷quam loquendo |⁸de-
mentis insani|⁹am prouocare. |¹⁰Nec hoc sine
ma|¹¹gisterii diuini |¹²auctoritate fa|¹³ciebam, cum
|¹⁴scribtum sit : *In* |¹⁵*aures inprude(n)*|¹⁶*tis ne
quiquam* |¹⁷*dixeris, ne cum* |¹⁸*audierit inri*|¹⁹*deat
sensatos* |²⁰*sermones tuos*ᵃ, |²¹et iterum : *Noli*
|²²*respondere im*|²³*prudenti ad im*|²⁴*prudentiam*
|²⁵*eius, ne similis* |²⁶*fias illi*ᵇ, et sanc|²⁷tum
quoque iu|²⁸ueamur intra |²⁹conscientiam |³⁰nos-
tram reti|³¹nere nec incul|³²candum por|³³cis et
canibus exponere, loquente D(omi)no ac di-
cente : *Ne dederitis sanc*|³⁴*tum canibus neque
miseritis margaritas uestras ante porcos, ne*
|³⁵*inculcent eas pedibus suis et conuersi elidant
uos*ᶜ», — quod uos facere |³⁶[es]tis conati.
Sequitur : «Nam cum ad me sepe studio
magis contra|³⁷dicendi quam uoto discendi ue-
nires et clamosis uocibus perso|³⁸nans males
tua inpudenter i[ngerere qua]m̨ nostra patienter
300r ||¹[audire, ineptum uidebatur congredi tecum,
quando facilius esset et leuius] |²turbulenti

299v   a. Prov. 23, 9   b. Prov. 26, 4   c. Matth. 7, 6

299v,3-300r,39 CYPRIEN DE CARTHAGE, *Ad Demetrianum*, 1-2 (cf. *CCL* 3A, p. 35-36)

de comparer Ambroise à Demetrianus. On retrouve, en effet, ce
nom dans une phrase lacuneuse de l'apologie de Palladius (cf. 345v,
6). Il est possible que Palladius développait plus longuement ce
parallèle dans sa réfutation du *De fide*.

Cyprien, après avoir longtemps gardé le silence, a fini par
répondre ainsi [1] (c'est ce qu'a fait manifestement, lui
aussi, le saint dont nous parlons [2]) : « Tandis que tu
aboyais, Demetrianus, et qu'à grands cris, tu te répandais
en propos impies, d'une bouche sacrilège, contre le Dieu
unique et véritable, j'avais souvent dédaigné de répondre,
jugeant plus digne et plus avantageux d'opposer à l'ignorance d'un égaré un silence méprisant, plutôt qu'en prenant la parole, de susciter le délire d'un fou. Et ce faisant,
j'avais la caution d'un enseignement divin, puisqu'il est
écrit : A l'oreille de l'insensé, ne va pas dire quoi que ce
soit, de peur qu'ayant entendu, il ne tourne en dérision
tes discours de sagesse [a], et encore : Ne réponds pas à
l'insensé conformément à sa folie, pour éviter de devenir
semblable à lui [b] ; et il nous est prescrit également de
conserver ce qui est saint dans le secret de notre cœur et
de ne pas l'offrir en pâture aux porcs et aux chiens pour
qu'ils le piétinent : Ne donnez pas ce qui est saint aux
chiens, dit le Seigneur, et ne jetez pas vos perles devant
les porcs, de peur qu'ils ne les foulent aux pieds et que,
se retournant, ils ne vous taillent en pièces [c]. » — C'est
ce que vous avez tenté de faire. — Suite du texte : « En
effet, comme tu étais poussé souvent, en venant vers moi,
par l'envie d'apporter la contradiction plus que par le
désir de t'instruire, et comme tu préférais proclamer sans
retenue, d'une voix retentissante, tes propres idées, plutôt que nous entendre calmement exposer les nôtres, il
apparaissait vain d'engager le débat avec toi, alors qu'il
eût été plus facile et plus simple d'apaiser en criant les

1. Cyprien est l'une des autorités dont se réclamait le plus
volontiers l'arianisme latin. Voir à ce propos Y. M. Duval, « L'influence des écrivains africains du IIIe siècle sur les écrivains chrétiens de l'Italie du Nord dans la seconde moitié du IVe siècle », dans
Aquileia e l'Africa (*Antichità Altoadriatiche*, 5), Udine 1974, p. 191-
225, spécialement p. 217-223.
2. Palladius souligne également dans son apologie qu'il a longtemps refusé de répondre avant de se résigner à engager le débat
sur le fond, pour ne pas être accusé de lâcheté ou d'hésitation en
matière de foi (cf. 339v,8-30).

maris concitos fluctus clamoribus retundere
quam tuam rab[i]|³em tractatibus cohercere.
Certe et labor irritus et nullus effectus offerre
|⁴lumen ceco, sermonem surdo, sapientiam bruto,
cum nec sentire bru|⁵tus possit nec cecus lu-
men admittere nec surdus audire. Haec con-
|⁶siderans», ait, «saepe conticui et inpatientem
patientia uici, cum nec do|⁷cere indocilem
|⁸possem nec imp[i]|⁹um religione ç[om]|¹⁰primere
nec f[u]|¹¹rentem leni|¹²tate cohibere. |¹³Sed enim
cum d[i]|¹⁴cas plurimos |¹⁵conqueri tecu[m] |¹⁶et
quod bella cr[e]|¹⁷brius surgant, |¹⁸quod lues,
quod |¹⁹famęs seuiant |²⁰quodque imbreş |²¹et
pluuias sere|²²na longa suspen|²³dant nobis in-
pu|²⁴tari» — quod et tu, |²⁵o Ambrosi, feci[s]-
|²⁶se conprobaris, |²⁷etiam uastati[o]|²⁸nem bar-
bar[ae] |²⁹incursionis no[bis] |³⁰aplicans ⌈....⌉
—, |³¹«tạcere ultra non |³²oportet, nę iạm
|³³non uerecundiae sed diffidentiae esse incipiat
quod tacemus, et dum |³⁴criminationes falsas
contemnimus refutare, crimen uideamur agnoscere.
|³⁵Respondeo igitur et tibi, Demetriane, pariter
et ceteris quos tu forsita[n] |³⁶concitasti et
aduersum nos odia tuis maledicis uocibus semi-
nando com[i]|³⁷tes tibi plures radicis adque
originis tuae pullulatione fecisti, quos ta|³⁸men
sermonis nostri admittere credo rationem; nam
qui ad malum |³⁹[motus est mendacio fallente
multo magis ad bonum mouebitur ueritate].»

300v 14. ||¹[Ma]x[iminus e]p[is]ḳ(opu)[s] disserens di-

300r, 14 plurimos *p. corr.* (lu *sup. l.*) : p⌈....⌉
rimos *a. corr.* || 20 quoque *a. corr.* || 30 ⌈....⌉
+ ⌈..⌉ *sup. l.* || 31 tạcere *p. corr.* (tạ— *sup. l.*
ante —cere) || 34 crimen *sup. l.*

---

1. Le texte cité présente quelques variantes par rapport à celui
établi par M. SIMONETTI (*CCL* 3A, p. 35-36). En voici le relevé.

flots déchaînés d'une mer en furie, que de contenir ton
emportement par des discours. On est certain de perdre
sa peine et de n'arriver à rien en apportant la lumière à
un aveugle, la parole à un sourd, la sagesse à un idiot,
puisqu'un idiot ne peut comprendre, ni un aveugle recevoir la lumière, ni un sourd entendre. Considérant cela »,
dit-il, « je me suis souvent tu et je suis venu à bout d'un
homme intolérant par la patience, puisque je ne pouvais
pas instruire quelqu'un qui refusait d'apprendre, ni imposer le silence à un impie en faisant appel à son sens religieux, ni ramener à la raison une tête chaude en recourant à la douceur. Mais puisque tu dis que beaucoup se
plaignent avec toi, et qu'on nous impute le fait que des
guerres se déclenchent plus fréquemment, que la peste,
que la famine sévissent, et que de longues périodes de
beau temps nous privent des averses et des pluies », —
c'est ce que toi aussi, Ambroise, tu as manifestement fait,
en nous attribuant même les ravages de l'invasion barbare, — « il ne faut pas nous taire plus longtemps, de
peur que notre silence ne commence à s'apparenter à un
défaut de confiance plutôt qu'à une saine réserve, et
qu'en dédaignant de réfuter des accusations menson-
gères, nous ne donnions l'impression de reconnaître le
crime. Je te réponds donc, Demetrianus, à toi et en même
temps à ces autres auxquels tu as sans doute monté la
tête et dont, en semant les haines contre nous par tes
propos désobligeants, tu t'es fait des compagnons en
grand nombre, comme autant de rejets sur une racine-
mère. Je crois cependant qu'ils seront sensibles à l'argumentation de notre discours, car celui qui a été porté au
mal, trompé par le mensonge, sera bien davantage porté
au bien par la vérité [1]. » **14.** L'évêque Maximinus, com-

299v, 3 aduersum P : aduersus *Sim.* (= P 300v,4) ‖ 16 ne quiquam
dixeris P : noli quicquam dicere *Sim.* ‖ 17 cum P : quando *Sim.* ‖
30 retinere P : tenere *Sim.* ‖ 35 et conuersi elidant uos P *om. Sim.* ‖
300r, 15 tecu[m] P *om. Sim.* ‖ 34 crimen uideamur P *p. corr., transp.*
Sim. Aucune de ces variantes ne se retrouve dans les manuscrits
collationnés par Simonetti, sauf *et conuersi elidant uos* (dans le
Parisinus latinus 1647A). Cette citation, dont Simonetti n'a pas

ci̧t : [...34...] |²offerre nisi sumus, attamen
et hic sonat Euangelii ueritasᵃ quam s(an)c-
(tu)s Pal|³ladius cum suo comite defendisse
probatur. Nam cum dicit s(an)c(tu)s Cypria-
|⁴nus : «Oblatrantem te et aduersus D(eu)m qui
unus et uerus est...», nonne hoc con|⁵pro-
bauit Arrium docuisse? Constat ergo Arrium
episcopos secutu(m) |⁶fuisse, non episcopos Ar-
rium. Ecce ante quantos annos, ante plurimas
|⁷utique generatio|⁸nes Cyprianus |⁹beatissimus
mar|¹⁰tur unum et solum |¹¹adseruit uerum
|¹²D(eu)m, qui utique Cr(ist)i |¹³d(e)i n(ostri)
D(eu)s ab ipso Dei |¹⁴Filio adprobatur! |¹⁵De-
nique in tem|¹⁶pore tra̧nsi̧tu̧s |¹⁷hac usus est
uoce |¹⁸D(e)i Filius Cr(istu)s, sicut |¹⁹Iohannes
euange|²⁰lista refert di|²¹cens : *Leuauit Ih(esu)s*
|²²*oculos ad celum* |²³*et dixit : Pater,* |²⁴*uenit*
ora, hono|²⁵*rifica Filium tuu(m),* |²⁶*ut et Filius*
tuus |²⁷*honorificet te,* |²⁸*sicut dedisti ei* |²⁹*potes-*
tatem om|³⁰*nis carnis, ut om*|³¹*ne quod dedisti*
ei |³²*det illis uitam ae*|³³*ternam; haec est autem*
uita aeterna ut cognoscant te solum uerum
|³⁴*D(eu)m et quem misisti Ih(esu)m Cr(istu)m*ᵇ.
15. *Te*, ait, *solum uerum D(eu)m*, non «me
et te et |³⁵Sp(iritu)m S(an)c(tu)m», ut uos di-
citis, «unum solum uerum D(eu)m», sed *te*
solum uerum |³⁶*D(eu)m*. In sequenti uero, *et*
quem misisti Ih(esu)m Cr(istu)m, ostendit se
missum, cre|³⁷di uerum quidem d(eu)m et
uitam aeternamᶜ, non tamen connume|³⁸rari uel

300v, 3 comite + Secundiano et coepiscopo *sup. l.*
‖ 4 hocon— *a. corr.* ‖ 5 sepiscopos *a. corr.* ‖ 8
—nes + huius altercationis *sup. l.* ‖ 12 D(eu)m
+ secundum magisterium saluatoris ut cognoscant te
solum uerum d(eu)m *sup. l.* ‖ 13 n(ostri) + tes-
timonio solus *sup. l.* ‖ 33 te *iteratur* ‖ 35 dicitis
+ tres *sup. l.*

mentant, dit : [...] ici aussi, cependant, retentit la
« vérité de l'Évangile [a] », que saint Palladius, avec son
compagnon [1], a manifestement défendu. Car en disant :
« Tandis que tu aboyais contre le Dieu unique et véritable... », saint Cyprien n'a-t-il pas approuvé sur ce point
l'enseignement d'Arius ? Il est donc établi qu'Arius a
suivi les évêques, et non les évêques Arius [2]. Voilà que
tant d'années, voilà que bien des générations auparavant,
de toute évidence, le bienheureux martyr Cyprien a
affirmé un seul et unique Dieu véritable, dont le Fils de
Dieu lui-même démontre à l'évidence qu'il est le Dieu du
Christ notre dieu [3] ! En effet, au moment de son passage,
c'est cette expression qu'a employée le Christ, Fils de
Dieu, ainsi que le rapporte l'évangéliste Jean : « Jésus
leva les yeux au ciel et dit : Père, l'heure est venue, rends
honneur à ton Fils, afin que ton Fils aussi te rende honneur, comme tu lui as donné pouvoir sur toute chair, afin
que tout ce que tu lui as donné, il leur donne la vie éternelle. Or, la vie éternelle, c'est qu'ils te connaissent, toi
le seul Dieu véritable, et celui que tu as envoyé, Jésus-
Christ [b]. » 15. « Toi le seul Dieu véritable », dit-il ; non
pas « moi et toi et l'Esprit-Saint, un seul et unique Dieu
véritable », comme vous dites, mais « toi le seul Dieu véritable [4] ». Dans ce qui suit, d'autre part, « et celui que tu as
envoyé, Jésus-Christ », il indique qu'il a été envoyé ; au
regard de la foi, certes, il est « véritable dieu et vie éternelle [c] » ; il n'est cependant pas assimilé ou comparé à

300v a. Cf. Gal. 2, 5.14 ; Col. 1, 5   b. Jn 17, 1-3   c. Cf.
I Jn 5, 20

tenu compte dans son édition, relève donc d'une tradition textuelle
légèrement différente de l'archétype commun à tous les manuscrits
conservés.
   1. A savoir l'évêque Secundianus, comme le précise une glose
dans le manuscrit.
   2. Le concile d'Antioche de 341 insistait déjà sur ce fait ; cf.
p. 177-178.
   3. Sur le sens de cette formule, v. p. 192.
   4. Sur l'opposition entre la théologie trinitaire des ariens et celle
des nicéens, v. p. 196-197. Sur Jn 17, 3, en particulier, v. p. 180-181.

218   COMMENTAIRES DE MAXIMINUS

conparari mittenti, sed missum uerum d(eu)m,
301r ut ait et ipse : ||¹*[E]g[o sum uia et ueritas
et uita, nemo uenit ad]* P̣*[atrem nisi] p[er
me*ᵃ, testificans non]|²nisi per alterum missum
ad alterum mittentem posse accessum inueniri,
si|³cut Apostolus dicit : *Quoniam per ipsum
accessum habemus ambo in uno Sp(irit)u* |⁴*ad
Patrem*ᵇ.

16. Sequitur in ipsis gestis. Sauinus epis-
c(opus) d(ixit) : *Tu petisti ut responde*|⁵*remus.
Hodiae ex uoluntate tua et urguente* te
conuenimus et non expec|⁶*tabimus reliquos fra-
tres qui poterant uenire. Proinde non* tibi
est liberum |⁷*euagari.* Cr(istu)m |⁸*dicis esse
craea*|⁹*tum aut* semp[i]|¹⁰*ternum dicis* e[s]|¹¹*se
Filium* D(e)i?

17. |¹²Maximinus episḳ(opu)[s] |¹³disserens d(i-
cit) : Ap[pa]|¹⁴ret uersutia in|¹⁵terrogantis qu[i]
|¹⁶sic uult Filium seṃ|¹⁷piternum dici ut |¹⁸in-
craeatus ess[e] |¹⁹dicatur, non reṣ|²⁰piciens ad
sua |²¹dicta in quibus ait : |²²«Cr(istu)m dicis
esse cra[e]|²³atum aut semp[i]|²⁴ternum dicis
ess[e] |²⁵Filium D(e)i», cum ut[i]|²⁶que «cr(istu)s»
uocabu|²⁷lum nonnisi unc|²⁸torem requira[t],
|²⁹adaeque et «fiḷi[us]» |³⁰patrem haber[e] |³¹de-

301r, 21 quibus *p. corr.* : quạ *a. corr.*

301r a. Jn 14, 6   b. Éphés. 2, 18

301r,4-11 *Gesta,* 10

---

1. Sur la mission comme signe de subordination, v. p. 193. Sur
I Jn 5, 20, v. p. 181, n. 2.
2. V. intr., p. 131-132.
3. Pour Maximinus, qui ne distingue pas entre principe au sens
ontologique et principe au sens chronologique du mot, d'une part,
et qui traite « créer » et « engendrer » comme synonymes, d'autre
part, dire que le Fils est éternel reviendrait à affirmer qu'il est

celui qui envoie, mais bien véritable dieu envoyé, comme
il le dit également lui-même : « Je suis la voie et la vérité
et la vie, personne ne vient au Père, si ce n'est par moi [a] » ;
il atteste ainsi qu'on ne peut trouver accès auprès du
premier, celui qui envoie, que par un autre, celui qui a
été envoyé, comme le dit l'Apôtre : « Par lui, nous avons
accès tous les deux dans un unique Esprit auprès du
Père [b] [1]. »

16. Suite du texte des Actes. L'évêque Sabinus a dit :
C'est toi qui as demandé que nous répondions. Si nous
nous sommes réunis aujourd'hui, c'est parce que tu l'as
voulu et sur tes instances, et nous n'avons pas attendu
les autres frères qui auraient pu venir [2]. Par conséquent,
tu n'es pas libre d'esquiver le débat. Le Christ, dis-tu qu'il
a été créé, ou bien dis-tu qu'il est éternel, le Fils de Dieu ?

17. L'évêque Maximinus, commentant, dit : On voit
apparaître la fourberie de l'interrogateur, qui veut que le
Fils soit dit éternel de telle façon qu'il soit dit être incréé [3]. Il ne prend pas garde à ses propres paroles, dans
lesquelles il dit : « Le Christ, dis-tu qu'il a été créé, ou
bien dis-tu qu'il est éternel, le Fils de Dieu », puisque le
mot « christ », évidemment, ne postule rien d'autre que
quelqu'un qui oint [4], et que pareillement « fils » démontre
qu'il y a un père. C'est évident : si le Fils n'était point

incréé, c'est-à-dire inengendré comme le Père ; cf. 303v,20-22 :
« ... tres sempiternos, id est tres ingenitos. »

4. Les ariens, conformément à la tradition anténicéenne, considèrent l'onction du Christ comme allant de pair avec sa génération
(voir A. Orbe, *Estudios Valentinianos*, t. 3 : *La uncion del Verbo*
[*Analecta Gregoriana*, 113], Rome 1961, en particulier p. 603-609 ;
noter cependant qu'Irénée fait exception, cf. *SC* 210, p. 248-252 ;
pour Eusèbe de Césarée, voir A. Weber, *ARXH. Ein Beitrag zur
Christologie des Eusebius von Cäsarea*, s. l. 1965, p. 59-69). Dans
l'esprit de Palladius, *Christus* est un nom « divin » ; il ne désigne
pas le Christ dans sa condition charnelle, mais dans sa condition
divine (*Gesta*, 22-23 ; cf. *SP* 340v,16-341r,3). Maximinus n'est pas
moins explicite à ce propos dans son débat avec saint Augustin
(*CM* 734,11-31). Les nicéens, au contraire, affirment que le Christ
a été oint en tant qu'homme ; ainsi Athanase, *C. arian.*, I, 46 ;
ainsi également Ambroise, qui insiste à plusieurs reprises sur ce
point (v. Gryson, *Le Prêtre*, p. 49-51).

monstret. |³²Vtique si Filius ę |³³principio non
ç[rea]|³⁴ret, de cuius principio arguens euange-
lista iudeos qui ad solam carnis |³⁵respiciebant
natiuitatem ait : *In principio erat Verbum*ᶜ,
prout di|³⁶cat : «In principio omnis craeaturae
iam erat»? Ipse est sane princi|³⁷pium in
quo D(eu)s fecit caelum et terramᵈ, qui et
interrogatus a iudeis : |³⁸«Quid dicis de
teipso*ᵉ*?», respondit : *Principium quod et lo-*
*quor uobis*ᶠ, |³⁹quod Paulus interpretans dicit :
Quia in Cr(ist)o craeata sunt omnia quae
|⁴⁰*sunt in caelis et quae sunt in terra, uisi-*
*bilia et inuisibilia*ᵍ.

301v 18. ||¹Palladius d(ixit) : Dixi tibi, nos ideo
scribsimus uobis ut ueniremus et conuince-
remus |²quod non recte fecissetis subripere
imperatori. Ambrosius d(ixit) : Legatur |³epis-
tula Palladi, utrum nobis hoc mandauerit, et
docebitur quod etiam nunc |⁴fallit. Palladius
dixit : Legatur plane! Episcopi dixerunt :
Imperator |⁵cum presens esset Sirmio, tu illum
interpellasti an ipse te conpulit? |⁶Et adiece-
runt : Quid ad ista respondis? Palladius
dixit : Dixit mihi : «Vade!» Diximus :
|⁷«Orientales con|⁸uenti sunt?»

19. Maxi|⁹minus interpre|¹⁰tans dicit : Ecce
|¹¹et hic uersutia in|¹²tellegitur Ambro|¹³sii qui
legendam |¹⁴iusserat epistu|¹⁵lam Palladi. Exis-
|¹⁶tente uero Palla|¹⁷dio ut legeretur, |¹⁸aut

---

37 —pium + qui erat *sup. l.* ‖ 40 terris *p. corr.*
301v, 3 mandauit *a. corr.* ‖ 6 adiecerunt *scripsi* :
adiecit P *(ex abbr.* adi *falso resoluta)* ‖ 9 —minus
+ epis(copus) *sup. l.* ‖ 15 exis— *a. corr.* : insis—
p. corr.

créateur issu d'un principe, du principe de qui l'évangéliste dit-il, en visant les juifs qui ne considéraient que la
seule naissance de la chair : « Dans le principe était le
Verbe [c] », comme s'il disait : « Dans le principe de toute
créature, il existait déjà » ? Lui-même est, certes, le
« principe » en qui « Dieu a fait le ciel et la terre [d] » ; aux
juifs qui l'interrogeaient : « Que dis-tu de toi-même [e] [1] ? »,
il a répondu également : « Le principe, c'est aussi ce que
je vous déclare [f] » ; c'est ce que Paul explique en disant :
« Parce que dans le Christ ont été créées toutes choses,
celles qui sont dans les cieux et celles qui sont sur la
terre, les choses visibles et les choses invisibles [g]. »

18. Palladius a dit : Je te l'ai dit, si nous vous avons
écrit, c'était dans l'intention de venir démontrer que
vous n'avez pas agi correctement en intriguant auprès
de l'empereur. — Ambroise a dit : Qu'on lise la lettre de
Palladius, pour voir si c'est cela qu'il nous a fait savoir,
et on verra bien qu'une fois de plus, il nous trompe. —
Palladius a dit : Parfaitement, qu'on la lise [2] ! — Les
évêques ont dit : Alors que l'empereur se trouvait à Sirmium, est-ce toi qui t'es adressé à lui ou lui qui t'a forcé
la main ? — Et ils ont ajouté : Que réponds-tu à cela ? —
Palladius a dit : Il m'a dit : « Va ! » Nous avons dit : « Les
Orientaux ont-ils été convoqués [3] ? »

19. Maximinus, expliquant, dit : « Voilà qu'ici aussi,
on comprend la fourberie d'Ambroise. Il avait ordonné
de lire la lettre de Palladius ; mais quand Palladius inter-
vint pour qu'elle fût lue, ou bien elle a été lue, et ils ont

c. Jn 1, 1   d. Cf. Gen. 1, 1   e. Cf. Jn 1, 22   f. Jn 8, 25
g. Col. 1, 16

301v,1-8   *Gesta*, 10

1. En fait, les juifs demandent à Jésus dans *Jn* 8, 25 : « Tu quis
es ? » ; la question « Quid dicis de teipso ? » est celle des juifs à Jean-
Baptiste dans *Jn* 1, 22.
2. V. intr., p. 133.
3. Il s'agit toujours de l'audience que Palladius a eue à Sirmium
en septembre 380, et dont il a déjà été question plus haut (cf. 298v,
35 ; 299r,1-2).

lecta est et |¹⁹uicti sunt et non |²⁰est scrib-
tum, |²¹aut non est lecta, |²²quia utique
ẹ⌈or⌉ụ(m) |²³erant excepto|²⁴res, qui Palladio
|²⁵non obtenpera|²⁶bant. Et ideo merito |²⁷in
⌈...10...⌉ : |²⁸«Exceptores ụẹṣ|²⁹tri sunt ⌈......⌉
|³⁰d⌈.....⌉ non scri|³¹bitur.»

Sequiṭụr (20) |³²Palladius inter|³³rogans : Con-
uen|³⁴ti sunt Orientales? Respondit imperator :
Conuenti sunt. Et adiecit : Numquid |³⁵si
Orientales non fuissent conuenti nos conuenissemus?
Ambrosius d(ixit) : |³⁶Sequestrata sit causa
Orientalium. Sententiam tuam hodie quero.

21. |³⁷Maximinus episk(opu)s interpretans d(i-
cit) : Et hic apparet quoniam pro sua
|³⁸uoluntate scribserunt quod eos libuit. Vi-
dentes conuinci se respon|³⁹derunt : «Sententiam
tuam hodiae quero. Arrii tibi epistula lecta
302r est; ||¹[soles te arri]ạṇụṃ ṇẹgạ[re; aut damna
hodie Arrium aut defende.»

Palladius d(ixit)] : |²Non est hoc auctori-
tatis tuae ut hoc a me quaeras. 22. Euse-
uius d(ixit) : Non credimus re|³ligiosum impera-
torem aliud dixisse quam scribsit. Episcopos
iussit conuenire. |⁴Non potuit tibi soli contra
rescribtum suum dicere ut sine Orientalibus
causa |⁵minime diceretur. Palladius d(ixit) :
Ergo Itali soli iussi sunt conuenire, exclusis
eis? |⁶Et hinc (23) Euagrius presbyter et
legatus dicit : Et ante quattuor dies et
ante uiduu(m) |⁷respondere te [et] |⁸adfuturum

---

19 çọ(n)uicti *p. corr.* ‖ sunt + de propositione
fạçtạ *sup. l.* ‖ 26 —bant *p. corr.* : —bat *a. corr.*
‖ 32 *ab initio lineae incipiens* ut dịçṭ⌈um est⌉ *add.*
sup. l. ‖ 33 —rogauit *p. corr.*

été confondus, et cela n'a pas été écrit, ou bien elle n'a pas
été lue, évidemment parce que les secrétaires étaient des
leurs et n'obéissaient pas à Palladius. Et c'est pourquoi
[il dit] avec raison [par la suite] : « Ce sont vos secrétaires ;
[voilà pourquoi ce que nous disons] n'est pas écrit [1]. »

20. Palladius poursuit en interrogeant : Les Orientaux
ont-ils été convoqués ? L'empereur a répondu : Ils ont
été convoqués. Et il a ajouté : Est-ce que, si les Orientaux n'avaient pas été convoqués, nous nous serions rendus à l'assemblée ? — Ambroise a dit : Laissons de côté
la question des Orientaux. C'est ton opinion que je veux
connaître aujourd'hui.

21. L'évêque Maximinus, expliquant, dit : Ici aussi,
il apparaît qu'ils ont écrit à leur gré ce qui leur a plu. Se
voyant confondus, ils ont répondu : « C'est ton opinion
que je veux connaître aujourd'hui. On t'a lu la lettre
d'Arius ; tu nies généralement être arien ; aujourd'hui,
ou bien condamne Arius, ou bien prends sa défense. »
Palladius a dit : Tu n'as pas qualité pour exiger cela de
moi. — **22.** Eusèbe a dit : Nous ne croyons pas que le
pieux empereur ait dit autre chose que ce qu'il a écrit.
Il a ordonné aux évêques de se réunir. Il n'a pas pu te
dire à toi seul, contrairement aux termes de son rescrit,
que sans les Orientaux, la cause ne serait point jugée. —
Palladius a dit : Donc, seuls les Italiens ont reçu l'ordre
de se réunir, à l'exclusion de ceux-là ? — **23.** Et là-
dessus Evagrius, presbytre délégué, dit : Il y a quatre
jours, et avant-hier encore, tu avais dit que tu répondrais

301v,31-35   Cf. *Gesta*, 10
301v,35-36   *Gesta*, 11
301v,39-302r,1   *Gesta*, 11
302r,1-28   *Gesta*, 11

1. Palladius conteste à plusieurs reprises l'objectivité des sténographes ; cf. *Gesta*, 34.43.46.51.52. Secundianus fait la même observation (*Gesta*, 69). On n'a pas de raison, cependant, de supposer
que le procès-verbal ne soit pas sincère ; ces remarques sont de
bonne guerre et pour ainsi dire classiques dans les circonstances de
ce genre. Lors de la conférence de Carthage de 411, les donatistes
se plaignent également sans cesse des sténographes. V. intr., p. 54-56.

dixe|⁹ras. Ergo expect[a]|¹⁰bas, ut dicis, «orien-
|¹¹talium consor|¹²tium» tuorum sen|¹³tentiam? Sic
deb[u]|¹⁴isti mandare, n[on] |¹⁵promittere con-
|¹⁶flictum. Pallą|¹⁷dius epis(copus) d(ixit) : †Quia
quą|¹⁸si ad concilium |¹⁹plenum uenera(m) |²⁰uidi
non conue|²¹nisse consortes |²²meos ut conue-
|²³nirem uos et di|²⁴cerem secundu(m) |²⁵iussio-
nem ęgęrị|²⁶tis sed in preiudi|²⁷cium futuri con-
|²⁸cilii egiṣ†.

24. Maximinụ[s] |²⁹episcopus interpṛ[e]|³⁰tans d(i-
cit) : Apparet |³¹in hoc loco ridic[u]|³²lum
potius ex ei[us] |³³responsis, id est s(an)c(t)i
Palladi, ęọṣ fecisse. Potuit sane dicere quia
«in pleno con|³⁴cilio uobis respondemus, nunc
autem in preiudicium concilii pleni uobis
|³⁵respondere non debeo.»

25. Ambrosius epis(copus) d(ixit) : Vt hodie
resideremus ipse |³⁶exegisti. Denique etiam hodie
tu ipse dixisti quia «Cr(ist)iani ad cristianos
ueni|³⁷mus»; cr(ist)ianos nos probasti. Promi-
sisti te conflictaturum, promisisti te |³⁸obla-
turum aut acceptaturum rationem; libenter
302v itaque accepimus |³⁹oblationem tuam. ||¹[O]p-
[tauimus] ụṭ qụ[asi] cṛ(ist)[ianus] ụęnịṛęṣ. Ọp-
tụḷị ṭịḅị ępịṣṭụ[lam Arrii] |²quam scribsit Ar-
rius, de cuius nomine dicitis uos frequenter
iniu|³riam sustinere. Dicitis quod Arrium non
sequamini. Hodie aper|⁴ta debet esse senten-
tia : aut condemna illum aut adstrue quibus-
|⁵uis lectionibus. Et adiecit : Ergo iuxta epis-
tula Arrii, Cr(istu)s D(e)i Filius |⁶non est
sempiternus? **26.** Palladius d(ixit) : Nos dixi-

302r, 20 uidi *a. corr.* : ⌈....⌉ uidi *p. corr.*
(⌈....⌉ *add. in initio lineae*) || 24 —cerem +
quare non *sup. l.* || 25 iussionem + imperat[oris]
sup. l. || 28 egiṣ + ti *sup. l.*

et que tu serais présent. Donc, tu attendais l'avis des
Orientaux, tes « collègues », comme tu dis ? C'est cela que
tu aurais dû faire savoir, au lieu de promettre un débat.
— L'évêque Palladius a dit : ... (*texte corrompu*).

24. L'évêque Maximinus, expliquant, dit : Il apparaît
à cet endroit qu'ils ont plutôt tourné en ridicule ses
réponses, je veux dire celles de saint Palladius. Il aurait
pu dire sans doute : « Nous vous répondrons au concile
plénier, mais maintenant, je ne dois pas vous répondre en
devançant le jugement du concile plénier [1]. »

25. L'évêque Ambroise a dit : C'est toi-même qui as
exigé que nous siégions aujourd'hui. D'autre part, aujour-
d'hui encore, tu as dit toi-même : « Nous sommes venus
comme des chrétiens vers des chrétiens » ; tu as reconnu
en nous des chrétiens. Tu as promis d'engager un débat,
tu as promis de présenter ou bien de prendre en considération une argumentation ; nous avons donc accueilli ton
offre avec plaisir. Nous avons souhaité que tu viennes en
chrétien. Je t'ai soumis la lettre d'Arius, écrite par cet
Arius dont le nom vous vaut, dites-vous, de souffrir fréquemment des injustices. Vous dites que vous ne suivez
point Arius. Aujourd'hui, tu dois te prononcer sans équivoque : ou bien tu le condamnes, ou bien tu soutiens sa
cause en te servant des textes que tu veux. — Et il a
ajouté : Ainsi donc, conformément à la lettre d'Arius, le
Christ, Fils de Dieu, n'est pas éternel ? — **26.** Palladius

---

302v, 6 *Post* sempiternus *legitur sup. l. glossa haec,
quae protrahitur etiam in pagina sequenti* : Hinc
[...] D(e)i ui[......] Cristi uocabulum n(on)nisi unc-
torem requid (*forte pro* requirid, *cf.* **301r,26-28**) duos
[...]rest[...] uocabulo[...?...]n illoru[m] tutem[....]
tione letabuntur iusti

302r,35-303v,6 *Gesta*, 12-17

---

1. Le texte de la réplique précédente de Palladius est corrompu.
Mais Maximinus accuse les rédacteurs du procès-verbal d'avoir
prêté volontairement des paroles incohérentes à l'évêque arien,
pour le tourner en ridicule.

Scolies ariennes. 15

mus probaturos nos cr(ist)ia|⁷nos, sed in conci-
|⁸lio pleno. Non |⁹uobis respon|¹⁰demus omnino
|¹¹in preiudicium |¹²concilii futuri. |¹³Eusebius
episk(opus) d(ixit) : |¹⁴Sine callidita|¹⁵te fidei
tue pro|¹⁶fessionem debe|¹⁷bis exponere. |¹⁸Palla-
dius d(ixit) : |¹⁹Et quid conci|²⁰lio reseruamus?
27. |²¹Amb(rosius) d(ixit) : Omnium |²²ore
condemna|²³tio facta est |²⁴in eum qui ne|²⁵ga-
ret D(e)i Filium |²⁶sempiternu(m). |²⁷Negauit
Arrius; |²⁸hunc sequitur |²⁹Palladius, qui
|³⁰non uult con|³¹demnare Ar|³²rium. Itaque
|³³utrum huius |³⁴probanda sententia sit consi-
derate et utrum secundum Scribtu|³⁵ras dicat
aut contra Scribturas intellegere liquet. Lectum
est enim : |³⁶*Sempiterna uirtus D(e)i adque
diuinitas*ᵃ. D(e)i uirtus Cr(istu)s est. Si igitur
|³⁷sempiterna D(e)i uirtus est, sempiternus utique
Cr(istu)s est, quia Cr(istu)s est |³⁸D(e)i uirtus.
Eusebius d(ixit) : Haec fides nostra est, haec
intellegentia |³⁹catholica. Qui hoc non dixerit
anathema! Omnes ep(isco)p(i) d(ixerunt) : Ana-
303r thema! **28.** ||¹Eusebius d(ixit) : Specialiter
dicis solum Patrem sempiternum et Filium
aliquando |²coepisse? Palladius d(ixit) : Arrium
nec uidi nec scio qui sit. Eusebius ep(iscopus)
d(ixit) : Arri |³blasfemia prolata est in qua
negat Filium D(e)i sempiternum. Hanc perfi-
dia[m] |⁴damnas cum auctore aut adseris?
Palladius d(ixit) : Vbi auctoritas pleni con-
|⁵cilii non est non dico. **29.** Amb(rosius)
d(ixit) : Dubitas damnare post diuina iudicia,
cum |⁶crepuerit me|⁷diusᵃ? Et adiecit : |⁸Dicant

---

39 non *sup. l.* ‖ ep(isco)p(i) + partius *(sic)* illius
sup. l. ‖ d(ixerunt) *abbr.* dd
303r, 1 *sup. l. legitur* : inpletum est euangeli[u]m
[...?...]; *utrum sit pars glossae quae incipit fol.*

a dit : Nous avons dit que nous prouverions que nous
sommes chrétiens, mais au concile plénier. Nous nous
refusons absolument à vous répondre sans attendre le
jugement du futur concile. — L'évêque Eusèbe a dit :
Tu devrais, sans finasser, exposer ta profession de foi. —
Palladius a dit : Et que réservons-nous pour le concile ? —
27. Ambroise a dit : D'une voix unanime, une condamn-
nation a été prononcée contre celui qui nierait que le Fils
de Dieu est éternel. Arius l'a nié ; Palladius le suit, puisqu'il ne veut pas condamner Arius. Demandez-vous donc
s'il faut approuver son opinion, et si ce qu'il dit est conforme aux Écritures ou bien contraire aux Écritures ;
c'est facile à comprendre. On a lu, en effet : « Éternelle
est la puissance de Dieu et sa divinité [a]. » La « puissance
de Dieu », c'est le Christ. Si donc la « puissance de Dieu »
est « éternelle », le Christ est évidemment éternel, puisque
le Christ est la « puissance de Dieu ». — Eusèbe a dit :
Telle est notre foi, telle est l'interprétation catholique.
Celui qui ne dirait pas cela, qu'il soit anathème ! Tous les
évêques ont dit : Anathème ! — **28.** Eusèbe a dit : Dis-tu,
en particulier, que seul le Père est éternel, et que le Fils a
commencé un jour ? — Palladius a dit : Je n'ai pas vu
Arius et je ne sais pas qui c'est [1]. — L'évêque Eusèbe a
dit : On a produit le texte blasphématoire d'Arius dans
lequel il nie que le Fils de Dieu soit éternel. Cette foi menteuse, la condamnes-tu en même temps que son auteur
ou bien la soutiens-tu ? — Palladius a dit : Là où il n'y a
pas l'autorité d'un concile plénier, je ne dis rien. —
29. Ambroise a dit : Tu hésites à porter une condamnation après que Dieu a jugé, puisqu'il a crevé par le milieu [a] [2] ? — Et il a ajouté : Que se prononcent également

302v,6, *an alia quaedam glossa, non patet*

302v   a. Cf. Rom. 1, 20
303r   a. Cf. Act. 1, 18

1. V. intr., p. 177-178.
2. Arius est mort subitement des suites d'une hémorragie interne, semble-t-il, alors qu'il s'était retiré aux latrines sur le forum

etiam |⁹s(an)c(t)i uiri leg(ati) Gall[orum]. |¹⁰Cons-
tantius   ep(iscopus)   eṭ |¹¹legatus   Gallorum
ḍ(ixit)   : |¹²Hanc   impietate[m] |¹³eius   hominis
et   se[m]|¹⁴per   damnauim[us] |¹⁵et   nunc   dam-
nam[us] |¹⁶non   solum   Arriu[m], |¹⁷sed   et   quis-
que   Fil[ium] |¹⁸D(e)i   non   dixerit   se[m]|¹⁹piter-
num.   **30**.   Amb(rosius)   ḍ(ixit)   : |²⁰Quid   etiam
dicit |²¹d(omi)n(u)s   meus   Iustus?   Iustus   ẹ[p](is-
copus) |²²et   leg(atus)   Gallorum   ḍ(ixit)   : |²³Qui
Filium   D(e)i   coạ[e]|²⁴ternum   cum   Pạ|²⁵tre   non
confite|²⁶tur   anathema |²⁷habeatur.   Omṇ[es]
|²⁸ep(isco)p(i)   d(ixerunt)   :   Anathem[a]!   **31**.
|²⁹Amb(rosius)   ep(iscopus)   d(ixit)   :   Dican[t]
|³⁰etiam   Afrorum |³¹leg(ati)   qui   omniuṃ |³²huc
adtulere   sen[ten]|³³tias.   Felix   ep(iscopus) |³⁴et
leg(atus)   d(ixit)   :   Si   qui   Filium   D(e)i   negauerit   sempiternum   et   coaeternum,   non   solum
ego   lẹ[g](atus) |³⁵totius   prouinciae   africane
damno,   sed   et   cunctus   chorus   sacerdotalis   qui
aḍ |³⁶hunc   coetum   me   sanctissimum   misit
etiam   ipse   ante   damnauit.   **32**.   Anemi[us]
|³⁷ep(iscopus)   d(ixit)   :   Caput   Illyrici   nonnisi
ciuitas   est   Sirmiensis.   Ego   igitur   ep(iscopus)
illius   ciui|³⁸tatis   sum.   Eum   qui   non   confitetur
Filium   D(e)i   aeternum   et   coaeternum   Pa[tri],
|³⁹quod   est   sempiternum,   anathema   dico,   sed
etiam   his   qui   idem   non   confiteṇ[tur].
33. |⁴⁰Amb(rosius)   ep(iscopus)   d(ixit)   :   Audite
sequentia.   Et   recitatum   est   :   Solum   aeternum,
303v   solum ||¹[sine   initio,   solum   uerum,   solum   im-
mortalitatem   habentem.   **34**.   Amb(rosius)   ep(isco-
pus)   d(ixit)]   : |²Et   in   hoc   damna   eum   qui
negat   Filium   D(eu)m   uerum.   Cum   enim   ipse
sit   ueritas, |³quemadmodum   non   est   D(eu)s
uerus?   Et   adiecit   :   Quid   ad   hoc?   Palladius
ep(iscopus)   d(ixit)   : |⁴Filium   uerum   qui   non

les vénérables délégués des Gaulois. — L'évêque Constantius, délégué des Gaulois, a dit : L'impiété de cet
homme, nous l'avons toujours condamnée et nous la
condamnons maintenant encore, — pas seulement Arius,
mais aussi quiconque ne dirait pas que le Fils de Dieu
est éternel. — **30.** Ambroise a dit : Qu'ajoute Monseigneur Justus ? — L'évêque Justus, délégué des Gaulois,
a dit : Celui qui ne confesse pas que le Fils de Dieu est
coéternel avec le Père, qu'il soit tenu pour anathème !
— Tous les évêques ont dit : Anathème ! — **31.** L'évêque
Ambroise a dit : Que se prononcent également les délégués des Africains, qui ont apporté ici les sentences de
tous. — L'évêque délégué Felix a dit : Si quelqu'un venait
à nier que le Fils de Dieu existe depuis toujours et est
coéternel, non seulement moi, délégué de toute la province d'Afrique, je le condamne, mais tout le chœur des
prêtres qui m'a envoyé à cette très sainte assemblée, l'a
aussi condamné lui-même auparavant. — **32.** L'évêque
Anemius a dit : La capitale de l'Illyricum n'est autre que
la cité de Sirmium, et je suis l'évêque de cette cité. Celui
qui ne confesse pas que le Fils de Dieu est éternel et coéternel au Père, du fait qu'il existe depuis toujours, je le
déclare anathème ; et je le dis aussi à ceux qui ne confessent pas la même chose. — **33.** L'évêque Ambroise a
dit : Écoutez la suite. — Et on a lu : « Seul éternel, seul
sans commencement, seul véritable, seul à posséder
l'immortalité. » — **34.** L'évêque Ambroise a dit : Ici
aussi, condamne celui qui nie que le Fils soit Dieu véritable. En effet, puisqu'il est lui-même la vérité, comment
n'est-il pas Dieu véritable ? — Et il a ajouté : Qu'en dis-
tu ? — L'évêque Palladius a dit : Qu'il soit le Fils véri-

---

9 leg(ati) *abbr.* legg ‖ 21 Iustus[1] *sup. l.* ‖ 28
d(ixerunt) *abbr.* dd ‖ 31 leg(ati) *abbr.* legg

---

de Constantinople. Les polémistes nicéens se sont emparés de ce
fait pour assimiler l'hérésiarque à Judas, dont les Actes des Apôtres
disent qu'« il a crevé par le milieu, et toutes ses entrailles se sont
répandues » (1, 18).

dicat? Amb(rosius) ep(iscopus) d(ixit) : Arrius
negauit. Palladius ep(iscopus) d(ixit) : |⁵Cum
Apostolus dicat Cr(istu)m super omnia d(eu)mᵃ,
potest aliqui negare uerum Fi|⁶lium D(e)i? Et
reliqua.

35. Si quis uult legere sequentiam, que
abrupte et stulte |⁷prosecuti sunt, legat in⌈t⌉us
in plenario qui in hoc ipso corpore et inue-
niet quod |⁸rectum est s(an)c(tu)m |⁹Palladium
prose|¹⁰cutum fuisse. **36**. Na(m) |¹¹hi ideo
paria de |¹²Filio exigebant, |¹³que audire aesti-
|¹⁴mantes etiam |¹⁵et de Sp(irit)u S(an)c(t)o
similia |¹⁶[i]nterrogarent. Quod |¹⁷quidem nefas
est |¹⁸cogitare, tres pari |¹⁹aequalitate si|²⁰ne
initio, tres |²¹sempiternos, id est |²²tres inge-
nitos, tres |²³sine origine, sicu|²⁴ti ips⌈orum⌉
libel|²⁵lus perfidie testa|²⁶tur, aut iterum tres

303v, 6 reliqua que si *a. corr.* (que *uidetur expunctum esse*)

303v a. Cf. Rom. 9, 5

303v,11-12   Cf. 339v,3
303v,18-27   Cf. 345v,19-34

---

1. Palladius refuse de dire que le Fils est Dieu véritable, car seul
le Père est pour lui Dieu véritable, c'est-à-dire principe sans principe. Mais il confesse qu'il est véritablement Fils de Dieu, par opposition aux hommes qui ne sont fils de Dieu que par adoption ; seul
il reçoit l'être directement du Père, et il est semblable à lui, « dieu
en second » après celui qui est « le Dieu de tous les êtres ».
2. Le commentateur, dont l'inspiration est manifestement tarie,
renonce à recopier plus avant les actes d'Aquilée et renvoie le lecteur au texte oncial, qui les contient en entier (fol. 336r-353v). Cette
phrase donne à penser que les scolies sont autographes ou, du
moins, écrites directement sous la dictée ou d'après un « brouillon »
de leur auteur ; celui-ci n'avait pas l'intention de rédiger un livre

table, qui pourrait dire le contraire ? — L'évêque Ambroise a dit : Arius l'a nié. — L'évêque Palladius a dit : Puisque l'Apôtre dit que le Christ est « dieu au-dessus de toutes choses [a] », peut-on nier qu'il soit le Fils véritable de Dieu [1] ? — Et le reste.

35. Si quelqu'un veut lire ce qu'ils ont exposé ensuite d'une façon incohérente et stupide, qu'il lise ici-même dans le texte intégral, qui se trouve dans le présent recueil [2], et il constatera que c'est la doctrine orthodoxe que saint Palladius a exposée. **36.** Car ces gens exigeaient qu'on reconnût au Fils des attributs pareils [3], et lorsqu'ils auraient cru entendre cela, ils auraient posé aussi des questions semblables à propos du Saint-Esprit. Or, c'est là une pensée sacrilège : trois sans commencement, en vertu d'une égalité parfaite, trois éternels, c'est-à-dire trois inengendrés, trois sans origine, — ainsi qu'en témoigne le manifeste de leur foi menteuse, — ou encore trois qui se confondent [4] ; la foi

destiné à être publié, mais seulement de pourvoir le manuscrit, pour l'édification des utilisateurs de celui-ci, de notes opposant le point de vue arien au point de vue nicéen représenté par le texte central. Voir la discussion détaillée de cette question dans GRYSON-GILISSEN, *Parisinus*.

3. Comprenez : des attributs pareils à ceux du Père.

4. Il n'est pas question du Saint-Esprit dans les débats d'Aquilée. Mais le problème de la troisième personne de la Trinité, qui avait été laissé dans l'ombre à Nicée, avait commencé à se poser vers 360. Les nicéens l'avaient résolu en revendiquant pour lui comme pour le Fils un rang égal à celui du Père et affirmaient, par conséquent, la Trinité consubstantielle. On trouve cette doctrine notamment dans la synodale *Confidimus* du concile romain de 371. Elle est développée longuement dans le Tome de Damase, fruit d'un autre concile romain réuni à la fin de 377 ou au début de 378. Les nicéens d'Illyricum la reprirent à leur compte, en des termes fort semblables à ceux du Tome, au concile de Sirmium de l'été 378. Ils rédigèrent alors une profession de foi dont Palladius eut connaissance par un opuscule où elle se trouvait contenue, et qu'il réfuta point par point dans son apologie. C'est cet opuscule que Maximinus qualifie de *libellus perfidiae*. Il ne l'a probablement pas eu lui-même entre les mains et dépend de Palladius, comme en témoignent les rapprochements signalés dans l'apparat des sources. Sur tout ceci, v. p. 115-120.

|[27]inresolutos, quod |[28]utique Sabelli con|[29]tinet
perfidią.

|[30]Denique nec publica |[31]adsertione hoc |[32]scri-
bere ausi fu|[33][e]runt, sicut eorum |[34]f̣ạḷṣạ
g̣ẹṣta testaṇṭụṛ q̣ụae nọṣ ịdeọ ṛẹ⸢...15...⸣ ụṭ
ex ipsịṣ ç̣ọṇuincantur |[35]ut tanti piaculi auc-
tores, sicuti et iudei ạ principiis suis confecta
gesta cum pro|[36]ferunt, ạṛg̣ụụṇṭụṛ ⸢...⸣ọm⸢...⸣
Ḍ(omi)ṇị negatores, siquidem arg̣ụịṭ ẹọṣ ịpṣịụṣ
D(omi)ni D(e)i |[37]uox dicentis ad Samueḷẹṃ,
cum peterent sibi regem : *Non ṭẹ ạḅịẹç̣ẹṛụṇṭ,
sed me,* |[38]*ne regnem super eos*[b]; hoç ụṭịquẹ
et in passione Cr(ist)i dicebant : *Non habe-
mus* |[39]*regem nisi Caesarem*[c]. **37**. Nam cum
Arri epistula quam recitatam ụṭ ipse s(an)c(tu)s
304r ⸢...⸣||[1][...20...]p[...32...]g[...12...]|[2]⸢.....⸣ Pa-
tṛẹṃq(ue), hi subtraxerunt ingenitum, scientes
non posse nec in cogitatu |[3]ṇẹç ịṇ sermone
rationabili inueniri ut filiụṣ ingenitus dicatur.
Vt autem percenseam |[4]ipsa uerba, sicut indi-
cạṭ ṭẹxtus : **(38)** «Credo in unum solum
uerum D(eu)m, auctorem om|[5]nium, solum inge-
nitum, solum sempiteṛṇụm D(eu)m.» Inter
uerum et sempiternum |[6]ingenitum professus
est Arrius, ut ostenderet uerum ingenitum,
sempiternum |[7]ingenitum, ⸢.....⸣|[8]quạ⸢...7...⸣,
sapi|[9]entem ingenitum, |[10]bonum ingenitum, |[11]in-
mortalem ingenitu(m), |[12]inuisiuilem ingenitụ[(m)],

304r, 2 subtraxerunt + solum *sup. l.*

b. I Sam. 8, 7 c. Jn 19, 15

304r,4-5 Arius, *Epist. ad Alexandrum Alexandrinum* (cf. 339r,43-44)

1. L'assimilation de la doctrine de Nicée à celle de Sabellius est classique dans la controverse arienne ; pour les adversaires du

menteuse de Sabellius ne contient de toute évidence rien
d'autre [1].

Du reste, ils n'ont même pas osé soutenir cela dans un
texte destiné à la publication, ainsi qu'en témoigne leur
procès-verbal falsifié, que nous [avons reproduit plus
haut] afin qu'ils soient dénoncés par eux-mêmes comme
les auteurs d'une telle abomination ; c'est ainsi également
que les juifs, en publiant les actes rédigés depuis leurs
origines, sont convaincus d'avoir renié le Seigneur [...],
car ils sont accusés par la voix du Seigneur Dieu lui-même
disant à Samuel, alors qu'ils demandaient pour eux un roi :
« Ce n'est pas toi qu'ils ont rejetés, mais moi, afin que je
ne règne pas sur eux [b] » ; c'est évidemment la même chose
qu'ils disaient au moment de la passion du Christ : « Nous
n'avons pas d'autre roi que César [c] [2]. » **37**. En effet, alors
que la lettre d'Arius, qui fut lue, comme saint [Palladius
l'a rapporté, au concile d'Aquilée, commençait par proclamer Dieu le Père « seul inengendré »], ces gens ont
supprimé « inengendré », sachant bien qu'on ne pourrait
trouver ni dans la pensée ni dans un discours sensé qu'un
fils soit dit inengendré. Reprenons les mots eux-mêmes,
ainsi que l'indique le texte : **(38)** « Je crois en un seul
Dieu véritable, principe de toutes choses, seul inengendré,
seul Dieu éternel. » Entre « véritable » et « éternel », Arius
a confessé qu'il est « inengendré », pour marquer que celui
qui est véritable, c'est l'inengendré, éternel l'inengendré,
[...], sage l'inengendré, bon l'inengendré, immortel l'inen-

consubstantiel, affirmer que la substance du Fils est la même que
celle du Père, revient à les confondre purement et simplement.
    2. Maximinus met en cause l'objectivité des actes publiés par
les soins des nicéens, pour le motif qu'ils auraient escamoté le premier et le plus important des attributs décernés au Père par Arius
dans sa profession de foi, « seul inengendré ». Ce faisant, ils ont
renié le Père comme seul Dieu véritable et ils en sont convaincus
par un texte émanant d'eux, de la même façon que les juifs sont
convaincus par leur propre Bible d'avoir renié le Seigneur. En fait,
c'est évidemment dans le cours même des débats, et non au stade
de la publication des actes, que les mots litigieux ont été passés sous
silence par Ambroise, car il ne pouvait pas demander à Palladius
si le Fils était inengendré comme le Père, ainsi qu'il le fait pour les
autres attributs énumérés dans le credo d'Arius.

|¹³solum unigeniti Patr[em], |¹⁴hoc est ingenitus sol[us] |¹⁵Pater *ex quo omni[s]* |¹⁶*paternitas in cael[is]* |¹⁷*et in terris nomin[a]*|¹⁸*tur*ᵃ. **39**. Et uerum multi |¹⁹fratresᵇ, sed ingenit[us] |²⁰unus. Nam et Fil[ius] |²¹pastor bonusᶜ et |²²d(eu)s bonus, sed non |²³ingenitus bonus. |²⁴Et *homo bonus de* |²⁵*bono thensauro* |²⁶*cordis sui profert* |²⁷*bona*ᵈ, sed non con|²⁸paratur ei per |²⁹quem factus est bo|³⁰nus. Ita nec Filius |³¹connumeratur ei |³²a quo bonitate[m] |³³cum uitam accep[it], |³⁴et ideo ait : |³⁵*Quid me dicis bonu[m]?* |³⁶*Nemo bonus nisi unus D(eu)s*ᵉ. Nam et *omnis creatura D(e)i bona* ualdeᶠ, sed, [ut] arbitror, |³⁷nec ipsa creatura lumini quo repleta est conparatur, nec homo Cr(ist)o, nec Cr(istu)s Patri.

40. |³⁸Hoc secundum diuinum magisterium Arrii cr(ist)iana professio, hoc et The[o]gnius ep(iscopus), |³⁹hoc et Eusebius storiografus et ceteri conplurimi ep(isco)p(i) quorum professiones et |⁴⁰nomina in sequentibus dicenda sunt.

41. Nam et ad Oriente perrexisse memorato[s] |⁴¹episkopos cum Vlfila episkopo ad comitatum Theodosi inperatoris epistula declar[at] |⁴²[...65...]

---

28 ei + hoc est *sup. l.* || 37 conparatur + sed pl[...] mu[...]atu[..], sicut Apostolus refert : «Omnia uestra sunt, [uos a]utem Cr(ist)i, [Cr(istu)s a]utem D(e)i»; ergo Apostolus Euangelio concinit *sup. l.* 37-38 || 38-41 *cf. Gryson—Gilissen, Parisinus, p.* 8, n. 24

304r a. Éphés. 3, 15   b. Cf. Rom. 8, 29   c. Cf. Jn 10, 11
d. Lc 6, 45   e. Mc 10, 18   f. I Tim. 4, 4 ; cf. Gen. 1, 31

gendré, invisible l'inengendré, seul Père de l'unique-
engendré, c'est-à-dire que seul est inengendré le Père « de
qui toute paternité reçoit son nom au ciel et sur la terre [a] ».
39. Et c'est la vérité : il y a une « multitude de frères [b] »,
mais un seul inengendré. Car le Fils est un « bon berger [c] »
et un dieu bon, mais il n'est pas la bonté inengendrée. Et
« l'homme bon, du bon trésor de son cœur, tire de bonnes
choses [d] », mais il ne se compare pas à celui par qui il a été
fait bon. De même, le Fils n'est pas non plus assimilé à
celui de qui il a reçu la bonté en même temps que la vie,
et c'est pourquoi il dit : « Pourquoi m'appelles-tu bon ?
Nul n'est bon que Dieu seul [e]. » Car toute créature de
Dieu est très bonne [f], mais, à mon sens, la créature ne se
compare pas à la lumière dont elle est remplie, ni l'homme
au Christ, ni le Christ au Père [1].
40. Telle fut, conformément à l'enseignement divin,
la profession de foi chrétienne d'Arius ; telle fut la foi de
l'évêque Théognis, et de l'historien Eusèbe, et de bien
d'autres évêques, dont il nous faudra dire plus loin les
noms et les professions de foi [2].

II. Commentaire sur la Lettre d'Auxentius

41. Car les évêques dont nous avons parlé se sont rendus en Orient, en compagnie de l'évêque Ulfila, à la cour
de l'empereur Théodose ; cela ressort clairement de la
lettre [3] [. . .].

---

1. Cf. *CM* 738,21-45.
2. V. intr., p. 177-178. En fait, la seule profession de foi dont
l'auteur fera état est celle d'Ulfila.
3. Maximinus croit, sur la base de la lettre d'Auxentius (cf.
307v,9-38), que les deux évêques condamnés à Aquilée, Palladius
et Secundianus, se sont rendus à Constantinople avec Ulfila, lors
du dernier voyage que l'évêque goth fit dans la capitale, pour
demander la convocation d'un concile général. Mais c'est pure imagination de sa part (v. p. 162-165).

304v   **42**. ‖¹[...37...]po[...]aṭịṣp[...19...] |²ualde de-
corus,   uere   confessor   Cr(ist)i,   doctor   pietatis
et   predicator   ueritatis.   Vnum |³solum   uerum
D(eu)m   Patrem   Cr(ist)i   secu[n]dum   ipsius   Cr(is-
t)i   magisterium^a   satis   aperte   et |⁴nimis   euiden-
ter   uolentibus   et   nolentibus   predicare   num-
quam   esitauit,   sciens   hunc |⁵solum   uerum
D(eu)m   solum   esse   ingenit[u]m,   sine   principio,
sine   fine,   senpiternum, |⁶supernum,   sublimem,
superiorem,   auctorem   altissimum,   omni   excellen-
tiae |⁷excelsiorem, |⁸omni   bonitati |⁹meliorem,
inter|¹⁰minatum,   incapa|¹¹uilem,   inuisiuilem, |¹²in-
mensum,   inmor|¹³talem,   incorrup|¹⁴tiuilem,   incom-
mu|¹⁵nicauilem,   incor|¹⁶poralem,   inconpo|¹⁷situm,
simplicem, |¹⁸inmutauilem,   in|¹⁹diuisum,   inmoui-
le(m), |²⁰inindigentem,   in|²¹accessiuilem,   in|²²scis-
sum, |²³inregnatum, |²⁴increatum,   in|²⁵fectum,
perfectu(m), |²⁶in   singularitate |²⁷extantem,   incon-
|²⁸parauiliter   omni|²⁹bus   maiorem   et   me|³⁰liorem.
   43.   Qui   cum   es|³¹set   solus,   non   ad   di|³²uisio-
nem   uel   dim|³³minutionem   diui|³⁴nitatis   suae,
sed |³⁵ad   ostensionem |³⁶bonitatis   et   uirtutis
suae,   sola   uolumtate   et   potestate   inpassiuilis
inpassiuiliter, |³⁷incorruptiuilis   incorruptiuiliter   et
inmouilis   inmouiliter   unigenitum   d(eu)m   crea-
|³⁸uit   et   genuit,   fecit   et   fundauit.
   44.   Secundum   traditionem   et   auctoritatem
diuinarum   scrib|³⁹turarum   hunc   secundum   d(eu)m
et   auctorem   omnium   a   Patre   et   post   Patrem
et |⁴⁰propter   Patrem   et   ad   [g]loriam   Patris
esse   numquam   celauit,   sed   et   magnum
|⁴¹d(eu)m   et   magnum   d(omi)n(u)m   et   magnum

304v, 4   sciens   *p. corr.* .:   scient   *a. corr.* ‖ 15
—nicauilem   +   subtantia   *(sic)*   *sup. l.* ‖ 22   *Post*
inscissum   *iteratur*   intermina|²³tum   *(cf. l. 9-10)* ‖ 24

1. Lettre d'Auxentius

La doctrine d'Ulfila   **42.** [... Ulfila] a vraiment confessé le Christ, enseigné la piété et prêché la vérité. Un seul Dieu véritable, le Père du Christ, conformément à l'enseignement du Christ lui-même [a] : voilà ce qu'en termes parfaitement clairs et explicites à souhait, il n'a jamais craint de prêcher, à ceux qui voulaient comme à ceux qui ne voulaient pas. Il savait que ce seul Dieu véritable est seul inengendré, sans commencement, sans fin, éternel, transcendant, souverain, sans égal, principe suprême, surpassant toute prééminence, meilleur que toute bonté, incirconscrit, incompréhensible, invisible, infini, immortel, incorruptible, non partagé, non corporel, non composé, simple, immuable, indivis, immobile, indépendant, inaccessible, insécable, sans roi, non créé, non fait, parfait, existant dans l'unicité, incomparablement plus grand et meilleur que toutes choses.

43. Alors qu'il existait seul, non pour diviser ou diminuer sa divinité, mais pour manifester sa bonté et son pouvoir, par le seul effet de sa volonté et de sa puissance, sans passion, lui qui est impassible, sans corruption, lui qui est incorruptible, sans mouvement, lui qui est immobile, il a créé et il a engendré, il a fait et il a établi le dieu unique-engendré.

44. Conformément à la tradition et à l'enseignement autorisé des divines Écritures, il n'a jamais caché que celui-ci était dieu en second et principe de toutes choses, de par le Père, et après le Père, et à cause du Père, et pour la gloire du Père. Il a toujours indiqué clairement aussi qu'il était grand dieu, et grand seigneur, et grand roi, et

---

infectum   *p.*   *corr.*   :   inper|[25]fectum   *a.*   *corr.*   ‖   39-41
Litteras tura—, propt—, d(eu)m et mag— *in initio harum linearum scripsi cum Waitz et Kauffmann, sed hodie perierunt*

304v   a. Cf. Jn 17, 3

regem et magnum mysterium, magnum lumen
|⁴²[...11...]fịç[...7...]ẹ[......]   ḍ(omi)ṇ(u)ṃ, pro-
305r uisorem et legislatorem, redemtorem, ‖¹ṣạḷụạ-
[torem], pạ[...9...]g[...43...]‖²nis auctorem, ui-
uorum et mortuorum iustum iudicem, **(45)** maio-
rem habentem D(eu)m et Patrẹ[m] |³suum
secundum s(an)c(tu)m euangelium[a] semper mani-
festauit, quia omousianorum oḍ[i]|⁴uilem et exe-
crabilem, prabam et peruersam professionem
ut diabolicam adi[n]|⁵uentionem et demoniorum
doctrinam[b] spreuit et calcauit, et ipse sciens
et nobis trad[ens] |⁶quod si unigeniti d(e)i
infatigabilis uirtus caelestia et terestria, inui-
siuilia et uisiuilia o[m]|⁷nia facile feciss[e]
|⁸honeste predic[a]|⁹tur et a nobis cr(ist)ia[nis]
|¹⁰iure et fideliter cr[e]|¹¹ditur, quare D(e)i Pạ-
|¹²tris inpassiuilis uir|¹³tus unum sibi prop[ri]-
|¹⁴um fecisse non cre|¹⁵datur?

46. Sed et omoẹ|¹⁶usianorum error[em] |¹⁷et
inpietatem |¹⁸fleuit et deuitauit, |¹⁹et ipse de
diuinis |²⁰scribturis caute |²¹instructus et in
|²²multis consiliis |²³sanctorum ep(isco)p(o)ruṃ
|²⁴diligenter confir|²⁵matus et per sermọ|²⁶nes et
tractatus suọ[s] |²⁷ostendit differentiạ[m] |²⁸esse
diuinitatis |²⁹Patris et Fili, D(e)i ị[n]|³⁰geniti et
d(e)i unigenị[ti], |³¹et Patrem quidem |³²creato-
rem esse creạ|³³toris, Filium uer[o] |³⁴creatorem
esse totius creationis, et Patrem esse D(eu)m
D(omi)ni, Filium autem d(eu)m esse uniuersạ[e]
|³⁵creature.

47. Quapropter homousianorum sectam destrue-
bat, quia non confusas et co[n]|³⁶cretas per-
sonas, sed discretas et distinctas credebat.
Omoeusion autem dissipa[bat], |³⁷quia non con-
paratas res, sed differentes adfectus defendebat,
(48) et Filium similem es[se] |³⁸Patri suo non

grand mystère, grande lumière, [...], protecteur et législateur, rédempteur, sauveur, [...], juste juge des vivants et des morts, (45) considérant comme plus grand Dieu son Père, selon les termes du saint évangile [a]. La croyance détestable et abominable, erronée et dénaturée des homoousiens, il l'a, en effet, méprisée et dédaignée, la tenant pour une invention diabolique et un enseignement de démons [b]. Il le savait bien lui-même et il nous a transmis cette doctrine : si la puissance infatigable du dieu unique-engendré a fait avec facilité les êtres célestes et terrestres, toutes les choses invisibles et visibles, ainsi qu'on le prêche correctement et que nous, chrétiens, le croyons à juste titre et fidèlement, pourquoi ne croirait-on pas que la puissance impassible de Dieu le Père ait fait un seul être qui soit son œuvre propre ?

46. Quant à l'erreur et à l'impiété des homéousiens, il l'a également déplorée et évitée. Lui qui avait été instruit avec soin sur la base des divines Écritures, et dont la foi avait été confirmée avec précision dans de nombreuses réunions de saints évêques, il a montré dans ses sermons et ses homélies qu'il y a une différence entre la divinité du Père et du Fils, du Dieu inengendré et du dieu unique-engendré, et que le Père est le créateur du créateur, tandis que le Fils est le créateur de toute la création, et que le Père est le Dieu du Seigneur, tandis que le Fils est le dieu de la création tout entière.

47. C'est pourquoi il cherchait à abattre la secte des homoousiens, car il croyait que les personnes n'étaient pas confondues et mêlées, mais séparées et distinctes. Quant à l'homoiousion, il le rejetait, car il défendait non des choses comparables, mais des sentiments différents, (48) et il disait que le Fils est semblable à son Père non pas dans le sens erroné et dénaturé où l'entendent falla-

305r   a. Cf. Jn 14, 28   b. Cf. I Tim. 4, 1

secundum macedonianam fraudulentam prauitatem
et peruersit[a]|³⁹tem contra Scribturas dicebat,
sed secundum diuinas scribturas et tradition[em].

305v   49. ||¹Predicationem uel expositione sua omnes
haereticos non cr(ist)ianos sed antecr(ist)os,
|²non pios sed impios, non religiosos sed inre-
ligiosos, non timoratos sed temerarios, |³non in
spe sed sine spe, non cultores D(e)i sed sine
D(e)o esse, non doctores sed seductores, |⁴non
predicatores sed preuaricatores adserebat, sibe
manicheos siue marçinonistas |⁵siue montanistas
siue paulinianos siue psabellianos siue antro-
pianos siue pa|⁶tripassianos siue fotinianos siue
nouatianos siue donatianos siue omousianos
|⁷siue omoeusianos |⁸siue macedonianos. |⁹Vere
ut apostolo|¹⁰rum aemulator |¹¹et martyrum imi-
|¹²tator hostis ef|¹³fectus ereticorum |¹⁴prabam
eorum |¹⁵doctrinam repel|¹⁶lebat et popu|¹⁷lum
D(e)i aedificauat, |¹⁸lupos graues[a] et |¹⁹canes
malos ope|²⁰rarios[b] effugabat |²¹et gregem Cr(ist)i
per |²²gratiam ipsius ut |²³pastor bonus[c] |²⁴cum
omni pru|²⁵dentia et diligen|²⁶tia seruabat.

50. Sed |²⁷et Sp(iritu)m S(an)c(tu)m non |²⁸esse
nec Patre(m) |²⁹nec Filium, sed |³⁰a Patre
per Fi|³¹lium ante omni|³²a factum, non |³³esse
primum |³⁴nec secundum, |³⁵sed a primo per
secundum in tertio gradu substitutu(m), |³⁶non
esse ingenitum nec genitum, sed ab ingenito
per unigenitum in ter|³⁷tio gradu craeatum,
secundum euangelicam predicationem et |³⁸apos-
tolicam traditionem, s(an)c(t)o Iohanne dicente :
Omnia per ipsu(m) |³⁹*facta sunt et sine ipso*

305v, 1 predicatione *p. corr.* || 34 *Post* nec secun-
dum *iteratur* sed a Patre per Filium ante omnia
factum non esse pri|³⁵mum nec secundum || 36 **nec**
p. corr. : sed *a. corr.*

cieusement les macédoniens, contrairement aux Écritures, mais bien dans le sens des divines Écritures et de la tradition.

49. Dans sa prédication comme dans son enseignement, il affirmait que tous les hérétiques étaient non des chrétiens, mais des antéchrists, non des gens pieux, mais des impies, non des hommes religieux, mais des hommes sans religion, non pas animés de la crainte de Dieu, mais effrontés, qu'ils n'étaient pas dans l'espérance, mais sans espérance, non des adorateurs de Dieu, mais des sans-Dieu, non des docteurs, mais des séducteurs, non des prédicateurs, mais des prévaricateurs, — qu'il s'agisse des manichéens, des marcionites, des montanistes, des pauliniens, des sabelliens, des anthropiens, des patripassiens, des photiniens, des novatiens, des donatistes, des homoousiens, des homéousiens ou des macédoniens [1]. En vérité, émule des apôtres et imitateur des martyrs, ayant déclaré la guerre aux hérétiques, il s'employait à combattre leur enseignement erroné et à édifier le peuple de Dieu, à mettre en fuite les « loups redoutables [a] » et les « chiens, mauvais ouvriers [b] », et à préserver avec une attention et un soin extrêmes, tel un bon berger [c], le troupeau du Christ avec l'aide de sa grâce.

50. Quant à l'Esprit-Saint, il démontrait également qu'il n'est ni le Père, ni le Fils, mais qu'il a été fait par le Père avant toutes choses, par l'intermédiaire du Fils ; il n'est ni le premier, ni le second, mais il a été établi par le premier, par l'intermédiaire du second, au troisième rang ; il n'est pas inengendré, ni engendré, mais créé par l'inengendré, par l'intermédiaire de l'unique-engendré, au troisième rang, conformément à l'enseignement de l'Évangile et à la tradition des apôtres, car saint Jean dit : « Toutes choses ont été faites par son intermédiaire, et

305v   a. Cf. Act. 20, 29   b. Cf. Phil. 3, 2   c. Cf. Jn 10, 11

---

1. A propos de cette énumération, v. J. ZEILLER, « Le montanisme a-t-il pénétré en Illyricum ? », dans *RHE* 30 (1934), p. 847-851.

Scolies ariennes.   16

306r *factum est nec unum*[d], et beato Paulo ad||[1]serente : *Vnus D(eu)s Pater ex quo omnia et unus D(omi)n(u)s Ih(esu)s Cr(istu)s per quem omnia*[a], ad|[2]prouabat. **51**. Vno enim D(e)o ingenito extante et uno D(omi)no unigenito d(e)o subsistente |[3]Sp(iritu)s S(an)c(tu)s aduocatus nec d(eu)s nec d(omi)n(u)s potest dici, sed a D(e)o per D(omi)n(u)m ut esset accepit, |[4]non auctor neque craeator, sed inluminator, sed sanctificator, doctor |[5]et ducator, adiutor et postulator, pre⌈...10...⌉ṭor et c̣ọṇfiṛṃ⌈a⌉tor, |[6]Cr(ist)i minister et gratiarum diuisor, pignus hereditatis ịṇ qụọ signati sụ|[7]mus in diem rẹ|[8]demtionis[b], siṇ[e] |[9]quo nemo pote[st] |[10]dicere D(omi)n(u)m Ih(esu)[m], |[11]Apostolo diceṇ[te] : |[12]*Nemo potest [di]*|[13]*cere D(omi)n(u)m Ih(esu)m* |[14]*nisi in Sp(irit)u S(an)c(t)o*[c], eṭ |[15]Cr(ist)o docente : *Eg[o]* |[16]*sum uia et uerit[as]* |[17]*et uita, nemo u[e]*|[18]*nit ad Patrem* |[19]*nisi per me*[d]. **52**. Eṛ[go] |[20]hi sụṇt cr(ist)iani |[21]qui in Sp(irit)u et uer[i]|[22]tate Cr(istu)m adora[nt][e] |[23]e⌈t g⌉ḷ⌈ori⌉f̣⌈ic⌉ant |[24]et per Cr(istu)m cum |[25]dilectione D(e)o P[a]|[26]tri gratias ag[unt].

53. |[27]Haec et hi[s] |[28]similia e[x]|[29]sequent[e] |[30]quadragin[ta] |[31]annis in episco[pa]|[32]tu gloriose flo|[33]rens apostoli[ca] |[34]gratia grecaṃ |[35]et latinam et g[o]|[36]ticam linguam sine intermissione in una et sola Eclesia Cr(ist)i predicauit, quia |[37]et una est Eclesia D(e)i uiui, *columna et firmamentum ueritatis*[f], et unum es[se] |[38]gregem Cr(ist)i d(omi)ni et d(e)i n(ostri), unam culturam et unum aedificium, unam uirgi|[39]nem et unam sponsam, unam reginam et unam uineam, unam domum, |[40]unum templum, unum c̣ọṇụentum esse cristianorum, cetera uero |[41]ọṃṇịạ conuenticula non esse Eclesias

sans lui n'en a pas été faite même une seule [d] », et le bien-heureux Paul affirme : « Il y a un seul Dieu, le Père, de qui viennent toutes choses, et un seul Seigneur, Jésus-Christ, par l'intermédiaire de qui toutes choses existent [a]. »

51. En effet, puisqu'il n'y a qu'un seul Dieu inengendré et qu'il n'existe qu'un seul Seigneur, le dieu unique-engendré, l'Esprit-Saint qui nous assiste ne peut être appelé ni dieu, ni seigneur, mais il a reçu de Dieu l'être, par l'intermédiaire du Seigneur. Il n'est ni principe, ni créateur, mais il lui revient d'illuminer, de sanctifier, d'instruire et de guider, d'apporter son aide et de présenter des demandes, [...] ; il est le serviteur du Christ et il répartit les grâces, il est le gage de notre héritage ; en lui, nous avons été marqués en vue du jour de la rédemption [b] ; sans lui, personne ne peut dire que Jésus est Seigneur, car l'Apôtre dit : « Personne ne peut dire que Jésus est Seigneur, si ce n'est dans l'Esprit-Saint [c] », et le Christ enseigne : « Je suis la voie et la vérité et la vie ; personne ne vient au Père, si ce n'est par mon intermédiaire [d]. » **52.** Ainsi donc, ceux-là sont chrétiens qui adorent et glorifient le Christ « dans l'Esprit et en vérité [e] » et qui, par l'intermédiaire du Christ, rendent grâces avec amour à Dieu le Père.

53. Voilà ce qu'il a exposé, en même temps que d'autres choses semblables, au cours des quarante années pendant lesquelles il s'est illustré glorieusement dans l'épiscopat. Avec la grâce propre aux apôtres, il a prêché cela sans interruption en langue grecque, latine et gothique, dans la seule et unique Église du Christ. Car elle est unique, l'Église du Dieu vivant, « colonne et fondement de la vérité [f] », et unique est le troupeau du Christ, notre seigneur et dieu ; il n'y a qu'un seul champ et une seule cons-truction, une seule vierge et une seule fiancée, une seule reine et une seule vigne, une seule demeure, un seul temple, une seule communauté des chrétiens, et tous les autres groupuscules ne sont pas des Églises de Dieu, mais

d. Jn 1, 3
306r a. I Cor. 8, 6   b. Cf. Éphés. 1, 13-14 ; 4, 30   c. I Cor. 12, 3   d. Jn 14, 6   e. Cf. Jn 4, 23   f. I Tim. 3, 15

306v D(e)i,   sed   synagogas   esse   Satana[e]**g** ||[1]adse-
rebat   et   contestabatur.   **54**.   Et   haec   omnia
de   diuinis   scribturis   eum   dixisse |[2]et   nos   des-
cribsisse   qui   legit   intellegat[a].   Qui   et   ipsis
tribus   linguis   plures   tractatus |[3]et   multas   inter-
pretationes   uolentibus   ad   utilitatem   et   aedifi-
cationem,   sibi |[4]ad   aeternam   memoriam   et
mercedem   post   se   dereliquid.

55.   Quem   condigne |[5]laudare   non   sufficio   et
penitus   tacere   non   audeo,   cui   plus   omnium
ego   sum |[6]debitor,   quantum   et   amplius   in   me
laborabit.   Qui   me   a   prima   etate   mea |[7]a
parentibus |[8]meis   discipulum |[9]suscepit   et   sacras
|[10][l]itteras   docuit   et |[11]ueritatem   mani|[12]festauit
et   per |[13]misericordiam |[14]D(e)i   et   gratiam
Cr(ist)i |[15]et   carnaliter   et |[16]spiritaliter   ut
fi|[17]lium   suum   in   fide |[18]educauit.

56.   Hic   D(e)i |[19]prouidentia   et |[20]Cr(ist)i
misericordia |[21]propter   multoru(m) |[22]salutem   in
gente |[23]Gothorum   de   lec|[24]tore   triginta   an-
|[25]norum   episkopus |[26]est   ordina|[27][t]us,   ut   non
|[28][s]olum   esset |[29]heres   D(e)i   et |[30]coheres
Cr(ist)i[b],   sed   et |[31][i]n   hoc   per   gratiam |[32]Cr(is-
t)i   imitator   Cr(ist)i |[33]et   s(an)c(t)orum   eius.
|[34]Vt   quemadmodum   s(an)c(tu)s   Dauid   triginta
annorum   rex   et   profeta   est   constitutus, |[35]ut
regeret   et   doceret   populum   D(e)i   et   filios
Hisdrael[c],   ita   et   iste   beatus |[36]tamquam   pro-
feta   est   manifestatus   et   sacerdos   Cr(ist)i   ordi-
natus,   ut   re|[37]geret   et   corrigeret   et   doceret
et   aedificaret   gentem   Gothorum,   quod |[38]et
D(e)o   uolente   et   Cr(ist)o   aucsiliante   per   mi-
nisterium   ipsius   admirabiliter   est |[39]adinpletum.

306v,   3   et[2]   +   ad   *sup.*   *l.*

des « synagogues de Satan [g] » : il n'a pas cessé de l'affirmer et de le soutenir. **54.** Et tout cela, il l'a dit et nous l'avons mis par écrit en puisant dans les divines Écritures : que celui qui lit le comprenne [a] ! Il a également laissé maintes homélies et de nombreux commentaires dans ces trois langues, qui serviront à l'édification de ceux qui le voudront, et qui lui vaudront un souvenir et une récompense éternels [1].

La carrière d'Ulfila   **55.** Cet homme, je ne suis pas capable de faire son éloge comme il convient, et je n'ose pourtant me taire complètement, car je suis son débiteur plus que tous les autres, dans la mesure où il s'est donné plus de peine pour moi. Dès mon plus jeune âge, il m'a reçu pour disciple des mains de mes parents ; il m'a enseigné les saintes lettres et il m'a révélé la vérité ; par la miséricorde de Dieu et la grâce du Christ, pour ce qui regarde la chair et pour ce qui regarde l'esprit, il m'a élevé dans la foi comme si j'avais été son propre fils.

56. Cet homme, par l'effet de la providence de Dieu et de la miséricorde du Christ, pour le salut d'un grand nombre dans le peuple goth, alors qu'il était lecteur, fut ordonné évêque à l'âge de trente ans [2], afin qu'il ne fût pas seulement héritier de Dieu et cohéritier du Christ [b], mais qu'en cela également, par la grâce du Christ, il imitât le Christ et ses saints. De même que saint David fut établi comme roi et prophète à l'âge de trente ans [c], pour guider et instruire le peuple de Dieu et les fils d'Israël, de même également le bienheureux en question se révéla comme prophète et fut ordonné prêtre du Christ, pour guider et ramener au bien et instruire et édifier le peuple goth, ce qui, par la volonté de Dieu et avec l'aide du Christ, s'est réalisé d'une façon merveilleuse grâce à son minis-

g. Cf. Apoc. 2, 9 ; 3, 9
306v   a. Cf. Matth. 24, 15   b. Cf. Rom. 8, 17   c. Cf. II Sam. 5, 4

1. Aucune de ces œuvres n'a été conservée ; v. p. 168, n. 2.
2. Sur les circonstances de l'ordination d'Ulfila, v. p. 145-146.

57. Et sicuti Iosef in Aegypto triginta anno-
307r rum est manifes|⁴⁰[tatusᵈ, ...54...]||¹[.....]. Eṭ
quemadmodum d(omi)n(u)s et d(eu)s noster
Ih(esu)s Cr(istu)s Filius D(e)i triginta annorum
secu[n]|²dum carnem constitutus et baptizatus
coepit Euangelium predicare et anim[as] |³homi-
num pascereᵃ, ita et iste s(an)c(tu)s ipsius
Cr(ist)i dispositione et ordinatione et in fame
|⁴et penuria predicationis indifferenter agentem
ipsam gentem Gothorum secuṇ[dum] |⁵euangeli-
cam et apostolicam et profeticam regulam
emendauit et uibere d[o]|⁶cuit et cr(ist)ianos
uere cr(ist)ianos esse manifestauit et multi-
plicauit.

58. Vbi et ex inu[i]|⁷dia et operation[e] |⁸Ini-
mici thunc ab iṇ|⁹religioso et sacrile[go] |¹⁰iu-
dice Gothorum |¹¹tyrannico terror[e] |¹²in uar-
barico cr(ist)iạ[norum] |¹³persecutio est |¹⁴excitata,
ut Sat[a]|¹⁵nas qui male fa|¹⁶cere cupiebat
n[o]|¹⁷lenṣ faceret bene, |¹⁸ut quos desidera-
[bat] |¹⁹preuaricatores f[ace]|²⁰re et desertores
|²¹Cr(ist)o opitulante |²²et propugnant[e] |²³fierent
martyres |²⁴et confessores, ụ[t] |²⁵persecutor co[n]-
|²⁶funderetur et qụ[i] |²⁷persecutionem [pa]|²⁸tie-
bantur coṛ[o]|²⁹narentur, ut hi[c] |³⁰qui temta-
bat |³¹uincere uictus eru|³²besceret et qụ[i]
|³³temtabantur uictores gauderent. **59**. Vbi et
post multorum seruorum et ancill[a]|³⁴rum
Cr(ist)i gloriosum martyrium imminente uehe-
menter ipsa persecutione c[om]|³⁵pletis septem
annis tantummodo in episkopatum supradictus
sanctissimụ[s] |³⁶uir beatus Vlfila cum grandi
populo confessorum de uarbarico pulsus in ṣ[o]-
|³⁷lo Romanie athuc beate memorie Constantio
principe honorifice est suscep[tus]. |³⁸Vt sicuti
D(eu)s per Moysem de potentia et uiolentia

tère. **57.** Et de même que Joseph en Égypte se révéla à
l'âge de trente ans [d] [. . .]. Et de même que notre seigneur
et dieu Jésus-Christ, Fils de Dieu, entra en fonction et fut
baptisé à l'âge de trente ans, selon la chair, et commença
alors à prêcher l'Évangile et à paître les âmes des hommes [a],
de même également le saint en question, en vertu d'une
disposition et d'une décision du Christ lui-même, a ramené
dans le droit chemin le peuple goth, dont les mœurs
étaient relâchées par défaut et par manque de prédication.
Il leur a appris à vivre selon la règle de l'Évangile et des
apôtres et des prophètes, il a fait en sorte que les chrétiens
apparaissent vraiment comme des chrétiens et il en a
multiplié le nombre.

58. Et puis, à cause de l'animosité et des agissements
de l'Ennemi, une persécution fut alors déclenchée contre
les chrétiens en terre barbare, avec les moyens d'intimidation propres aux tyrans, par le juge impie et sacrilège
des Goths. De cette façon, Satan, qui cherchait à faire du
mal, fit du bien sans le vouloir ; ceux dont il souhaitait
faire des apostats et des traîtres, devinrent, avec l'aide
du Christ qui combattait pour eux, des martyrs et des
confesseurs ; le persécuteur fut confondu, et ceux qui
souffraient persécution reçurent la couronne ; celui qui
tentait de vaincre rougit de sa défaite, et ceux qui étaient
tentés se réjouirent de leur victoire. **59.** Et puis, après
le glorieux martyre de nombreux serviteurs et servantes
du Christ, alors que cette persécution se faisait extrêmement menaçante, le très saint homme dont nous parlons,
le bienheureux Ulfila, au terme de sept années seulement
d'épiscopat, fut chassé du pays barbare en même temps
qu'un peuple immense de confesseurs et accueilli avec
honneur sur le territoire de l'empire romain, à l'époque où
Constance, de bienheureuse mémoire, exerçait encore le
pouvoir. De même que Dieu, par l'intermédiaire de Moïse,
a libéré son peuple de la domination et des exactions de

307r,   26   —fuderetur   *a. corr.* || 38 et[1]   *sup. l.*

d. Cf. Gen. 41, 46
307r   a. Cf. Lc 3, 23

307v Faraonis et Egyptiorum po[pulum] ‖¹suum libe-
rauit et per mare transire fecit et sibi
seruire prouidit, ita et per |²sepe dictum
D(eu)s confessores s(an)c(t)i Fili sui unigeniti
de uarbarico liberauit et per Da|³nubium
transire fecit et in montibus secundum s(an)c-
(t)orum imitationem sibi ser|⁴uire de⌐dit.
60. Qui su⌐o populo in solo Romaniae
absque illis septem annis triginta et |⁵tribus
annis ueritatem predicauit, ut et in hoc
quorum s(an)c(t)orum imitator erat |⁶⌐...14...⌐
quadraginta annorum spatium et tempus ut
multos⌐......⌐re |⁷et⌐...11...⌐‖⁸⌐...13...⌐.

61. |⁹Qui cu⌐m⌐ precepto in|¹⁰periali conple-
|¹¹tis quadraginta |¹²annis ad Constan|¹³tinopoli-
tanam ur|¹⁴bem ad disputatio|¹⁵nem ⌐......⌐
contra |¹⁶p⌐...13...⌐s |¹⁷perrexit ⌐...7...⌐‖¹⁸in
⌐...13...⌐‖¹⁹⌐...14...⌐|²⁰⌐...⌐x⌐...8...⌐as |²¹docer
⌐...8...⌐es|²²t⌐...14...⌐. |²³Et ingressus in su-
|²⁴pradictam ciuita|²⁵tem, recogitato ab |²⁶impiis
de statu |²⁷concilii, ne argue|²⁸rentur miseris
|²⁹miserabiliores |³⁰proprio iudicio |³¹damnati[a] et
per|³²petuo supplicio |³³plectendi, statim coepit
infirmari. In qua infirmitate susceptus est ad
si|³⁴militudine Elisei profetae[b]. **62**. Considerare
modo oportet meritum uiri qui |³⁵ad hoc
duce D(omi)no obit Constantinopolim, immo
uero Cr(ist)ianopolim, ut s(an)c(tu)s |³⁶et inma-
culatus sacerdos Cr(ist)i a s(an)c(t)is et consa-
cerdotibus, a dignis dignus |³⁷digne in tantam

307v   a. Cf. Tite 3, 11   b. Cf. IV Rois 13, 14

---

1. La persécution d'Athanaric et l'exode d'Ulfila se situent vers
348 ; les exilés s'établirent au pied du mont Haemus en Mésie.
V. p. 147-148.

Pharaon et des Égyptiens, et lui a fait traverser la mer, et a fait en sorte qu'il le serve, de même également, par l'intermédiaire de celui dont nous ne cessons de parler, Dieu a libéré du pays barbare les confesseurs de son saint Fils unique-engendré, et lui a fait traverser le Danube, et lui a donné de le servir dans les montagnes à l'imitation des saints [1]. 60. Il prêcha la vérité à son peuple sur le territoire de l'Empire romain durant trente-trois ans, s'ajoutant aux sept années qui précèdent [2] [...].

61. Sur ordre de l'empereur, au terme des quarante années, il se rendit à la ville de Constantinople en vue d'un débat [...] [3]. Et quand il fut entré dans la ville en question, après que les impies aient repensé l'organisation du concile [4], pour éviter que ne soient confondus des hommes qui sont plus à plaindre que les malheureux, des hommes condamnés par leur propre jugement [a] et voués au châtiment éternel, il tomba aussitôt malade. Durant cette maladie, il fut emporté à l'instar du prophète Élisée [b]. **62.** Il faut considérer un instant le mérite de l'homme qui, sous la conduite du Seigneur, est venu à Constantinople, ou mieux à « Christianople [5] », pour que les derniers honneurs soient rendus au prêtre du Christ, saint et sans tache, par des saints et des collègues dans le sacerdoce, pour qu'ils soient rendus de façon digne à cet homme digne par des hommes dignes [6], au milieu

2. Soit au total quarante années d'épiscopat, tout comme David avait régné durant sept ans à Hébron, puis durant trente-trois ans à Jérusalem, soit au total quarante années de règne (cf. *II Sam.* 2, 11 ; 5, 4-5 ; *III Rois* 2, 11 ; etc.).

3. Les lignes 15-22, recouvertes par l'acide, sont en grande partie illisibles ; v. p. 48, n. 3.

4. Il s'agit du concile de Constantinople de 383 ; v. p. 157-161.

5. Voir Ch. Pietri, « Damase et Théodose. Communion orthodoxe et géographie politique », dans *Epektasis. Mélanges patristiques offerts au cardinal Jean Daniélou*, Paris 1972, p. 631-633.

6. Tournure proverbiale ; voir F. Buecheler, « Altes Latein », dans *Rheinisches Museum*, 46 (1891), p. 243 ; C. Weyman, « Varia », *ibid.*, 51 (1896), p. 328 ; C. F. W. Mueller, « Zu Band LI S. 328 », *ibid.*, p. 480 ; C. Weyman, « Varia », *ibid.*, 53 (1898), p. 316, n. 1.

multitudinem   cr(ist)ianorum   pro   meritịṣ   ṣụịṣ
mịṛẹ   et   gloriose |³⁸honoraretur.

63. Qui   et   in   exitu   suo   usque   in   ipso
308r mọṛṭịṣ monumento ||¹per testamentum fidem suam
cọṇṣcṛịḅtam   populo   sibi   credito   dereliquid   ita
ḍ[i]|²cens : «Ego Vlfila episkopus et confessor
semper   sic   credidi   et   in   hac   fide   sola |³et
uera   transitum   facio   ad   d(omi)n(u)m   meum.
Credo   unum   esse   D(eu)m   Patrem, |⁴solum
ingenitum   et   inuisiuilem,   et   in   unigenitum
Filium   eius,   d(omi)n(u)m   et   d(eu)m   n(ostrum),
|⁵opificem   et   factorem   uniuerse   creature,   non
habentem   similem   suum,   —   ideo |⁶unus   est
omnium   D(eu)s   Pater,   qui   et   d(e)ị   nostri
est   D(eu)s,   —   et   unum   Sp(iritu)m   S(an)c-
(tu)m,   uirtutem |⁷inluminan|⁸tem   et   sanctifi-
|⁹cantem, ut ait Cr(istu)s |¹⁰pọṣṭ resurrec|¹¹tio-
nem ad apos|¹²tolos ṣụọṣ : *Ecce* |¹³*ego mitto
pro*|¹⁴*missum Patris* |¹⁵*mei in uobis,* |¹⁶*uos
autem se*|¹⁷*dete in ciuita*|¹⁸*tem Hierusalem* |¹⁹*quoad-
usque in*²⁰|*duamini uirtu*|²¹*tem ab alto*ᵃ, |²²item
et : *Accipie*|²³*tis uirtutem su*|²⁴*peruenientem
*|²⁵*in uos S(an)c(t)o Sp(irit)u*ᵇ, |²⁶nec D(eu)m
nec d(eu)m n(ostrum), |²⁷sed ministrum |²⁸Cr(is-
t)i ⌈...8...⌉|²⁹⌈...9...⌉ subd[i]|³⁰tum et oboe-
dient[em] |³¹in omnibus Fili[o], |³²et Filium
subdit[um] |³³et oboedientem ẹ[t] |³⁴in omnibus
D(e)o Pat[ri]|³⁵quẹ ṣụọ ⌈.⌉ẹ⌈.⌉ṣ⌈.⌉c⌈.⌉ẹṛị⌈.⌉ṣ⌈..⌉ị
⌈..⌉ị⌈.....⌉ per Cr(istu)m ẹ⌈i⌉ụṣ ⌈in⌉ Sp(irit)u
S(an)c(t)o ọ⌈rdi⌉ṇạuit.

64. Quaʾ⌈.⌉ |³⁶⌈......⌉fuit⌈...22...⌉teʾ⌈....⌉re
D(e)i seruorum s(an)c(t)orum ep(isco)p(o)ru[m]
|³⁷nostrorum, ut non solum in partibus occi-
dentalibus de Illirico adueniren[t] |³⁸putantes

d'une très grande foule de chrétiens l'entourant d'admi-
ration et de gloire, comme il convenait à ses mérites.

Le credo   **63.** Au moment de son départ, jusque sur
d'Ulfila   son monument funéraire lui-même, il a laissé
              par testament au peuple à lui confié sa pro-
fession de foi écrite, dont voici les termes [1] : « Moi, Ulfila,
évêque et confesseur, c'est toujours ainsi que j'ai cru, et
c'est dans cette foi, la seule vraie, que je fais le passage
vers mon seigneur. Je crois qu'il y a un seul Dieu, le Père,
seul inengendré et invisible. Je crois aussi en son Fils
unique-engendré, notre seigneur et dieu, ouvrier et artisan de la création tout entière, lequel n'a personne qui
lui soit semblable. Ainsi donc, unique est le Dieu de tous
les êtres, le Père, qui est aussi le Dieu de notre dieu. Je
crois aussi un unique Esprit-Saint, puissance illuminante
et sanctifiante, comme dit le Christ après la résurrection
à ses apôtres : ' Voici que j'envoie sur vous ce que mon
Père a promis ; vous donc, demeurez dans la ville de Jérusalem, jusqu'à ce que vous soyez revêtus de la puissance
venue d'en haut [a] ', et de même : ' Vous recevrez la puissance quand l'Esprit-Saint surviendra en vous [b] ' ; il n'est
ni Dieu, ni notre dieu, mais serviteur du Christ [...],
soumis et obéissant au Fils en toutes choses [...]. »

2. COMMENTAIRE DE MAXIMINUS

64. [...] les serviteurs de Dieu, nos saints évêques, ne
se sont pas seulement rendus dans les régions d'Occident
depuis l'Illyricum, pensant qu'un concile aurait lieu,

minu[..] *sup. l. (lege* [Maxi]minu[s d(icit)], *cf. p. 66)*
|| 36 *in initio lineae add. sup. l.* et sequitur rursus

308r   a. Lc 24, 49   b. Act. 1, 8

1. C'est, réduite à l'essentiel, la même doctrine que celle exposée
tout au long par Auxentius ; Ulfila n'en a jamais professé d'autre ;
v. p. 165-172.

concilium dạṛị, ụṭ gesta ab ipsis ereticis confecta ịṇḍịcant, ụẹṛụṃ |³⁹etiam quae cọṇ-cẹṣṣio ab ipsis processit quod deberẹṇṭ [...13

308v ...ḷịfịçọ|⁴⁰[...64...] ||¹recitatae, etiam ad Orientem perrexerunt idem postulan|²tes.

65. Vt autem recitatum est ab Auxentio de «recogitato statu con|³cilii, ne arguerentur miseris miserabiliores, proprio iudicio |⁴damnati et perpetuo suplicio plectendi» heretici, hoc ipsum ne|⁵cesse est ut disseramus.

66. Ideo ait «proprio iudicio damnati», |⁶quia ipsi ultro alienos se ipsos a quietu sanctorum fecerunt, |⁷eo quod pulsan|⁸tibus sanc|⁹tis non solu(m) |¹⁰quod interclu|¹¹serunt con|¹²cili ụịạ, sẹd et |¹³«magna cum |¹⁴uociferatio|¹⁵ne», ut exposu|¹⁶it supradic|¹⁷tus Palladius, |¹⁸per singu|¹⁹la uerba fidei |²⁰anathema suc|²¹clamauerunt |²²et preterea — |²³quod nec demo|²⁴nes ausi fue|²⁵runt, in summu(m) |²⁶omnitenente(m) |²⁷D(eu)m inferre |²⁸blasfemiam — |²⁹hi sine aliqua |³⁰cunctatione |³¹proruperunt |³²in monarchia |³³omnitenentis |³⁴Patris. Deinde |³⁵quantum ad cau|³⁶sa depuerunt execrari, secundum probạṭạṃ impietạ[tem. Se]d ut **(67)** |³⁷religiosi, parentes reuocare eos desiderantes — ut eorum per|³⁸sonant uẹṛḅạ — cum humilitate agebant : «Cristiani ad cristia|³⁹nos uenimus.» Vnde et illi inflati humili responso procaci-|⁴⁰tate indigna dicebant : «Cristianos nos con-

---

308v, 2 Auxentio + epi(s)k(opo) *sup. l.* || recotato *a. corr.* || 4 supplicio *p. corr.* || 6 quietu = coetu || 7 eo quod *p. corr.* : equod *a. corr.* || 36 depuerunt *sic* || 37 parentes + epikopi *(sic)* nostri *sup. l.*

308v,2-4   Cf. 307v,25-33
308v,13-21   Cf. 339r,47-50
308v,38-40   *Gesta,* 12

comme les actes composés par les hérétiques l'indiquent,
[...] ils se sont aussi rendus en Orient pour demander la
même chose [1].

65. Comme il a été question dans le texte d'Auxentius
du « règlement du concile » qui a été « repensé, pour éviter
que ne soient confondus des hommes qui sont plus à
plaindre que les malheureux », des hérétiques « condamnés
par leur propre jugement et voués au châtiment éternel », il est nécessaire que nous fassions un commentaire
sur ce point-là. **66.** S'il dit « condamnés par leur propre
jugement », c'est parce qu'ils se sont eux-mêmes, de leur
propre mouvement, exclus de la communauté des saints,
du fait non seulement qu'ils ont barré la route du concile
aux saints qui frappaient à la porte [2], mais encore qu'ils
ont crié « anathème » en réponse à chacune des paroles de
la foi, « avec des hurlements féroces », comme l'a rapporté
le susdit Palladius ; et par-dessus le marché, — chose
que les démons eux-mêmes n'ont pas osé faire : articuler
un blasphème contre le Dieu suprême qui tient tout dans
sa main, — ces gens, sans la moindre hésitation, s'en sont
pris à la monarchie du Père qui tient tout dans sa main [3].
Par la suite, à s'en tenir au débat, ils ont dû être maudits,
eu égard à leur impiété avérée. **67.** Mais en hommes pieux
qu'ils étaient, les Pères, souhaitant les ramener dans le
droit chemin, — ainsi que leurs paroles le donnent clairement à entendre, — se comportaient avec humilité :
« Nous sommes venus comme des chrétiens vers des chrétiens. » Là-dessus, ces gens-là, tirant vanité de cette
humble réponse, disaient avec une insolence scandaleuse :
« Vous avez reconnu en nous des chrétiens. » En réalité,

---

1. Cf. supra, p. 235, n. 3.
2. Entendez par là qu'ils ont empêché la réunion du concile général souhaité par les ariens.
3. En exigeant qu'on reconnaisse au Fils les mêmes attributs
qu'au Père, sans aucune nuance ou restriction, le parti d'Ambroise
nie la « singularité » du Père, seul Dieu véritable, et refuse de reconnaître qu'il est l'unique principe de toute bonté, de toute sagesse,
etc.

probasti.» |⁴¹[Re]uera   fecerant   sicut   scriptum

309r est   profeta |⁴²[dicente]   :   ‖¹*Qui   tremetis   uerbum   eius,   dicite   :   «Fratres   nostri   estis»,   qui* |²*uos   oderunt   et   abominantur,   ut   nomen   D(omi)ni   clarificetur* |³*et   illi   confundentur*ᵃ.   **68.**   Adhuc   autem   dicendum   est,   meri|⁴to   ait   «proprio   iudicio   damnati»,   sicut   Apostolus   dicit   :   *Hereticum   ho|⁵minem   post   unam   correptionem   uel   secundam   deuita,   sci|⁶ens   quia   peruersus   est   qui   eiusmodi   est   et   delinquet,* |⁷*cum   sit   propr[io]* |⁸*iudicio   dam|⁹natus*ᵇ,   —   et   non |¹⁰suffecerat.

69. |¹¹Cur   tanta   pat[i]|¹²entia   eorum? |¹³Eo   quod   qui   dę|¹⁴buerunt   ir[as]|¹⁵ci   non   sunt   irę[a]|¹⁶ti,   quia   et   scr[ib]|¹⁷tum   est   :   *Iraṣ|¹⁸cimini   et   noliṭ[e] |¹⁹peccare*ᶜ,   coṃ|²⁰memorati |²¹sane   quod   e[t] |²²D(omi)n(u)s   ait   in   s(an)c(t)o   [e]|²³uangelio   se|²⁴cundum   Mat|²⁵theum   :   *Dictuṃ |²⁶est   antiqui[s]   : |²⁷Non   occide[s]; |²⁸qui   autem   oç|²⁹ciderit   reu[s] |³⁰erit   iudicii; |³¹ego   autem   di[co] |³²uobis   quod   omn[is] |³³qui   irascitur |³⁴fratri   suo   sin[e] |³⁵causa   reus   erit   iudicii,   qui   autem   dixerit   fratri   suo   «rach[a]» |³⁶reus   erit   concilio,   qui   autem   dixerit   «fatue»   reus   erit   gehę[n]|³⁷ne   ignis*ᵈ.   Patientia   tenuerunt   quia   *melior   est   uir   patienṣ |³⁸forti   et   qui   continet   iram   melior   est   quam   qui   orbeṃ |³⁹capit*ᵉ,   imitati   d(omi)n(u)m   nostrum   Ih(esu)m

309v Cr(istu)m   qui   *sicut   ouis   ad   ‖¹occisionem   adductus   est   et   sicut   agnus   coram   tondenteṃ |²se   sine   uoce   sic   non   aperuit   os   suum   in   humi-*

<hr />

41 fecerunt *p. corr.*, + nostri *sup. l.*
    309r, 4 —to ait *p. corr.* : —toit *a. corr.* ‖ 38 continent *a. corr.*

ils avaient agi comme il est écrit dans les paroles du prophète : « Vous qui craignez sa parole, dites à ceux qui
vous haïssent et vous détestent : ' Vous êtes nos frères ',
afin que le nom du Seigneur soit glorifié, et ceux-là seront
confondus [a] [1]. » 68. Ajoutons encore qu'il a eu raison de
dire « condamnés par leur propre jugement », ainsi que
le déclare l'Apôtre : « Évite l'hérétique après un unique
avertissement ou un deuxième, sachant qu'un homme
de ce genre est perverti et fautera, puisqu'il est condamné
par son propre jugement [b] », — et cela n'avait pas suffi [2].

69. Pourquoi tant de patience chez eux ? Du fait que
ceux qui auraient dû se mettre en colère, ne se sont pas
mis en colère, car il est écrit également : « Mettez-vous en
colère et ne péchez point [c]. » Ils se sont souvenus certainement que le Seigneur dit aussi dans le saint évangile
selon Matthieu : « Il a été dit aux anciens : ' Tu ne tueras
pas, celui qui viendrait à tuer sera passible du jugement ' ;
mais moi, je vous dis que quiconque se met en colère
contre son frère sans motif, sera passible du jugement ;
celui qui dit à son frère ' racha ' sera passible du conseil ;
celui qui dit ' insensé ' sera passible de la géhenne de
feu [d]. » Ils n'ont pas perdu patience, car « mieux vaut
un homme patient qu'un brave, et celui qui domine sa
colère vaut mieux que celui qui conquiert le monde [e] ».
Ils ont imité notre seigneur Jésus-Christ, qui, « telle une
brebis, a été mené à l'abattage, et tel un agneau sans voix
face à celui qui le tond, n'a pas ouvert la bouche, en toute

309r   a. Is. 66, 5   b. Tite 3, 10-11   c. Ps. 4, 5   d.
Matth. 5, 21-22   e. Prov. 16, 32

---

1. Dans tout ce développement, Maximinus se préoccupe de justifier le fait que Palladius et son collègue aient accepté de dialo-
guer avec leurs adversaires, alors que ceux-ci sont condamnés sans
appel par les ariens de son temps. Il explique la patience dont les
Pères ont fait preuve par l'espoir qu'ils avaient encore de voir leurs
interlocuteurs s'amender. Aujourd'hui, après les iniquités et les
violences dont les « hérétiques » se sont rendus coupables envers les
vrais chrétiens, cette attitude n'est plus de mise.
2. Comprenez que les avertissements de Palladius n'ont pas réussi
à détourner Ambroise de son erreur.

litate[a]. **70**. Hi autem ad|[3]uersarii in modum
iudeorum dicentium : *Tolle, tolle, cru*|[4]*cifige
eum*[b], non solum quod in religione anathema
succla|[5]mauerunt, sed et in eorum iniuriam
dicentes : «Porro tace|[6]ant», et aliu̯s : «Ța̦-
ceat nec saluus», sed et ausi fuerunt epis-
kopatu(m) |[7]quem non habebant habentibus
interdicere, și̦c̦u̦ț compositio |[8]g⌈esto⌉r̦u̦m̦ e̦o̦|[9]r̦u̦m̦
i̦n̦d̦i̦c̦a̦ț |[10]u̯⌈.⌉n̦⌈...⌉u̯⌈..⌉ș |[11]unde e̦ț ș(an)c̦(tu)ș
P̦a̦l̦|[12]l̦a̦d̦i̦u̦ș și̦c̦u̯ț qui|[13]⌈...⌉g⌈.....⌉n̦a̦ț |[14]⌈...8
...⌉e̦n̦ș |[15]⌈...11...⌉|[16]d̦i̦ț⌈......⌉șa |[17]quo̦d̦ c̦o̦n̦te̦ș-
|[18]tatus est tex|[19]tus indicat |[20]lectio̦n̦i̦ș qui
|[21]infra habe|[22]tur.

71. Nunc tem|[23]pus est res|[24]pondendi de
|[25]eo quod ut su|[26]pra dictu̯m̦ d̦e̦ |[27]sancto
Vlfila, |[28]qui ingres|[29]sus in ciuitate(m) |[30]Cons-
tantino|[31]politanam, de |[32]«recogitato |[33]ab impiis
de |[34]statu concilii, |[35]ne argueren|[36]tur mise-
ri<s> mi|[37]serabiliores». |[38]Vț e̦r̦g̦o̦ ab ipsis
patribus nobis e̦șț e̦x̦p̦o̦și̦țu̦m̦, sed et ipsi in
|[39]memoratam urbem saepius audiuimus, **(72)**
haec fuit ratio ut |[40]et ibi recogitarent de
concilio promisso a Theodosio im|[41]peratore,
quod Gratianus imperator interdixerat. Per|[42]ue-
nerunt enim scripta Ambrosi ceterorumqu̯e̦ qui
310r ina|[43]⌈...28...⌉ ipsa eis transmiserunt, ‖[1]quae
pro uoluntate sua confecerunt, d̦i̦c̦e̦⌈ntes⌉, sicut
epistula[e] |[2]d̦a̦⌈tae⌉ a̦d̦ Gratianum personant
e̦o̦r̦u̦m̦, ut |[3]c̦⌈...7...⌉ți̦ sunt sacerdotium eis
imperiali auctoritate inte[r]|[4]dixerunt et i̦n̦ l̦o̦c̦i̦ș
eorum alios ordinandos rogauerun[t], |[5]aeclesias
aeque eis auferendas postulauerunt. **73**. Hoc
⌈...⌉ fac|[6]tum est ut et Theodosius imperator

309v, 28 quiningressus *a. corr.* ‖ 41 imperator +
i̦a̦m̦ *sup. l.* ‖ 42 scripta + m̦e̦⌈...7...⌉u̯m̦ *sup. l.*

humilité ª ». **70.** Au contraire, ces adversaires-là, à la
manière des juifs qui disaient : « Allez, allez, crucifiez-
le ᵇ », ne se sont pas contentés de crier « anathème »
contre la religion et de dire en leur faisant affront : « Mais
qu'ils se taisent donc ! », et un autre : « Qu'il se taise,
et qu'il n'y ait pas de salut pour lui ! », mais ils ont également eu l'audace d'interdire l'exercice de l'épiscopat à
ceux qui l'avaient, alors qu'eux-mêmes ne l'avaient
pas [1], [...] le texte du passage qui se trouve plus bas
l'indique [2].

71. Il est temps maintenant de répondre à propos de
ce qui a été dit plus haut de saint Ulfila, qui a fait son
entrée dans la ville de Constantinople « après que le
règlement du concile eut été repensé par les impies, pour
éviter que ne soient confondus des hommes qui sont plus
à plaindre que les malheureux ». Donc, comme cela nous
a été rapporté par les Pères eux-mêmes, et comme nous
l'avons personnellement entendu dire bien souvent dans
la ville en question, **(72)** telle fut la raison pour laquelle,
ici également, ils ont repensé la question du concile promis
par Théodose, alors que Gratien l'avait interdit. Des
écrits d'Ambroise et des autres sont arrivés, en effet, [...]
ils leur ont interdit en vertu de l'autorité impériale l'exercice du sacerdoce, et ils ont demandé que d'autres soient
ordonnés à leur place, et ils ont réclamé que les églises
leur soient enlevées. **73.** Voilà comment il s'est fait que
l'empereur Théodose ait fait à son tour promulguer dans

310r, 4 subrogauerun[t] *p. corr.*

309v a. Is. 53, 7-8   b. Jn 19, 15

309v,4-5   Cf. 339r,49-50
309v,5-6   Cf. 343r,4-6
309v,28-37 Cf. 307v,23-29
310r,1-5 Cf. *Ep.* « *Benedictus* », 8

---

1. Aux yeux des ariens, il n'y a ni sacerdoce, ni sacrements véritables dans l'hérésie ; v. p. 173, n. 1.
2. V. intr., p. 93-94.

Scolies ariennes.

per orbem terrarum |⁷daret legem |⁸quae con-
cor|⁹daret prae|¹⁰ceptis Grat[i]|¹¹ani.

74. Nunc er|¹²go redde[n]|¹³da est ra[tio]
|¹⁴qua de cau[sa], |¹⁵cum illo in t[em]|¹⁶pore
Pallad[i]|¹⁷us diceret : |¹⁸«Cristiani a[d] |¹⁹cris-
tianos |²⁰uenimus», nun[c] |²¹immutata |²²est
senten|²³tia. Tandiu |²⁴cristiani iu|²⁵dicabantur
|²⁶quandiu eme[n]|²⁷datio in eis |²⁸sperabatur.
|²⁹Vtique sub|³⁰tracta amb[i]|³¹guitate quo[d]
|³²erat sincer[um] |³³inluxit ideo|³⁴que et «proprio
iudicio» sunt «damnati» qui priores sententiam
|³⁵licet nostris, id est cristianis, sed tamen
sibi eam dederunt, |³⁶qui non tantum aecle-
sias auferendas cristianis statue|³⁷runt, sed et
ore proprio a sacerdotio euacuandos impios
|³⁸censuerunt. 75. Quae impietas in eos con-
uertetur, sicut scrip|³⁹[tum e]st : *Men[t]ita*
310v *est iniquitas sibi*[a], *et : Qui fodit foueam* ‖¹*pro-*
ximo incidet in eam[a], et iterum : *Lacum*
fodit et refodit eum et incidet in fobeam
|²*quam operatus est; conuertetur dolor eius in*
caput eius et iniquitas eius in cerebro eius
|³*descendet*[b]. Ergo secundum fidem s(an)c(t)arum
scribturarum in se ipsos dederunt sententiam,
|⁴dicente sancta scribtura : *Sicut aues uolantes*
et passeres, ita maledictum uanum non ueniet
|⁵*ulli*[c]. Nam et pax secundum Saluatoris sen-
tentiam ad eum reuertetur qui dederit eam,
si |⁶non inuenerit dignum paci, dicente Salua-
tore : *In quacumque domo intraberitis, salutate*
eam |⁷*dicentes : «Pax huic domui», et si fuerit*
ibi filius pacis, pax uestra super eum requies-

---

6 obem *a. corr.* ‖ 38 impietas *a. corr.* : iniquitas *p. corr.*

---

tout l'univers une loi qui fût en accord avec les ordres de
Gratien [1].

74. Il faut maintenant rendre compte de la raison
pour laquelle, alors qu'en ce temps-là, Palladius disait :
« Nous sommes venus comme des chrétiens vers des chrétiens », maintenant on en juge autrement. Ils ont été considérés comme des chrétiens aussi longtemps qu'on espérait les voir s'amender. De toute évidence, l'équivoque
ayant été dissipée, leur véritable sentiment s'est révélé,
et par conséquent, ils ont été « condamnés par leur propre
jugement », en étant les premiers à rendre la sentence ;
certes, celle-ci était dirigée contre les nôtres, c'est-à-dire
les chrétiens, mais en réalité, c'est eux-mêmes qu'elle
atteignait, non seulement quand ils ont jugé qu'il fallait
enlever les églises aux chrétiens, mais aussi quand ils ont
décrété, de leur propre bouche, qu'il fallait dépouiller les
impies du sacerdoce. **75.** Cette impiété se retournera
contre eux, ainsi qu'il est écrit : « L'iniquité s'est menti
à elle-même [a] », et : « Celui qui creuse une fosse pour son
prochain tombera dedans [a] », et encore : « Il creuse un
piège et il l'approfondit, et il tombera dans la fosse qu'il
a faite ; sa douleur reviendra sur sa tête, et son iniquité
retombera sur son crâne [b]. » Donc, si nous en croyons les
saintes écritures, c'est contre eux-mêmes qu'ils ont rendu
leur sentence, puisque la sainte écriture dit : « Comme les
oiseaux qui volent et les moineaux, ainsi une malédiction
non fondée n'atteindra personne [c]. » Car la paix, selon la
parole du Sauveur, reviendra vers celui qui l'a souhaitée,
si elle ne trouve personne qui soit digne de paix, comme
le dit le Sauveur : « Dans toute maison où vous entrerez,
saluez-la en disant : ' Paix à cette maison ' ; et s'il y a là
un fils de la paix, votre paix reposera sur lui ; sinon, elle

310v   a. Sir. 27, 29   b. Ps. 7, 16-17   c. Prov. 26, 2

310r,18-20   *Gesta*, 12

1. Le scénario imaginé ici par Maximinus est tout à fait invraisemblable ; v. p. 162-165.

cet; |⁸*sin autem ad uos re*|⁹*uertetur*ᵈ. Sic ergo
et |¹⁰maledictum, cum non |¹¹inueniet sibi
dignum, |¹²ad eum reuertetur |¹³qui protulit
maledic|¹⁴tum.

76. Sicut autem Am|¹⁵mam prefectus qui
|¹⁶gentem Ebreorum an|¹⁷te aduentum Cr(ist)i
ex|¹⁸terminandam a re|¹⁹ge postulabat, in li-
gnu(m) |²⁰quod paraberat Mar|²¹doceo, in ipso
est sus|²²pensusᵉ, ita et his con|²³tigit. Ergo
iuste me|²⁴ritoque nunc per |²⁵omnia exteri
cr(ist)ianis |²⁶iudicauuntur, qu[i] ba|²⁷silicas cr(is-
t)ianis uiolen|²⁸ter deripuerunt et |²⁹eis denega-
berunt. |³⁰Audient utique se|³¹cundum magiste-
|³²rium Cr(ist)i ab ipsis : |³³*Ecce relinquetur*
|³⁴*uobis domus uestra* |³⁵*deserta*ᶠ, in qua nec
|³⁶baptismum uerum |³⁷celebratur nec |³⁸mysteria
sancta conficiuntur nec sacerdotium stare potest,
pulsis sacerdotibus ueris. **77**. Nam |³⁹denique
nisi sic a nobis geratur, inuenimur firmare
eorum sententiam qui uacuis uerbis |⁴⁰sacerdota-
lem officium quantum ad ipsos s(an)c(t)is
denegaberunt. Quomodo non ualeuit eorum
|⁴¹sententia aut auctoritas sacerdotalis, si eis
baptizandi licentiam demus? Si habent |⁴²licen-
tiam baptizandi, habent et sacerdotes ordi-
nandi; opus opificem probat. Si ha|⁴³bent
licentiam ordinandi, habent et deiciendi, et
inuenimur ab ipsa conscientia |⁴⁴[...15...][......]
quia religionis concedimus in quibus religio
311r [...7...]. **78**. ||¹Nam cum D(omi)n(u)s Petro,
et non Iudae proditori, dixeriṭ : *Tibi dabo*
clabes reg|²*ni caelorum, quaecumq(ue) ligaueris*
super terram erunt ligata et in cae|³*lo et*
quaecumq(ue) solueris super terra erunt soluta
*et in caelo*ᵃ, cons|⁴tat utiq(ue) hos habere
claues regni caelorum qui fidem Petri se-

reviendra vers vous ᵈ. » De même aussi, donc, la malédiction, quand elle ne trouvera personne qui la mérite,
reviendra vers celui qui a proféré la malédiction.

76. De même que le préfet Amman, qui demandait au
roi, avant la venue du Christ, d'exterminer le peuple
hébreu, fut pendu à ce bois-là même qu'il avait fait dres-
ser pour Mardochée ᵉ, ainsi en est-il advenu pour ces
gens-là. Donc, c'est à juste titre et à bon droit que maintenant, ils seront considérés à tout point de vue comme
étrangers aux chrétiens, eux qui ont arraché par la violence les basiliques aux chrétiens et les leur ont refusées ¹.
Ils s'entendront eux-mêmes dire, sans aucun doute, conformément à l'enseignement du Christ : « Voici que votre
maison vous sera laissée déserte ᶠ » ; en elle, on ne célèbre
pas de baptême véritable, on ne consacre pas les saints
mystères, et le sacerdoce ne peut subsister, puisqu'on a
chassé les prêtres véritables. **77.** Car en effet, si nous
n'agissions pas de la sorte, nous nous trouvons confirmer
la sentence de ces gens qui, parlant pour ne rien dire, ont
refusé quant à eux l'exercice du sacerdoce aux saints.
Comment sera-t-elle sans valeur, leur sentence ou leur
autorité sacerdotale, si nous leur reconnaissions le pouvoir de baptiser ? S'ils ont le pouvoir de baptiser, ils ont
aussi celui d'ordonner des prêtres : l'œuvre révèle l'ouvrier. S'ils ont le pouvoir d'ordonner, ils ont aussi celui
de déposer [...]. **78.** En effet, puisque le Seigneur a dit
à Pierre, et non à Judas le traître : « Je te donnerai les
clés du royaume des cieux ; tout ce que tu auras lié sur la
terre sera lié aussi dans le ciel, et tout ce que tu auras
délié sur la terre sera délié aussi dans le ciel ᵃ », il est tout
à fait évident que ceux-là détiennent les clés du royaume

d. Lc 10, 5-6 ; cf. Matth. 10, 12   e. Cf. Esther 7, 10   f.
Matth. 23, 38
311r   a. Matth. 16, 19

1. Au début des années 380, une série d'édits impériaux prescrivit
de remettre les édifices du culte aux tenants de la foi de Nicée (voir
p. ex. *C. Theod.*, XVI, v, 6, éd. Mommsen, t. 1, 2, p. 856-857 ; XVI,
ɪ, 3, *ibid.*, p. 834 ; etc). Il en résulta en plusieurs endroits des affrontements sanglants.

cuntur, |⁵qui Cr(istu)m Filium D(e)i fatentur
et non ipsum Patrem. Sic denique ait Pe-
|⁶trus, interrogante D(omi)no : *Quem me dicunt
esse homines filium hominis*[b], |⁷respondit Pe-
|⁸trus : *Quidam* |⁹*Eliam, alii Ie*|¹⁰*remiam*
|¹¹*aut unum ex* |¹²*profetis*[c]. D(omi)n(u)s |¹³inter-
rogat : *Vos* |¹⁴*autem quem* |¹⁵*me esse dicitis*[d]?
|¹⁶Respon|¹⁷dit Petrus : *Tu es* |¹⁸*Filius D(e)i
uiui*[e].

79. No(n) |¹⁹est mirandum |²⁰hereticos ana-
|²¹themam succlą|²²masse ueris |²³sacerdotib[us],
|²⁴cum quando et |²⁵iudaei dederunt |²⁶manda-
tum ut |²⁷si quis confite|²⁸retur Cr(istu)m,
|²⁹extra syna|³⁰goga fierent[f]. |³¹Qui et ceco sua-
|³²debant dicen|³³tes : *Nos sc[i]*|³⁴*mus quią*
|³⁵*hic homọ* |³⁶*peccator est*[g]. Quibus respondit
caecus : *Si peccator est nesc[io];* |³⁷*unum scio,
quia caecus eram et modo uideo*[h]. **80.** Et licet
plurima |³⁸poterant exequi, de beato apostolo
Paulo dicebatur : «No|³⁹uorum daemoniorum
adnuntiator est», quia Ih(esu)m et resur|⁴⁰rec-
tionem mortuorum praedicabat[i]. Sed et iudei
prin|⁴¹cipes sacerdotum ideo interrogauerunt
Cr(istu)m si Fi|⁴²[lius Dei esset, ...27...],
311v ||¹sed ut dicerent : «Blasfemauit[a].» Quịḍ[...20...]
|²⌈..⌉ṭaụ⌈...9...⌉ḍịc̣ẹṇṭẹṣ⌈...11...⌉is nunc ergo
ex|³⌈...34...⌉tas etiam prosecutio |⁴s(an)ç(t)ị
Pallaḍị uel ṣẹcụ⌈...11...⌉enḍụ⌈.⌉ṣ⌈..⌉ṣ⌈......⌉ạ⌈.⌉
noti|⁵ṭịạṃ⌈...11...⌉ Cr(ist)i ụnitatis et⌈...8...⌉
stultitia here|⁶ticorum |⁷quo s(an)ç(t)ọ⌈....⌉]|⁸u⌈...
9...⌉|⁹eṇ⌈...8...⌉]|¹⁰p⌈...?...⌉].

311r, 16 esse *ante* respondit *iteratur, deinde cancellatum est* ‖ 30 fierent *sic* ‖ 38 exequi *scripsi :* exe-
quiqui + et *sup. l.* P

des cieux, qui partagent la foi de Pierre, qui confessent
que le Christ est le Fils de Dieu, et non le Père en personne [1]. C'est ainsi, en effet, que s'exprime Pierre, quand
le Seigneur pose la question : « Que disent les gens de moi,
le fils de l'homme [b] ? » Pierre répond : « Les uns, que tu es
Élie, d'autres Jérémie ou bien l'un des prophètes [c]. » Le
Seigneur interroge : « Mais vous, qui dites-vous que je
suis [d] ? » Pierre répond : « Tu es le Fils du Dieu vivant [e]. »

79. Il n'est pas étonnant que les hérétiques aient crié
« anathème » à l'adresse des prêtres véritables, alors que
les juifs également ont ordonné que si quelqu'un con-
fessait le Christ, il soit exclu de la synagogue [f]. Ils s'effor-
çaient aussi de persuader l'aveugle en disant : « Nous
savons que cet homme est un pécheur [g] » ; l'aveugle leur
a répondu : « S'il est un pécheur, je l'ignore ; je sais une
chose, c'est que j'étais aveugle, et maintenant je vois [h]. »

80. Et, — quoiqu'on puisse encore ajouter bien des
choses, — on disait du bienheureux apôtre Paul : « Il est
le héraut de nouveaux démons », parce qu'il proclamait
Jésus et la résurrection des morts [i]. Et les grands prêtres
juifs aussi ont demandé au Christ s'il était le Fils de Dieu
[...] pour pouvoir dire : « Il a blasphémé [a]. » [...]

---

b. Matth. 16, 13   c. Cf. Matth. 16, 14   d. Matth. 16, 15
e. Cf. Matth. 16, 16   f. Cf. Jn 9, 22   g. Jn 9, 24   h. Jn 9, 25
i. Cf. Act. 17, 18
311v a. Cf. Matth. 26, 63.65

311r, 20-22 Cf. 339r, 49-50

---

1. Rappelons encore une fois que, pour les ariens, l'erreur des
nicéens revient en fin de compte à celle de Sabellius, car en proclamant que la substance du Fils est identique à celle du Père et en
lui reconnaissant les mêmes attributs qu'au Père, ils aboutissent à
identifier purement et simplement le Père et le Fils.

336r **81.** ‖[1]Ambrosius : Nunc quoniam hereticus dicit esse dissimilem idque uersutis disputationibus ads|[2]truere nititur, dicendum est uobis quod scribtum est : *Cauete ne quis uos depredetur de filoso|[3]fia et inanem seductionem secundum traditionem hominum, secundum elementa huius |[4]mundi et non secundum Cr(istu)m*[a]. Omnem enim uim uenenorum suorum in dialectica disputatio|[5]ne constituunt, quae filosoforum sententia definitur, non adstruendum habentes studium, |[6]sed studium destruendi. Sed non in dialectica conplacuit D(e)o saluum facere populum suum.

82. |[7]Palladius d(ixit) : Si confitemur quod Filius dixit : *Quaecumque enim Pater facit, haec et Filius |[8]similiter facit*[b], |[9]quomodo dissimi|[10]lem dicimus? Aut for|[11]te ideo putas dissimi|[12]lem dici a nobis quia |[13]consempiternum |[14]ingenito eidemque |[15]coaeternum non dici|[16]mus Patri, quem uti|[17]que, sicuti etiam tu sae|[18]pe professus es, a Pa|[19]tre genitum ueritas |[20]pro-

---

336r, 2 nitur *a. corr.* ‖ uobis *a. corr.* : nobis *p. corr.*

336r a. Col. 2, 8   b. Jn 5, 19

336r,1-6 Ambroise de Milan, *De fide*, I, v, 41-42 (cf. *CSEL* 78, p. 17-18)

FRAGMENTS DE PALLADIUS

I. Fragments de la réfutation du *De fide* d'Ambroise

81. Ambroise : Maintenant, puisque l'hérétique dit qu'il est dissemblable, et qu'il s'efforce de l'établir par une argumentation spécieuse, il faut vous dire ce qui est écrit : « Prenez garde que personne ne vous dépouille en recourant à la philosophie et à sa fascination illusoire, en se fondant sur une tradition humaine, sur les éléments de ce monde, et non sur le Christ [a]. » Car ils font résider toute l'efficacité de leurs poisons dans une argumentation purement logique, enfermée dans les limites de l'opinion des philosophes ; ils ne sont point poussés par une passion constructive, mais par la passion de détruire. Mais ce n'est pas par des syllogismes qu'il a plu à Dieu d'assurer le salut de son peuple [1].

82. Palladius a dit : Si nous confessons que le Fils a dit : « Tout ce que fait le Père, en effet, cela aussi, le Fils le fait semblablement [b] », comment le disons-nous dissemblable ? Ou bien peut-être penses-tu qu'il est dit par nous dissemblable parce que nous ne disons pas qu'il existe de tout temps avec l'inengendré et qu'il est coéternel au Père, alors que, de toute évidence, comme tu l'as toi-même souvent confessé, la vérité fournit la preuve qu'il

---

1. Le texte des deux fragments du *De fide* présente quelques fautes manifestes, que nous avons corrigées d'après l'édition de Faller et les manuscrits. Mais il contient aussi plusieurs variantes qui donnent un sens plausible et qui, généralement, ne se retrouvent pas dans la tradition directe ; la plupart sont relevées dans l'appareil critique de Faller, mais pas toutes ; nous les avons maintenues dans notre texte.

bat. Quomodo |²¹autem nos per litte|²²ras,
sed et artem dia|²³lecticam ⌈d⌉e⌈preda⌉tos |²⁴di-
cis, q⌈ui⌉ litteras, |²⁵quibus uer|²⁶sutia exer-
cetur nọ⌈.⌉|²⁷⌈...7...⌉tụḍ⌈.⌉nẹ⌈.⌉ị|²⁸⌈...8...⌉ ụt
plạnẹ |²⁹laetemur in ẹọ quod |³⁰non etiam
tui si|³¹militudine cum ạẹ|³²loquentia ịnṣçi|³³entiạẹ
nọ⌈.⌉tⱶ⌈...⌉⌉|³⁴⌈...7...⌉ẹtịn⌈....⌉⌉|³⁵tịọ⌈...⌉ ḥạḅẹt⌈.⌉m
⌈.⌉ |³⁶ueniam ṣ⌈....⌉ẹx ạd|³⁷quẹ gẹntịlịṣ n⌈..⌉
ẹṣṣẹṣ|³⁸⌈......⌉ọpọ⌈......⌉ḷẹ|³⁹⌈...13...⌉ṣet |⁴⁰ạd⌈...
9...⌉onsidẹ|⁴¹ṛ⌈...13...⌉ọn |⁴²deụịạnṣ ẹt pṛọfẹṣṣịọ
|⁴³non dubịạ ṣẹḍ çẹṛta ⌈.....⌉a fịḍẹị tụạe
ịnp⌈...10...⌉ ḥọç ⌈...10...⌉quẹm⌈......⌉t⌈...⌉ri
|⁴⁴⌈....⌉ çọnṣịṣtịt çọnmẹmọṛ⌈...?...⌉.

83. |⁴⁵Ạmḅṛọṣịụṣ ḍ(ixit) : Ḍ⌈iss⌉ịmilẹm ⌈i⌉gị-
⌈tu⌉ṛ ⌈dicu⌉nt esse, nos negamus, immo potịụṣ
⌈hor⌉ṛẹmụṣ ḥạnç ụọ|⁴⁶cem. S⌈ed n⌉ọḷ⌈o argⱶụ-
mẹntọ çṛ⌈eda⌉s, sancte imperator, et nostṛạẹ
ḍịsputationis. Scribtu|⁴⁷ṛạṣ ịnt⌈errogemus, in⌉t⌈erro-
gemus apostolos, interrogemus profetas, interro-
gemus⌉ Çṛ(istu)ṃ. Qụịḍ multa? |⁴⁸⌈Patr⌉ẹm ịn-
t⌈errogemus, cuius honori studere se dicunt,
si Filius degener⌉ iudicetur. |⁴⁹Sed non ẹṣt
honorifịçẹntia boni patris fili iniuria. Non potest
bọnọ pạtri place|⁵⁰re, si filius ⌈...⌉ degẹn⌈e-
rasse potius a patre⌉ quam patrem ạẹquạṣṣẹ
çṛedạtur. |⁵¹⌈Da ueniam, sancte imperator, si
336v ad ipsos paulisper uerba conuerto.⌉ ‖¹Sed
quem potissimum legam, Eunomium an Arrium
uel Aetium eorum magistros? Plura |²enim
nomina, sed una perfidia, impiaetate non

24-25 qui |²⁵litteras *iteratum uidetur, sed lectio dubia
est* ‖ 37 que + ⌈..⌉ *sup. l.* ‖ 44 *in fine lineae
circa 30 litterae cancellatae sunt*
336v, 1 eorumagistros *a. corr.*

336r,45-336v,42 Ambroise de Milan, *De fide*, I, vi, 43-47
(cf. *CSEL* 78, p. 18-21)

a été engendré par le Père [1]. Comment dis-tu, d'autre part, que nous avons été « dépouillés » par le moyen de la littérature et de l'art du raisonnement, [...] ?

83. Ambroise a dit : Ils disent donc qu'il est dissemblable, nous le nions, bien plus, nous avons ce mot en horreur. Mais je ne veux pas que tu te fies à un argument, vénérable empereur, fît-il partie de notre propre raisonnement. Interrogeons les Écritures, interrogeons les apôtres, interrogeons les prophètes, interrogeons le Christ. Que dis-je ? Interrogeons le Père, dont ils disent vouloir faire un titre d'honneur que son Fils soit jugé d'une race inférieure. Mais on ne fait pas honneur à un père bon en faisant affront à son fils ; cela ne peut être agréable à un père bon, que l'on croie que son fils a déchu de la race du père, au lieu d'avoir été l'égal du père. Pardonne-moi, vénérable empereur, si c'est à eux que j'adresse un instant mon discours. Mais lequel choisir de préférence, Eunome, ou Arius, ou bien Aèce, leurs maîtres ? Nombreux, en effet, sont leurs noms, mais unique leur foi menteuse, dont l'impiété rend le même son, même s'ils ne

1. Cf. p. 218, n. 3. Le fait que le Fils soit par définition engendré, implique dans l'esprit des ariens qu'il ne peut pas exister de toute éternité comme le Père. Cela n'empêche pas qu'il soit semblable au Père, mais d'une similitude qui ne va pas jusqu'à l'identité de substance ; il reçoit en participation la bonté, la sagesse, la puissance du Père, il redit ce qu'il a entendu de lui, il épouse en toutes choses sa volonté, il exécute fidèlement ses commandements.

dissonans, conmunione discordans, non dissi-
|³milạnṣ fraude, sed coitione discreta. Cur
enim secum nolunt conuenire non intellego.
Eunomi |⁴personam fugiunt Arriani, sed eius
perfidiam adserunt, impiaetatem execrauilem.
Aiunt |⁵eum prodidisse effusius quae Arrius
scribserit. Magna cecita<ti>s effusio! Auctorem
proba<n>t, exe|⁶cutorem refutant. Itaque nunc
in plures se diuidere formas : alii Eunomium
uel Aetium, alii Pal|⁷ladium uel Demofilum
adque Auxentium uel perfidiae eius heredes
sequuntur, alii diuersos. |⁸*Numquid diuisus est*
|⁹*Cr(istu)s*ᵃ? Sed qui eum a Pa|¹⁰tre diuidunt,
ipsi se |¹¹scindunt. Et ideo quoni|¹²am commu-
niter ad|¹³uersum Eclesiam D(e)i, |¹⁴quibus inter
se ipsos |¹⁵non conuenit, cons|¹⁶pirarunt, con-
muni |¹⁷nomine hereticos |¹⁸quibus responden-
du(m) |¹⁹est nominabo. Here|²⁰sis enim ueluti
quae|²¹dam ydra fabularum |²²uulneribus suis
cre|²³uit et dum saepe re|²⁴ciditur pullulauit,
|²⁵igni dedita incendio|²⁶que peritura. Aut uelut
|²⁷quaedam monstruosa Scylla portentis in ua-
rias formas |²⁸distincta perfidiae uelut supernae
uacuum cristianae |²⁹secte nomen obtendit, sed
quos in illo impiaetatis suae |³⁰fraetu miseros
inter naufragia fidei reppererit |³¹fluctuantes,
beluinis succincta prodigiis tetri docmatis |³²seuo
dente dilacerat. Cuius speluncam, s(an)c(t)e impera-

---

7 heredes *scripsi* *(cf. CSEL 78, p. 19)* : heresịṣ
P ‖ 11 scindunt *p. corr.* : scndunt *a. corr.* ‖ 30
fraetu *scripsi* *(cf. CSEL 78, p. 20)* : fractu P ‖
31 beluinis *scripsi* *(cf. ibid.)* : delfinis P

sont pas d'accord pour entrer en communion, dont l'imposture ne diffère en rien, même s'ils tiennent des assemblées séparées. Pourquoi ne veulent-ils pas se réunir ensemble ? Je ne le comprends pas. Les ariens fuient la personne d'Eunome, mais ils font leur sa foi menteuse, qui est une exécrable impiété. Ils disent qu'il a exposé avec plus de détails ce qu'Arius avait écrit. Voilà un aveuglement bien longuement détaillé ! Ils approuvent l'auteur, ils refusent d'entendre l'interprète. C'est ainsi que maintenant, ils se divisent en plusieurs espèces : les uns suivent Eunome ou Aèce, d'autres Palladius ou Démophile, et Auxentius ou les héritiers de sa foi menteuse, d'autres des maîtres différents [1]. « Est-ce que le Christ est divisé [a] ? » Mais ceux qui le divisent d'avec le Père, se déchirent entre eux. Et c'est pourquoi, puisque ces gens, qui ne sont pas d'accord entre eux, se sont trouvés unis dans un même complot contre l'Église de Dieu, j'appellerai d'un même nom les hérétiques auxquels il me faut répondre. L'hérésie, en effet, telle l'hydre de la fable, s'est développée grâce à ses blessures, et en étant fréquemment décapitée, elle s'est multipliée, bien qu'elle soit vouée au feu et qu'elle doive périr par l'incendie. Ou bien comme la monstrueuse Scylla, offrant par un prodige l'apparence de différentes fois menteuses, elle affiche dans la partie supérieure de son corps, d'une certaine manière, le nom illusoire de la religion chrétienne, mais les malheureux que, dans la mer de son impiété, elle découvre ballottés au milieu des épaves de la foi, elle les déchire, ceinte de fauves insolites, avec la dent cruelle d'une doctrine horrible. Sa caverne, saint empereur, —

1. Eunome et Aèce sont deux figures marquantes de l'histoire du dogme trinitaire ; voir le relevé des principales sources les concernant dans l'apparat de l'édition de Faller (*CSEL* 78, p. 18-19). Palladius n'est autre que notre Palladius de Ratiaria. Démophile fut évêque de Constantinople dans les années 370 ; il fut démis par Théodose au profit de Grégoire de Nazianze à la fin de 380. Auxentius n'est pas l'évêque de Dorostorum, auteur de la lettre sur Ulfila, comme l'indique Faller, car on ne s'expliquerait pas qu'Ambroise parle des « héritiers » de sa foi ; il s'agit du prédécesseur d'Ambroise sur le siège de Milan.

tor, |³³ut ferunt nautae, cecis latebris inorrentem
omnemque |³⁴eius |uicin<i>am ceruleis canibus
inter perfidiae saxa re|³⁵sonantem clausa quodam-
modo preterire |³⁶aure debemus. Scribtum est
enim : *Saepi aures tuas*ᵇ, et alibi : |³⁷*Videte
canes, uidete malos operarios*ᶜ, et iterum : *Here-
ticum* |³⁸*post primam correptionem deuita, sciens
quia subuersus* |³⁹*est qui eiusmodi est et delin-
quid, cum sit proprio iudicio da*|⁴⁰*mnatus*ᵈ.
Itaque boni gubernatores quo tutius preterme-
|⁴¹are possimus fidei uela tendamus Scribtura-
rumque |⁴²relegamus ordinem.

84. Palladius d(ixit) : Quas disputationis tuae
scribturas uis interroga|⁴³re, cum nulla in
diuinis eloquiis tanta<e> blasfemiae tuae litte-
raria extet auctoritas? |⁴⁴Cur preterea ab
imperatore ueniam postulas, cum ne tu im-
piaetatis arguaris eius |⁴⁵precepto nullus cato-
licus ueritatisque doctor aduersum te a quo-
quam audiatur, |⁴⁶sed et tu ei placeas
ex delicto? Etenim in religionem peccando
preeuntis tam impe|⁴⁷rialis quam iudiciarii erro-
ris tibi conciliasti faborem, interim securus
de crimine |⁴⁸indulgentia temporis. Sed utinam
eiusmodi ueniam a D(e)o per Filium posceres,
in quem |⁴⁹utriusque affectus negatione inpiae
peccas. Nam nec Patrem nec Filium agnoscis,
|⁵⁰[non agnoscen]do propriaetates personarum [...

35 quodammodo *iteratur* ‖ 36 aura *a. corr.* ‖ 46 ei
sup. l. ‖ religione *p. corr.*

b. Sir. 28, 28   c. Phil. 3, 2   d.   Tite 3, 10-11

1. Ambroise compare l'hérésie multiforme à deux figures mytho-
logiques, l'Hydre de Lerne, sorte de monstrueux serpent dont les

à ce que disent les marins, — recèle d'innombrables
cachettes sans issue, et tout son voisinage retentit des
aboiements de chiens dont la robe a la couleur de la mer,
au milieu des écueils de l'hérésie ; nous devons passer
outre en fermant en quelque sorte les oreilles [1]. Il est
écrit, en effet : « Clos tes oreilles [b] », et ailleurs : « Prenez
garde aux chiens, prenez garde aux mauvais ouvriers [c] »,
et encore : « Évite l'hérétique après le premier avertissement, sachant qu'un homme de ce genre est un dévoyé
et un pécheur, puisqu'il est condamné par son propre
jugement [d]. » Ainsi donc, en pilotes avisés, pour achever
en toute sécurité notre traversée, hissons les voiles de la
foi et relisons le texte des Écritures.

84. Palladius a dit : Quelles sont ces écritures que, dans
ton argumentation, tu veux interroger, alors qu'il ne se
trouve dans les paroles divines aucun texte qui autorise
un monstrueux blasphème comme le tien ? Pourquoi,
d'autre part, demander pardon à l'empereur, alors que
par son ordre, pour éviter que tu ne sois convaincu d'impiété, aucun catholique enseignant la vérité ne peut être
entendu par quiconque contre toi, et qu'en plus, tu lui es
agréable à la suite d'une faute ? En effet, c'est en péchant
contre la religion que tu as obtenu la faveur résultant
d'une erreur de l'empereur aussi bien que d'un juge ; tu
es tranquille depuis lors au sujet de ce crime grâce au
pardon qu'assure le temps [2]. Mais puisses-tu demander
de la même façon pardon à Dieu par l'intermédiaire du
Fils, contre lequel tu pèches de façon impie en niant le
sentiment de l'un et de l'autre ! Car tu ne reconnais ni
le Père, ni le Fils, en [refusant de reconnaître] les pro-

---

sept têtes repoussaient à mesure qu'on les coupait, à moins de les
abattre toutes d'un seul coup, et Scylla, créature hybride, mi-femme,
mi-poisson, dont l'antre était censé se trouver sur un écueil redou-
table à l'entrée du détroit de Messine. On peut trouver, avec Palladius, que ces comparaisons sophistiquées ne sont pas du meilleur
goût, et qu'Ambroise fait là un peu inutilement étalage de sa culture littéraire.

2. Le sens de cette phrase n'est pas absolument sûr, car nous ne
voyons pas à quoi Palladius fait allusion ici.

337r 34...]‖¹(85)⌈...48...]ṣạṛịị, ut iam dictum est,
duces non |²habeas. Nostras interrogare simulas
scribturas, quippe quas clare aperteque lo-
quentes ut |³inimicas fugiendo non audis.
Denique quid apostolos percontaris, quorum
eloquia neg|⁴legis? Quid profetas, quos intelle-
gere non uis? Quid Cr(istu)m, quem agnoscere
detrectas? Quid |⁵Patrem, cui in ueritate non
credis, immo cuius erga Fili<um> affectum
etiam ut non bonam |⁶reprehendis uoluntatem,
dumtaxat quod is magis ut sibi placuit
subiectum quam, ut tu |⁷uis, aequalem sibi
genuerit Filium? 86. Quid uero etiam per-
sonas cristianas temerarius laceras, |⁸quarum
congres|⁹sionem fugis igna|¹⁰bus? Quid calumni-
|¹¹aris quod Cr(istu)m a Pa|¹²tre diuidimus,
quem |¹³numquam cum Pa|¹⁴tre diximus unum?
Ita|¹⁵que desine detrecta|¹⁶re his quibus et res-
|¹⁷pondere promittis |¹⁸et uideri non optas,
|¹⁹in pollicendo diues, |²⁰in soluendo egenus,
|²¹sed et audax in angulo, |²²in plaṭeis timi-
dus, |²³feruens in latebris, |²⁴in publico tepidus,
|²⁵inter tuos calens, |²⁶aput emulos frigi|²⁷dus,
fidens sermoni, |²⁸diffidens negotio, |²⁹ideoque
fabulis mag[is] poe|³⁰ticis quam apo[s]|³¹toli-
cae fidei studen[s]. 87. |³²Sed omitte, quaeso,
in|³³utilem ac superflu|³⁴am narrationem |³⁵in-
geniose fallacia[e], |³⁶adgredere potius |³⁷quae
necessaria su[nt] |³⁸eloquia piaetatis; |³⁹desine
a similitudi|⁴⁰ne monstruosa, qua |⁴¹in iactan-
tiam lit|⁴²terariae scienti|⁴³ae garrulum exer-
|⁴⁴cuisti sermonem; |⁴⁵relinque porten|⁴⁶ta, quorum
elabo|⁴⁷rata inanis narratio fidei tibi generauit
naufragium, adque tandem resipisce ad intel-
|⁴⁸legentiam ueritatis, a qua te fallax et
inpia auocauit perfidia; inquire diuinas quas

priétés des personnes [...]. **85.** Tu feins d'interroger nos
Écritures, alors qu'elles parlent clairement et sans ambiguïté, et que tu les fuis comme des ennemies pour ne pas
les entendre. Et puis, pourquoi questionner les apôtres,
dont tu tiens pour rien les paroles ? Pourquoi les prophètes, que tu ne veux pas comprendre ? Pourquoi le
Christ, que tu refuses de reconnaître ? Pourquoi le Père,
en qui tu ne crois pas vraiment, bien au contraire : tu vas
jusqu'à blâmer son sentiment envers le Fils comme une
volonté qui ne serait point bonne ; je veux dire que celui-
là lui a été trop agréable en étant soumis à lui, pour qu'il
ait engendré, comme tu le veux, un fils égal à lui. **86.** Pourquoi aussi critiquer inconsidérément des personnalités
chrétiennes que tu fuis lâchement pour ne pas les rencontrer ? Pourquoi nous accuser faussement de diviser
le Christ d'avec le Père, alors que nous n'avons jamais dit
qu'il fût un avec le Père ? Cesse donc de dénigrer ceux
auxquels tu promets de répondre et dont, en même temps,
tu souhaites ne pas être vu. Tu es riche au moment de
promettre, pauvre quand tu dois t'exécuter, intrépide
dans les recoins, timoré sur les places, enthousiaste dans
ton repaire, réservé en public, bouillant d'ardeur au
milieu des tiens, glacé d'effroi en face de tes rivaux, plein
d'assurance pour tenir des discours, mais redoutant la
discussion ; et c'est pourquoi tu t'attaches aux fables des
poètes plutôt qu'à la foi des apôtres. **87.** Mais laisse tom-
ber, je t'en prie, le récit inutile et superflu d'une subtile
tromperie ; viens-en plutôt aux paroles de piété qui sont
nécessaires ; renonce à la comparaison monstrueuse dont
tu as tissé laborieusement, pour faire valoir tes connais-
sances littéraires, ton verbeux discours ; abandonne les
prodiges, dont le récit inutilement travaillé a provoqué
le naufrage de ta foi, et reviens enfin à l'intelligence de
la vérité, dont une hérésie mensongère et impie t'a dé-

337r, 6 *post* placuit *iteratur* ut, *postea expunctum
et   cancellatum   est* ‖ 14 unum *scripsi* : unus P
‖ 29-30 fabulis mag[is] poe|ticis *p. corr.* : fabulis
poe|ticis magis *a. ˙corr.* ‖ 35 ingeniosae *p. corr.*
40 mostrosa *p. corr.*

Scolies ariennes.   **18**

neg|[49]lexisti scribturas, ut earum religioso du-
catu uites ad quam ultro pergis geennam.

88. |[50]Dic, quaeso, certe Palladium, Demofilum
et Auxentium, quod diuersa tibi sentirent
|[51]et quibus respondere promiseras, arrianos esse
dixisti, adque sciebas horum con|[52]flictum adu-
nato suo consortio tibi tuisque ad disputa-
tionem fidei necessarios |[53]fore. Et quomodo
(89) cum Palladius unus ex eis spe generalis
tam Orientalium quam |[54]Occidentalium concilii
— quod tamen per te non esse inpletum
fraudulenter |[55][inuere]cunde litterae imperiales
testantur —, uno tantummodo, id est Secun-
337v diano ||[1] c̣o̧episcopo sụọ, cọṃị̣ṭ̣ạṇṭ̣ẹ, Aquileiam
uenisset adque priụ̣ạṭị̣m uos intra ẹc̣ḷ̣ẹṣị̣ạ⌠m
aput⌉ |[2]secretarium pro uestra uidisset uolun-
tate et ita occassio ad disputationem per
|[3]presentiam eorum dạṛẹ̣ṭ̣ụ̣ṛ, non magis ⌠...
7...⌉ṣ̣ti de fide, cuius dissensio totum |[4]con-
cutit mundum, ṣẹc̣ụṇḍum Ṣc̣ṛịḅ̣ṭ̣ụṛạ̣ṣ sermonem
conpetentem haberi, ut |[5]licet concilium non
esset, sicuti et angustiae secretarii in quo
conuentum est, sed |[6]et episcopi ciuitatis eius
quae pro uestro speciali fastụ ạ̣ḷtissimo pul-
pita extat |[7]singularis, et ui⌠cina⌉ẹ ṣedis testa-

---

49 gehennam *p. corr.* ‖ 52 adunatossuo *a. corr.*
‖ 53 generalis tam *scripsi* : generaliistam *a. corr.*
generalitam *p. corr.*
337v, 1 c̣o̧episcopo *p. corr.* : episcopo *a. corr.*
‖ 7 propriaetas *a. corr.* : proprietas *p. corr.,* **ut**
uidetur

337r,54-55 Cf. *Gesta,* 4

---

1. Palladius fait allusion au rescrit de convocation du concile
d'Aquilée, reproduit dans les actes, qui fait état expressément de
l'intervention d'Ambroise auprès de l'empereur.
2. Dans l'esprit de Palladius, les évêques réunis à Aquilée ne

tourné ; scrute les divines écritures que tu as négligées,
afin que, sous leur conduite inspirée, tu évites la géhenne
vers laquelle tu te diriges inéluctablement.

II. Fragment d'une apologie des condamnés d'Aquilée

88. Dis-moi, je te prie, tu as dit sans équivoque que
Palladius, Démophile et Auxentius étaient des ariens,
pour la raison qu'ils pensaient autrement que toi, et tu
avais promis de leur répondre ; et tu savais bien qu'il te
serait nécessaire, à toi et aux tiens, d'affronter ces gens,
auxquels se joindraient leurs collègues, pour débattre
de la foi. **89.** L'un d'entre eux, Palladius, dans l'espoir
d'un concile général réunissant les Orientaux aussi bien
que les Occidentaux, — c'est à cause de tes manigances
que cela ne s'est pas réalisé, ainsi qu'en témoigne impu-
demment la lettre impériale [1], — en compagnie d'un seul
autre évêque, à savoir Secundianus, s'était rendu à Aquilée et vous avait rencontrés à titre privé à l'intérieur de
l'église, dans une sacristie [2], pour déférer à votre volonté [3],
et ainsi s'offrait une occasion d'ouvrir un débat, du fait
de leur présence. Comment se fait-il que tu n'aies pas
voulu qu'ait lieu, en référence aux Écritures, l'entretien
qui s'imposait à propos de la foi, alors que le monde entier
est ébranlé par les divergences dont elle est l'objet ?
Sans doute, ce n'était pas là un concile, ainsi qu'en
témoignent et l'exiguïté de la sacristie où s'est tenue la
réunion, et l'estrade de l'évêque de cette cité, qui se dresse
à part, conformément à ces manières de grands seigneurs
qui vous caractérisent, et le caractère particulier du siège

forment pas un vrai concile. Il ne saurait être question de reconnaître à leur assemblée une autorité officielle, et il entend bien
n'avoir avec eux que des conversations privées. L'exiguïté du
local où a eu lieu la rencontre du 3 septembre et le caractère confi-
dentiel qui en résultait nécessairement, contrairement aux usages
conciliaires, rendait d'ailleurs manifeste à ses yeux qu'on n'était
pas dans un concile.
    3. V. intr., p. 133-134.

tur propriaetas, tamen suspecta sua credulitas
|⁸certo ac manifesto |⁹peruideretur exa|¹⁰miṇę
uẹl ạdmit|¹¹tendạ uẹl cẹrṭe |¹²ịn emeṇdạṭịọne(m)
|¹³⌈...9...⌉ iuḍị|¹⁴cio reseruanda.

|¹⁵Sed ⌈...10...⌉ẹ|¹⁶çẹṣ⌈...11...⌉|¹⁷pal⌈...11...⌉
|¹⁸d⌈...12...⌉|¹⁹d⌈.⌉x⌈...10...⌉ṇ|²⁰reḷigiọ⌈..⌉ẹ⌈...⌉ṇe
|²¹⌈......⌉ ịnṭercḷụ|²²dẹreṣ⌈...9...⌉ **(90)** |²³cum
consedisse|²⁴tis in unum de fu|²⁵turo concilio
deli|²⁶beraturị, Ạrrịị no|²⁷mine, cụị contra|²⁸dictio
a uobis insi|²⁹diose per dies fu|³⁰erat p⌈....⌉
ṭa, quan|³¹dam epistulam |³²protulisti qụịppę
|³³a iaculis ịncịpịẹṇṣ, |³⁴ne conuentụị que(m)
|³⁵quiaetum esse opor|³⁶tuit pacificus lo|³⁷cus
ad sermone(m) |³⁸daretur. Etẹṇịm |³⁹quae causa
fẹcịṭ |⁴⁰ut is quos arrianos uo|⁴¹cabas et quo-
rum |⁴²sermo ⌈...7...⌉|⁴³us uel in proditi|⁴⁴o-
nem uel in de|⁴⁵fensionem sui fuerat expec-
tandus, Arri olim mortui quạẹ ịgnọta eṣṣẹṭ
epistu|⁴⁶lam proferres, nisi ut abende dispu-
tationi, quae erga fidem male sentientibus
|⁴⁷uobis aduersa uidebatur, omnem — ut exitus
ipse probauit — subtraheres facul|⁴⁸tatem?
91. Vnde statim tibi a Palladio obiectum
est non ideo se ad uos uenisse ut |⁴⁹uel
epistulae alicui equidem a uobis prolate res-
ponderent, aut olim mortui |⁵⁰uel fidem retrac-
tarenṭ uel ⌈...⌉ sententiam dicere<nt>, sed
si concilii dispo|⁵¹sitio mansisset, inter super-
stites ẹṭ prẹsentes ṣuam disputationem |⁵²habe-
rent. Et ṭạmẹn — quod religiose mentis
erat — ab utroque est uobis propo|⁵³⌈situm

---

40 quos *sup. l.* ‖ 45 Arrii *p. corr.* ‖ quạẹ *p.*
corr. : quạ⌈...⌉ *a. corr.* ‖ 46 habende *p. corr.* ‖
49 alicui *sup. l.* ‖ prolatae *p. corr.*

voisin [1] ; cependant, sa croyance, qu'on suspectait, pouvait être examinée, pour être mise au jour avec une certitude incontestable [...].

Les discussions officieuses [...] **(90)** alors que vous siégiez ensemble pour discuter du futur concile, tu as mis en avant sous le nom d'Arius une certaine lettre [2], dont vous aviez traîtreusement [préparé] la réfutation pendant plusieurs jours, en commençant par décocher des traits, pour empêcher que l'assemblée, qui aurait dû être paisible, n'ait l'occasion de s'entretenir calmement. En effet, ceux que tu appelais ariens et dont il fallait attendre qu'ils parlent, soit pour se trahir, soit pour se défendre, pour quelle raison leur as-tu soumis une lettre inconnue d'Arius, mort depuis longtemps, sinon, comme la fin de l'histoire l'a montré, pour rendre tout à fait impossible un débat qui vous paraissait désavantageux, à vous qui aviez des opinions erronées en matière de foi. **91.** Sur quoi Palladius t'a objecté aussitôt que s'il s'était rendu auprès de vous, ce n'était pas pour répondre à je ne sais quelle lettre, naturellement présentée par vous, ou bien pour examiner la foi d'un homme mort depuis longtemps ou pour rendre un verdict à son sujet, mais, si l'on persistait à vouloir un concile, pour que leur discussion ait lieu entre personnes vivantes et présentes. Et bien qu'il n'y eût pas de concile, ils vous ont cependant tous deux proposé — ce qui était la marque d'un esprit religieux — [d'avoir avec vous un échange de vues à titre privé...]

---

1. V. intr., p. 135. Le siège qui a un caractère particulier, à côté de celui du président de l'assemblée, est certainement celui qui avait été réservé à Ambroise.

2. Il s'agit de la profession de foi adressée par Arius à Alexandre d'Alexandrie ; v. p. 136, n. 4. Palladius ne connaissait pas ce document.

338r ut], licet non esset concilium, [...33...]||¹uer
⌐...10...⌐ b⌐ar⌐barae uastationis nos esse ⌐..⌐
in eandem contexera⌐....⌐e⌐...⌐||²que lectio Euan-
gelii, sed et apostolorum parte quoque pro-
fetica alter⌐.....⌐ legitima h[a]||³beretur qua
in⌐...11...⌐e⌐...9...⌐ possetun⌐...7...⌐que partis
professio uel sp[em] |⁴concordiae uel ⌐.....⌐
poenam discordiae ⌐...11...⌐diciop⌐...13...⌐tam
⌐..⌐||⁵t⌐..⌐ tam ⌐irre⌐ligiosum propositum tu⌐...
9...⌐ consortibus ⌐......⌐fideli⌐...9...⌐||⁶entia
qui⌐......⌐puta⌐......⌐ uestra detegeretur per-
uersitas ⌐......⌐econ⌐...⌐s⌐...⌐ |⁷inuerecunda qua-
dam et infideli mal⌐...8...⌐ profana⌐.....⌐
dicendo non debere |⁸laicos episcopo[rum] |⁹iu-
dices constitu[i] **(92)** |¹⁰⌐...11...⌐ Pa[l]|¹¹ladius
congrua |¹²responderet [di]|¹³cens : Si laicorum
|¹⁴testimo|¹⁵nio episcopi ordin[an]|¹⁶tur, ordina⌐..
..⌐ |¹⁷laicus fidei regu|¹⁸l⌐.....⌐cilio ante|¹⁹⌐.....⌐
al⌐...⌐us⌐..⌐||²⁰d⌐...13...⌐||²¹⌐......⌐x⌐.....⌐r⌐.⌐ |²²in-
terest et qu⌐.⌐ |²³a uobis ⌐....⌐erun[t]
|²⁴recognoscere|²⁵⌐...8...⌐ nobis d⌐.⌐|²⁶⌐..⌐g⌐.⌐tu
⌐...7...⌐||²⁷cum autem hoc [.]|²⁸t⌐...12...⌐
|²⁹oblatum fuera[t] |³⁰⌐.....⌐d⌐.....⌐is |³¹rursus
lection[em] |³²epistulae quae ⌐.⌐[.]|³³g⌐.....⌐t
inpera[?]|³⁴⌐...9...⌐ repet[en]|³⁵dam duxisti, **(93)**
per |³⁶quam utique ad |³⁷illud ⌐..⌐adere |³⁸quod
diaboli con|³⁹tinet⌐....⌐acum |⁴⁰tu⌐......⌐musci
|⁴¹⌐...7...⌐era⌐...⌐||⁴²nam ideo eam l[e]|⁴³gere
laborasti quod sem⌐...10...⌐de⌐..⌐d⌐.....⌐t[.]⌐...
...⌐a quodam⌐......⌐ra |⁴⁴relatum et putares
⌐...8...⌐ti similitudine ⌐...10...⌐ professuros,
|⁴⁵cum utique Arrius g⌐...10...⌐et⌐...11...⌐
tquinid⌐....⌐tin⌐....⌐quo |⁴⁶eodemque similitudine
t⌐.....⌐ul⌐...⌐mali⌐...9...⌐nte confic⌐......⌐ei |⁴⁷in-
terpraetation⌐......⌐ab⌐.....⌐ ut per illud
aliqu⌐...11...⌐ locus |⁴⁸uobis sine ulla dispu-

(92) [...]

(93) [...]

53 [...33...] : *circa medium lacunae additur sup. l. de*
fide
338r, 4 [...13...] : *circa medium lacunae additur*
sup. l. a ‖ 14 testimo— *scripsi* : *bis scriptum uidetur*
in eadem linea, secundo expunctum

tatione   conpendi⌈...7...⌉ṭụṛ⌈.....⌉ṇịạḍ⌈.....⌉‖[49]lec-
tae;   aṭ   statim   ueloci   percontati⌈one⌉   tu
aḅ   eis   quạẹ⌈r⌉ẹṇḍum   duxisti |[50]an   eiusmodi
professio   il⌈lis⌉   placeret.   94.   Adq⌈...8...⌉ṭị⌈..⌉
338v ṛ⌈...9...⌉‖|[1]⌈...76...   scrib⌉|[2]tura   diuina,   cuius
etiam   apices   litterarii   et   ipse   syllabae   sunt
spiritali   cautela   seruande, |[3]usquam   Filium   D(e)i
tam   abrutte   craeaturam   dixisse   inueniatur,   sed
econtra   Apostolus |[4]<creato>rem   mundi   eum
rettulerit   dicens   :   *Qui   coluerunt   et   seruierunt*
craeaturae   potius   quam |[5]craeatori[a].   Quodque
sine   concilii   auctoritate   priuatim   uobis   in
uestro   secretario |[6]responsum   fuisse   suffecerat,
ut   iam   de   habendo   in   futurum   generali   con-
cilio,   prop|[7]ter   quod   idem   ad   uos   uenerant,
tractatus   necessario   haberetur.

95.   Sed   tu,   sator   malo|[8]rum,   cui   et   religio-
|[9]sa   disputatio   non |[10]amica   et   dissensio |[11]id-
circo   optabilis   quod |[12]haec   latibulum   sit
|[13]uestri   erroris,   audi|[14]to   hoc   statim   ut   uer-
|[15]sutus   ac   malitiae |[16]peritus   in   preiudi|[17]cium
futuri   conci|[18]lii,   quod   utique   pro |[19]infidelitatis
ues|[20]trae   conscientia |[21]minime   fieri   elabo|[22]rastis,
sed   nec   fieri |[23]optatis,   damnabi|[24]lem   in   Ar-
rium   sub |[25]occassionem   crae|[26]aturae   suscribtio-
|[27]nem   ab   his   quos   ar|[28]rianos   uocabas   popos-
|[29]cisti,   quippe   ut   eius|[30]modi   sub   nomine
Ar|[31]ri   extorta   subscri|[32]btio   et   uestrae   par|[33]uis-
simae   eidemque |[34]emula   dissensio|[35]nẹ   furenti
congre|[36]gationi   auctorita|[37]tem   concilii   daret |[38]et
illos   ut   suae   fidei, |[39]quae   a   uobis   Arrii
no|[40]mine   infamatur, |[41]iam   negatores   ad   to|[42]tius
impiaetatis   uestrae   consensionem   uobis   obnoxios
faceret,   siquidem   eiusmodi   subscribtio |[43]et   defi-
nitio   certaminis   et   abdicatio   esset   eius   fidei
ob   cuius   dissensione   concilium |[44]poscebatur.

Mais aussitôt, les pressant de questions, tu as
cru devoir leur demander si une telle profession de foi
avait leur agrément. **94.** [...] On ne voit pas que la
divine Écriture, dont même les lettres et les syllabes
doivent être conservées avec un soin religieux, ait dit
quelque part de manière aussi directe que le Fils de Dieu
était une « créature »; au contraire, l'Apôtre l'a présenté
comme le créateur du monde, en disant : « Ils ont honoré
et servi la créature plutôt que le créateur [a] [1]. » Cette
réponse, qui vous avait été donnée à titre privé dans
votre sacristie, en dehors d'un concile dûment autorisé,
aurait dû suffire pour qu'on en vînt nécessairement à discuter de la tenue future d'un concile général, en vue duquel
ils s'étaient rendus auprès de vous.

95. Mais toi, semeur de malheurs, tu n'as point de
goût pour un débat mené dans un esprit religieux et tu
souhaites la discorde, car elle vous permet de camoufler
votre erreur. Dès que tu as entendu cela, en homme retors
et expert en malice, tu as exigé de ceux que tu appelais
ariens une signature condamnant Arius sur cette question de créature, sans attendre le jugement du futur concile, que bien entendu, conscients de vous être écartés de
la foi, vous n'avez pas cherché à réunir et vous ne sou-
haitez pas voir se réunir. De cette façon, la signature
extorquée à propos d'Arius donnerait à votre minuscule
assemblée, tiraillée par des dissensions partisanes, l'autorité d'un concile, et du même coup, elle exposerait ces
hommes qui auraient déjà renié leur foi — stigmatisée
par vous comme étant celle d'Arius — à consentir à l'ensemble de votre doctrine impie, puisqu'une telle signature
revenait à trancher le débat et à renoncer à cette foi dont
la mise en cause motivait la requête d'un concile.

---

49 aț *scripsi* : ț *additum uidetur sup. l.*
338v, 25 occassione *p. corr.* || 43 dissensionem *p. corr.*

338v a. Rom. 1, 25

---

1. V. intr., p. 185-187.

96. Ideoque consulte et non cum contentione,
sed cum ea modestia quae fu|[45]rentes animos
posset lenire, responsum est tibi quod in po-
testate sua erat factum |[46]esse, ut in anpu-
tationem male de craeatura suspicionis satis-
fieret uobis, suscribtio|[47]nem uero sibi non
licere, eo quod et uos duodecim uel trede-
cim uix essetis, sicuti incertu(m) |[48]numerum
uestrum isdem uideri etiam presbyterorum
adherentium uobis faciebat |[49][perm]iṣṭịọ, — de-
nique unus eorum, id est Euagrius, qui ut
339r in factionibus ussitatior solus ‖[1][...73...]‖[2]tum
locum tenuisse probatur, — sed et ipsi e
sua parte duo tantummodo inuenirentur ad-
q[ue] |[3]definitio fidei non esset passim sine
concilio presumenda, sed auctoritati generalis
conc[i]|[4]lii consortioque orientali, cuius fides a
uobis — quod iam dictum est — Arrii
nomine infama|[5]tur, cautela congrua reseruanda.
97. Ad tu, uir consideratus, ne que futuri
eorundem |[6]responsi exit[u]squae ipsius ignara
temere inter uos solo furore fuerat premedi-
tata |[7]euanesceret factio, ṣịṇe ullo rẹspẹctu
repente clericos uestros notarum peritos, |[8]quos
tamen post terga eorum aucupes capta-
toresque sinplicum uerborum posue|[9]ratis, in
mediụm |[10]progredi iussisti, |[11]ut quod ratio-
na|[12]biliter tibi fuer[at] |[13]priuatim negatụ[m]
|[14]ad instar publiç[ae] |[15]auctoritatis ceṇ|[16]sorio
extorquere[s] |[17]terrore. Sicuti ho[c] |[18]uiso sta-

---

47 liceret *p. corr.*
339r, 4 quod *a. corr.* : ut *p. corr.* ‖ 5 ad = at
‖ 6 exit[u]sque *p. corr.* ‖ premeditate *a. corr.* ‖ 8
sinplicium *p. corr.* ‖ 16 exerceres *a. corr.*

339r,4 Cf. 338v,39-40

96. C'est pourquoi, après réflexion, et non pas en éle-
vant la voix, mais sur le ton mesuré qui convient pour
apaiser des esprits excités, il t'a été répondu qu'ils avaient
fait ce qui était en leur pouvoir pour vous contenter, de
manière à couper court à ce méchant soupçon à propos
de « créature », mais quant à donner leur signature, que
cela ne leur était pas possible, étant donné que vous étiez
seulement douze ou treize, la présence parmi vous de
presbytres de votre bord leur faisant apparaître votre
nombre incertain — l'un d'entre eux, du reste, Evagrius,
en habitué des factions [1] [...] — ; d'autre part, ils ne se
trouvaient que deux de leur propre parti, et une définition de foi ne devait pas être formulée à la légère, en
dehors d'un concile, mais réservée, avec la prudence qui
convient en cette matière, à l'autorité d'un concile général
et aux collègues d'Orient, dont vous stigmatisez la foi,
ainsi qu'il a déjà été dit, comme étant celle d'Arius.

La séance　　**97.** Mais toi, en homme avisé, pour éviter
officielle　　que tourne à rien ce complot qui avait été
　　　　　　　imprudemment tramé entre vous sous l'empire d'une passion aveugle, sans que vous vous doutiez
de la réponse qu'ils vous feraient et de la tournure que
prendrait l'affaire, brusquement, sans avoir égard à rien,
tu as ordonné à vos clercs connaissant la sténographie,
que vous aviez pendant ce temps placés derrière leur dos
pour épier et prendre au vol des paroles prononcées sans
arrière-pensée, de s'avancer au milieu de l'assemblée, afin
d'extorquer par des moyens d'intimidation dignes d'un
censeur, à l'instar d'une autorité publique, ce qui t'avait
été refusé avec raison à titre privé. Aussi, voyant cela,

---

1. Sur les membres du concile, v. p. 130-132. Vingt-cinq évêques
rendirent leur sentence contre Palladius au cours de la session du
3 septembre 381, mais les discussions évoquées ici par Palladius
se situent avant l'ouverture de la séance officielle et, d'autre part,
il affecte de considérer que la « bande » d'Ambroise se limite à ses
voisins d'Italie du Nord, en ignorant les quelques évêques venus
d'ailleurs.

tim idem, |¹⁹ut tu nosti, surrę|²⁰xerunt, insi-
diosą[m] |²¹conspirationem |²²uestram ut iam
e|²³uidens ac publicų[m] |²⁴latrocinium euą|²⁵suri.
Quos confest[im] |²⁶uos iniecta man[u] |²⁷ita
auide detinę[n]|²⁸dos duxistis, ut eţ |²⁹iniuriose
iam a[d]|³⁰uersis inimicisq[ue] |³¹sensibus inlide-
r[e]|³²tis, adque ut hinç |³³conceptae maci[nae]
|³⁴uiam faceretis, ş[ta]|³⁵tim iussistis nol[en]|³⁶tibus
illis denuo rę|³⁷peti epistulae le[c]|³⁸tionem.

98. Cumquę |³⁹primum ex orę |⁴⁰eius princi-
pal[em] |⁴¹reuerentiam |⁴²Patris omnipo[ten]|⁴³tis
continentia recitarentur, id est : «Credo in
unum solum uerum D(eu)m, auctorem omniuṃ,
|⁴⁴solum ingenitum, solum sempiternum D(eu)m,
solum sapientem D(eu)m, solum D(eu)m bo-
num, ş[o]|⁴⁵lum inmorthalem, solum inuisibilem
D(eu)m, solum unigeniti Patrem», sed et plura
al[ia] |⁴⁶eiusmodi, singulari prestantiae conue-
nientia, quae detineri non potuerunt, ut eọ[s]
|⁴⁷ab eiusmodi professione deterreretis, tu cum
omni conspiratione tua ad singul[as] |⁴⁸pro-
fessiones, — sicut ipse Filius D(e)i Ih(esu)s
Cr(istu)s d(eu)s n(oster) et uestram eiusmodi
uocem audiuit |⁴⁹et hanc scribtionem uidet et
inter perfidos et fideles iudicauit, — ana-
thema mag|⁵⁰na cum uociferatione subclamasti,
ita ut Palladium et Secundianum nimius
839v ||¹[...34...]ọrᒣ.]tᒣ...]aᒣ.]ţionem ad impium blas-
femumque |²deuenissent conuentum.

99. Denique quia unum eundemque et Patrem
et Filium similitu|³dine Sabelli uultis uideri,
statim paria de Filio tu ut auctor conspi-
rationis exigenda duxis|⁴ti. [...8...]m pro tan-

---

23 ac *scripsi* : ad P ‖ 25 —suri *p. corr.* : —sori
a. corr. ‖ 36 deno *a. corr.* ‖ 46 retineri *p. corr.*

ceux-ci, comme tu sais, se sont levés immédiatement pour échapper à votre insidieux complot, qui apparaissait désormais ouvertement et au vu de tous comme un acte de banditisme. Mais vous, tout aussitôt, portant la main sur eux, vous avez cru devoir les retenir, avec une telle précipitation que vous les avez bousculés d'une manière offensante, témoignant cette fois de sentiments franchement hostiles. Et pour ouvrir la voie à la machine de guerre échafaudée sur cette base, vous avez ordonné sans désemparer, en dépit de leur refus, de reprendre à nouveau la lecture de la lettre.

98. Et dès que de sa bouche eurent été lues les formules exprimant le respect dû au Père tout-puissant comme principe, à savoir : « Je crois en un seul Dieu véritable, principe de toutes choses, seul inengendré, seul Dieu éternel, seul Dieu sage, seul Dieu bon, seul immortel, seul Dieu invisible, seul Père de l'unique-engendré », et encore plusieurs autres du même genre, s'appliquant à une supériorité unique, qui n'ont pu être retenues [1], toi et toute ta bande, pour les détourner par la peur d'une telle profession de foi, en réponse à chacune de ces affirmations, — le Fils de Dieu lui-même, Jésus-Christ notre dieu, a entendu votre voix, et il voit le présent écrit, et il jugera entre les traîtres et les fidèles, — tu as crié « anathème » avec des hurlements féroces [...].

99. Ensuite, parce que vous voulez que le Père et le Fils apparaissent comme une seule et même personne, de la même façon que Sabellius, tu as aussitôt cru devoir exiger, en tant qu'inspirateur du complot, qu'on reconnût au Fils des attributs pareils [2]. [Quoique], en raison

---

339r,43-45 ARIUS, *Epist. ad Alexandrum Alexandrinum* (cf. H. G. OPITZ, *Athanasius Werke*, t. 3, 1, Berlin-Leipzig 1934, p. 12-13)

---

1. Palladius, qui ne dispose pas du texte des actes, cite la lettre d'Arius approximativement et de mémoire.
2. Cf. supra, p. 231, n. 3 ; p. 232, n. 1.

ta blasfemia responsum uobis ut inimicis
fidei iam non debe|⁵batur, ne uel aliquid am-
plius eiusmodi impiaetati adderetur, — quamuis
tanta mag|⁶nitudo piaculi iam nullum admit-
teret augm[e]ntum, — uel ṣ[i]ṇe ullis audi-
toribus |⁷religiose professioni a uobis indigne,
sicuti factum est, sub nomine eorum lacera-
|⁸tio inferretur, dic|⁹tum est sine conci|¹⁰lii
auctoritate de |¹¹fide nihil posse uo|¹²bis res-
ponderi, siqui|¹³dem preter se du|¹⁴os nullus
consortu(m) |¹⁵suorum, id est Ori|¹⁶entalium,
adue|¹⁷nisset. Prout eti|¹⁸am diu silentiu(m)
|¹⁹habitum est.

Sed |²⁰et cum tu c̣ḷạma|²¹res et conspiratio
|²²omnis tumultuose |²³in modum uolup|²⁴tatis
perstrepe|²⁵ret ⌈.....⌉, ne ne|²⁶gatio responsi
aut |²⁷trepide professi|²⁸onis aut infidelis |²⁹con-
scientiae in|³⁰dicium putaretur, **(100)** |³¹ad per-
contatione(m) |³²tuam qua quaesis|³³ti si Filius
uerus es|³⁴set D(eu)s, non quo dis|³⁵putationi
locus da|³⁶retur, sed ut tua |³⁷qua ipsum
Filium |³⁸conplice Patrem |³⁹solum uerum ad-
|⁴⁰seris D(eu)m retunderetur blasfemia, dictum
est tibi a Palladio : «Non legisti in Euan-
gelio |⁴¹ipsum Filium ad Patrem dixisse : *Vt
agnoscant te uerum D(eu)m et quem misisti
Ih(esu)m |⁴²Cr(istu)m*ᵃ», addente et dicente :
«Itaque ueri D(e)i uerus Filius est Ih(esu)s
Cr(istu)s d(eu)s n(oster), secundum |⁴³centurio-
nem quoque passionis tempore de crucifixo
dicentem : *Hic uere Filius |⁴⁴D(e)i erat*ᵇ.»

101. Rursus dixisti si ante natiuitatem Filius
esset. Dictum est tibi et Pa|⁴⁵trem ad Filium

339v, 14 nullus *scripsi* : nullos P ‖ 21-22 conspi-
ratio |omnis *p. corr.* : conspirati|onis *a. corr.* ‖ 25
⌈.....⌉ *a. corr.* : *ultima littera cancellata est, forte*

de l'énormité de ce blasphème, vous n'aviez plus droit, étant ennemis de la foi, à une réponse, on a voulu éviter que quelque chose de plus ne vienne s'ajouter à une telle impiété, — encore qu'une abomination de cette taille ne soit plus susceptible d'accroissement, — ou qu'en l'absence d'aucun auditeur, une blessure ne soit à cause d'eux indignement infligée par vous, comme il advint en fait, à la foi chrétienne. Il a été dit, dès lors, qu'en dehors d'un concile dûment autorisé, on ne pouvait rien vous répondre au sujet de la foi, puisqu'en dehors d'eux deux, aucun de leurs collègues, c'est-à-dire des Orientaux, n'était arrivé [1]. Suite à quoi on a longtemps gardé le silence [2].

Mais comme tu poussais des cris et comme toute la bande manifestait bruyamment sa satisfaction [...], pour éviter que le refus de répondre ne fût interprété comme la marque d'une foi pusillanime ou d'une renonciation à ses convictions, **(100)** à ta question par laquelle tu as demandé si le Fils était le Dieu véritable [3], il t'a été dit par Palladius, non pour engager un débat, mais pour te faire ravaler ton blasphème par lequel tu affirmes que le Fils lui-même, inclus dans le Père, est le seul Dieu véritable : « N'as-tu pas lu dans l'Évangile que le Fils lui-même a dit au Père : Pour qu'ils te reconnaissent, toi, le Dieu véritable, et celui que tu as envoyé, Jésus-Christ [a] » ; et il a ajouté : « Par conséquent, Jésus-Christ notre dieu est le Fils véritable du Dieu véritable, comme le dit aussi le centurion à propos du crucifié au moment de la passion : Cet homme était véritablement le Fils de Dieu [b]. »

101. Tu as demandé encore si le Fils existait avant sa naissance. Il t'a été dit que le Père a dit au Fils, après

---

aliquid additum est sup. l. ‖ 41 te + solum *sup. l.* ‖ 42 ueri *p. corr.* : uere *a. corr.*

339v a. Jn 17, 3   b. Cf. Matth. 27, 54

---

1. Cf. supra, p. 207, n. 3.
2. Cf. *Gesta*, 5-16.
3. Cf. *Gesta*, 17-21.

iam genitum dixisse : *Filius meus es tu,*
ego hodiae genui te[c], |[46]item : *Ante luciferum*
genui te[d], et ipsum Filium de genitore suo
340r ita professum : ||[1][...48... *Ego in hoc natus*
sum] |[2]*et in hoc ueni in hunc mundum ut*
testimonium perhibeam ueritati[a].

102. Rursus si se[m]|[3]piternus D(eu)s Filius.
Dictum est tibi de Patre quidem scribtum
esse : *Sempiterna qu[o]*|[4]*que eius uirtus et*
diuinitas[b], de Filio uero : *Primogenitus totius*
craeationis[c], id est ante |[5]om⌈nia⌉ genitus et
tu⌈...11...⌉ue aeternus, etiam de aeternitate
tam ang⌈e⌉[lo] |[6]ad Mariam dicente : *Et regni*
eius non erit finis[d], quam etiam ipso Filio
de se : *Filius* |[7]*manet in aeternum*[e].

103. Rursus si D(eu)s bonus Filius. Dic-
tum est tibi in Euangelio i[psum] |[8]Filium
dixisse : *[Quid]* |[9]*me dicis bonum?* |[10]*Solus*
D(eu)s bonus[f], — [eo] |[11]quod auctor ip[se]
|[12]bonitatis no[s]|[13]tre sit qui bonu[m] |[14]Filium
genuit, — [sed] |[15]etiam ipsum Fi[lium] |[16]pro-
priae esse [bo]|[17]num, cum ere[s] |[18]dicat sic
ad eum : |[19]*Magister bon*[e][g], |[20]et ipse de
se d[icat] : |[21]*Ego sum pastor [bo]*|[22]*nus*[h].

104. Rursus s[i] |[23]Filius sapiens [D(eu)s].
|[24]Dictum est tibi |[25]Apostolum de [Pa]|[26]tre
quidem pr[o]|[27]priae dixisse : *[Soli]* |[28]*sapienti*
D(e)o[i], [Fili]|[29]um uero *D(e)i uir[tu]*|[30]*tem* et
D(e)i sapien[tiam][j] |[31]rettulisse, se[d] |[32]et So-
lomonem |[33]dixisse : *Sapie[n]*|[34]*tia aedificau[it]*
|[35]*sibi domum e[t]* |[36]*subdidit colu*|[37]*mnas septem,*
|[38]*mactauit sua[m]* |[39]*ostiam*[k]. **105.** Vnde tu statim
calumniose obiecisti dicens : «Ergo Filius D(e)i
non est sapiens?» |[40]Dictum est tibi : «Potuit

340r, 5 genitus + c⌈...7...⌉si⌈.....⌉ *sup. l.* ‖ 6

qu'il ait été engendré : « Tu es mon fils ; moi, aujourd'hui, je t'ai engendré [c] », et de même : « Avant l'aurore, je t'ai engendré [d] », et que le Fils lui-même a confessé à propos de celui qui l'a engendré : « [...] Si je suis né, si je suis venu dans ce monde, c'est pour rendre témoignage à la vérité [a]. »

102. Ensuite, si le Fils est le Dieu éternel. Il t'a été dit qu'il est écrit du Père : « Éternelle aussi sa puissance et sa divinité [b] » ; quant au Fils : « Il est le premier-né de toute la création [c] », c'est-à-dire engendré avant toutes choses et [...] éternel ; à propos de l'éternité également, l'ange dit à Marie : « Et son règne n'aura pas de fin [d] », et aussi le Fils lui-même parlant de lui : « Le Fils demeure pour l'éternité [e] ».

103. Ensuite, si le Fils est le Dieu bon [1]. Il t'a été dit que le Fils lui-même a dit dans l'Évangile : « Pourquoi m'appelles-tu bon ? Seul Dieu est bon [f] », — du fait qu'il est l'auteur de notre bonté, lui qui a engendré un Fils bon, — mais que le Fils aussi est proprement bon, puisque l'héritier s'adresse ainsi à lui : « Bon maître [g] », et qu'il dit lui-même en parlant de lui : « Je suis le bon pasteur [h]. »

104. Ensuite, si le Fils est le Dieu sage [2]. Il t'a été dit que l'Apôtre a dit du Père en personne : « Au seul Dieu sage [i] » ; quant au Fils, il l'a présenté comme « puissance de Dieu et sagesse de Dieu [j] » ; et Salomon a dit : « La sagesse s'est construit une demeure et l'a soutenue par sept colonnes ; elle a immolé sa victime [k]. » **105.** Sur quoi tu as aussitôt objecté de façon calomnieuse : « Donc le Fils de Dieu n'est pas sage ? » Il t'a été dit : « Se peut-il

---

post Mariam *uidetur aliquid additum esse sup. l., quod legi non potest; forte* uirginem? ‖ 30 et *sup. l.*

---

c. Ps. 2, 7   d. Ps. 109, 3
340r a. Jn 18, 37   b. Rom. 1, 20   c. Col. 1, 15   d. Lc 1, 33 e. Jn 8, 35   f. Cf. Mc 10, 18   g. Mc 10, 17   h. Jn 10, 11 i. Rom. 16, 27   j. I Cor. 1, 24   k. Prov. 9, 1-2

---

1. Cf. *Gesta*, 28-30.
2. Cf. *Gesta*, 27.
   Scolies ariennes.

qui ipse est sapientia D(e)i insipiens esse?» Et
quamuis perṣ⌈eue⌉|⁴¹retis nolentes audire, tamen
meminisse debetis etiam hoc çǫepisse dici
qu[od] |⁴²in Apostolo scribtum est : *Sapientiam
loquimur inter perfectos, sapientiam* |⁴³*autem non
huius seculi nęq(uę) principum seculi huius
qui destruuntur, sed loqu[i]*|⁴⁴*mur D(e)i sapien-
tiam in mysterio, quae abscondita est, quam
predestinauit D(eu)s* |⁴⁵*ante sǫecula in gloriam
nostram, quam nemo principum seculi huius*
340v *cognoui[t; si]* ‖¹*enim cognouissent, numquam
D(omi)n(u)m gloriae crucifixissent*ᵃ.

106. Rursus si Fili|²us inuisibilis D(eu)s. Dic-
tum est tibi scribtum esse de Patre : *Quem
uidit hominum* |³*nemo neque uidere potest*ᵇ,
item : *Inuisibili inmorthali soli D(e)o*ᶜ, item :
D(eu)m ne|⁴*mo uideuit et uiuet*ᵈ, sed et ad-
huc : *D(eu)m nemo uidit umquam, unigenitus
qui* |⁵*est in sinu Patris ipse enarrauit*ᵉ, de
Filio uero : *Et uidimus gloriam eius, glo-
|⁶riam tamquam unigeniti a Patre*ᶠ, item :
D(eu)s autem apparuit Abrahae |⁷*[s]edenti ad
ilicem* |⁸*Ṃanbrae*ᵍ, item ei |⁹[q]ui cecus fuerat
|¹⁰dicenti : *Quis est* |¹¹*Filius D(e)i, ut cre-
da(m)* |¹²*[i]n illum*ʰ, dictum |¹³esse ab ipso
Filio |¹⁴D(e)i : *Quem uidisti et* |¹⁵*qui loquitur
tecu(m)* |¹⁶*[i]pse est*ⁱ.

107. Rursus |¹⁷si Filius inmortha|¹⁸lis D(eu)s.
Dictum est |¹⁹tibi scribtum esse |²⁰de Patre :
Regi au|²¹*tem seculorum,* |²²*inuisibili inmor*|²³*thali
soli D(e)o*ʲ, item : |²⁴*Qui solus habet* |²⁵*in-*

43   nęquę   *p. corr.*

340v   a. I Cor. 2, 6-8   b. I Tim. 6, 16   c. I Tim 1, 17
d. Cf. Ex. 33, 20   e. Jn 1, 18   f. Jn 1, 14   g. Gǝn. 18, 1
h. Cf. Jn 9, 36   i. Cf. Jn 9, 37   j. I Tim. 1, 17

que celui qui est la Sagesse de Dieu en personne soit
dépourvu de sagesse ? » Et quoique vous persistiez à ne
pas vouloir entendre, vous devez cependant vous souvenir que l'on a commencé de dire également ce qui est
écrit dans l'Apôtre [1] : « Il est une sagesse dont nous parlons parmi les parfaits, sagesse qui n'est pas celle de ce
siècle, ni des princes de ce siècle, voués à la destruction ;
mais nous parlons de la sagesse mystérieuse de Dieu, qui
est cachée, que Dieu a prédestinée avant les siècles pour
notre gloire, qu'aucun des princes de ce siècle n'a connue ; car s'ils l'avaient connue, ils n'auraient jamais crucifié le Seigneur de gloire [a]. »

106. Ensuite, si le Fils est le Dieu invisible [2]. Il t'a été
dit qu'il est écrit du Père : « Aucun homme ne l'a jamais
vu, ni ne peut le voir [b] », de même : « Au Dieu invisible,
immortel, unique [c] » ; de même : « Dieu, personne ne le
verra et vivra [d] » ; et encore : « Dieu, personne ne l'a jamais
vu ; l'unique-engendré, qui est dans le sein du Père, c'est
lui qui l'a fait connaître [e] » ; mais à propos du Fils : « Et
nous avons vu sa gloire, gloire qu'il tient de son Père
comme unique-engendré [f] » ; de même : « Dieu apparut à
Abraham, alors qu'il était assis au pied du chêne de Mambré [g] » ; de même, à celui qui avait été aveugle et qui
disait : « Qui est le Fils de Dieu, pour que je croie en
lui [h] », il a été dit par le Fils de Dieu lui-même : « Celui
que tu as vu et qui te parle, c'est lui [i]. »

107. Ensuite, si le Fils est le Dieu immortel [3]. Il t'a
été dit qu'il est écrit du Père : « Au roi des siècles, Dieu
invisible, immortel, unique [j] » ; de même : « Seul il pos-

1. On ne trouve pas trace de cette citation dans les *Gesta*, pas
plus que de plusieurs autres alléguées ici par Palladius. Il est probable que celui-ci mélange en partie les arguments avancés lors de
la discussion officieuse et lors de la séance officielle, où il y a eu
certainement beaucoup de redites. La plupart de ces citations sont
classiques dans la controverse arienne.
2. Cet attribut ne figure pas dans la lettre d'Arius. On comprend
cependant que Palladius l'ait introduit instinctivement dans la
citation qu'il fait de mémoire, et qu'il n'ait pas omis d'en discuter,
étant donné son importance aux yeux des ariens ; v. intr., p. 184.
3. Cf. *Gesta*, 22-26.

morthalitate(m)[k], |[26]de   Cr(ist)o   autem   :   *Cr(is-tu)s* |[27]*mortuus*   *est* |[28]*pro*   *peccatis* |[29]*nostris*[l].
Vnde |[30]tu   hoc   de   carne |[31]dictum   adfir|[32]ma-bas.   Cumque |[33]ad   hoc   obiectum |[34]tibi   fuisset
an |[35]Cr(ist)i   adpellatio|[36]nem   humana(m) |[37]cre-deres,   tu   aliquamdiu   cunctatus   tandem   res-pondisti   :   «Et   humanam   et   diui|[38]nam.»   Ad
hoc   rursus   dictum   est   tibi   :   «Ergo   crede
non   solum   carnem   esse   passam, |[39]sed   d(eu)m
et   hominem,   et   Filium   D(e)i   et   Filium   homi-nis»,   id   est   utroque   statu   socio   D(omi)n(u)m
|[40]gloriae   crucifixum[m],   sicuti   etiam   ipsa   appel-latio   Fili   indicat   passionem   di|[41]uinam,   nunc
Apostolo   dicente   :   *Cum autem inimici essemus,*
reconciliati |[42]*sumus*   *D(e)o*   *per*   *mortem*   *Fili*
eius[n],   nunc   ipso   Filio   de   se   :   *Sic enim*
dilexit   *D(eu)s*   *mu(n)*|[43]*dum*   *ut*   *unigenitum*   *suum*
daret[o],   sed   et   adhuc   Apostolo   :   *Si D(eu)s*

341r   *pro*   *nobis,* ||[1]*[quis*   *contra*   *nos?*   *Qui*   *proprio*
Filio   *non*   *pepercit,*   *sed*   *pro*   *nobis*   *omnibus*
tradidit   *illum]*[a], |[2]item   :   *Vt*   *seruiatis*   *D(e)o*
uiuo   *et*   *uero*   *et*   *expectetis*   *Filium*   *eius*   *e*
celis,   *quem*   *excitauit* |[3]*a*   *mortuis*   *Ih(esu)m,*
qui   *eripiet*   *nos*   *ab*   *ira*   *uentura*[b].

108. Rursus   si   aequalis   Patri   Filius. |[4]Dic-tum   est   tibi   Filium   dixisse   :   *Pater*   *qui*
me   *misit*   *maior*   *me*   *est*[c].   Vnde   tu   :   «Quare
|[5]dictum   est   :   *Qui*   *misit?*»   Falsi   reum   duce-bas   Palladium,   dicens   scribtum   esse   : |[6]*Pater*
maior   *me*   *est,*   non   tamen   :   *Qui*   *me*   *misit,*

341r,   2   et[2]   *p. corr.*   :   ut   *a. corr.*

---

k. I Tim. 6,   16   l. I Cor. 15, 3   m. Cf. I Cor. 2, 8
n. Rom. 5, 10   o. Jn 3, 16
341r a. Rom. 8, 31-32   b. I Thess. 1, 9-10   c. Jn 14, 28

sède l'immortalité [k] » ; mais à propos du Christ : « Le
Christ est mort pour nos péchés [1]. » Sur quoi tu prétendais
que cela avait été dit à propos de la chair. Et comme il
t'avait été demandé, en guise d'objection, si tu croyais
que le titre de « Christ » était un titre humain, après avoir
hésité un moment, tu as finalement répondu : « A la fois
humain et divin [1]. » Là-dessus, il t'a encore été dit : « Donc,
tu dois croire que ce n'est pas seulement la chair qui a
souffert, mais le dieu et l'homme, le Fils de Dieu aussi
bien que le Fils de l'homme », c'est-à-dire que les deux
natures ont été impliquées dans la crucifixion du Seigneur
de gloire [m] [2]. D'ailleurs, le terme même de Fils indique
bien que la divinité a souffert, l'Apôtre disant : « Alors
que nous étions des ennemis, nous avons été réconciliés
avec Dieu par la mort de son Fils [n] » ; et le Fils lui-même,
de son côté, en parlant de lui : « Dieu a tant aimé le monde
qu'il a livré son unique-engendré [o] » ; et l'Apôtre encore :
« Si Dieu est pour nous, qui sera contre nous ? Il n'a pas
épargné son propre Fils, mais il l'a livré pour nous tous [a] » ;
de même : « Pour que vous serviez le Dieu vivant et véritable et que vous attendiez son Fils qui viendra des cieux,
celui qu'il a ressuscité d'entre les morts, Jésus, qui nous
délivrera de la colère à venir [b]. »

108. Ensuite, si le Fils est l'égal du Père [3]. Il t'a été dit
que le Fils a dit : « Le Père qui m'a envoyé est plus grand
que moi [c]. » Là-dessus, toi : « Pourquoi a-t-on dit : Qui
a envoyé ? » Tu jugeais Palladius coupable de faux, en
disant qu'il y a dans le texte : « Le Père est plus grand
que moi [4] », mais pas : « Qui m'a envoyé », comme si, en

---

1. L'embarras d'Ambroise provient de ce que, s'il prétend que
« Christ » est un titre humain, il s'entendra répondre que le Fils de
Dieu n'a jamais été oint dans son corps et qu'il reçoit ce titre avant
l'incarnation ; mais s'il reconnaît que « Christ » est un titre divin,
son adversaire en tirera la conclusion que la divinité du Christ est
impliquée dans sa mort, puisque l'Écriture dit que « *le Christ* est
mort pour nos péchés ».
2. Sur la christologie des ariens, v. intr., p. 191.
3. Cf. *Gesta*, 33-41.
4. Voir Gryson, « Citations scripturaires », p. 52.

quasi cum prestantia Patris |⁷etiam officium
Fili non debuerit referri, cum utique et de
prestantia |⁸hoc in loco et d[e] |⁹officio sepe
sc[ri]|¹⁰btum legaṃụṣ, |¹¹Filio nunc ad P[a]-
|¹²trem adsidua[e] |¹³dicente : *Vt scian[t]*
|¹⁴*quod tu me misis[ti]*ᵈ, |¹⁵nunc ad iudeos :
|¹⁶*Quem Pater saṇ[c]*|¹⁷*tificauit et mis[it]* |¹⁸*in
hunc mundụ[m]*, |¹⁹*uos dicitis quoḍ* |²⁰*blasfemat,
quiạ* |²¹*dixi :* «*Filius D(e)i sum*ᵉ», |²²adque
eiusmoḍ[i] |²³coniunctio co[m]|²⁴penḍium fidei,
|²⁵non impia esse[t] |²⁶professio.

109. Tuis r[es]|²⁷ponsis confutạ|²⁸tus, cum iam
nị|²⁹hil tibi aliud a[d] |³⁰sciscitationem ce[r]-
|³¹neṛẹṣ super[es]|³²se, siquidem n[on] |³³ulla sit
in te sci[en]|³⁴tia Scribturarụ[m] |³⁵qua posses
pre|³⁶meditata uel ạ[b] |³⁷aliis suggesta ạ[m]-
|³⁸plius quaerere, rursus ueluti ad unicum im-
perite infidelitatis suffugium, aḍ |³⁹epistulam
redeundum duxisti, in Arrium sub appellatio-
nem craeaturae suḅ|⁴⁰dolam et captiosam pos-
tulans suscribtionem, ut tibi constanter a Se-
cundia|⁴¹no diceretur : «Quid tantum insistis
subscribtioni? **110**. Numquid illud displicet
|⁴²tibi quod scribtum est : *D(omi)n(u)s crae-
auit me initium uiarum suarum in opẹ*|⁴³*ra
sua*ᶠ, et uis illud sub speciae craeaturae
damnari?» Tu dixisti : «Non hoc |⁴⁴uolo
quod scio esse», addens et dicens illud de
341v carne esse dictum, quippe ||¹⸤non in⸥tẹḷḷẹgẹṇṣ
Scribturam, çụṃ ụṭịqụẹ caro ṇọṇ in initio
craeata ṣịṭ ṇẹqụẹ |²ante saecula fundata, nequẹ̄
ante omnes colles genita, nequae <in> ali-
quod opus |³D(omi)ni craeata inueniaturᵃ. Sed

---

même temps que la supériorité du Père, la mission du
Fils ne devait pas également être mentionnée, alors
qu'évidemment, dans ce passage, nous constatons souvent que le texte parle en même temps de la supériorité
et de la mission, le Fils disant tantôt au Père à plusieurs
reprises : « Pour qu'ils sachent que tu m'as envoyé [d] »,
tantôt aux juifs : « Celui que le Père a consacré et envoyé
en ce monde, vous dites qu'il blasphème, parce que j'ai
dit : Je suis le Fils de Dieu [e]. » Un tel rapprochement constitue un résumé de la foi, non une confession impie.

109. Ayant été confondu à partir de tes propres
réponses, comme tu voyais qu'il ne te restait plus rien
d'autre à demander, puisqu'il n'y a pas chez toi la moindre
connaissance des Écritures, grâce à laquelle tu aurais pu
pousser plus loin ton interrogatoire sur des points auxquels tu aurais réfléchi par avance ou qui t'auraient été
suggérés par d'autres, de nouveau, comme à l'unique
refuge de ton incompétente incroyance, tu as cru devoir
revenir à la lettre, en réclamant une signature artifi-
cieuse et captieuse contre Arius à propos du terme de
« créature [1] », de sorte que Secundianus te déclara avec
fermeté : « Pourquoi tiens-tu tellement à cette signature ?
110. Est-ce qu'elle te dérange, cette parole de l'Écriture :
Le Seigneur m'a créée, commencement de ses voies, en
vue de ses œuvres [f], et est-ce que tu veux qu'elle soit
condamnée parce qu'y apparaît l'idée de créature ? » Tu
as dit : « Ce n'est pas cela que je veux, je sais que c'est
ainsi », en ajoutant que cela avait été dit de la chair [2].
Mais tu comprends mal l'Écriture, car la chair, évidemment, n'a pas été « créée au commencement », ni « établie
avant les siècles », ni « engendrée avant toutes les montagnes », et on ne voit pas qu'elle ait été créée en vue
d'une œuvre quelconque du Seigneur [a]. Mais qu'il faille

d. Jn 11, 42 ; cf. Jn 17, 23   e. Jn 10, 36   f. Prov. 8, 22
341v a. Cf. Prov. 8, 22.23.25

1. Cf. *Gesta*, 41 s.
2. Nous n'avons pas conservé cette partie de l'interrogatoire de
Secundianus, dont la fin est perdue.

siue de carne, sicuti tu intellegis, siue de
unige|⁴nito sp(irit)u, sicuti nos credimus, sit
accipiendum, tamen et Scribture confes|⁵sus es
(111) et male interpretando plenius confirmasti
Scribturam, quip|⁶pe hoc modo aperte osten-
disti Scribturam quidem abnui non posse,
|⁷⌈.....⌉ uero lege(n)|⁸⌈t⌉ium deesse scrib|⁹turae
⌈.....⌉en⌈..⌉|¹⁰te permouebat |¹¹⌈...7...⌉s⌈....⌉
a(m) |¹²⌈...7...⌉sti de cre|¹³ati adpellatione
|¹⁴maturiorem |¹⁵⌈tr⌉actatum in|¹⁶ter plures ha-
|¹⁷bendum adque |¹⁸erga craeaturae |¹⁹professio-
nem |²⁰pronuntiatio|²¹nis potius quali|²²tate⌈..⌉e
⌈..⌉enda(m) |²³⌈..⌉m⌈..⌉am ipsa(m) |²⁴craeati
appella|²⁵tionem in iniuri|²⁶am tam D(omi)ni in
ge|²⁷nerando creato|²⁸ris qu⌈am⌉ Fili de se |²⁹lo-
quentis necno(n) |³⁰predicantis Sp(iritu)s |³¹S(an)c-
(t)i ⌈...9...⌉ da|³²mn⌈...7...⌉et |³³qu⌈...10...⌉a
|³⁴scr⌈i⌉b⌈...7...⌉e |³⁵caelestium ⌈..⌉e|³⁶fectum ⌈...7
...⌉ |³⁷docet dicens : D(omi)n(u)s craeauit
me[b], item : Genuit me[c], non facile nec
temere esse |³⁸iudicandum, presertim cum tu
ipse in hoc eodem libro, sicuti loco suo os-
|³⁹tendetur, similitudinem operum principaliter
factorum etiam Filium |⁴⁰principali potestate geni-
tum fatearis, ut in generando non natura(m),
|⁴¹sed potestatem probes parentis.

112. Et tamen omissa omni considera|⁴²tione
⌈...24...⌉ te tuisque dignum, si tamen dicen
342r ||¹⌈...69...⌉ |²in Arri professione subscribere
noluerunt, consortio episcopali esse abiciendo[s],
|³non intellegens reprehensionem Arri non esse
acceptandam |⁴et e⌈...9...⌉tam audacem ac
lasciuam nimisque impiam insolentiam |⁵tuam

8 deesse + t sup. l. || 41 probes p. corr. :
pobes a. corr.

entendre cela de la chair, comme tu le comprends, ou de l'esprit unique-engendré, comme nous le croyons, de toute façon, tu as rendu gloire à l'Écriture, **(111)** et tout en étant mauvais exégète, tu as reconnu sans réserve l'autorité de l'Écriture, puisque tu as montré clairement de cette manière que l'Écriture ne peut être récusée [...]

Toi-même, dans ce même livre, comme cela sera montré en son lieu [1], tu admets que, de la même façon que les œuvres qui ont été faites à l'intervention du premier principe, le Fils également a été engendré par la puissance du premier principe, de sorte que dans le fait d'engendrer, tu reconnais non la nature, mais la puissance de celui qui engendre.

112. [...] Tu n'as pas compris qu'une censure à l'encontre d'Arius n'était pas recevable et [...] que ton arrogance impudente, déplacée et exagérément impie serait

342r,   3   Arrii   *p. corr.*

---

b. Prov. 8, 22   c. Prov. 8, 25

---

1. Le livre en question est probablement le *De fide* d'Ambroise, et la démonstration annoncée celle qui se lit plus loin dans l'apologie, 345v,34s. Mais les lacunes du contexte antécédent ne permettent pas de cerner exactement la portée de la référence.

illiş ⌐q⌐uidem exemplo apostolorum gloriae, uestrae uero conspirą|⁶tioni ad inştąr iudeorum perditioni fųţuram, secundum scribturam Ac-|⁷tuum apostol[o]|⁸rum dicenteɱ : |⁹Et uocantes ap[os]|¹⁰tolos cesos eos ḍ[i]|¹¹miserunt, pre|¹²ci- pientes ne |¹³loquerentur |¹⁴in nomine Ih(es)[u] |¹⁵ulli hominuɱ, |¹⁶adhųc dicent[em] : |¹⁷Illi ergo ibant |¹⁸gaudentes a ç[ons]|¹⁹pectu concili |²⁰quod pro nomi[ne] |²¹Ih(es)u digni habit[i] |²²sunt contume|²³liam pati^a. De|²⁴ɳiqųę ąḍuer[te] |²⁵quod etiam ill[i] |²⁶similitudine |²⁷apostolorum |²⁸quos iudei per|²⁹secuti sunt, |³⁰Filium D(e)i crų[ci]|³¹fixum predic[an]|³²tes persecut[io]|³³nem a uobis p[a]|³⁴tiąntur.

113. Et quia dų[xis]|³⁵ti consortio e[pis]- |³⁶copali abiciendos, cur non aduertisti scolas- tice et illos conmunione tua |³⁷non teneri et te non debuişşę ḍe alieno consortio eoḍęɱ- ⌐q⌐ųe ąḍųęr|³⁸sum te in certamine positǫ iudi- care ⌐...12...⌐ţųmet⌐....⌐ḍ⌐.⌐|³⁹şįt iurgantęɱ in aduersarium iudiciuɱ ⌐...⌐ǫ sųǫ presųmęret⌐...⌐ ş⌐.⌐. 114. |⁴⁰Nec uero respexisti, ut ait Scrib- tųrą, a g⌐..⌐ųerǫşore⌐...8...⌐, pios ⌐a ma⌐- |⁴¹litioso, a blasfemo adsertores ueritatis, a ɳęgąţǫrę çǫɳfessores |⁴²fidei, a rebelle pacificos, a turbulento quiaetos, a noxio įɳɳ[o]⌐xio⌐[s], ||¹a catecumeno fideles, a çąr[...37..., ab An]|²ticristi ministro famulos Cristi, ab emulo eodemque prabo litigatore legiti|³mos actores iustumque habentes negotium iudicari non posse, quippe cum luce |⁴aperta cunctis notum sit quod inter disceptantes cognitio non e diuerso alter|⁵cantis, sed arbitrii auditoris iudicium flagitet.

115. Denique dic, sanctissime, |⁶quod flagi- tium in conuersatione, quem lapsum in ser-

pour eux, comme pour les apôtres, un titre de gloire, et
quant à votre complot, comme pour les juifs, elle signerait
son échec, conformément au texte des Actes des apôtres :
« Et appelant les apôtres, ils les renvoyèrent après les
avoir fait battre, en leur ordonnant de ne point parler au
nom de Jésus à aucun homme. » Et le texte continue :
« Ils sortaient donc de la salle du conseil, tout heureux
d'avoir été jugés dignes d'être maltraités pour le nom
de Jésus [a]. » Remarque, du reste, qu'eux aussi, de la même
façon que les apôtres persécutés par les juifs, souffrent
persécution de votre part parce qu'ils prêchent le Fils de
Dieu crucifié [1].

Condamnation des ariens **113.** Et puisque tu as cru devoir les
exclure du collège épiscopal, pourquoi n'as-
tu pas remarqué, en bonne logique, qu'eux
ne faisaient point partie de ta communion, et que tu
n'aurais pas dû juger des collègues étrangers qui se trouvaient en conflit avec toi [...]. **114.** Et tu n'as cependant
pas pris garde, comme le dit l'Écriture, [...] à ce que des
gens pieux ne peuvent être jugés par un méchant, des dé-
fenseurs de la vérité par un blasphémateur, des confesseurs
de la foi par un renégat, des amis de la paix par un révolté,
des hommes tranquilles par un fauteur de troubles, des
innocents par un malfaiteur, des fidèles par un catéchumène, [...], des serviteurs du Christ par un ministre de
l'Antéchrist, des demandeurs respectueux des lois et sou-
tenant une juste cause par un adversaire doublé d'un
mauvais plaideur, — alors que tout le monde sait avec
une certitude aveuglante qu'un procès entre des intérêts
contradictoires requiert le jugement non de la partie
adverse, mais d'un magistrat qui serve d'arbitre.

115. Dis-moi donc, très saint homme, quel scandale
tu as découvert dans leur vie, quelle erreur dans leur dis-

---

34 —tiạntur *p. corr.* : —tiạtur *a. corr.* ‖ et *sup. l.*

342r a. Act. 5, 40-41

---

1. Cf. supra, 340v,38-41.

mone,   quod   piaculum |⁷in   fidei   professio|⁸ne
uidisti,   in   quo |⁹potuisti   secundu(m) |¹⁰Scrib-
turas   eos   co(n)|¹¹uincere,   ut   cum |¹²concilia
soleant |¹³plurimis   diebus |¹⁴protrahi,   ut   per
|¹⁵adsiduum   moni|¹⁶tum   interueni|¹⁷ente   correc-
tio|¹⁸ne   nullus   ab   spi|¹⁹ritali   conuentu |²⁰Iesus
abscedat, |²¹tu   sine   cunctabun|²²da   deliberatione
|²³intra   unam   ora(m) |²⁴iudicandos   pu|²⁵tares,
quorum |²⁶longeuus   idem|²⁷que   quantum   hu-
|²⁸manae   conscie(n)|²⁹tiae   interest   in|³⁰reprehen-
sibi|³¹lis   episcopatus |³²lasciuos   sordidos|³³que   tuos
excide|³⁴ret   annos.   **116.**   Nam |³⁵unus   eorum
post |³⁶undecim   annos   presbyterii   triginta
quinque   annorum   tunc   cognosceba|³⁷tur   episco-
pus,   sicuti   etiam   et   quae   non   latebat   opinio
et   ipsa   aetas   tam |³⁸annosam   eiusmodi   testa-
batur   functionem,   sed   et   lectorum   et   minis-
|³⁹trorum   a   uobis   pro   moribus   uestris   institu-
torum,   qui   et   canitiem |⁴⁰execrandam   et   senec-
tutem   eius   abominabilem   uobis   cum   uolu(m)-
|⁴¹tate   audientibus   uociferaba<n>tur,   indicabat
impiaetas.   **117.**   Alter   ab |⁴²adulescentia   clericus
adque   per   singulos   gradus   ad   episcopatum
343r ||¹[...63...] |²inpar   stans   iudicaretur,   idemque
secundum   Scribturas   ipsamque   ueritatem   fị-
|³dei   suam   professionem   defendens   non   iam
a   ministris,   sed   a   uobis   ipsis   extrẹ|⁴mis   iniu-
riis   ageretur,   te   quidem   Ambrosio   dicente   :
«Porro   taceat»,   Euseuio   uẹ|⁵ro   adsessore   tuo
subiungente   et   ad   augendam   tuam   ut   iudicis
auctoritatem |⁶dicente   :   «Taceat   **(118)**   nec
saluus!»

342v,   18   ab   *a.   corr.*   :   a   *p.   corr.* || 40   uolu(m)-
tate   =   uolu(m)ptate   =   uoluptate
343r,   5   ad   *sup.   l.*

cours, quelle abomination dans leur profession de foi, en quoi tu aurais pu les confondre sur la base des Écritures. Alors que les conciles se prolongent généralement pendant de nombreux jours, afin que, la correction fraternelle s'exerçant par des avertissements répétés, personne n'ait souffert aucun tort quand il quitte l'assemblée religieuse, toi, sans t'attarder à délibérer, tu as cru devoir juger en l'espace d'une heure [1] ces hommes dont l'épiscopat prolongé et irréprochable, — autant qu'il est possible pour une conscience humaine, — dépassait le nombre de tes années de débauche répugnante [2]. **116.** Car l'un d'entre eux [3], après onze années de presbytérat, était alors connu comme évêque depuis trente-cinq ans ; l'opinion publique et son âge même témoignaient qu'il exerçait cette fonction depuis bien longtemps, et cela ressortait aussi de l'impiété des lecteurs et des ministres institués par vous dans la ligne des mœurs qui sont les vôtres, lesquels hurlaient : « Maudits cheveux blancs ! Affreux vieillard ! », tandis que vous écoutiez avec délectation. **117.** L'autre [4], clerc depuis son adolescence, et qui était parvenu à l'épiscopat en passant par tous les degrés [...], fut jugé debout, comme s'il n'était pas votre égal ; et tandis qu'il défendait sa confession conformément aux Écritures et à la vraie foi, il fut victime des pires affronts, non plus de la part de ministres inférieurs, mais de vous-mêmes, puisque toi, Ambroise, tu disais : « Mais qu'il se taise donc ! », et qu'Eusèbe ton assesseur ajoutait, pour accroître ton autorité en tant que juge : « Qu'il se taise, **(118)** et qu'il n'y ait pas de salut pour lui ! »

---

1. En fait, la réunion du 3 septembre 381, commencée au lever du jour, s'est prolongée jusqu'à une heure de l'après-midi ; la séance officielle a duré deux ou trois heures. Mais tout s'est joué en l'espace d'une matinée ; il ne semble pas qu'il y ait eu d'autres entretiens les jours précédents (v. intr., p. 138, n. 1.)

2. Il faut faire ici la part de l'exagération qui est inhérente à la polémique. Il ne semble pas qu'Ambroise ait eu la jeunesse orageuse d'un saint Augustin.

3. Il s'agit de Palladius de Ratiaria ; v. intr., p. 81.

4. Il s'agit de Secundianus de Singidunum.

Et adhuc dicis concilium fuisse, sed et disputatio|⁷nem ex aequo inter partes habitam, ubi et infidelitas grassata et in iniuria̧[m] |⁸fidei a parte paŗ|⁹ti dominatione i̧[ni]|¹⁰mica intercluş[us] |¹¹sermo probatuŗ! |¹²Et nec lingua tu[a] |¹³inesit, miser, n[ec] |¹⁴conpunctum eş[t] |¹⁵cor, nec menbŗ[a] |¹⁶tremuerunt, u[t] |¹⁷tam male conc[e]|¹⁸ptum ac tam n[e]|¹⁹fandum tamque |²⁰precipitem in |²¹sacerdotes D(e)i |²²tu conprimere[s] |²³conatum!

119. Dic, qua̧[e]|²⁴so, aliqui potior[a] |²⁵ac uera adser[en]|²⁶tem, sed et cu[i] |²⁷pro reatu suo |²⁸respondere ņ[on] |²⁹possit cur pe[r]|³⁰ditissimo suo ņ[on] |³¹adsentiatuŗ |³²mendacio, pŗ[e]- |³³sumta potest[a]|³⁴te iudicat? Si n[on] |³⁵intellegis qu[id] |³⁶fecisti, resp[ice] |³⁷ad illam fun[es]- |³⁸tam tibi sent[en]|³⁹tiam tuam et aduertes plangendum esse tuum furorem. Quod cum in om[ni]|⁴⁰bus confutareris et perpe<rum> te cerneres esse, non propter fidei impia[m] |⁴¹professionem, sed propter solam suscribtionem, quae a te sacrileg[o] |⁴²sp(irit)u poscebatur et quae tibi omnino non debebatur, sed concilii gen[e]|⁴³ralis examini congrua consideratione reseruabatur, ad eiusmodi deme[n]|⁴⁴tiam prorupisti.

120. Sed facile tibi fuit de sacerdotio diuino temere |⁴⁵ut tibi uidebatur iudicare, cuius tam
343v obliqua ac tam facilis ||¹[...53... eccle]|²siastica disciplina neque praeeunti̧ş uel fidei uel uitae tuae meritu̧m̧ |³ab ordinatoribus tuis cogitaretur, sed amicali gratia suffragio ţ[..] |⁴humano passim

---

22 tu *a. corr.* : tuum *p. corr.* ‖ 40 et + si *sup. l.* ‖ 43 examini *sup. l.*
343v, 4 uo⌈..⌉li̧⌈...⌉ *p. corr.* : ţuo⌈..⌉li̧⌈...⌉ *a corr.*, ut uidetur; forte additum est aliquid *sup. l.*

Et tu vas encore dire qu'il y a eu un concile et une discussion sur pied d'égalité entre parties, là où l'incroyance s'est manifestement imposée et où, au détriment de la foi, une partie a dénié à l'autre le droit de s'exprimer, en l'écrasant comme une ennemie ! Et ta langue n'est pas restée collée à ton palais, misérable, et ton cœur ne s'est pas arrêté de battre, et tes membres n'ont pas été pris de tremblement, pour que tu mettes un terme à une entreprise aussi pernicieuse, aussi abominable, aussi téméraire à l'encontre des prêtres de Dieu !

119. Dis-moi, je te prie, un homme juge-t-il en se réclamant d'un pouvoir usurpé quelqu'un qui soutient une opinion préférable à la sienne et conforme à la vérité, alors qu'en raison des fautes dont cet homme est chargé, l'accusé ne peut répondre à la question de savoir pourquoi il n'adhère pas à son pernicieux mensonge ? Si tu ne comprends pas ce que tu as fait, considère cette sentence qui se retourne contre toi, et tu verras qu'il te faut déplorer ta folie. Alors que tu étais convaincu d'erreur sur tous les points et que tu voyais bien que tu avais tort, tu n'as pas reculé devant une telle aberration, non pas à cause d'une profession de foi impie, mais simplement à cause d'une signature, que tu réclamais dans un esprit sacrilège et qui ne t'était due en aucune façon, mais qui était réservée, avec une juste notion des choses, au jugement d'un concile général.

120. Mais il t'a été facile de te prononcer sans réfléchir, comme bon te semblait, à propos du sacerdoce divin, [...] ceux qui t'ont ordonné n'ont tenu compte ni de la discipline ecclésiastique, ni de la qualité de ta foi ou de ta vie antérieure, mais tu as été désigné à la légère grâce à l'appui de tes amis, par l'approbation des hommes [1].

---

1. C'est un fait que l'ordination d'Ambroise n'était pas régulière, car il n'était encore que catéchumène au moment où il fut élu au siège de Milan, et le concile de Nicée, faisant écho à une prescription de la Première à Timothée, avait formellement interdit d'ordonner un néophyte. D'autre part, il est certain que l'élection d'Ambroise rencontra l'approbation de l'empereur Valentinien Ier. Mais pour le reste, cette élection ne fut pas le résultat d'une cabale,

creareris indigne. Denique ex tuo tam uo
⌈..⌉li⌈....⌉ |⁵merito etiam aliena merita te pen-
sasse aduerte, quippe qui tam |⁶leuis tamque
facilis in illorum iniuriam extitisti, utputa
teme|⁷re ac sine ul|⁸lo examine des|⁹truendum
es|¹⁰se sacerdoti|¹¹um, quam faci|¹²lem ac passi-
|¹³uam et non li|¹⁴bratam ex|¹⁵pertus es |¹⁶aedi-
ficatio|¹⁷nem tuam.

121. |¹⁸Non mirum au|¹⁹tem tantam |²⁰sceui-
tatem in |²¹te esse reper|²²tam, qui potu-
|²³isti in iniuri|²⁴am ipsius re|²⁵ligionis ge|²⁶nera-
lis con|²⁷cilii disposi|²⁸tionem uer|²⁹suto ac doli
|³⁰pleno infrin|³¹gere sugges|³²tu, quo tu et de
|³³sacerdoti|³⁴o iocare|³⁵ris et de|³⁶luderes et ae-
|³⁷clesias D(e)i per humanum patrocinium dum-
taxat et in⌈....⌉ şeue|³⁸ritate et Syagri feritate
uastares, secundum profetam |³⁹qui Sp(iritu)s
S(an)c(t)i inspiratione id tempus prospexerat,
sub intellectu ac |⁴⁰significantia populi de
uineae uastatione dicente : *Extermina*|⁴¹*uit ea*
aper de silua et singularis ferus depastus est
eam[a].

122. Prae|⁴²terea cum nec tu, Ambrosi, iudex
esse, nec conspiratio tua in duo|⁴³decim isdem-
que uicinis et similiter impiis consistens conci-
344r lii nomen ||¹posset habere, dic nobis qua
auctoritate etiam a Damaso missas, qui|²bus
aliorum praesentia ab eo excusabatur, tres epis-
tulas tib[i] |³ipsi tuisque per temetipsum reci-
tandas duxisti, cum utiq(ue) si et tu iudic[is]

---

5 te *sup. l.* ‖ 29 ac *scripsi* : ad P ‖ 35
etde— *iteratur* ‖ 42 neconspiratio *a. corr.* ‖ 43 *litte-*
rae —men *in fine scribuntur infra lineam*
344r, 3 si *sup. l.*

343v a. Ps. 79, 14

Remarque, du reste, que tu as évalué les mérites d'autrui
à l'aune de ton propre mérite [...], en prononçant notamment de façon irréfléchie et inconsidérée, au mépris de
leur droit, qu'il fallait sans tergiverser et sans aucun examen renverser leur sacerdoce, dans la mesure où tu t'es
rendu compte à quel point ta propre construction était
légère, bâclée et mal conçue.

121. Mais il n'y a rien d'étonnant à ce qu'une telle
brutalité se soit trouvée chez toi, alors que tu as pu, au
détriment de la religion elle-même, faire modifier le projet
d'un concile général par une suggestion pleine de ruse
et de fourberie, dans laquelle tu te moquais du sacerdoce
et tu le tournais en ridicule [1], et tu ravageais les Églises
de Dieu en recourant à l'appui d'un homme, [...] avec la
rigueur et la sauvagerie de Syagrius [2], conformément à la
parole du prophète qui, sous l'inspiration du Saint-
Esprit, avait prévu cette époque, en voulant signifier et
faire comprendre qu'il s'agit du peuple quand il dit de la
dévastation de la vigne : « Un sanglier venu du bois l'a
anéantie, et le fauve solitaire en a fait sa pâture [a]. »

**Ambroise
et Damase**
122. Au surplus, alors que toi, Ambroise,
tu ne pouvais être juge, et que ta bande, qui
ne comportait que douze de tes voisins [3],
aussi impies que toi, ne pouvait recevoir le nom de concile, dis-nous de quel droit tu as cru devoir donner lecture en personne, à toi-même et aux tiens, des trois lettres
envoyées par Damase, dans lesquelles il excusait l'absence
des autres, alors qu'évidemment, si tu avais pu, toi aussi,
jouer le rôle de juge, tu n'aurais pas lu la lettre en per-

comme l'insinue Palladius ; elle fut acquise par le consentement
unanime du peuple, qui reconnut en la personne d'Ambroise un
candidat de compromis pouvant agréer à la fois aux ariens et aux
nicéens.
1. Cf. *Gesta*, 4, dont il semble résulter, en effet, que la majorité
des évêques sont trop vieux, trop malades ou trop pauvres pour se
rendre à un concile.
2. V. intr., p. 124.
3. V. intr., p. 130.

Scolies ariennes.   20

|⁴personam habere potuisses, non per temetip-
sum epistulam legi[sses], |⁵ne iudicis auctori-
tatem officio deiceres ministri.

123. Sed et si con|⁶cilium quod dispositum
erat fuisset impletum, inter ceteros et[i]|⁷am
ipsum Damasum ut unum ex multis, si
tamen episcopum se cogn[os]|⁸ceret, ad conue[n]-
|⁹tum oportuerit [in]|¹⁰uitare, et inter|¹¹rogaturum
et |¹²interrogan|¹³dum et auditu|¹⁴rum et audien-
|¹⁵dum de fide. Sed |¹⁶forte sedes |¹⁷beatissimi
Pe|¹⁸tri praeroga|¹⁹tibam ues|²⁰tram familia|²¹rium
et clien|²²tulorum ad|²³sensione uin|²⁴dicat sibi.
Cur |²⁵non et ipse ad|²⁶uertit et uos |²⁷intelle-
gitis |²⁸Petri sedem |²⁹omnibus episco|³⁰pis et
aequale[m] |³¹esse et com|³²munem, siqui|³³dem me-
mora|³⁴tus s(an)c(tu)s aposto|³⁵lus eandem |³⁶non
[so]lum ur|³⁷bis Romae epi[s]|³⁸copo, sed eti[am]
|³⁹cunctis diuina dedicauerit dignatione, ipse etiam
non so|⁴⁰lum nullam praerogatiuam inter coapos-
tolos uindicaue|⁴¹rit sibi, uerum etiam officiosus
fuerit eis, utpote quos pari dign[a]|⁴²tione
D(omi)ni ad officium apostolatus cognosceret
delectos? Of|⁴³ficiosus autem extitit cum in
Samaria adiuncto sibi ad comi|⁴⁴tatu mittitur
Iohanne, sicuti Actuum apostolorum scriptu|⁴⁵ra
ṇọṣ docet dicens : *Cum uidissent autem qui*
344v *Hierosolym[is]* |¹*erant apostoli quod Samaria*
quoque recepit uerbum D(e)i, miserunt |²*ad eos*
Petrum et Iohannem, qui descenderunt et ora-
uerunt pro |³*eis, ut acciperent Sp(iritu)m S(an)-*
c(tu)mᵃ. **124**. Et si propter Samaritanos so-
los baea|⁴tissimus Petrus, qui pro primatu suo

---

14 audien— *p. corr.* : adien— *a. corr.* || 16 sedes
*corr. Batiffol (Le Siège apostolique, Paris 1924, p.
28)* fides P || 19-20 uestram = uestra || 38 —copo

sonne, pour ne pas rabaisser l'autorité du juge en t'acquit-
tant de la tâche d'un subalterne [1].

123. Et puis, si le concile projeté avait été réalisé, il
aurait fallu également, parmi les autres, inviter à l'assemblée Damase lui-même, comme un d'entre beaucoup, —
si du moins il avait conscience d'être évêque, — pour
interroger et être interrogé, pour entendre et être entendu
au sujet de la foi. Mais peut-être le siège du bienheureux
Pierre revendique-t-il pour lui un privilège, avec le consentement de ses domestiques et de sa clientèle, que vous
êtes ! Comment n'a-t-il pas remarqué, lui, et comment
n'avez-vous pas compris vous-mêmes que le siège de
Pierre est possédé également et en commun par tous les
évêques, puisque le saint apôtre en question, par une
faveur divine, ne l'a pas laissé seulement à l'évêque de
la ville de Rome, mais aussi à tous ? Lui-même n'a pas
non plus réclamé pour lui aucun privilège parmi les autres
apôtres, mais au contraire, il s'est montré empressé à leur
service, car il les savait appelés au ministère apostolique
par une même faveur du Seigneur que lui-même. Il s'est
montré empressé à servir quand il fut envoyé en Samarie
avec Jean pour compagnon, comme nous l'apprend le
texte des Actes des apôtres : « Quand les apôtres qui
étaient à Jérusalem eurent constaté que la Samarie aussi
avait reçu la parole de Dieu, ils envoyèrent auprès d'eux
Pierre et Jean ; ceux-ci descendirent et prièrent pour eux,
afin qu'ils reçoivent l'Esprit-Saint [a]. » **124.** Ainsi, à cause
des seuls Samaritains, le bienheureux Pierre, qui, en rai-

---

sed *scripsi* : —copossed P ‖ 44 scriptu— *p. corr.* :
sciptu— *a. corr.*
  344v, 4 primatu suo *p. corr.* : primasuo *a. corr.*

344v a. Act. 8, 14-15

---

1. Le comportement d'Ambroise est, de fait, inhabituel, l'usage
étant de confier la lecture des documents à des clercs inférieurs. La
raison de ce comportement est assez transparente : Ambroise ne
tenait pas à ce que ces lettres soient lues intégralement, car il
n'était pas en parfait accord avec Damase. Voir Gryson, *Le
Prêtre*, p. 187-191.

apostolorum columna erat, et hu|[5]milis et offi-
ciosus inuenitur, quae tanta, rogo, adrogantia
est Da|[6]masi, ut generalis fidei causa non
solum ipse uenire ad concilium |[7]non dignetur,
|[8]sed etiam alios |[9]ne uel ipsi coeant |[10]inter-
posita sua |[11]auctoritate per |[12]uestram coni-
|[13]bentiam ut pri(n)|[14]ceps episcopa|[15]tus excuset?
Sed |[16]esset hoc tole|[17]rabile et dissi|[18]mulatione
dig|[19]num quod ues|[20]tra adulatio|[21]ne uindicat
sibi, |[22]si non id religio|[23]sam lederet dis-
|[24]ciplinam.

125. Deni|[25]que ut Vrbani |[26]Parmensis epis-
|[27]copi ceterorum|[28]que causas pre|[29]termittamus,
|[30]certe Leontiu(m) |[31]Salonitanum |[32]ex eius
audis|[33]tis mandato, |[34]auditum gradu sacerdotali
ut reum detexistis. Et quomodo a uobis
de|[35]iectum ipse in conmunionem sine uestro
reatu suscepit, sicuti id tem|[36]pore conspira-
tionis uestrae aput Aquileiam idem, cum spe
etiam |[37]aput uos reparationis illo aduenisset,
publicis auribus intimasse |[38]cognoscitur? **126**.
Sed nec uos iudici uestri iniuria estis reli-
gioso do|[39]lore persecuti, sed in Leontium qui-
dem, quem ille in destruc|[40]tionem uestri iudi-
cii recepit, sententiam inmobilem cen||[1][...56...]
|[2]humiles tenaci ac indiuidua sociaetate inesistis,
cum utique aut pro ma|[3]li iudicii uestri con-
scientia Leontium ab eodem in conmunione
recte |[4]susceptum etiam uos tam in reueren-
tiam iusti indultoris quam ues|[5]tri iudicii emen-
dationem recipere debuistis, quippe ut quod
a uobis |[6]in eum perperam factum inuenie-
batur esse$<$t$>$ humani erroris, cui |[7]tamen
emendatio cum uestro ipsorum athiberetur con-

345r

---

1. Sur ce texte, voir GRYSON, *Le Prêtre*, p. 196-206.

son de sa primauté, était la colonne des apôtres, se révèle
humble et empressé à servir. Quelle n'est pas, je vous le
demande, l'arrogance de Damase, pour que, lorsque la foi
de tous est en cause, non seulement il ne daigne pas venir
lui-même au concile, mais encore il en excuse d'autres
pour que même eux ne s'y rendent pas, en faisant état de
son autorité avec votre complicité, comme s'il était le
prince de l'épiscopat ! On pourrait souffrir cette préten-
tion, que nourrissent vos flatteries, et mieux vaudrait la
passer sous silence, si cela ne mettait pas en péril la discipline ecclésiastique [1].

125. D'ailleurs, pour ne rien dire de l'affaire d'Urbain,
évêque de Parme, et des autres, il est certain que vous
avez entendu Léonce de Salone sur son ordre, et qu'après
l'avoir entendu, vous l'avez dépouillé de la dignité sacerdotale comme étant coupable [2]. Comment Damase a-t-il
accueilli dans sa communion celui qui avait été déchu
par vous, sans qu'il y ait faute de votre part ? Tout le
monde sait que Léonce, à l'époque de votre complot
d'Aquilée, a crié la chose sur les toits, alors qu'il était
venu là dans l'espoir d'obtenir réparation auprès de vous
également. **126.** Mais vous n'avez pas poursuivi sous
l'empire d'une sainte douleur l'affront fait à votre jugement. Pour ce qui est de Léonce, accueilli par Damase
au mépris de votre jugement, vous avez décidé que votre
sentence demeurerait inchangée ; [pour ce qui est de
Damase...], vous êtes restés attachés à lui par un lien
indéfectible et privilégié. Vous auriez dû évidemment, au
contraire, conscients d'avoir mal jugé, accueillir à votre
tour Léonce, qui avait été reçu à bon droit par Damase
dans sa communion, aussi bien par respect pour celui
qui l'avait justement réhabilité que par souci de corriger
votre jugement ; ainsi, ce qui se révélait avoir été accom-
pli à tort par vous contre lui, aurait été le résultat d'une
erreur humaine, que vous auriez néanmoins consenti
vous-mêmes à corriger. Ou bien alors, si la justesse de

2. Sur Urbain de Parme, voir GRYSON, *Le Prêtre*, p. 174-176 ;
sur Léonce de Salone, *ibid.*, p. 188, n. 114.

sensu, aut cer|⁸te si iustitia iu|⁹dicii uos
anima|¹⁰ret, eum qui in|¹¹digna repara|¹²tione
non solu(m) |¹³iudicio uestrọ, |¹⁴sed etiam ipsi
|¹⁵sacerdotio gr[a]|¹⁶uissimam et |¹⁷indignam in|¹⁸tulit
iniuria(m), |¹⁹conmunione |²⁰uestra arcere, |²¹ne
quos meri|²²tissimum iud[i]|²³cium a consor|²⁴tio
criminosị |²⁵separauerat |²⁶Leonti, Damas[i], |²⁷quem
reatuṣ |²⁸participem i[l]|²⁹licita gratia |³⁰fecerat, in-
dị[g]|³¹na conmunio |³²macularet. 127. |³³Meminisse
en[im] |³⁴uos Scribturaṛ[um] |³⁵oportuit, tam Dauid
profetam ex persona D(e)i ad eiusmodi inmemo-
re[m] |³⁶discipline dicentem : *Tu autem odisti
disciplinam et abiecisti post te* |³⁷*sermones meos;
si uidebas furem, concurrebas cum eo et cum
adulte*|³⁸*ris portionem tuam ponebas,* et paulo
post : *Existimasti iniquita*|³⁹*tem, quod ero tui
similis; arguam te et statuam illa contra faci-*
|⁴⁰*em tuam*ᵃ, quam etiam Paulo baeatissimo
345v apostolo simili sententị[a] ||¹[...42...] *non so-
lum qui faciunt* |²*ea digni sunt morte, sed
etiam qui consentiunt facientibus*ᵃ.

128. Sed non miru(m) |³uos tam uestri
iudiçiị ịṇuersionem quam indignam erga deiec-
tum gra|⁴tiam Damasi indifferenter habere, sed
et humanam pacem in iniuria |⁵religionis
tueri, qui, ut iam ṛẹpṛọḅị circa fidemᵇ, erga
episcopatum de|⁶generẹ[......] equidem a Deme-
triano ḍ[..]ṭạṭ[...15...]m de|⁷buistis tante im-
|⁸piaetatis habe|⁹re magistrum. |¹⁰Talem blasfemi-
|¹¹am aput Sirmium |¹²confirmanda(m) |¹³duxistis,
quae o|¹⁴mnibus retro |¹⁵temporibus in|¹⁶auditum
idola|¹⁷triae malum |¹⁸Ecclesiis ⌈pr⌉ẹbe|¹⁹re<t> D(e)i.
129. Etenim |²⁰sicut expoṣịtio |²¹libello inserta
|²²redarguit, uos |²³tres omnipo|²⁴tentes deos

345v, 16 idolola— *p. corr.*

votre jugement vous tenait à cœur, vous auriez dû écarter
de votre communion celui qui, par une réhabilitation
imméritée, avait infligé un affront très grave et inadmissible non seulement à votre jugement, mais aussi au
sacerdoce lui-même ; ainsi, vous auriez évité que ceux
qu'un jugement parfaitement fondé avait séparés de la
communion du coupable Léonce, ne soient souillés par
la communion impure de Damase, qu'une grâce illégi-
time avait rendu aussi coupable que lui. **127.** Vous auriez
dû, en effet, vous souvenir des Écritures, aussi bien du
prophète David, qui, parlant au nom de Dieu, dit à quelqu'un qui se montre ainsi oublieux de la discipline : « Mais
toi, tu as haï la discipline et tu as rejeté derrière toi mes
paroles ; si tu voyais un voleur, tu courais avec lui, et tu
liais ton sort à celui des adultères », et un peu plus loin :
« Tu as pensé quelque chose d'impie, à savoir que j'étais
pareil à toi ; je te confondrai et je mettrai cela devant ta
face ^a », que du bienheureux apôtre Paul, qui dit dans
une phrase semblable : « [...] non seulement ceux qui
font ces choses méritent la mort, mais aussi ceux qui sont
d'accord avec eux ^a. »

Le « blasphème »
de Sirmium
128. Mais il n'y a rien d'étonnant à
ce que vous ayez accepté sans broncher aussi bien l'annulation de votre
jugement que la grâce accordée à mauvais escient par
Damase à un évêque déchu, et que vous ayez préservé
une entente humaine au détriment de la religion, vous
qui, déjà « réprouvés quant à la foi ^b », [...] vous avez
dû avoir un maître pour vous apprendre une pareille
impiété. Vous avez cru devoir approuver à Sirmium un
blasphème de cette sorte, qui serait pour les Églises de
Dieu la cause d'un malheur sans précédent, d'une idolâtrie
sans exemple dans le passé. **129.** En effet, comme
la formule contenue dans votre manifeste le prouve,
vous avez cru devoir croire en trois dieux tout-puissants,

345r   a. Ps. 49, 17-18.21
345v   a. Cf. Rom. 1, 32   b. Cf. II Tim. 3, 8

cre|²⁵dendos duxisti<s>, |²⁶tres sempiter|²⁷nos, tres ae|²⁸quales, tres ue|²⁹ros, tres coope|³⁰rarios, tres con|³¹sessores, <tres> indif|³²ferentes, tres |³³inresoluṭọṣ, ṭres |³⁴nihil inpossibilitatis habentes.

130. Nec meministis in omnibus Scribturis, |³⁵licet et de Filio scribtum ṣ⌈it⌉ quod ọ-⌈mnia⌉ possit, dicente Iob ad ipsum : |³⁶*Scio quod omnia potes et nihil est quod non pos-sis*ᶜ, tamen principa|³⁷liter unum omnipotentem Patrem referri, inter ceteras |³⁸Scribturas di-cente dẹ ẹ⌈o⌉ Apostolo : *Baeatus et solus potens*ᵈ, siqui|³⁹dem inter eum qui absolute in **346r** singulari et unica ac summa ||¹ạụctọṛiṭaṭẹ Ḍ(omi)ṇ(u)ṣ ẹṣṭ, ṣẹḍ ẹṭ ẹụṃ qụị ịṇg[...18...] ịṃpẹṛịọ ọff[ici]||²ose omnia possit, differentia sit tenenda. Etenim Pater quidem princip[a]-|³liter omnipotens est, quod et Filium ante omnia fecit et per eum cunctạ |⁴craeauit, Filius uero ita omnipotens ut omnia possit quae facienda sui genit[o]|⁵ris supereminens im-perauit auctoritas. Talem namque ac tantum |⁶pro sua singulari omnipotentia Pater genuit Filium, qui in ostensione |⁷genitricis pot[en]-|⁸tiae posset cu[nc]||⁹ta propria crạ[e]|¹⁰are uirtute, si[cu]|¹¹ti et Apostolu[s] |¹²nunc diffe-re[n]|¹³tiae memor ṣ[er]|¹⁴uato gradu uṇ[um] |¹⁵auctorem eṭ |¹⁶unum opifice[m] |¹⁷rettulit cunç[to]||¹⁸rum dicens : *Ṿ[nus]* |¹⁹*D(eu)s Pater ex quọ* |²⁰*omnia et nos i[n]* |²¹*ipso, et unus D(omi)ṇ(u)[s]* |²²*Ih(esu)s Cr(istu)s per que[m]* |²³*omnia et noṣ* |²⁴*per ipsum*ᵃ, |²⁵nunc de soli[us] |²⁶Patris presta[n]|²⁷tia : *Vnus D(eu)s e[t]* |²⁸*Pater omniu[m]* |²⁹*qui super om[nia]* |³⁰*et per omne[s]* |³¹*et in omnibụ[s]* |³²*nobis*ᵇ,

346r, 4 ut + ea *sup. l.*

trois éternels, trois égaux, trois véritables, trois qui
œuvrent ensemble, trois qui siègent ensemble, trois que
rien ne différencie, trois qui se confondent, trois pour qui
rien n'est impossible [1].

130. Et vous ne vous êtes pas souvenus que dans toutes
les Écritures, bien qu'il soit écrit du Fils également qu'il
peut tout, puisque Job lui dit : « Je sais que tu peux tout,
et qu'il n'y a rien dont tu sois incapable [c] », cependant
seul le Père est appelé tout-puissant en tant que principe.
L'Apôtre dit de lui (parmi d'autres textes scripturaires) :
« Il est bienheureux et seul puissant [d] », puisque entre
celui qui est le Seigneur dans un sens absolu, avec une
autorité unique et souveraine qui n'appartient qu'à lui,
et celui qui peut tout sur son ordre, à la façon d'un serviteur [...], il faut affirmer une différence. En effet, le
Père est tout-puissant en tant que principe, parce qu'il a
fait le Fils avant toutes choses et que, par son intermédiaire, il a créé toutes choses ; le Fils, lui, est tout-puissant
en ce sens qu'il peut tout ce que l'autorité suréminente
de celui qui l'a engendré lui a commandé de faire. Telle
est, en effet, la dignité et la grandeur de ce Fils que le
Père, en vertu de cette toute-puissance qui n'appartient
qu'à lui, a engendré capable de créer toutes choses par sa
propre force, pour manifester la puissance qui l'a engendré. Ainsi, tantôt l'Apôtre, se souvenant de la différence,
parle, en ayant égard au rang de chacun, d'un unique
principe et d'un unique artisan de toutes choses : « Unique
est Dieu, le Père, de qui viennent toutes choses, et nous
existons en lui, et unique est le seigneur Jésus-Christ,
par l'intermédiaire de qui toutes choses ont été faites, et
nous existons par lui [a] » ; tantôt il a en vue la supériorité
du Père seul : « Unique est le Dieu et Père de toutes
choses, qui est au-dessus de tous, et parmi tous, et en
nous tous [b] » ; de même : « Que le Dieu de notre seigneur

c. Job 42, 2   d. I Tim. 6, 15
346r   a. I Cor. 8, 6   b. Éphés. 4, 6

1. Le symbole approuvé par le concile de Sirmium de l'été 378
s'inspirait du Tome de Damase ; v. intr., p. 115-120.

item : *V[t]* |³³D(eu)s d(omi)ni n(ostri) Ih(es)u
C[r(ist)i] |³⁴Pater gloria[e]ᶜ, |³⁵item : D(eu)s
et Pater d(omi)ni n(ostri) Ih(es)u Cr(ist)iᵈ,
item : *Genua flecto ad Patrem d(omi)ni*
n(ostri) Ih(es)u Cr(ist)i, [ex] |³⁶*quo omnis*
*paternitas in caelis et in terris nominatur*ᵉ.

131. Quomodo u[os] |³⁷etiam tres sempiter-
nos dixistis, cum de uno scribtum sit :
Sempiterna |³⁸*quoque eius uirtus et diuinitas*ᶠ.

132. Sed et tres aequales rettulistis nec
p[o]|³⁹tuịstis meminisse de uno inconparabili
esse scribtum dicente Dauid |⁴⁰⌈ad ipsum :
*Quis in⌉ nubịbus aequabitur D(omi)no*ᵍ? Item :
Quis d(eu)s magnus sicuti [D(eu)s] |⁴¹*noster?*
346v ||¹*[T]u es D(eu)s qui facis mirabilia*ᵃ. Sed et
Esaias ex persona ipsius D(e)i Patris equidem
|²teste ipso Filio suo dicente : *Estote mihi*
testes et ego testis, dicit D(omi)n(u)s D(eu)s,
et puer |³*meus quem elegi, ut sciatis et intel-*
legatis et credatis quod ego sum et ante
|⁴*me non fuit alius d(eu)s et post me non*
erit; ego D(eu)s et non est preter me qui
|⁵*saluum faciat*ᵇ.

133. Tres quoque ueros, cum in Euangelio
scribtum sit equide(m) |⁶ipso Filio ad Patrem
dicente : *Vt cognoscant te solum uerum*
D(eu)m et quem |⁷*[m]isisti Ih(esu)m Cr(istu)m*ᶜ,
|⁸[s]ed et Apostolus |⁹[d]icat : *Vt seruia-*
|¹⁰*[t]is D(e)o uiuo et ue*|¹¹*ro et expecte*|¹²*tis*
Filium eius |¹³*de celis quem* |¹⁴*excitauit a*
mor|¹⁵*tuis Ih(esu)m, qui eri*|¹⁶*piet nos ab ira*
|¹⁷*uentura*ᵈ.

134. Sed |¹⁸et tres coopera|¹⁹rios, cum gene-
|²⁰rale opus unius |²¹opificis referatur, |²²ut

40 ⌈ad ipsum : quis in⌉ nubịbus *etc. a. corr.* :

Jésus-Christ, le Père de gloire... [c] » ; de même : « Le Dieu
et Père de notre seigneur Jésus-Christ [d] » ; de même :
« Je fléchis les genoux devant le Père de notre seigneur
Jésus-Christ, de qui toute paternité aux cieux et sur
terre reçoit son nom [e]. »

131. Comment avez-vous pu dire également « trois
éternels », alors qu'il est écrit d'un seul : « Éternelle aussi
sa puissance et sa divinité [f] » ?

132. Vous avez aussi parlé de « trois égaux », et vous
n'avez pas su vous rappeler qu'il est écrit d'un unique
incomparable (c'est David qui s'adresse à lui) : « Qui dans
les nuées sera l'égal du Seigneur [g] ? » De même : « Quel
dieu est aussi grand que notre Dieu ? C'est toi, le Dieu qui
fais des merveilles [a]. » Il y a aussi Isaïe qui parle au nom
de Dieu le Père, son Fils intervenant comme témoin :
« Soyez témoins pour moi, et je serai témoin, dit le Seigneur, ainsi que mon serviteur que j'ai choisi, pour que
vous sachiez et compreniez et croyiez que j'existe, et
qu'avant moi, il n'a pas existé d'autre dieu, et qu'après
moi, il n'en existera pas ; je suis Dieu, et il n'est personne
en dehors de moi qui soit capable de sauver [b]. »

133. « Trois véritables » également, alors qu'il est écrit
dans l'Évangile (c'est évidemment le Fils qui s'adresse
au Père) : « Pour qu'ils te connaissent, toi le seul Dieu
véritable, et celui que tu as envoyé, Jésus-Christ [c] » ; et
l'Apôtre dit de son côté : « Pour que vous serviez le Dieu
vivant et véritable et que vous attendiez son Fils qui
viendra des cieux, celui qu'il a ressuscité d'entre les morts,
Jésus, qui nous délivrera de la colère à venir [d]. »

134. Et aussi « trois qui œuvrent ensemble », alors que
l'ouvrage de l'univers est attribué à un unique artisan,

D(eu)s quis similis est tibi *p. corr. (in rasura)*
346v, 21 opificis *scripsi* : opifex P

c. Éphés. 1, 17   d. II Cor. 1, 3, etc.   e. Éphés. 3, 14-15
f. Rom. 1, 20   g. Ps. 88, 7
346v a. Ps. 76, 14-15   b. Is. 43, 10-11   c. Jn 17, 3   d.
I Thess. 1, 9-10

iam dictum |²³est, dicente Apos|²⁴tolo : *Vnus
d(omi)n(u)s Ih(esu)s* |²⁵*per quem omnia*ᵉ, |²⁶sed
et rursus : |²⁷*Qui est imago D(e)i* |²⁸*inuisi-
bilis, pri*|²⁹*mogenitus toti*|³⁰*us craeationis,* |³¹*quo-
niam in ipso* |³²*craeata sunt* |³³*uniuersa in
cae*|³⁴*lis et in terra, uisibilia et inuisibilia,*
et paulo post : *Omnia per ipsum facta
sunt* |³⁵*et ipse est ante omnia et omnia con-
stant in ipso*ᶠ, necnon ipse Filius Sa|³⁶pientiae
nomine de se : *D(omi)n(u)s craeauit me ini-
tium uiarum suarum in* |³⁷*opera sua*ᵍ. Denique cum
Filius D(e)i qui in figura uiri et Abrahe
apparuit |³⁸et cum Iacob conluctatus est
et Iesum Naue uisus est, sed et in corpore-
|³⁹a ueritate Ih(esu)s Cr(istu)s mundo est mani-

347r festatus, omnia non ultro nec ⌈..⌉||¹[...63...]
|²tam de Patris prestantia quam eiusdem Fili
officiosa potestate adhuc scrib̦[tum] |³legitur :
*Quoniam ipse dixit et facta sunt, ipse man-
dauit et craeata sunt*ᵃ, necn[on] |⁴*unus D(omi)-
n(u)s Ih(esu)s per quem omnia* facta sunt^b
referatur, tu probas s(an)c(tu)m Pa[ra]|⁵cletum
qui in figura columbae index Ih(es)u apparuit
et per eum post resurręc̦|⁶tionem doctor euange-
licae praedicationis per Pentecosten apostolis
|⁷missus est, alio|⁸quin erga craea|⁹turam mundi
|¹⁰esse operatum.

135. |¹¹Tres etiam con|¹²sessores, cum Sp(iri-
tu)[s] |¹³S(an)c(tu)s de unius eiuş|¹⁴demque sui
d(omi)ni p[re]||¹⁵dicauerit sedę |¹⁶per Dauid di-
cen[s] : |¹⁷*Dixit D(omi)n(u)s d(omi)no me[o]* :
|¹⁸*Sede a dextris m[e]*|¹⁹*is*ᶜ, sed et euange-
|²⁰lista Marcus so|²¹lum Ih(esu)m Cr(istu)m as-
|²²cendisse in caelų[m] |²³et ad dexteram |²⁴D(e)i
rettulerit se|²⁵dere dicens : *Et* |²⁶*d(omi)n(u)s
quidem Ih(esu)s,* |²⁷*postquam locuţ[us]* |²⁸*est,*

ainsi qu'il a déjà été dit : « Unique est le seigneur Jésus »,
dit l'Apôtre, « par l'intermédiaire de qui toutes choses ont
été faites [e] » ; et encore : « Il est l'image du Dieu invisible, le premier-né de toute la création, parce qu'en lui
ont été créées toutes choses dans les cieux et sur la terre,
les choses visibles et les choses invisibles », et un peu
plus loin : « Toutes choses ont été faites par son intermédiaire, et lui-même existe avant toutes choses, et toutes
choses trouvent en lui leur cohérence [f] » ; et le Fils lui-
même, dénommé sagesse, dit de lui : « Le Seigneur m'a
créé, commencement de ses voies, en vue de ses œuvres [g]. »
Le Fils de Dieu est apparu sous les traits d'un homme à
Abraham, il a lutté avec Jacob, il a été vu par Jésus, fils
de Navé, il a été manifesté au monde dans un corps véritable en la personne de Jésus-Christ [...] on lit encore
dans l'Écriture, aussi bien à propos de la supériorité du
Père que de la puissance qui revient à ce même Fils en
tant que serviteur : « Il a parlé, et les choses ont été
faites ; il a ordonné, et elles ont été créées [a] », et il est
aussi question d'un « unique seigneur Jésus, par l'intermédiaire de qui toutes choses [b] » ont été faites. Vas-tu
prouver que le saint Paraclet, qui est apparu sous la
forme d'une colombe pour désigner Jésus et qui a été
envoyé par son intermédiaire aux apôtres après la résurrection, au moment de la Pentecôte, pour leur apprendre
à prêcher l'Évangile, a par ailleurs joué un rôle dans la
création du monde ?

135. « Trois qui siègent ensemble » également, alors que
l'Esprit-Saint a parlé clairement d'un unique siège, celui
de son seigneur, en disant par la bouche de David : « Le
Seigneur a dit à mon seigneur : Siège à ma droite [c] », et
que l'évangéliste Marc rapporte que seul Jésus-Christ est
monté au ciel et siège à la droite de Dieu : « Et le seigneur

38 Iesu *p.* *corr.* || uisum *a.* *corr.*

---

e. I Cor. 8, 6   f. Col. 1, 15-17   g. Prov. 8, 22
347r a. Ps. 32, 9   b. I Cor. 8, 6 ; cf. Jn 1, 3   c. Ps. 109, 1

receptus es[t] |²⁹*in caelos et sed[et]* |³⁰*ad dex-*
*teram D(e)i*ᵈ, |³¹necnon in Acti[bus] |³²apos-
tolorum an|³³geli unius ascen|³⁴sum indicent
|³⁵populo dicentes : *Viri galilei, quid statis*
aspicientes in caelum? *Iste Ih(esu)s qui re-*
|³⁶*ceptus est a uobis ita ueniet quemadmodum*
uidistis eum euntem in cae|³⁷*lum*ᵉ, Apostolus
quoque de uno sedente eodemque postulante
pro nobis |³⁸ita dicat : *Ih(esu)s Cr(istu)s*
qui mortuus est, immo magis qui resurrexit,
qui est ad |³⁹*dexteram D(e)i, qui etiam postu-*
*lat pro nobis*ᶠ, item alibi : *Quaerite ubi*
Cr(istu)s est |⁴⁰*ad dexteram D(e)i sedens*ᵍ.

136. Tres etiam indifferentes dicendo non
347v aduertist[is] ||¹[quod t]um et in appellationibus
tam Patris quam Fili, et in generando utique
|²[et nas]cendo, necnon in adsumendo corpus
et non adsumendo, in moriendo |³[qu]oque
pro nobis et non moriendo, sed cum alter
alteri custodito gradu |⁴anteponitur affectus,
id est Filio Pater prefertur, — necnon quod
Pa|⁵ter Filium mittit, Filius mittit Paracle-
tum, Pater Filium tradit pas|⁶sioni, Sp(iritu)s
S(an)c(tu)s officio ministri passum predicat Fi-
lium, adhuc uero |⁷Filius Patrem, Sp(iritu)s
|⁸Paracletus glori|⁹ficat Filium, Fili|¹⁰us Patri
testimo|¹¹nium fert, tes|¹²tis Fili cum apos|¹³tolis
et per apos|¹⁴tolos existit Sp(iritu)s |¹⁵S(an)c-
(tu)s, Filius quae |¹⁶a Patre audit loqui-
|¹⁷tur, Sp(iritu)s S(an)c(tu)s a Fi|¹⁸lio audita
ad a|¹⁹postolos perfert, |²⁰Filius in nomine
|²¹Patris, in nomi|²²ne Fili Sp(iritu)s Para-
|²³cletus mittitur, |²⁴Pater Fili passi|²⁵one Ecle-
siam |²⁶redimit, rede(m)|²⁷ptam sanguine |²⁸Cr(ist)i
Eclesiam |²⁹Sp(iritu)s S(an)c(tu)s sua et |³⁰procurat
et ins|³¹truit cura, quip|³²pe ipse in hono|³³rem

Jésus, après qu'il eut parlé, a été accueilli dans les cieux
et siège à la droite de Dieu [d] » ; et dans les Actes des
apôtres, les anges montrent au peuple l'ascension d'un
seul : « Hommes de Galilée, pourquoi restez-vous à regarder vers le ciel ? Ce Jésus qui a été accueilli, venant d'auprès de vous, reviendra de la même façon que vous l'avez
vu aller vers le ciel [e] » ; l'Apôtre aussi parle d'un seul qui
siège et qui demande pour nous : « Jésus-Christ qui est
mort, bien mieux, qui est ressuscité, qui est à la droite
de Dieu, qui demande également pour nous [f] » ; de même
ailleurs : « Cherchez là où est le Christ, qui siège à la droite
de Dieu [g]. »

136. En disant aussi « trois que rien ne différencie »,
vous n'avez pas remarqué qu'une différence évidente et
manifeste entre les personnes apparaît dans les dénomi-
nations de « Père » comme de « Fils », dans le fait d'engendrer et de naître, de prendre un corps et de ne pas en
prendre, de mourir pour nous et de ne pas mourir, et aussi
lorsqu'un sentiment est mis avant l'autre en respectant
leur rang, c'est-à-dire que le Père est placé avant le Fils.
Le Père envoie le Fils, le Fils le Paraclet ; le Père livre le
Fils pour qu'il souffre sa passion, l'Esprit-Saint, s'acquit-
tant de la fonction d'un serviteur, prêche le Fils qui a
souffert ; le Fils glorifie le Père, l'Esprit Paraclet le Fils ;
le Fils rend témoignage au Père, l'Esprit se porte témoin
pour le Fils avec les apôtres et par l'intermédiaire des
apôtres ; le Fils dit ce qu'il a entendu du Père, l'Esprit-
Saint transmet aux apôtres ce qu'il a entendu du Fils ;
le Fils est envoyé au nom du Père, l'Esprit Paraclet au
nom du Fils ; le Père rachète l'Église par la passion du
Fils, l'Esprit-Saint pourvoit par ses soins aux besoins et
à l'instruction de l'Église rachetée par le sang du Christ,

d. Mc 16, 19   e. Act. 1, 11   f. Rom. 8, 34   g. Col. 3, 1

d(omi)ni sui et |³⁴episcopos constituens in ea et ministeria dirigens et diuidens gratias, — |³⁵euidens ac manifesta differentia in personis cernatur et omnino |³⁶non sufficit tres indifferentes referre.

137. Tres etiam inresolu|³⁷tos scribsistis ⌈.. ..⌉ preter uos nemo uel in modum funium obli|³⁸gauit uel nodorum ligauit exemplo, siquidem propriaetas per|³⁹sonarum et distinctionem

348r solutam et liberam ac differen‖¹tem operationem ⌈...13...⌉at. Cum Filius Ih(esu)s in abitu hominis baptiz[are]|²tur, Sp(iritu)s S(an)c-(tu)s in speciae columbe caelitus superuenit baptizato; tum etiam ⌈...⌉|³⌈....⌉su⌈...8...⌉ Patris auditur quippe testantis illum suum Filium; et |⁴quem index Sp(iritu)s S(an)c(tu)s ostendit, ei dubitas ⌈.....⌉ae tam qui ostendit agnu⌈m⌉ D(e)[i] |⁵quam qui ostensus est agnus ⌈......⌉ etiam qui coram ostendit ⌈....⌉ut n⌈..⌉|⁶⌈...23...⌉tur.

138. Item tres nihil inpossibile habe[n]|⁷tes, cum utiqu[e] |⁸nec Filius exe[m]|⁹plo Patris opif[i]|¹⁰cem genueri[t] |¹¹d(eu)m, siquidem u[nus] |¹²sit unigeniti P[a]|¹³ter, nec uero |¹⁴Sp(iritu)s S(an)c(tu)s simili[tu]|¹⁵dine Fili aliqui[d] |¹⁶craeasse pro[be]|¹⁷tur, eo quod |¹⁸unus sit Ih(esu)s Cr(istu)[s] |¹⁹per quem om|²⁰nia facta nos|²¹cantur[a]. Nihil a[u]|²²tem inpossib[i]|²³le eis in his dum|²⁴taxat quae |²⁵eis omnipote[ns] |²⁶ac principal[is] |²⁷auctoritas D(e)i |²⁸Patris congru[a] |²⁹potestate ind[ul]|³⁰sit, id est ut al[ter] |³¹quidem ante [om]|³²nia a se genitu[s] |³³d(eu)s cuncta cra[ea]|³⁴ret, alter uer[o] |³⁵per Filium ante omnia factus sanctificaret craeata.

347v, 36 indifferenter *a. corr.*

en instituant en son sein des évêques et en organisant les
ministères et en distribuant les grâces, pour l'honneur de
son seigneur. Il ne suffit donc absolument pas de parler
de « trois que rien ne différencie ».

137. Vous avez écrit également « trois qui se confondent » [...]

138. De même « trois pour qui rien n'est impossible »,
alors qu'évidemment, le Fils n'a pas engendré à l'exemple
du Père un dieu artisan, puisqu'il n'y a qu'un seul Père
d'un unique-engendré, et que le Saint-Esprit n'a certainement pas, de la même façon que le Fils, créé quelque
chose, étant donné qu'il n'y a qu'un seul Jésus-Christ,
par l'intermédiaire de qui on sait que toutes choses ont
été faites [a]. Il n'y a rien d'impossible pour eux en cela
seulement que l'autorité toute-puissante et originaire de
Dieu le Père leur a concédé avec la puissance qui lui
appartient en propre, à savoir pour le premier, le dieu
engendré par lui avant toutes choses, de tout créer, et
pour l'autre, fait par l'intermédiaire du Fils avant toutes
choses, de sanctifier les choses créées.

348r, 4 ostendit[2] *p. corr.* : ostensus est *a. corr.*
‖ 6 [...23...] : *sup. l. post septimam circiter litte-*
ram add. non ‖ 24 quae in *a. corr.* (in *canc.*)
‖ 32 —nia + nec *sup. l.*

348r a. Cf. I Cor. 8, 6
Scolies ariennes.

139. Ṣẹḍ ṇẹ ụịdeamu[r] |³⁶hạẹc̣ paucis testi-
moniis in destructionem uestrae adserere pr[o]-
|³⁷fessionis, certe tam tibi quam Damasso pro-
uincia est Italia, gene|³⁸trix Roma, que uidere
passiones apostolorum et reliquias eorum |³⁹ṣạnc-
tas merụịṭ possidere, sed et habere uiros
qui cunctis ad sapientiaṃ |⁴⁰honestatemque
sint exempla. Si confidentiam ullam fidei
348v geritis, ||¹aput senatum ipsius urbis fidem
continuis triginta uel quadraginta die|²bus
secundum Scribturarum omnium auctoritatem
conscribtis trac|³tatibus profiteamur, etiam ipsos
tractatus nostros auditoribus obla|⁴turi tam
eidem urbi publica recitatione pandendos quam
etiam |⁵ad totius orbis Eclesias auditorum
relatione per imperiale pre|⁶ceptum mittendos,
scituris uobis quod si id placuerit inter cris-
tia|⁷ṇos etiam gen|⁸ṭilitatis culto|⁹res, sed et
uete|¹⁰ris legis studiosi |¹¹audientiae sint |¹²athi-
bendi, siqui|¹³dem etiam ipsa |¹⁴euangelica et
apos|¹⁵tolica uocatio |¹⁶nullum religio|¹⁷so excipiat
au|¹⁸ditu, eo quod Pau|¹⁹lum quidem ad
|²⁰gentes, Petrum |²¹uero ad iudeos |²²missum
aposto|²³lice doctrinae |²⁴probet aucto|²⁵ritas. Sed
et scri|²⁶bturas diuinas |²⁷omnibus notas |²⁸esse
dubium no(n) |²⁹est, cum has |³⁰et iudei et
gen|³¹tiles antiquarii |³²scribere nos|³³cantur adque
ita diuina fides per omnium ora feratur. Sic
enim fiet |³⁴ut per plenum examen, respirante
quae interim aduersa inpugnatio|³⁵ne a uobis
opprimitur ueritate, etiam qui nunc exteri
esse uidentur |³⁶fiant domestici D(e)i.

140. Et quaṃụis Aucxenti ita meministi ut
non indi|³⁷cares de quo dixeris, utrum de
superstite, id est Dorostorensi, an |³⁸de Medio-
lanensi, qui sine successore decessit, tamen

Conclusion   **139.** Mais nous ne voudrions pas donner l'impression, pour réduire à néant votre
croyance, d'énoncer ces affirmations en les appuyant seulement d'un petit nombre de témoignages. Certainement,
pour toi comme pour Damase, ton pays, c'est l'Italie, ta
mère, c'est Rome, qui a mérité d'assister aux passions des
apôtres et de posséder leurs saintes reliques, et aussi
d'avoir des hommes qui soient pour tous des exemples de
sagesse et de noblesse d'âme. Si vous avez quelque confiance dans votre foi, exposons devant le sénat de cette
ville notre foi pendant trente ou quarante jours d'affilée,
sur la base de l'ensemble des Écritures qui font autorité.
Nous aurons écrit des ouvrages que nous remettrons également aux auditeurs, pour qu'on en fasse publiquement
la lecture dans cette ville et aussi pour qu'ils soient
envoyés par ordre de l'empereur, sur le rapport des auditeurs, à toutes les Églises du monde entier. Vous saurez
que, s'il en est décidé ainsi, parmi les chrétiens devront
être admis à l'audience également des sectateurs du culte
païen et aussi des spécialistes de la Loi ancienne, puisque
l'appel adressé par l'Évangile et les apôtres n'interdit à
personne d'entendre ce qui a trait à la religion, étant
donné que l'enseignement autorisé de l'Apôtre prouve
que Paul a été envoyé aux nations, et Pierre aux juifs. Il
n'est pas douteux non plus que les divines écritures sont
connues de tous, puisque chacun sait que les copistes
juifs et païens les retranscrivent, et que de cette façon, la
foi divine se trouve sur toutes les lèvres. Il se fera ainsi
qu'à la faveur d'un examen approfondi, tandis que la
vérité, que vous poursuivez aujourd'hui avec une hostilité acharnée, bénéficiera d'une trêve, ceux-là mêmes qui
apparaissent maintenant comme des étrangers, devien-
dront des familiers de Dieu.

140. Et quoique en faisant mention d'Auxentius, tu
n'aies pas précisé duquel tu parlais, de celui qui est vivant,
c'est-à-dire l'évêque de Dorostorum, ou bien de celui de

348r, 38 quae *p. corr.*

349r scito tam ||¹Palladium Ratiarensem <quam> Auxentium inter ceteros consortes s(an)c(t)o et omn[i] |²reuerentia digno ac fidelissimo doctori Demofilo ubicumque examen h[a]||³beri placuerit, D(e)o omnipotente per unigenitum suum Ih(esu)m d(eu)m n(ostrum) auxiliu[m] |⁴ferente, glorioso ac salutari certamini non defuturos.

141. Vnde et cum <cum> s(an)c(t)[o] |⁵Hulfila ceterisque consortibus ad alium comitatum Constantinopolim ue|⁶nissent ibique etiam et imp(eratores) adissent adque eis promissum fuisset conci[li]|⁷um, ut s(an)c(tu)s Aux[en]-|⁸tius exposuit, ç[o]|⁹gnita promiss[io]|¹⁰ne prefati pr[e]|¹¹positi heretic[i] |¹²omnibus uiribu̧[s] |¹³institerunt u̧[t] |¹⁴ex daretur q[uae] |¹⁵concilium pro[hi]|¹⁶beret, sed nec p[ri]|¹⁷uatim in domo [nec] |¹⁸in publico uel i[n] |¹⁹quolibet loco di̧[s]|²⁰putatio de fide |²¹haberetur, **(142)** sic[ut] |²²textus indicat [le]|²³gis : «Imp(eratores) V[a]-|²⁴lentinianus, T[heo]|²⁵dosius et Arch[adi]|²⁶us Aug(usti) Tatia̧[no] |²⁷p(re)f(ecto) pretorio. |²⁸Nulli egressum |²⁹publicum nec d[is]|³⁰ceptandi de re[li]|³¹gione uel tra[c]|³²tandi uel consi[lium] |³³aliquid defereņ[di] |³⁴patescat occa[sio]; |³⁵et si quis posthac |³⁶ausu graui adque damnabili contra huiusmodi legem ueniendum esse credi-

---

349r, 6 et *sup. l.* || imp(eratores) *abbr.* impp || 23 imp(eratores) *abbr.* imppp || 26 Aug(usti) *abbr.* auggg

---

349r, 23-38 *C. Theod.*, XVI, ɪv, 2 (éd. Mommsen, t. 1, 2, p. 853-854)

---

1. Le prédécesseur d'Ambroise, Auxentius de Milan, n'a pas

Milan, qui est mort sans recevoir de successeur [1], sache
de toute façon que Palladius de Ratiaria aussi bien
qu'Auxentius, avec les autres collègues de Démophile [2],
le maître très fidèle et qui mérite tout notre respect, partout où l'on jugera bon d'organiser un débat contradictoire, forts de l'aide que le Dieu tout-puissant leur accordera par l'intermédiaire de son unique-engendré, Jésus
notre dieu, ne feront pas défaut au glorieux combat qui
assure le salut.

NOTE DE MAXIMINUS

141. A la suite de cela, alors qu'en compagnie d'Ulfila
et d'autres collègues, ils s'étaient rendus à l'autre cour,
à Constantinople, et que là également ils étaient allés
trouver les empereurs, et qu'on leur avait promis un concile, comme l'a rapporté saint Auxentius, les chefs des
hérétiques dont il a été question plus haut, quand ils
eurent vent de cette promesse, s'employèrent de toutes
leurs forces à ce qu'une loi fût promulguée pour interdire
le concile, et à ce qu'aucune discussion sur la foi n'ait lieu
ni en privé dans les maisons, ni en public ou dans quelque
lieu que ce soit, **(142)** comme l'indique le texte de la
loi [3] : « Les empereurs Valentinien, Théodose et Archa-
dius, Augustes, à Tatianus, préfet du prétoire. Qu'à personne ne soit donnée l'occasion de faire une déclaration
publique, ni de discuter au sujet de la religion, ou de dis-
courir, ou d'émettre un avis quelconque ; et si quelqu'un
dorénavant, avec une audace énorme et condamnable,
croyait devoir aller à l'encontre de la présente loi, ou bien

reçu de successeur aux yeux des ariens, car ils ne reconnaissent
pas Ambroise comme un véritable évêque.
2. Évêque de Constantinople de 370 à 380, déposé par Théodose
pour faire place à Grégoire de Nazianze, il faisait figure de chef du
parti homéen en Orient.
3. Ce voyage de Palladius et de Secundianus à Constantinople,
en compagnie d'Ulfila, n'a jamais eu lieu que dans l'imagination de
Maximinus, et les lois citées ici n'ont rien à voir avec cette affaire ;
v. intr., p. 162-165.

derit |³⁷uel insistere motu pestifere perseuera-
tionis audebit, conpetenti poena et digno
su[p]|³⁸plicio coherceatur. Data XVI kal(endas)
iulias Stobi Theodosio et Cynegio cons(ulibu)s.»
143. |³⁹Item alia : «Idem imp(eratores) ad
Eusignium p(re)f(ectum) pretorio. His qui sibi
tantummodo existima[nt] |⁴⁰colligendi copiam
contributam, si turbulentum quippiam contra
nostrae tranq[uilli]|⁴¹tatis preceptum faciendum
esse temtauerint, ut seditionis auctores pacisque
|⁴²[turbatae Ecclesiae sint supp]][icia] luituri.
Data X kal(endas) februar[ias |⁴³Constantinopoli
Honorio et Euodio cons(ulibu)s].»

349r, 38 Stobi *scripsi* : Stoli P ‖ 39 imp(eratores) *abbr.* imppp

osait s'entêter dans un mouvement de persévérance détestable, qu'il soit contraint par une peine appropriée et un
supplice convenable. Donné à Stobi, le XVI des kalendes
de juillet, sous le consulat de Théodose et de Cynegius. »
143. De même une autre : « Les mêmes empereurs à Eusi-
gnius, préfet du prétoire. Concernant ceux qui croient
que la faculté de se réunir n'a été accordée qu'à eux seuls,
s'ils entreprenaient de faire quoi que ce soit de séditieux
à l'encontre du décret de Notre Sérénité, qu'ils soient jus-
ticiables des supplices en tant que fauteurs de troubles
et coupables d'avoir compromis la paix de l'Église. Donné
à Constantinople, le X des kalendes de février, sous le
consulat d'Honorius et d'Evodius. »

349r,39-43   *C. Theod.*, XVI, iv, 1 (éd. Mommsen, t. 1, 2, p. 853)

APPENDICE

GESTA EPISCOPORUM AQUILEIA
ADVERSUM HAERETICOS ARRIANOS

1. Suagrio et Eucherio uiris clarissimis consulibus, III nonas septembres, Aquileiae in ecclesia considentibus cum episcopo Aquileiensium ciuitatis Valeriano Ambrosio Eusebio Limenio Anemio Sabino Abundantio Artemio Constantio Iusto Filastro Constantio Theodoro Almachio Domnino Amantio Maximo Felice Bassiano Numidio Ianuario Proculo Heliodoro Iouino Felice Exsuperantio Diogene Maximo Machedonio Cassiano Marcello et Eustasio episcopis, **(2)** Ambrosius episcopus dixit : Diu citra acta tractauimus. At quoniam tanta sacrilegia a parte Palladi ac Secundiani nostris auribus ingeruntur, ut difficile quisquam credat tam aperte eos blasfemare potuisse, uel ne qua ipsi calliditate dicta sua postea negare conentur, licet de tantorum sacerdotum testificatione dubitari non queat, tamen quoniam omnibus episcopis placet, fiant acta, ut unusquisque professionem suam postea negare non possit. Quid igitur uobis, sancti uiri, placeat declarandum est.

Omnes episcopi dixerunt : Placet.

Ambrosius episcopus dixit : Disceptationes nostrae ex rescripto imperiali firmandae sunt. — Et adiecit : Legatur.

3. Sabinianus diaconus recitauit : « Ambigua dogmatum reuerentia ne dissideant sacerdotes quam primum experiri cupientes, conuenire in Aquileiensium ciuitatem ex diocesi meri.is excellentiae tuae credita episcopos iusseramus. Neque enim controuersiae dubiae sententiae rectius poterant expe-

ACTES DES ÉVÊQUES RÉUNIS A AQUILÉE CONTRE LES HÉRÉTIQUES ARIENS

1. Sous le consulat des honorables Syagrius et Eucherius, le III des nones de septembre, en l'église d'Aquilée, étant en séance avec l'évêque de la cité d'Aquilée, Valérien, les évêques Ambroise, Eusèbe, Limenius, Anemius, Sabinus, Abundantius, Artemius, Constantius, Justus, Filaster, Constantius, Theodorus, Almachius, Domninus, Amantius, Maximus, Felix, Bassianus, Numidius, Januarius, Proculus, Heliodorus, Jovinus, Felix, Exsuperantius, Diogenes, Maximus, Machedonius, Cassianus, Marcellus et Eustasius, **(2)** l'évêque Ambroise a dit : Nous avons discuté longtemps sans procès-verbal. Mais puisque, du côté de Palladius et de Secundianus, tant de paroles sacrilèges sont déversées dans nos oreilles, à tel point qu'on croirait difficilement qu'ils ont pu blasphémer aussi ouvertement, et aussi pour éviter qu'ils n'essayent, par une astuce quelconque, de renier plus tard leurs déclarations — quoiqu'on ne puisse douter du témoignage de tant de prêtres —, puisque telle est la décision unanime des évêques, qu'on rédige un procès-verbal, afin que personne ne puisse renier plus tard sa profession de foi. Il vous faut donc déclarer, messeigneurs, quelle est votre décision.

Tous les évêques ont dit : D'accord.

L'évêque Ambroise a dit : Nos débats doivent être autorisés par un rescrit impérial. — Et il a ajouté : Qu'on en donne lecture.

3. Le diacre Sabinianus a lu : « Désirant constater au plus tôt que les prêtres ne sont pas divisés par un respect équivoque des dogmes, nous avions ordonné que se réunissent dans la cité d'Aquilée les évêques du diocèse confié aux mérites de votre Excellence. En effet, les points douteux de la controverse ne sauraient être mieux tirés au clair que si

diri quam si obortae altercationis interpretes ipsos constituissemus antistites, ut uidelicet a quibus proficiscuntur
instituta doctrinae, ab isdem discordis eruditionis repugnantia soluerentur. 4. Neque sane nunc aliter iubemus ac iussi-
mus, non inuertentes praecepti tenorem, sed superfluam
conuenarum copiam recolentes. Nam quod Ambrosius et
uitae merito et Dei dignatione conspicuus episcopus Medio-
lanensium ciuitatis ibi multitudinem non opus esse suggerit
ubi ueritas non laboraret in pluribus, si locata esset in pau-
cis, seque eorum qui contra astarent assertionibus et sacerdotes uicinarum ex Italia ciuitatum satis abundeque sufficere
posse suggerit, abstinendum uenerabilium uirorum fatiga-
tione censuimus, ne quis uel maturo aeuo grauis uel corporali
debilitate confectus uel laudabili paupertate mediocris in-
suetas repetat terras. Et reliqua. »

5. Ambrosius episcopus dixit : Ecce quod christianus constituit imperator. Noluit iniuriam facere sacerdotibus, ipsos
interpretes constituit episcopos. Ac per hoc quoniam in sacerdotali concilio consedimus, responde ad ea quae tibi propo-
nuntur. Arri epistula lecta est ; etiam nunc recitabitur, si
tibi uidetur. A principio habet blasfemias, solum Patrem
aeternum dixit. Si tibi uidetur quod Dei Filius sempiternus
non sit, hoc ipsum quemadmodum uis astrue ; si damnandum
putas, damna. Euangelium praesens est et Apostolus, omnes
Scripturae praesto sunt. Vnde uis astrue, si putas non esse
Dei Filium sempiternum.

6. Palladius dixit : Vestro studio factum est ut non esset
generale et plenum concilium. Absentibus consacerdotibus
nostris nos de fide dicere non possumus.

Ambrosius episcopus dixit : Qui sunt consortes uestri ?

Palladius dixit : Orientales episcopi.

nous désignions comme arbitres du conflit qui a surgi les prélats eux-mêmes, de sorte que ceux dont émanent les instructions en matière de doctrine, soient également ceux qui démêlent les inconséquences d'un enseignement contradictoire. 4. Et nous n'ordonnons évidemment pas autre chose maintenant que ce que nous avons ordonné ; nous ne modifions pas le contenu de notre décret, mais nous songeons à prévenir une affluence inutile de participants. En effet, considérant qu'Ambroise, à qui la dignité de sa vie en même temps que la faveur de Dieu ont valu d'être l'évêque visible de la cité de Milan, nous fait observer qu'il n'est pas besoin d'une foule de gens là où la vérité n'est pas menacée chez un grand nombre, pourvu qu'elle soit présente en la personne de quelques-uns, et que lui-même et les prêtres des cités voisines d'Italie sont parfaitement capables de répliquer aux affirmations du parti adverse, nous avons jugé ne pas devoir imposer cette fatigue à des hommes vénérables, pour éviter que quelqu'un qui serait soit accablé par le grand âge, soit handicapé par une mauvaise santé, soit gêné en raison d'une pauvreté digne d'éloge, n'ait à gagner des terres inconnues. Et cetera. »

5. L'évêque Ambroise a dit : Voilà ce qu'a décidé l'empereur chrétien. Il n'a pas voulu méconnaître les droits des prêtres. Il a désigné comme arbitres les évêques eux-mêmes. Et par conséquent, puisque nous siégeons dans une assemblée de prêtres, réponds aux questions qui te sont posées. On a lu la lettre d'Arius ; on en donnera lecture aussi maintenant, si bon te semble. Dès le début, elle contient des blasphèmes ; il a dit que seul le Père est éternel. S'il te semble que le Fils de Dieu ne soit pas éternel, démontre cela de la manière que tu veux ; si tu penses qu'il faut condamner, condamne. L'Évangile est là, ainsi que l'Apôtre ; toutes les Écritures sont à ta disposition. Tires-en des preuves à ton gré, si tu penses que le Fils de Dieu n'est pas éternel.

6. Palladius a dit : C'est votre fanatisme qui a fait qu'il n'y ait pas de concile général et plénier. En l'absence de nos collègues, nous ne pouvons pas nous prononcer en matière de foi.

L'évêque Ambroise a dit : Qui sont vos collègues ?

Palladius a dit : Les évêques orientaux.

7. Ambrosius episcopus dixit : Interim quia superioribus temporibus concilium sic factum est ut Orientales in Orientis partibus constituti haberent concilium, Occidentales in Occidente, nos in Occidentis partibus constituti conuenimus ad Aquileiensium ciuitatem iuxta imperatoris praeceptum. Denique etiam praefectus Italiae litteras dedit ut, si uellent conuenire, in potestate haberent. Sed quia scierunt consuetudinem huiusmodi ut in Oriente Orientalium esset concilium, intra Occidentem Occidentalium, ideo putauerunt non esse ueniendum.

8. Palladius dixit : Imperator noster Gratianus iussit Orientales uenire. Negas tu iussisse eum ? Ipse imperator nobis dixit se Orientales iussisse uenire.

Ambrosius episcopus dixit : Vtique iussit, qui non prohibuit huc uenire.

Palladius dixit : Sed ne uenirent tua petitio fecit. Sub specie falsae uoluntatis hoc impetrasti et distulisti concilium.

9. Ambrosius episcopus dixit : Non opus est, euagasti diutius. Responde nunc : bene dixit Arrius solum sempiternum Patrem, et secundum Scripturas hoc dixit an non ?

Palladius dixit : Non tibi respondeo.

Constantius episcopus dixit : Non respondes qui tamdiu blasfemasti ?

Eusebius episcopus dixit : Sed debes simpliciter fidei tuae prodere libertatem. Si te gentilis exigeret quemadmodum in Christum crederes, confiteri erubescere non deberes.

10. Sabinus episcopus dixit : Tu petisti ut responderemus. Hodie ex uoluntate tua et urguente te conuenimus et non expectauimus reliquos fratres qui poterant uenire. Proinde non tibi est liberum euagari. Christum dicis esse creatum aut sempiternum dicis esse Filium Dei ?

7. L'évêque Ambroise a dit : En attendant, puisque précédemment un concile a eu lieu de telle façon que les Orientaux, siégeant dans les régions d'Orient, tiennent concile, et les Occidentaux en Occident, nous, siégeant dans les régions d'Occident, nous nous sommes réunis dans la cité d'Aquilée conformément à l'ordre de l'empereur. Du reste, le préfet d'Italie a même fait expédier des lettres portant que s'ils voulaient prendre part à l'assemblée, ils en avaient le droit. Mais comme ils savaient bien que l'usage était qu'il y ait en Orient un concile des Orientaux, et du côté de l'Occident un des Occidentaux, ils ont estimé par conséquent ne pas devoir venir.

8. Palladius a dit : Notre empereur Gratien a donné l'ordre aux Orientaux de venir. Nies-tu qu'il ait donné cet ordre ? L'empereur lui-même nous a dit qu'il avait donné l'ordre aux Orientaux de venir.

L'évêque Ambroise a dit : Certes, il en a donné l'ordre, puisqu'il n'a pas défendu de venir ici.

Palladius a dit : Mais ta requête a fait en sorte qu'ils ne viennent pas. Tu as obtenu cela sous un prétexte fallacieux et tu as fait remettre le concile.

9. L'évêque Ambroise a dit : C'est inutile, tu as trop longtemps esquivé le débat. Réponds maintenant : Arius a-t-il eu raison de dire que seul le Père est éternel et, ce disant, était-il d'accord avec les Écritures ou non ?

Palladius a dit : Je ne te réponds pas.

L'évêque Constantius a dit : Tu ne réponds pas, après avoir si longuement blasphémé ?

L'évêque Eusèbe a dit : Tu devrais pourtant, en toute simplicité, exposer la foi qui te rend libre. Si un païen te demandait de quelle façon tu crois au Christ, tu ne devrais pas avoir honte de le confesser.

10. L'évêque Sabinus a dit : C'est toi qui as demandé que nous répondions. Si nous nous sommes réunis aujourd'hui, c'est parce que tu l'as voulu et sur tes instances, et nous n'avons pas attendu les autres frères qui auraient pu venir. Par conséquent, tu n'es pas libre d'esquiver le débat. Le Christ, dis-tu qu'il a été créé, ou bien dis-tu qu'il est éternel, le Fils de Dieu ?

Palladius dixit : Dixi tibi, nos ideo scripsimus uobis ut ueniremus et conuinceremus quod non recte fecissetis subripere imperatori.

Ambrosius episcopus dixit : Legatur epistula Palladi, utrum nobis hoc mandauerit, et docebitur quod etiam nunc fallit.

Palladius dixit : Legatur plane.

Episcopi dixerunt : Imperator cum praesens esset Sirmio, tu illum interpellasti an ipse te compulit ? — Et adiecerunt : Quid ad ista respondes ?

Palladius dixit : Dixit mihi : « Vade. » Diximus : « Orientales conuenti sunt ? » Ait : « Conuenti sunt. » Numquid si Orientales non fuissent conuenti, numquid nos conuenissemus ?

11. Ambrosius episcopus dixit : Sequestrata sit causa Orientalium, sententiam tuam hodie quaero. Arri tibi epistula lecta est ; soles te arrianum negare ; aut damna hodie Arrium aut defende.

Palladius dixit : Non est auctoritatis tuae ut hoc a me quaeras.

Eusebius episcopus dixit : Non credimus religiosum imperatorem aliud dixisse quam scripsit. Episcopos iussit conuenire. Non potuit tibi soli contra rescriptum suum dicere ut sine Orientalibus causa minime diceretur.

Palladius dixit : Si Itali soli iussi sunt conuenire ?

Euagrius presbyter et legatus dixit : Et ante quattuor dies et ante biduum respondere te et adfuturum dixeras. Quid ergo ? Expectabas, ut dicis, Orientalium consortium tuorum sententiam ? Sic debuisti mandare, non promittere conflictum.

Palladius dixit : † Quia quasi ad concilium plenum ueneram uidi non conuenisse consortes meos ut conuenirem et dicerem secundum iussionem inieceritis in praeiudicium futuri concili. †

12. Ambrosius episcopus dixit : Vt hodie resideremus ipse exegisti. Denique etiam hodie tu ipse dixisti quia « Christiani ad christianos uenimus » ; christianos nos probasti.

Palladius a dit : Je te l'ai dit, si nous vous avons écrit, c'était dans l'intention de venir démontrer que vous n'avez pas agi correctement en intriguant auprès de l'empereur.

L'évêque Ambroise a dit : Qu'on lise la lettre de Palladius, pour voir si c'est cela qu'il nous a fait savoir, et on verra bien qu'une fois de plus, il nous trompe.

Palladius a dit : Parfaitement, qu'on la lise.

Des évêques ont dit : Alors que l'empereur se trouvait à Sirmium, est-ce toi qui t'es adressé à lui ou lui qui t'a forcé la main ? — Et ils ont ajouté : Que réponds-tu à cela ?

Palladius a dit : Il m'a dit : « Va. » Nous avons dit : « Les Orientaux ont-ils été convoqués ? » Il a dit : « Ils ont été convoqués. » Est-ce que, si les Orientaux n'avaient pas été convoqués, nous nous serions rendus à l'assemblée ?

11. L'évêque Ambroise a dit : Laissons de côté la question des Orientaux. C'est ton opinion que je veux connaître aujourd'hui. On t'a lu la lettre d'Arius ; tu nies générale- ment être arien ; aujourd'hui, ou bien condamne Arius, ou bien prends sa défense.

Palladius a dit : Tu n'as pas autorité pour exiger cela de moi.

L'évêque Eusèbe a dit : Nous ne croyons pas que le pieux empereur ait dit autre chose que ce qu'il a écrit. Il a ordonné aux évêques de se réunir. Il n'a pas pu te dire à toi seul, contrairement aux termes de son rescrit, que sans les Orien- taux, la cause ne serait point jugée.

Palladius a dit : Est-ce que seuls les Italiens ont reçu l'ordre de se réunir ?

Evagrius, presbytre délégué, a dit : Il y a quatre jours, et avant-hier encore, tu avais dit que tu répondrais et que tu serais présent. Qu'est-ce que cela veut dire ? Tu attendais l'avis des Orientaux, tes « collègues », comme tu dis ? C'est cela que tu aurais dû faire savoir, au lieu de promettre un débat.

Palladius a dit : ... (*texte corrompu*).

12. L'évêque Ambroise a dit : C'est toi-même qui as exigé que nous siégions aujourd'hui. D'autre part, aujourd'hui encore, tu as dit toi-même : « Nous sommes venus comme des chrétiens vers des chrétiens. » Tu as reconnu en nous des

Scolies ariennes.   22

Promisisti te conflictaturum, promisisti te oblaturum aut
acceptaturum esse rationem. Libenter itaque accepimus
praefationem tuam. Optauimus ut quasi christianus uenires.
Obtuli tibi epistulam Arri, quam scripsit Arrius, de cuius
nomine dicitis uos frequenter iniuriam sustinere. Dicitis
quod Arrium non sequamini. Hodie aperta debet esse sententia : aut condemna illum, aut astrue quibusuis lectioni-
bus. — Et adiecit : Ergo iuxta epistulam Arri, Christus Dei
Filius non est sempiternus ?

Palladius dixit : Nos diximus probaturos nos christianos,
sed in concilio pleno. Non uobis respondemus omnino in
praeiudicium concili futuri.

Eusebius episcopus dixit : Sine calliditate fidei tuae professionem debes exponere.

Palladius dixit : Et quid concilio reseruamus ?

13. Ambrosius episcopus dixit : Omni ore condemnatio
facta est in eum qui negaret Dei Filium sempiternum.
Negauit Arrius, hunc sequitur Palladius, qui non uult condemnare Arrium. Itaque utrum huius probanda sententia
sit considerate, et utrum secundum Scripturas dicat aut
contra Scripturas intellegere licet. Lectum est enim : *Sempiterna uirtus Dei atque diuinitas* [a]. Dei uirtus Christus est.
Si igitur sempiterna Dei uirtus est, sempiternus utique Christus est, quia Christus est Dei uirtus.

Eusebius episcopus dixit : Haec fides nostra est, haec
intellegentia catholica. Qui hoc non dixerit, anathema.

Omnes episcopi dixerunt : Anathema.

14. Eusebius episcopus dixit : Specialiter dicit solum
Patrem sempiternum et Filium aliquando coepisse.

Palladius dixit : Arrium nec uidi, nec scio qui sit.

Eusebius episcopus dixit : Arri blasfemia prolata est, in

a. Rom. 1, 20

chrétiens. Tu as promis d'engager un débat, tu as promis de présenter ou bien de prendre en considération une argumentation. Nous avons donc accueilli ta déclaration avec plaisir. Nous avons souhaité que tu viennes en chrétien. Je t'ai soumis la lettre d'Arius, écrite par cet Arius dont le nom vous vaut, dites-vous, de souffrir fréquemment des injustices. Vous dites que vous ne suivez point Arius. Aujourd'hui, tu dois te prononcer sans équivoque : ou bien tu le condamnes, ou bien tu soutiens sa cause en te servant des textes que tu veux. — Et il a ajouté : Ainsi donc, conformément à la lettre d'Arius, le Christ, Fils de Dieu, n'est pas éternel ?

Palladius a dit : Nous avons dit que nous prouverions que nous sommes chrétiens, mais au concile plénier. Nous nous refusons absolument à vous répondre sans attendre le jugement du futur concile.

L'évêque Eusèbe a dit : Tu devrais, sans finasser, exposer ta profession de foi.

Palladius a dit : Et que réservons-nous pour le concile ?

13. L'évêque Ambroise a dit : D'une voix unanime, une condamnation a été prononcée contre celui qui nierait que le Fils de Dieu est éternel. Arius l'a nié. Palladius le suit, puisqu'il ne veut pas condamner Arius. Demandez-vous donc s'il faut approuver son opinion, et si ce qu'il dit est conforme aux Écritures ou bien contraire aux Écritures ; c'est facile à comprendre. On a lu, en effet : « Éternelle est la puissance de Dieu et sa divinité [a]. » La « puissance de Dieu », c'est le Christ. Si donc la « puissance de Dieu » est « éternelle », le Christ est évidemment éternel, puisque le Christ est la « puissance de Dieu ».

L'évêque Eusèbe a dit : Telle est notre foi, telle est l'interprétation catholique. Celui qui ne dirait pas cela, qu'il soit anathème.

Tous les évêques ont dit : Anathème.

14. L'évêque Eusèbe a dit : Il dit, en particulier, que seul le Père est éternel, et que le Fils a commencé un jour.

Palladius a dit : Je n'ai pas vu Arius et je ne sais pas qui c'est.

L'évêque Eusèbe a dit : On a produit le texte blasphématoire d'Arius dans lequel il nie que le Fils de Dieu soit éternel.

qua negat Filium Dei sempiternum. Hanc perfidiam damnas
cum auctore aut asseris ?

Palladius dixit : Vbi auctoritas pleni concili non est non
dico.

15. Ambrosius episcopus dixit : Dubitas damnare post
diuina iudicia, cum crepuerit medius [b] ? — Et adiecit : Dicant
etiam sancti uiri legati Gallorum.

Constantius episcopus et legatus Gallorum dixit : Hanc
impietatem eius hominis et semper damnauimus et nunc
damnamus, non solum Arrium, sed et quique Filium Dei
non dixerit sempiternum.

Ambrosius episcopus dixit : Quid etiam dicit dominus
meus Iustus ?

Iustus episcopus et legatus Gallorum dixit : Qui Filium Dei coaeternum cum Patre non confitetur, anathema
habeatur.

Omnes episcopi dixerunt : Anathema.

16. Ambrosius episcopus dixit : Dicant etiam Afrorum
legati, qui omnium ciuium huc attulere sententias.

Felix episcopus et legatus dixit : Si qui Filium Dei negauerit sempiternum et coaeternum negauerit, non solus ego
legatus totius prouinciae Africanae damno, sed et cunctus
chorus sacerdotalis qui ad hunc coetum me sanctissimum
misit etiam ipse ante damnauit.

Anemius episcopus dixit : Caput Illyrici nonnisi ciuitas
est Sirmiensis. Ego igitur episcopus illius ciuitatis sum. Eum
qui non confitetur Filium Dei aeternum et coaeternum Patri,
quod est sempiternum, anathema dico, sed etiam his qui
idem non confitentur.

17. Ambrosius episcopus dixit : Audite sequentia.

Et recitatum est : « Solum aeternum, solum sine initio,
solum uerum, solum immortalitatem habentem. »

Ambrosius episcopus dixit : Et in hoc damna eum qui
negat Filium Deum uerum. Cum enim ipse sit ueritas, quemadmodum non est Deus uerus ? — Et adiecit : Quid ad hoc ?

b. Cf. Act. 1, 18

Cette foi menteuse, la condamnes-tu en même temps que son auteur ou bien la soutiens-tu ?

Palladius a dit : Là où il n'y a pas l'autorité d'un concile plénier, je ne dis rien.

15. L'évêque Ambroise a dit : Tu hésites à porter une condamnation après que Dieu a jugé, puisqu'il a crevé par le milieu ^b ? — Et il a ajouté : Que se prononcent également les vénérables délégués des Gaulois.

L'évêque Constantius, délégué des Gaulois, a dit : L'impiété de cet homme, nous l'avons toujours condamnée et nous la condamnons maintenant encore — pas seulement Arius, mais aussi quiconque ne dirait pas que le Fils de Dieu est éternel.

L'évêque Ambroise a dit : Qu'ajoute Monseigneur Justus ?

L'évêque Justus, délégué des Gaulois, a dit : Celui qui ne confesse pas que le Fils de Dieu est coéternel avec le Père, qu'il soit considéré comme anathème.

Tous les évêques ont dit : Anathème.

16. L'évêque Ambroise a dit : Que se prononcent également les délégués des Africains, qui ont apporté ici les sentences de tous leurs compatriotes.

Felix, évêque délégué, a dit : Si quelqu'un venait à nier que le Fils de Dieu existe depuis toujours et qu'il est coéternel, non seulement moi, délégué de toute la province d'Afrique, je le condamne, mais aussi tout le chœur des prêtres qui m'a envoyé à cette très sainte assemblée, l'a aussi condamné lui-même auparavant.

L'évêque Anemius a dit : La capitale de l'Illyricum n'est autre que la cité de Sirmium, et je suis l'évêque de cette cité. Celui qui ne confesse pas que le Fils de Dieu est éternel et coéternel au Père, du fait qu'il existe depuis toujours, je le déclare anathème ; et je le dis aussi à ceux qui ne confessent pas la même chose.

17. L'évêque Ambroise a dit : Écoutez la suite.

Et on a lu : « Seul éternel, seul sans commencement, seul véritable, seul à posséder l'immortalité. »

L'évêque Ambroise a dit : Ici aussi, condamne celui qui nie que le Fils soit Dieu véritable. En effet, puisqu'il est lui-même la vérité, comment n'est-il pas Dieu véritable ? — Et il a ajouté : Qu'en dis-tu ?

Palladius dixit : Filium uerum qui non dicat ?

Ambrosius episcopus dixit : Arrius negauit.

Palladius dixit : Cum Apostolus dicat Christum super omnia deum [c], potest aliquis negare uerum Filium Dei ?

18. Ambrosius episcopus dixit : Vt scias quam simpliciter ueritas a nobis requiratur, ecce dico ego ut dicis, sed semiplenum habeo. Cum enim ita dicis, uideris negare Deum uerum. Si autem simpliciter confiteris, uerum Deum Filium Dei eo ordine astrue quo ipse propono.

Palladius dixit : Ego secundum Scripturas tibi loquor. Verum Filium Dei dominum dico.

Ambrosius episcopus dixit : Verum Dominum dicis Filium esse Dei ?

Palladius dixit : Cum uerum Filium dicam, quid amplius ?

Ambrosius episcopus dixit : Non quaero tantummodo ut uerum Filium dicas, sed ut uerum Dominum Dei Filium dicas.

19. Eusebius episcopus dixit : Christus Deus uerus est secundum omnium fidem et catholicam professionem ?

Palladius dixit : Verus Filius Dei est.

Eusebius episcopus dixit : Nam et nos per adoptionem filii sumus, ille secundum proprietatem generationis diuinae. — Et adiecit : Confiteris ergo uerum Filium Dei Dominum uerum esse secundum natiuitatem et proprietatem ?

Palladius dixit : Verum Dei Filium unigenitum dico.

Eusebius episcopus dixit : Hoc ergo putas contra Scripturas si Christus Deus uerus esse dicatur ?

20. Cumque Palladius reticeret, Ambrosius episcopus dixit : Solum uerum Filium Dei qui dicit et non uult dicere Dominum uerum, uidetur negare. Hoc igitur ordine confiteatur, si tamen confitetur, Palladius et dicat utrum uerum Dominum Dei Filium dicat.

c. Cf. Rom. 9, 5

Palladius a dit : Qu'il soit le Fils véritable, qui pourrait dire le contraire ?

L'évêque Ambroise a dit : Arius l'a nié.

Palladius a dit : Puisque l'Apôtre dit que le Christ est « dieu au-dessus de toutes choses [c] », peut-on nier qu'il soit le Fils véritable de Dieu ?

18. L'évêque Ambroise a dit : Tu dois savoir que nous voulons entendre la vérité sans détour. Je dis également, quant à moi, ce que tu dis, mais je considère cela comme incomplet. En effet, quand tu parles ainsi, tu parais nier qu'il soit Dieu véritable. Si tu confesses la foi sans détour, déclare Dieu véritable le Fils de Dieu, dans l'ordre même que je t'indique.

Palladius a dit : Moi, je te parle conformément aux Écritures. Je dis que le Fils véritable de Dieu est seigneur.

L'évêque Ambroise a dit : Tu dis que le Fils de Dieu est Seigneur véritable ?

Palladius a dit : Quand je dis « Fils véritable », que veux-tu de plus ?

L'évêque Ambroise a dit : Je ne demande pas seulement que tu dises « Fils véritable », mais que tu dises que le Fils de Dieu est Seigneur véritable.

19. L'évêque Eusèbe a dit : Le Christ est-il Dieu véritable, conformément à la foi de tous et à la doctrine catholique ?

Palladius a dit : Il est le Fils véritable de Dieu.

L'évêque Eusèbe a dit : En effet, nous aussi, par adoption, nous sommes fils ; lui, c'est en vertu du caractère propre de sa génération divine. — Et il a ajouté : Tu confesses donc que le Fils véritable de Dieu est Seigneur véritable, en vertu de sa naissance et de sa nature propre ?

Palladius a dit : Je dis que le Fils véritable de Dieu est unique-engendré.

L'évêque Eusèbe a dit : Tu penses donc que ce serait contraire aux Écritures de dire que le Christ est Dieu véritable ?

20. Et comme Palladius gardait le silence, l'évêque Ambroise a dit : Celui qui dit seulement « Fils véritable de Dieu » et ne veut pas dire « Seigneur véritable », paraît le nier. Que Palladius fasse donc profession de la foi dans cet ordre-là, si tant est qu'il la professe, et qu'il dise s'il déclare Seigneur véritable le Fils de Dieu.

Palladius dixit : Cum dicat Filius : *Vt cognoscant te solum uerum Dominum et quem misisti Iesum Christum* [d], cum adfecta ueritate ?

Ambrosius episcopus dixit : Iohannes dixit in epistula sua : *Hic est Deus uerus* [e]. Nega hoc.

Palladius dixit : Cum dicam tibi uerum Filium, profiteor ueram etiam diuinitatem.

Ambrosius episcopus dixit : Et in hoc fraus est. Sic enim soletis dicere unam et ueram diuinitatem ut Patris tantummodo, non etiam Fili ueram et unam diuinitatem dicatis. Ergo, si aperte uis dicere, quia ad Scripturas me prouocas, dic quod dixit euangelista Iohannes : *Hic est Deus uerus* [e], aut nega dictum.

Palladius dixit : Absque Filio alius genitus non est.

21. Eusebius episcopus dixit : Christus Deus uerus secundum omnium fidem et catholicam professionem an in sententia tua Deus uerus non est ?

Palladius dixit : Virtus Dei nostri est [f].

Ambrosius episcopus dixit : Non habes libertatem profitendi. Ac per hoc anathema ei qui non confitetur uerum Dominum Filium Dei.

Omnes episcopi dixerunt : Anathema habeatur qui Christum Filium Dei Dominum uerum non dixerit.

22. Item adiecit : « Solum uerum, solum immortalitatem habentem. »

Ambrosius episcopus dixit : Filius Dei habet immortalitatem aut non habet secundum diuinitatem ?

Palladius dixit : Apostolum admittis aut non ? *Rex regum, qui solus habet immortalitatem* [g].

Ambrosius episcopus dixit : De Christo Filio Dei quid dicis ?

Palladius dixit : Christus nomen diuinum est aut humanum ?

23. Eusebius episcopus dixit : Secundum carnis quidem sacramentum Christus dicitur, sed idem Deus et homo est.

Palladius dixit : Christus nomen carnis est ? Christus nomen humanum est ? Et respondete uos mihi.

d. Jn 17, 3   e. I Jn 5, 20   f. I Cor. 1, 24   g. I Tim. 6, 15-16

Palladius a dit : Quand le Fils dit : « Qu'ils te connaissent, toi, le seul Seigneur véritable, et celui que tu as envoyé, Jésus-Christ ᵈ », ne serait-il pas tout à fait sincère ?

L'évêque Ambroise a dit : Jean a dit dans son épître : « Il est Dieu véritable ᵉ. » Va dire le contraire.

Palladius a dit : Quand je te dis « Fils véritable », je confesse également la divinité véritable.

L'évêque Ambroise a dit : Ici aussi, il y a une astuce. En effet, vous avez l'habitude de dire « la divinité unique et véritable » en voulant dire la divinité unique et véritable du Père seulement, et non pas également du Fils. Donc, si tu veux parler clairement, puisque tu me renvoies aux Écritures, dis ce qu'a dit l'évangéliste Jean : « Il est Dieu véritable ᵉ », ou bien nie que cela ait été dit.

Palladius a dit : A part le Fils, aucun autre n'a été engendré.

21. L'évêque Eusèbe a dit : Le Christ est-il Dieu véritable, conformément à la foi de tous et à la doctrine catholique, ou bien, à ton avis, n'est-il pas Dieu véritable ?

Palladius a dit : Il est la puissance de notre Dieu ᶠ.

L'évêque Ambroise a dit : Tu n'es pas libre de tes déclarations. Et par conséquent, anathème à celui qui ne proclame pas Seigneur véritable le Fils de Dieu.

Tous les évêques ont dit : Qu'il soit considéré comme anathème, celui qui ne dirait pas que le Christ, Fils de Dieu, est Seigneur véritable.

22. Il a ajouté encore : « Seul véritable, seul à posséder l'immortalité. »

L'évêque Ambroise a dit : Le Fils de Dieu possède-t-il l'immortalité ou ne la possède-t-il pas selon la divinité ?

Palladius a dit : Reconnais-tu l'autorité de l'Apôtre ou non ? « Le Roi des rois, qui est seul à posséder l'immortalité ᵍ. »

L'évêque Ambroise a dit : Au sujet du Christ, Fils de Dieu, que dis-tu ?

Palladius a dit : « Christ », est-ce un nom divin ou humain ?

23. L'évêque Eusèbe a dit : Il est appelé Christ selon le mystère de la chair, certes, mais le même est Dieu et homme.

Palladius a dit : « Christ » est un nom de la chair ? « Christ » est un nom humain ? Répondez-moi, vous aussi.

Eusebius episcopus dixit : Quid superfluis immoraris ?
Cum legeretur impietas Arri, qui hoc dicit de Patre quia
solus habet immortalitatem, attulisti testimonium ad con-
sensum impietatis Arri, ex Apostolo dicens : *Qui solus habet
immortalitatem et lucem habitat inaccessibilem* [h]. Sed si intelli-
gis, totius naturae dignitatem in Dei nomen expressit, siquidem in Dei nomine et Pater et Filius designatur.

Palladius dixit : Et ego uos quod interrogaui respondere
noluistis.

24. Ambrosius episcopus dixit : Aperte de te sententiam
quaero. Filius Dei habet immortalitatem secundum generationem diuinam an non habet ?

Palladius dixit : Secundum generationem diuinam incorruptibilis est, per carnem mortuus est.

Ambrosius episcopus dixit : Non diuinitas mortua est,
sed caro mortua est.

Palladius dixit : Ante uos mihi respondete.

Ambrosius episcopus dixit : Filius Dei secundum diuinitatem habet immortalitatem an non habet ? Sed etiam
fraudes et insidias tuas non secundum Arri professionem
prodidisti ? — Et adiecit : Qui Filium Dei negat habere
immortalitatem, quid uobis uidetur ?

Omnes episcopi dixerunt : Anathema habeatur.

25. Palladius dixit : Status diuinus immortalis est.

Ambrosius episcopus dixit : Astute et hoc, ut de Dei Filio
nihil exprimas euidenter. Et ego dico : immortalitatem habet
Dei Filius secundum diuinitatem. Aut nega quia habet
immortalitatem.

Palladius dixit : Christus mortuus est aut non ?

Ambrosius episcopus dixit : Secundum carnem. Anima
nostra non moritur ; scriptum est enim : *Nolite timere eos
qui carnem possunt occidere, animam autem non possunt* [i].
Cum igitur anima nostra mori non possit, putas quod Christus secundum diuinitatem mortuus sit ?

h. I Tim. 6, 16   i. Matth. 10, 28

L'évêque Eusèbe a dit : Pourquoi t'arrêter à des détails sans intérêt ? Quand on a lu le texte impie d'Arius, qui dit du Père qu'il est « seul à posséder l'immortalité », tu as avancé une citation à l'appui de l'impiété d'Arius, en disant d'après l'Apôtre : « Il est seul à posséder l'immortalité et il habite une lumière inaccessible [h]. » Mais si tu comprends bien, il a exprimé la dignité de la nature tout entière sous le nom de Dieu, puisque sous le nom de Dieu sont désignés et le Père, et le Fils.

Palladius a dit : Quand je vous ai interrogés, moi aussi, vous n'avez pas voulu répondre.

24. L'évêque Ambroise a dit : Je te demande ton opinion en toute clarté. Le Fils de Dieu possède-t-il l'immortalité en vertu de sa génération divine ou ne la possède-t-il pas ?

Palladius a dit : En vertu de sa génération divine, il est incorruptible ; par la chair, il est mort.

L'évêque Ambroise a dit : Ce n'est pas la divinité qui est morte, mais la chair qui est morte.

Palladius a dit : Commencez par me répondre vous-mêmes.

L'évêque Ambroise a dit : Le Fils de Dieu, à considérer sa divinité, possède-t-il l'immortalité ou ne la possède-t-il pas ? Mais les questions insidieuses et perfides que tu as posées ne sont-elles pas aussi inspirées de la profession de foi d'Arius ? — Et il a ajouté : Celui qui nie que le Fils de Dieu possède l'immortalité, qu'en pensez-vous ?

Tous les évêques ont dit : Qu'il soit considéré comme anathème.

25. Palladius a dit : La nature divine est immortelle.

L'évêque Ambroise a dit : Cela aussi, c'est une ruse, pour ne rien déclarer sans équivoque au sujet du Fils de Dieu. Et moi, je dis : le Fils de Dieu possède l'immortalité en vertu de sa divinité. Ou bien nie qu'il possède l'immortalité.

Palladius a dit : Le Christ est-il mort ou non ?

L'évêque Ambroise a dit : Selon la chair. Notre âme ne meurt pas, car il est écrit : « Ne craignez pas ceux qui peuvent tuer la chair, mais non l'âme [1]. » Alors donc que notre âme ne peut mourir, tu penses que le Christ serait mort dans sa divinité ?

Palladius dixit : Mortis appellationem quare tu horres ?

Ambrosius episcopus dixit : Immo non horreo, sed confi-teor secundum carnem meam. Est enim per quam a mortis uinculis sum reuinctus.

Palladius dixit : Mortem separatio facit spiritus. Nam Christus Filius Dei carnem suscepit et per carnem mortuus est.

Ambrosius episcopus dixit : Scriptum est Christum pas-sum ʲ. Secundum carnem igitur passus est, secundum diui-nitatem habet immortalitatem. Hoc qui negat diabolus est.

Palladius dixit : Ego Arrium non noui.

26. Ambrosius episcopus dixit : Ergo male dixit Arrius, cum etiam Filius Dei habet immortalitatem secundum diuinitatem ? — Et adiecit : Bene dixit an male ?

Palladius dixit : Non consentio.

Ambrosius episcopus dixit : Cui non consentis ? Anathema illi qui non explicat fidei libertatem.

Omnes episcopi dixerunt : Anathema.

Palladius dixit : Dicite quod uultis, eius est diuinitas immortalis.

Ambrosius episcopus dixit : Cuius, Patris an et Fili ? — Et adiecit : Multas ımpietates congessit Arrius, ad alia transeamus.

27. Et recitatum est : « Solum sapientem. »

Palladius dixit : Pater a se sapit, Filius autem sapiens non est.

Ambrosius episcopus dixit : Ergo Filius non est sapiens, cum sit ipse sapientia ? Nam et nos dicimus quia ex Patre natus est Filius.

Eusebius episcopus dixit : Est aliquid tam impium, tam profanum, quam sapientem Filium Dei negare ?

Palladius dixit : Sapientia dicitur ; qui potest sapientiam denegare ?

Ambrosius episcopus dixit : Sapiens est an non ?

Palladius dixit : Sapientia est.

Ambrosius episcopus dixit : Sapiens ergo, cum sit sapientia ?

j. Cf. I Pierre 2, 21

Palladius a dit : Pourquoi le terme de « mort » te fait-il peur ?

L'évêque Ambroise a dit : Je n'en ai pas peur, bien au contraire, je la confesse selon ma chair ; c'est par elle, en effet, que j'ai été délié des liens de la mort.

Palladius a dit : Ce qui fait la mort, c'est la séparation de l'esprit. Car le Christ, Fils de Dieu, a pris la chair et est mort par la chair.

L'évêque Ambroise a dit : Il est écrit que le Christ a souffert ʲ. C'est donc selon la chair qu'il a souffert ; selon la divinité, il possède l'immortalité. Celui qui nie cela est un démon.

Palladius a dit : Je n'ai pas connu Arius.

26. L'évêque Ambroise a dit : Donc, Arius a mal parlé, puisque le Fils de Dieu possède également l'immortalité en vertu de sa divinité ? — Et il a ajouté : A-t-il bien parlé ou mal ?

Palladius a dit : Je ne suis pas d'accord.

L'évêque Ambroise a dit : Avec quoi n'es-tu pas d'accord ? Anathème à celui qui n'explicite pas la foi qui rend libre.

Tous les évêques ont dit : Anathème.

Palladius a dit : Dites ce que vous voulez, sa divinité est immortelle.

L'évêque Ambroise a dit : Laquelle, celle du Père ou celle du Fils également ? — Et il a ajouté : Arius a accumulé beaucoup d'impiétés, passons à autre chose.

27. Et on a lu : « Seul sage. »

Palladius a dit : Le Père est sage par lui-même, le Fils n'est pas sage.

L'évêque Ambroise a dit : Donc le Fils n'est pas sage, alors qu'il est la sagesse en personne ? Car nous aussi, nous disons que du Père est né un Fils.

L'évêque Eusèbe a dit : Y a-t-il rien d'aussi impie, d'aussi sacrilège que de nier que le Fils de Dieu soit sage ?

Palladius a dit : Il est appelé la sagesse ; qui pourrait nier qu'il soit la sagesse ?

L'évêque Ambroise a dit : Est-il sage ou non ?

Palladius a dit : Il est la sagesse.

L'évêque Ambroise a dit : Donc il est sage, puisqu'il est la sagesse ?

Palladius dixit : Secundum Scripturas uobis respondemus.

Ambrosius episcopus dixit : Etiam sapientem, quantum uideo, Filium Dei Palladius negare conatus est.

Eusebius episcopus dixit : Qui negat Dei Filium sapientem anathema sit.

Omnes episcopi dixerunt : Anathema.

28. Eusebius episcopus dixit : Etiam Secundianus ad hoc respondeat.

Cumque Secundianus reticeret, Ambrosius episcopus dixit : Qui tacet integrum uult habere iudicium. — Et adiecit : Solum Patrem bonum cum dicit, Filium confessus est an negauit ?

Palladius dixit : Legimus : *Ego sum pastor bonus* [k], et nos negamus ? Quis non dicat bonum Dei Filium ?

Ambrosius episcopus dixit : Ergo bonus est Christus ?

Palladius dixit : Bonus.

Ambrosius episcopus dixit : Male ergo Arrius de solo Patre dixit, cum etiam Filius Dei Deus bonus sit ?

Palladius dixit : Qui bonum non dicit Christum male dicit.

29. Eusebius episcopus dixit : Christum Deum bonum confiteris ? Nam et ego bonus sum ; mihi dixit : *Euge bone serue* [l], et : *Homo bonus profert de thesauro suo bona* [m].

Palladius dixit : Iam dixi, non uobis respondeo usque ad plenum concilium.

Ambrosius episcopus dixit : Iudaei dicebant : *Bonus est* [n], et Arrius negat quia Filius Dei bonus est.

Palladius dixit : Qui potest hoc negare ?

Eusebius episcopus dixit : Bonus est ergo Deus Filius Dei ?

Palladius dixit : Bonus Pater bonum Filium genuit.

30. Ambrosius episcopus dixit : Et nos bonos genuit, sed non secundum diuinitatem. Deum bonum Dei Filium dicis ?

Palladius dixit : Filius Dei bonus est.

k. Jn 10, 11   l. Matth. 25, 21   m. Lc 6, 45   n. Jn 7, 12

Palladius a dit : Nous vous répondons conformément aux Écritures.

L'évêque Ambroise a dit : A ce que je vois, Palladius a aussi tenté de nier que le Fils de Dieu soit sage.

L'évêque Eusèbe a dit : Celui qui nie que le Fils de Dieu soit sage, qu'il soit anathème.

Tous les évêques ont dit : Anathème.

28. L'évêque Eusèbe a dit : Que Secundianus réponde aussi à cela.

Et comme Secundianus gardait le silence, l'évêque Ambroise a dit : Celui qui se tait veut avoir un procès en règle. — Et il a ajouté : Quand il dit que seul le Père est bon, a-t-il confessé le Fils ou l'a-t-il renié ?

Palladius a dit : Nous lisons : « Je suis le bon pasteur [k] », et nous irions le nier ? Qui refuserait de dire que le Fils de Dieu est bon ?

L'évêque Ambroise a dit : Donc le Christ est bon ?

Palladius a dit : Il est bon.

L'évêque Ambroise a dit : C'est donc à tort qu'Arius a parlé du Père seul, puisque le Fils de Dieu aussi est Dieu bon ?

Palladius a dit : Celui qui ne dit pas que le Christ est bon, parle mal.

29. L'évêque Eusèbe a dit : Tu confesses que le Christ est Dieu bon ? Car moi aussi, je suis bon ; il m'a dit : « C'est bien, bon serviteur [l] », et : « L'homme bon tire de son trésor de bonnes choses [m]. »

Palladius a dit : Je l'ai déjà dit, je ne vous réponds pas jusqu'au concile plénier.

L'évêque Ambroise a dit : Les juifs disaient : « Il est bon [n] », et Arius nie que le Fils de Dieu soit bon.

Palladius a dit : Qui pourrait nier cela ?

L'évêque Eusèbe a dit : Donc il est Dieu bon, le Fils de Dieu ?

Palladius a dit : Le Père qui est bon a engendré un Fils qui est bon.

30. L'évêque Ambroise a dit : Il nous a engendrés bons, nous aussi, mais non selon la divinité. Tu dis que le Fils de Dieu est Dieu bon ?

Palladius a dit : Le Fils de Dieu est bon.

Ambrosius episcopus dixit : Vides ergo quia Christum bonum Filium, non bonum Deum dicis, quod a te quaeritur. — Et adiecit : Bonum Deum Filium Dei qui non confitetur anathema.

Omnes episcopi dixerunt : Anathema.

31. Item recitauit : « Solum potentem. »

Ambrosius episcopus dixit : Potens est Filius Dei an non ?

Palladius dixit : Qui omnia fecit non est potens ? Qui omnia fecit minus potest ?

Ambrosius episcopus dixit : Ergo Arrius male dixit ? — Et adiecit : Vel in hoc damnas Arrium ?

Palladius dixit : Vnde scio qui sit ? Ego pro me respondeo tibi.

Ambrosius episcopus dixit : Filius Dei Dominus potens est ?

Palladius dixit : Potens.

Ambrosius episcopus dixit : Deus bonus est ?

Palladius dixit : Iam dixi Filium Dei unigenitum esse potentem.

Ambrosius episcopus dixit : Dominum potentem ?

Palladius dixit : Filium Dei potentem.

32. Ambrosius episcopus dixit : Potentes etiam homines sunt. Scriptum est : *Quid gloriaris in malitia, qui potens es iniquitate* o, et alibi : *Cum infirmor, tunc potens sum* p. Illud a te requiro ut confitearis Dominum potentem esse Dei Filium Christum, aut si negas, astrue. Nam qui unam potentiam dico Patris et Fili, sic Filium Dei dico potentem sicut et Patrem. Dubitas ergo confiteri potentem esse Dominum Dei Filium ?

Palladius dixit : Iam dixi, secundum disputationem prout possumus respondemus uobis. Vos enim soli uultis esse iudices, uos litigatores esse uultis. Non uobis respondemus nunc, sed in concilio generali et pleno respondemus uobis.

Ambrosius episcopus dixit : Anathema illi qui negat Dominum potentem Christum.

o. Ps. 51, 3   p. II Cor. 12, 10

L'évêque Ambroise a dit : Donc tu vois que tu déclares le Christ Fils bon, mais pas Dieu bon, comme on te le demande. — Et il a ajouté : Celui qui ne confesse pas que le Fils de Dieu est Dieu bon, qu'il soit anathème.

Tous les évêques ont dit : Anathème.

31. On a lu également : « Seul puissant. »

L'évêque Ambroise a dit : Le Fils de Dieu est-il puissant ou non ?

Palladius a dit : Celui qui a fait toutes choses n'est pas puissant ? Celui qui a fait toutes choses ne peut pas grand-chose ?

L'évêque Ambroise a dit : Donc Arius a mal parlé ? — Et il a ajouté : Sur ce point au moins, tu condamnes Arius ?

Palladius a dit : Comment saurais-je qui c'est ? Je te réponds pour moi.

L'évêque Ambroise a dit : Le Fils de Dieu est-il Seigneur puissant ?

Palladius a dit : Il est puissant.

L'évêque Ambroise a dit : Il est Dieu bon ?

Palladius a dit : J'ai déjà dit que le Fils unique-engendré de Dieu est puissant.

L'évêque Ambroise a dit : Seigneur puissant ?

Palladius a dit : Fils de Dieu puissant.

32. L'évêque Ambroise a dit : Puissants, des hommes le sont aussi. Il est écrit : « Pourquoi tires-tu gloire de ta méchanceté, toi que l'iniquité rend puissant [o] », et ailleurs : « Quand je suis faible, c'est alors que je suis puissant [p]. » Ce que je te demande, c'est de confesser que le Christ, Fils de Dieu, est Seigneur puissant ; ou bien si tu nies, donne des preuves. Car moi qui dis que la puissance du Père et du Fils est unique, je dis que le Fils de Dieu est puissant comme l'est aussi le Père. Tu hésites donc à confesser que le Fils de Dieu est Seigneur puissant ?

Palladius a dit : Je l'ai déjà dit, dans un débat ouvert, nous répondrons le mieux possible. Car vous voulez être seuls à juger, vous voulez un procès. Nous ne vous répondrons pas maintenant, mais nous vous répondrons dans un concile général et plénier.

L'évêque Ambroise a dit : Anathème à celui qui nie que le Christ soit Seigneur puissant.

Scolies ariennes.   23

Omnes episcopi dixerunt : Anathema.

33. Item recitatum est : « Solum potentem, omnium iudicem. »

Palladius dixit : Omnium iudicem Filium Dei, est qui dat, est qui accipit.

Ambrosius episcopus dixit : Per gratiam dedit aut per naturam ? Et hominibus datur iudicium.

Palladius dixit : Patrem maiorem dicis aut non ?

Ambrosius episcopus dixit : Postea respondebo tibi.

Palladius dixit : Ego tibi non respondeo si non respondes mihi.

Eusebius episcopus dixit : Nisi impietatem Arri ex ordine damnaueris, interrogandi tibi non dabimus facultatem.

Palladius dixit : Non tibi respondeo.

Ambrosius episcopus dixit : Filius Dei, sicut lectum est, iudex est aut non ?

Palladius dixit : Si non respondes mihi, ego tibi ut impio non respondeo.

34. Ambrosius episcopus dixit : Habes professionem meam, qua respondebo tibi. Interim perlegatur epistula Arri. — Et adiecit : In epistula Arri inuenies et hoc sacrilegium quod tu moliris.

Palladius dixit : Ego quae interrogo non respondetis ?

Eusebius episcopus dixit : Filium Dei Deum aequalem dicimus.

Palladius dixit : Tu iudex es, tui exceptores hic sunt.

Ambrosius episcopus dixit : Scribant tui qui uolunt.

35. Palladius dixit : Pater maior est aut non ?

Eusebius episcopus dixit : Secundum diuinitatem aequalis est Filius Patri. Habes in Euangelio quod iudaei persequebantur eum, *quia non solum soluebat sabbatum, sed et Patrem suum dicebat Deum, aequalem se faciens Deo* q. Quod ergo impii persequentes confessi sunt, nos credentes negare non possumus.

Ambrosius episcopus dixit : Et alibi habes : *Qui cum esset*

q. Jn 5, 18

Tous les évêques ont dit : Anathème.

33. On a lu également : « Seul puissant, juge de tous. »

Palladius a dit : Le Fils de Dieu est juge de tous, il y a celui qui donne, il y a celui qui reçoit.

L'évêque Ambroise a dit : Est-ce par grâce qu'il a donné ou par nature ? Aux hommes également, il est donné de juger.

Palladius a dit : Tu dis que le Père est plus grand ou non ?

L'évêque Ambroise a dit : Je te répondrai plus tard.

Palladius a dit : Je ne te réponds pas si tu ne me réponds pas.

L'évêque Eusèbe a dit : Si tu ne condamnes pas l'impiété d'Arius point par point, nous ne te donnerons pas le droit de poser des questions.

Palladius a dit : Je ne te réponds pas.

L'évêque Ambroise a dit : Le Fils de Dieu, ainsi qu'on l'a lu, est juge ou non ?

Palladius a dit : Si tu ne me réponds pas, je ne te réponds pas, car tu es un impie.

34. L'évêque Ambroise a dit : Tu auras ma profession de foi, par laquelle je te répondrai. En attendant, qu'on continue à lire la lettre d'Arius. — Et il a ajouté : Dans la lettre d'Arius, tu trouveras aussi ce sacrilège que tu médites.

Palladius a dit : Aux questions que je pose, vous ne répondez pas ?

L'évêque Eusèbe a dit : Nous disons que le Fils de Dieu est l'égal de Dieu.

Palladius a dit : C'est toi qui es juge, ce sont tes sténographes qui sont ici.

L'évêque Ambroise a dit : Tes gens n'ont qu'à prendre des notes, s'ils veulent.

35. Palladius a dit : Le Père est plus grand ou non ?

L'évêque Eusèbe a dit : Selon la divinité, le Fils est l'égal du Père. Tu as dans l'Évangile que les juifs le persécutaient « parce que non seulement il violait le sabbat, mais qu'il appelait aussi Dieu son Père, se faisant l'égal de Dieu ᵃ ». Ce que les impies qui le persécutaient ont confessé, nous, les croyants, nous ne pouvons le nier.

L'évêque Ambroise a dit : Et tu as ailleurs : « Alors qu'il

*in forma Dei, non rapinam arbitratus est esse se aequalem Deo,
sed semetipsum exinaniuit, formam serui accipiens, in simili-
tudinem hominum factus, obaudiens usque ad mortem* [r]. — Et
adiecit : Vides quia in forma Dei aequalis est ? *Et formam,
inquit, serui accepit.* In quo ergo minor est ? Secundum formam utique serui, non Dei.

Eusebius episcopus dixit : Sicut in forma serui constitutus inferior seruo non fuit, ita in forma Dei constitutus
inferior Deo esse non potuit.

36. Ambrosius episcopus dixit : Aut dic quia secundum
diuinitatem minor est Filius Dei.

Palladius dixit : Pater maior est.

Ambrosius episcopus dixit : Secundum carnem.

Palladius dixit : *Qui me misit maior me est* [s]. Caro missa
est a Deo, aut Filius Dei ?

Ambrosius episcopus dixit : Falsari a uobis scripturas
diuinas hodie comprobamus. Sic enim scriptum est : *Pacem
meam do uobis, pacem meam relinquo uobis, non turbetur cor
uestrum, non quomodo hic mundus dat et ego do uobis. Si dili-
geretis me, gauderetis quia dixi : « Vado ad Patrem », quia
Pater maior me est* [t]. Non dixit : « Qui me misit maior me
est. »

Palladius dixit : Pater maior est.

Ambrosius dixit : Anathema illi qui diuinis scripturis addit
aliquid aut minuit.

Omnes episcopi dixerunt : Anathema.

37. Palladius dixit : Pater maior est Filio.

Ambrosius episcopus dixit : Secundum carnem Filius
minor est Patre, secundum diuinitatem aequalis est Patri.
Legitur aequalem Dei Filium Patri, sicut iam et prolata
exemplaria testantur. Secundum carnem autem quid miraris
minorem, cum dixerit se seruum [u], cum dixerit se lapidem [v],
cum dixerit se uermem [w], cum dixerit se minorem angelis,

---

r. Phil. 2, 6-7.8   s. Jn 14, 28   t. Jn 14, 27-28   u. Cf.
Ps. 115, 16   v. Cf. Ps. 117, 22   w. Cf. Ps. 21, 7

était dans la condition de Dieu, il n'a pas considéré comme usurpation le fait d'être l'égal de Dieu. Mais il s'est anéanti lui-même, prenant la condition de serviteur, fait à la ressemblance des hommes, obéissant jusqu'à la mort[r] . » — Et il a ajouté : Tu vois que « dans la condition de Dieu », il est son « égal » ? « Et il a pris », dit le texte, « la condition de serviteur. » En quoi donc est-il inférieur ? Dans la condition de serviteur, évidemment, non de Dieu.

L'évêque Eusèbe a dit : De même que se trouvant dans la condition de serviteur, il n'a pas été inférieur à un serviteur, de même, se trouvant dans la condition de Dieu, il n'a pas pu être inférieur à Dieu.

36. L'évêque Ambroise a dit : Ou bien dis que selon la divinité, le Fils de Dieu est inférieur.

Palladius a dit : Le Père est plus grand.

L'évêque Ambroise a dit : Selon la chair.

Palladius a dit : « Celui qui m'a envoyé est plus grand que moi[s]. » C'est la chair qui a été envoyée par Dieu, ou bien le Fils de Dieu ?

L'évêque Ambroise a dit : Vous falsifiez les Écritures, nous en avons aujourd'hui la preuve. Il est écrit, en effet : « Je vous donne ma paix, je vous laisse ma paix, que votre cœur ne soit pas troublé, ce n'est pas comme ce monde la donne que moi, je vous la donne. Si vous m'aimiez, vous vous réjouiriez de ce que j'ai dit : « Je vais au Père », parce que le Père est plus grand que moi[t]. » Il n'a pas dit : « Celui qui m'a envoyé est plus grand que moi. »

Palladius a dit : Le Père est plus grand.

L'évêque Ambroise a dit : Anathème à celui qui ajoute ou qui retranche quelque chose aux divines Écritures.

Tous les évêques ont dit : Anathème.

37. Palladius a dit : Le Père est plus grand que le Fils.

L'évêque Ambroise a dit : Selon la chair, le Fils est inférieur au Père ; selon la divinité, il est l'égal du Père. On lit que le Fils de Dieu est l'égal du Père, comme les textes cités précédemment en témoignent. Mais selon la chair, pourquoi t'étonner qu'il soit inférieur, alors qu'il a dit qu'il était un « serviteur[u] », alors qu'il a dit qu'il était une « pierre[v] », alors qu'il a dit qu'il était un « ver[w] », alors qu'il a dit qu'il

quia scriptum est : *Minorasti eum paulo minus ab angelis* [x].

Palladius dixit : Impie uos asserentes uideo. Non uobis respondemus sine auditoribus.

Sabinus episcopus dixit : Nemo ab eo requirat sententiam qui iam innumeris sententiis blasfemauit.

Palladius dixit : Non uobis respondemus.

38. Sabinus episcopus dixit : Ab omnibus iam damnatus est Palladius. Arri blasfemiae multo minores sunt quam Palladi. — Et cum Palladius surrexisset atque foras exire uoluisset : Ideo surgit Palladius quoniam apertis testimoniis Scripturarum conuincendum esse se cernit, sicut iam conuictus est. Scit enim lectum esse secundum diuinitatem quod aequalis Patri Filius sit. Accipiat autem quia Filius Dei secundum diuinitatem maiorem non habet. Scriptum est : *Abrahae cum repromisisset Deus, quoniam nullum alium habebat maiorem per quem iuraret, iurauit per semetipsum* [y]; uides igitur scriptum quia nullum alium maiorem habet per quem iuraret. Filius autem est de quo dicitur quoniam ipse uisus est Abrahae; unde ait : *Abraham diem meum uidit et gauisus est* [z].

Palladius dixit : Pater maior est.

Eusebius episcopus dixit : Quando ut Deus locutus, maiorem non habuit, quando ut homo locutus, maiorem habuit.

39. Palladius dixit : Pater genuit Filium, Pater misit Filium.

Ambrosius episcopus dixit : Anathema ei qui negat secundum diuinitatem Filium aequalem Patri.

Omnes episcopi dixerunt : Anathema.

Palladius dixit : Filius subiectus Patri [a], Filius praecepta Patris custodit [b].

Ambrosius episcopus dixit : Subiectus secundum carnis rationem. Ceterum et ipse meministi quia legisti : *Nemo uenit ad me nisi quem Pater attraxerit* [c].

Sabinus episcopus dixit : Dicat si secundum diuinitatem subiectus est Patri an secundum incarnationem.

x. Ps. 8, 6   y. Hébr. 6, 13   z. Jn 8, 56   a. Cf. I Cor. 15, 28   b. Cf. Jn 15, 10   c. Jn 6, 44

était inférieur aux anges, puisqu'il est écrit : « Tu l'as abaissé un peu au-dessous des anges [x]. »

Palladius a dit : Je vois que vous soutenez une thèse impie. Nous ne vous répondrons pas en l'absence d'auditeurs.

L'évêque Sabinus a dit : Que personne ne demande l'opinion de celui qui a déjà prononcé des paroles blasphématoires sans nombre.

Palladius a dit : Nous ne vous répondrons pas.

38. L'évêque Sabinus a dit : Tous ont déjà condamné Palladius. Les blasphèmes d'Arius sont bien moins graves que ceux de Palladius. — Et alors que Palladius s'était levé et avait voulu sortir : Si Palladius se lève, c'est parce qu'il voit bien qu'il va être confondu par des preuves scripturaires évidentes, de la même façon qu'il a déjà été confondu. Car on a lu, il le sait bien, que selon la divinité, le Fils est l'égal du Père. Qu'il apprenne, d'autre part, que le Fils de Dieu, selon la divinité, n'a pas quelqu'un de plus grand. Il est écrit : « Quand il fit sa promesse à Abraham, Dieu, comme il n'avait pas quelqu'un d'autre plus grand par qui jurer, jura par lui-même [y] » ; tu vois donc qu'il est écrit qu'il n'a pas quelqu'un d'autre plus grand par qui jurer. Or, c'est le Fils dont il est dit qu'il est apparu à Abraham ; c'est pourquoi il dit : « Abraham a vu mon jour et il s'est réjoui [z]. »

Palladius a dit : Le Père est plus grand.

L'évêque Eusèbe a dit : Quand il a parlé comme Dieu, il n'a pas eu quelqu'un de plus grand ; quand il a parlé comme homme, il a eu quelqu'un de plus grand.

39. Palladius a dit : Le Père a engendré le Fils, le Père a envoyé le Fils.

L'évêque Ambroise a dit : Anathème à celui qui nie que selon la divinité, le Fils soit l'égal du Père.

Tous les évêques ont dit : Anathème.

Palladius a dit : Le Fils est soumis au Père [a], le Fils garde les commandements du Père [b].

L'évêque Ambroise a dit : Il est soumis dans l'ordre de la chair. Du reste, tu te souviens, toi aussi, d'avoir lu : « Personne ne vient à moi, sinon celui que le Père attire [c]. »

L'évêque Sabinus a dit : Qu'il dise s'il est soumis au Père selon la divinité ou selon l'incarnation.

40. Palladius dixit : Ergo Pater maior est.

Ambrosius episcopus dixit : Et alibi scriptum est : *Fidelis Deus per quem uocati estis in communionem Fili eius* [d]. Ego dico Patrem maiorem esse secundum carnis assumptionem quam suscepit Filius Dei, non secundum diuinitatem.

Palladius dixit : Quae enim comparatio est Fili Dei ? Et caro potest dicere : « Deus me maior est » ? Caro loquebatur aut diuinitas, quia ibi erat caro ?

Ambrosius episcopus dixit : Caro sine anima non loquitur.

Eusebius episcopus dixit : Deus loquebatur in carne secundum carnem quando dicebat : *Quid me persequimini hominem* [e] ? Quis hoc dixit ?

Palladius dixit : Filius Dei.

Ambrosius episcopus dixit : Deus ergo Filius Dei est secundum diuinitatem et homo est secundum carnem.

Palladius dixit : Carnem suscepit.

Eusebius episcopus dixit : Ergo humanis uerbis usus est.

Palladius dixit : Carnem humanam suscepit.

41. Ambrosius episcopus dixit : Dicat quia non secundum diuinitatem Apostolus dixit subiectum, sed secundum carnem ; scriptum est enim : *Humiliauit semetipsum factus obaudiens usque ad mortem* [f]. In quo ergo mortem gustauit [g] ?

Palladius dixit : Quia se humiliauit.

Ambrosius episcopus dixit : Non diuinitas, sed caro humiliata est atque subiecta. — Et adiecit : « Creaturam perfectam » bene dixit Arrius an male dixit ?

Palladius dixit : Ego tibi non respondeo auctoritatem non habenti.

Ambrosius episcopus dixit : Profitere quod uis.

Palladius dixit : Non respondeo uobis.

42. Sabinus episcopus dixit : Pro Arrio non respondes ? Ad interrogata non respondes ?

Palladius dixit : Pro Arrio ego non respondi.

Sabinus episcopus dixit : Vsque adeo respondisti ut Filium Dei negares potentem, negares uerum Deum.

d. I Cor. 1, 9   e. Jn 8, 40   f. Phil. 2, 8   g. Cf. Hébr. 2, 9

40. Palladius a dit : Donc le Père est plus grand.

L'évêque Ambroise a dit : Il est aussi écrit ailleurs : « Il est fidèle, Dieu par qui vous avez été appelés à la communion de son Fils [d]. » Moi, je dis que le Père est plus grand si on considère que le Fils de Dieu a assumé la chair qu'il a prise, non si on considère la divinité.

Palladius a dit : Quelle est, en effet, la comparaison que fait le Fils de Dieu ? Et la chair peut-elle dire : « Dieu est plus grand que moi » ? Est-ce la chair qui parlait ou bien la divinité, parce que là, elle était chair ?

L'évêque Ambroise a dit : La chair ne parle pas sans l'âme.

L'évêque Eusèbe a dit : Dieu parlait dans la chair selon la chair quand il disait : « Pourquoi persécutez-vous l'homme que je suis [e] ? » Qui a dit cela ?

Palladius a dit : Le Fils de Dieu.

L'évêque Ambroise a dit : Donc le Fils de Dieu est Dieu selon la divinité, et il est homme selon la chair.

Palladius a dit : Il a pris la chair.

L'évêque Eusèbe a dit : Donc il s'est servi de mots humains.

Palladius a dit : Il a pris une chair humaine.

41. L'évêque Ambroise a dit : Qu'il dise que l'Apôtre n'a pas dit qu'il était soumis selon la divinité, mais selon la chair, car il est écrit : « Il s'est humilié lui-même, se faisant obéissant jusqu'à la mort [f]. » En quoi donc a-t-il « goûté la mort [g] » ?

Palladius a dit : Parce qu'il s'est humilié.

L'évêque Ambroise a dit : Ce n'est pas la divinité, mais la chair qui a été humiliée et soumise. — Et il a ajouté : Arius a-t-il eu raison de l'appeler « créature parfaite » ou a-t-il eu tort ?

Palladius a dit : Je ne te réponds pas, car tu n'as pas autorité.

L'évêque Ambroise a dit : Déclare ce que tu veux.

Palladius a dit : Je ne vous réponds pas.

42. L'évêque Sabinus a dit : Tu ne réponds pas à propos d'Arius ? Tu ne réponds pas aux questions ?

Palladius a dit : Je n'ai pas répondu à propos d'Arius.

L'évêque Sabinus a dit : Tu as répondu jusqu'à nier que le Fils de Dieu soit puissant, jusqu'à nier qu'il soit Dieu véritable.

Palladius dixit : Ego te iudicem non patior quem impietatis arguo.

Sabinus episcopus dixit : Ipse nos coegisti sedere.

Palladius dixit : Mandaui ut sederetis ut arguerem uos. Quare subripuistis imperatori ? Vt concilium plenum non esset obstrepistis.

Ambrosius episcopus dixit : Cum Arri impietates legerentur, et impietas tua pariter condemnata est quae consensit arrianae impietati. Placuit tibi in media epistula lectionem proponere quam uolebas ; responsum tibi est quemadmodum Patrem maiorem dixerit Filius Dei, eo quod secundum carnis susceptionem Filius maiorem Patrem dixerit. Proposuisti etiam subiectum esse Filium Dei, et in hoc responsum tibi est quia subiectus Filius Dei secundum carnem est, non secundum diuinitatem. Habes professionem nostram, nunc audi cetera. Quoniam tibi responsum est, responde ad ea quae leguntur.

43. Palladius dixit : Non tibi respondeo, quia quaecumque ego dixi non sunt scripta. Vestra tantummodo scribuntur uerba, non uobis respondeo.

Ambrosius episcopus dixit : Omnia uides scribi. Denique quae scripta sunt abundant ad tuae impietatis indicium. — Et adiecit : Creaturam dicis Christum an negas ?

Palladius dixit : Non respondeo.

Ambrosius episcopus dixit : Ante horam citra actam, cum legeretur quia Arrius dixit creaturam Christum, negasti. Oblatum est tibi ut damnares perfidiam, noluisti. Vel nunc dic utrum natus ex Patre Christus sit an creatus.

Palladius dixit : Si uultis, exceptores nostri ueniant et sic totum excipiatur.

Sabinus episcopus dixit : Adducat suos exceptores.

Palladius dixit : Pleno concilio uobis respondebimus.

44. Ambrosius episcopus dixit : Attalus in tractatu concilii Nicaeni suscripsit. Neget factum, quia uenit ad concilium. Dicat hodie utrum suscripserit in tractatu concilii

Palladius a dit : Je ne t'admets pas comme juge, toi que je convaincs d'impiété.

L'évêque Sabinus a dit : C'est toi qui nous a contraints à siéger.

Palladius a dit : Je vous ai invités à siéger pour vous confondre. Pourquoi avez-vous intrigué auprès de l'empereur ? Vous vous êtes opposés à ce qu'il y ait un concile plénier.

L'évêque Ambroise a dit : Quand on lisait les impiétés d'Arius, ton impiété a aussi été condamnée en même temps, car elle s'est trouvée d'accord avec l'impiété d'Arius. Tu as jugé bon, au milieu de la lettre, de mettre en avant le texte que tu voulais ; on t'a répondu de quelle manière le Fils de Dieu a dit que le Père était plus grand : c'est en raison de l'incarnation que le Fils a dit que le Père était plus grand. Tu as avancé également que le Fils de Dieu était « soumis », et sur ce point, on t'a répondu que le Fils de Dieu est soumis selon la chair, non selon la divinité. Tu as notre profession de foi, maintenant écoute le reste. Puisqu'on t'a répondu, réponds à propos de ce qui est lu.

43. Palladius a dit : Je ne te réponds pas, parce que tout ce que je dis n'est pas écrit. On écrit seulement vos paroles, je ne vous réponds pas.

L'évêque Ambroise a dit : Tu vois bien qu'on écrit tout. D'ailleurs, ce qui est écrit suffit amplement à faire la preuve de ton impiété. — Et il a ajouté : Tu dis que le Christ est une créature ou tu le nies ?

Palladius a dit : Je ne réponds pas.

L'évêque Ambroise a dit : Il y a moins d'une heure, quand on lisait qu'Arius a dit que le Christ était une « créature », tu l'as nié. On t'a offert de condamner l'hérésie, tu n'as pas voulu. Maintenant du moins, dis si le Christ est né du Père ou s'il a été créé.

Palladius a dit : Si vous voulez, que nos sténographes viennent, et qu'ainsi tout soit noté.

L'évêque Sabinus a dit : Qu'il fasse venir ses sténographes.

Palladius a dit : Nous vous répondrons au concile plénier.

44. L'évêque Ambroise a dit : Attalus a souscrit le symbole du concile de Nicée. Qu'il nie le fait, puisqu'il est venu au concile. Qu'il dise aujourd'hui s'il a souscrit le symbole

Nicaeni an non. — Cumque Attalus reticeret, Ambrosius episcopus dixit : Attalus presbyter, licet inter arrianos sit, tamen habet auctoritatem loquendi. Libere profiteatur utrum suscripserit in tractatu concilii Nicaeni sub episcopo suo Agripino an non.

Attalus dixit : Iam dixisti me aliquotiens damnatum. Non tibi respondeo.

45. Palladius dixit : Modo uultis tractatum haberi plenum an non ?

Cromatius presbyter dixit : Creaturam non negasti, potentem negasti. Omnia negasti quae fides catholica profitetur.

Sabinus episcopus dixit : Testes sumus nos Attalum suscripsisse in concilio Nicaeno et nunc nolle respondere. Quid cunctis uidetur ?

Cumque Attalus reticeret, Ambrosius episcopus dixit : Dicat utrum suscripserit in tractatu concilii Nicaeni aut non.

46. Palladius dixit : Exceptor uester et noster stent et omnia scribant.

Valerianus episcopus dixit : Iam quae dixisti et negasti scripta sunt omnia.

Palladius dixit : Dicite quod uultis.

Ambrosius episcopus dixit : Quia saepius uult damnari Palladius, qui iam frequenter damnatus est, lego epistulam Arri, quam ille noluit condemnare. Profitemini quid uobis uidetur.

Omnes episcopi dixerunt : Legatur.

Et recitata est : « Natum autem non putatiue », et reliqua.

Ambrosius episcopus dixit : Respondi tibi de maiore, respondi tibi et de subiecto. Nunc ipse responde.

47. Palladius dixit : Non respondebo nisi auditores ueniant post dominicam diem.

Ambrosius episcopus dixit : Veneras tractaturus, sed posteaquam obiectam tibi uidisti Arri epistulam, quam damnare noluisti, asserere autem non potes, idcirco nunc refugis et cauillaris. Plenarium ipsum recito ad singula. Dic

du concile de Nicée ou non. — Et comme Attalus gardait le silence, l'évêque Ambroise a dit : Le presbytre Attalus, bien qu'il soit parmi les ariens, a cependant l'autorisation de parler. Qu'il déclare en toute liberté s'il a souscrit le symbole de Nicée à la suite de son évêque Agrippinus ou non.

Attalus a dit : Tu as déjà dit que j'avais été condamné plusieurs fois. Je ne te réponds pas.

45. Palladius a dit : Vous voulez maintenant qu'on discute la question à fond ou non ?

Le presbytre Cromatius a dit : Tu n'as pas nié qu'il soit une créature, tu as nié qu'il soit puissant. Tu as nié tout ce que la foi catholique professe.

L'évêque Sabinus a dit : Nous sommes témoins qu'Attalus a souscrit le concile de Nicée et refuse maintenant de répondre. Quel est votre avis à tous ?

Et comme Attalus gardait le silence, l'évêque Ambroise a dit : Qu'il dise s'il a souscrit le symbole du concile de Nicée ou non.

46. Palladius a dit : Que votre sténographe et le nôtre soient là et écrivent tout.

L'évêque Valérien a dit : Ce que tu as dit et ce que tu as nié, tout est déjà écrit.

Palladius a dit : Dites ce que vous voulez.

L'évêque Ambroise a dit : Puisque Palladius veut encore être condamné davantage, alors qu'il a déjà été condamné plusieurs fois, je lis la lettre d'Arius, qu'il n'a pas voulu condamner. Dites quel est votre avis.

Tous les évêques ont dit : Qu'on la lise.

Et on a lu : « Né non pas en apparence ... », et cetera.

L'évêque Ambroise a dit : Je t'ai répondu à propos de « plus grand », je t'ai répondu aussi à propos de « soumis ». A toi de répondre maintenant.

47. Palladius a dit : Je ne répondrai que si des auditeurs viennent après le jour du dimanche.

L'évêque Ambroise a dit : Tu étais venu pour discuter, mais quand tu as vu qu'on t'objectait la lettre d'Arius, que tu n'as pas voulu condamner et que tu es incapable de défendre, maintenant tu te dérobes et tu chicanes. Je cite le texte mot à mot pour chaque point. Dis s'il te semble que

utrum Christus creatus uideatur, aut « fuit quando non fuit » Christus, an uero semper fuit unigenitus Dei Filius. Cum Arri epistulam audieris, aut damna aut proba.

48. Palladius dixit : Cum impietatis te argui, te iudice non utor. Transgressor es.

Sabinus episcopus dixit : Quas impietates obicias fratri nostro et consacerdoti Ambrosio dicito.

Palladius dixit : Iam uobis dixi, pleno concilio respondebo et praesentibus auditoribus.

Ambrosius episcopus dixit : In consessu fratrum meorum cupio confutari et redargui. Quae igitur impie dixerim dicito. Sed impius tibi uideor qui pietatem astruo.

Sabinus episcopus dixit : Ergo impius tibi uidetur qui Arri blasfemias arguit ?

49. Palladius dixit : Ego non negaui bonum Filium Dei.

Ambrosius episcopus dixit : Dicis ergo Christum Deum bonum ?

Palladius dixit : Non uobis respondeo.

Valerianus episcopus dixit : Nolite multum adigere Palladium, non potest uera uestra simpliciter confiteri. Ipsius enim conscientia duplici blasfemia confusa est, nam a fotiniacis est ordinatus et cum ipsis est damnatus ; et nunc plenius damnabitur.

Palladius dixit : Hoc proba.

Sabinus episcopus dixit : Nec aliter poterat Christum <Deum> uerum negare nisi auctores suos sequeretur.

50. Ambrosius episcopus dixit : Obiecisti me esse impium, hoc proba.

Palladius dixit : Expositionem uestram afferemus. Cum attulerimus, tunc disputatio habebitur.

Ambrosius episcopus dixit : Damna impietatem Arri.

Cumque reticeret Palladius, Eusebius episcopus dixit : Superfluis immoramur. Tot impietates Arri Palladius noluit

le Christ a été créé, ou s'il « fut un temps où » le Christ
« n'existait pas », ou si, au contraire, le Fils unique-engendré
de Dieu a toujours existé. Après avoir entendu la lettre
d'Arius, ou bien condamne, ou bien approuve.

48. Palladius a dit : Alors que je t'ai convaincu d'impiété,
je ne te reconnais pas comme juge. Tu es un prévaricateur.

L'évêque Sabinus a dit : Dis quelles impiétés tu reproches
à Ambroise, notre frère et collègue.

Palladius a dit : Je vous l'ai déjà dit, je répondrai au
concile plénier et en présence d'auditeurs.

L'évêque Ambroise a dit : C'est dans l'assemblée de mes
frères que je désire être réfuté et confondu. Dis donc ce que
j'ai dit de façon impie. Mais je te parais impie, alors que je
défends la piété.

L'évêque Sabinus a dit : Donc il te paraît impie, celui qui
réfute les blasphèmes d'Arius ?

49. Palladius a dit : Je n'ai pas nié que le Fils de Dieu fût
bon.

L'évêque Ambroise a dit : Donc tu dis que le Christ est
Dieu bon ?

Palladius a dit : Je ne vous réponds pas.

L'évêque Valérien a dit : N'insistez pas trop auprès de
Palladius, il est incapable de confesser sans détour votre
vérité. Il a, en effet, la conscience chargée d'un double blasphème, car il a été ordonné par les photiniens et il a été condamné avec eux ; et maintenant, il va être condamné de
façon plus complète.

Palladius a dit : Prouve-le.

L'évêque Sabinus a dit : Il ne pourrait pas nier que le
Christ soit Dieu véritable autrement qu'en suivant ses
maîtres.

50. L'évêque Ambroise a dit : Tu as objecté que j'étais un
impie, prouve-le.

Palladius a dit : Nous apporterons votre profession de foi.
Quand nous l'aurons apportée, alors on discutera.

L'évêque Ambroise a dit : Condamne l'impiété d'Arius.

Et comme Palladius gardait le silence, l'évêque Eusèbe a
dit : Nous nous attardons à des détails sans intérêt. Les nombreuses impiétés d'Arius, Palladius n'a pas voulu les condam-

condemnare, immo potius asserendo confessus est. Hunc qui non damnat similis illius est et hereticus iure dicendus est.

Omnes episcopi dixerunt : A nobis omnibus anathema sit Palladio.

51. Ambrosius episcopus dixit : Acquiescis ut cetera legantur Arri, Palladi ?

Palladius dixit : Date auditores, ueniant et ex utraque parte exceptores. Non potestis esse iudices si auditores non habuerimus et ex utraque parte uenerint qui audiant. Non uobis respondemus.

Ambrosius episcopus dixit : Quos quaeritis auditores ?

Palladius dixit : Sunt hic honorati multi.

Sabinus episcopus dixit : Post tot blasfemias auditores petis ?

Ambrosius episcopus dixit : Sacerdotes de laicis iudicare debent, non laici de sacerdotibus. Sed tamen quos iudices petas dicito.

Palladius dixit : Auditores ueniant.

Cromatius presbyter dixit : Salua condemnatione sacerdotali † quam et Palladi † etiam in pleno legantur.

52. Palladius dixit : Non permittuntur loqui. Auditores ueniant et ex utraque parte exceptores et respondent uobis hi in concilio generali.

Ambrosius episcopus dixit : Etsi in multis impietatibus deprehensus sit, erubescimus tamen ut uideatur qui sacerdotium sibi uindicat a laicis esse damnatus. Ac per hoc quoniam et in hoc ipso damnandus est qui laicorum expectat sententiam, cum magis de laicis sacerdotes debeant iudicare, iuxta ea quae hodie audiuimus Palladium profitentem et iuxta ea quae condemnare noluit, pronuntio illum sacerdotio indignum et carendum, ut in loco eius catholicus ordinetur.

Omnes episcopi dixerunt : Anathema Palladio.

53. Ambrosius episcopus dixit : Imperator clementissimus

ner, bien au contraire, il les a plutôt confessées en les soute-
nant. Celui qui ne le condamne pas est pareil à lui et doit
être à bon droit déclaré hérétique.

Tous les évêques ont dit : Anathème à Palladius de notre
part à tous.

51. L'évêque Ambroise a dit : Tu es d'accord pour qu'on
lise les autres affirmations d'Arius, Palladius ?

Palladius a dit : Admettez des auditeurs, et que viennent
de chaque côté des sténographes. Vous ne pouvez être juges
si nous n'avons pas d'auditeurs et s'il ne vient pas de chaque
côté des gens pour assister aux débats. Nous ne vous répondons pas.

L'évêque Ambroise a dit : Qui voulez-vous avoir comme
auditeurs ?

Palladius a dit : Il y a ici beaucoup de gens de condition.

L'évêque Sabinus a dit : Après tant de blasphèmes, tu
réclames des auditeurs ?

L'évêque Ambroise a dit : Ce sont les prêtres qui doivent
juger les laïcs, non les laïcs les prêtres. Mais dis-nous quand
même quels juges tu réclames.

Palladius a dit : Que viennent des auditeurs.

Le presbytre Cromatius a dit : ... (*texte corrompu, probablement lacuneux*).

52. Palladius a dit : Ils ne sont pas autorisés à parler.
Que viennent des auditeurs et, de chaque côté, des sténographes, et ces gens vous répondront dans un concile général.

L'évêque Ambroise a dit : Bien qu'il ait été surpris à pro-
férer de nombreuses impiétés, nous sommes gênés malgré
tout à l'idée que celui qui prétend être prêtre paraisse avoir
été condamné par des laïcs. Et par conséquent, attendu
qu'il devrait également être condamné pour ce fait même
qu'il attend la sentence de laïcs, alors que ce sont plutôt les
prêtres qui doivent juger les laïcs, considérant ce que nous
avons entendu aujourd'hui Palladius déclarer et considérant ce qu'il a refusé de condamner, je prononce qu'il est
indigne du sacerdoce et qu'il doit en être privé, pour qu'à
sa place soit ordonné un catholique.

Tous les évêques ont dit : Anathème à Palladius.

53. L'évêque Ambroise a dit : L'empereur très clément

et christianus sacerdotum iudicio causam ut ipsi essent
altercationis < interpretes detulit : « Si obortae altercationis interpretes > ipsos », inquit, « constituissemus. » Quoniam igitur nobis iudicium uidetur esse delatum interpretes
esse Scripturarum, condemnemus Palladium, quia impii
Arri noluit damnare sententiam et quia ipse Dei Filium
sempiternum et cetera quae actis haerent negauit. Ergo
anathema habeatur.

Omnes episcopi dixerunt : Omnes condemnamus eum,
anathema habeatur.

54. Ambrosius episcopus dixit : Quoniam omnes con-
sistunt uiri christiani et Deo probati fratres et consacerdotes
nostri, dicat unusquisque quod sibi uidetur.

Valerianus episcopus dixit : Mihi quod uidetur, qui Arrium
defendit arrianus est, qui blasfemias ipsius non condemnat
ipse blasfemus est. Ideoque huiusmodi hominem a consortio
sacerdotum censeo esse alienum.

Palladius dixit : Coepistis ludere, ludite ; sine concilio
orientali uobis non respondemus.

55. Anemius episcopus Sirmiensis dixit : Quicumque
hereses arrianas non condemnat arrianus sit necesse est.
Hunc igitur alienum etiam a nostra communione et sacerdotio denuo priuandum esse censemus.

Constantius episcopus Arausicus dixit : Palladium Arri
discipulum, cuius impietates iam olim damnatae sunt a
Patribus nostris in concilio Nicaeno et nunc hodie probatae
— cum recenserentur Palladio singulae, non confusus est
dicere Dei Filium a Deo Patre esse alienum, cum creaturam
confitetur, cum temporalem dicit, cum Dominum uerum
negat —, in sempiternum censeo esse damnandum.

56. Iustus episcopus dixit : Palladium qui blasfemias Arri
damnare noluit, sed etiam has magis confiteri uidetur, cen-

et chrétien a confié l'affaire au jugement des prêtres, pour qu'ils soient eux-mêmes les arbitres du conflit : « ... si nous les établissions eux-mêmes », dit-il, « comme arbitres du conflit qui a surgi. » Puisqu'il apparaît donc que le jugement nous a été confié pour être les interprètes des Écritures, condamnons Palladius, pour le motif qu'il a refusé de condamner la thèse de l'impie Arius et qu'il a nié lui-même que le Fils de Dieu soit éternel, et les autres points qui figurent dans les actes. Qu'il soit donc considéré comme anathème.

Tous les évêques ont dit : Nous le condamnons tous, qu'il soit considéré comme anathème.

54. L'évêque Ambroise a dit : Puisque nos frères et collègues ici présents sont tous des chrétiens et des hommes agréables à Dieu, que chacun dise ce qu'il lui semble.

L'évêque Valérien a dit : A ce qu'il me semble, celui qui défend Arius est un arien, celui qui ne condamne pas ses blasphèmes est lui-même un blasphémateur, et dès lors, je suis d'avis qu'un tel homme n'est pas à sa place dans le collège des prêtres.

Palladius a dit : Vous avez commencé à vous amuser, amusez-vous ; en dehors d'un concile oriental, nous ne vous répondons pas.

55. Anemius, évêque de Sirmium, a dit : Quiconque ne condamne pas les hérésies d'Arius est nécessairement un arien. Celui-là, nous sommes donc également d'avis qu'il n'est pas à sa place dans notre communion et qu'il doit être encore une fois privé du sacerdoce.

Constantius, évêque d'Orange, a dit : Palladius, disciple d'Arius, dont les impiétés ont déjà été condamnées autrefois par nos Pères au concile de Nicée et ont été aujourd'hui même approuvées — alors qu'on les énumérait à Palladius une à une, il a dit sans rougir que le Fils de Dieu était différent de Dieu le Père, en proclamant qu'il est une créature, en disant qu'il n'est pas en dehors du temps, en niant qu'il soit Seigneur véritable —, je suis d'avis qu'il doit être condamné pour toujours.

56. L'évêque Justus a dit : Palladius, qui a refusé de condamner les blasphèmes d'Arius et qui, au contraire, paraît

seo ulterius sacerdotem dici non posse nec inter episcopos deputari.

Euentius episcopus Ticiniensis dixit : Palladium qui impietatem Arri damnare noluit arbitror a consortio sacerdotali in perpetuum esse remouendum.

57. Abundantius episcopus Tridentinus dixit : Cum euidentes blasfemias Palladius defendat, damnatum se ex concilio Aquileiensi cognoscat.

Eusebius episcopus Bononiensis dixit : Quia impietates Arri diabolico stilo conscriptas, quas non licebat nec ad aures admittere, Palladius non solum noluit condemnare, sed eorum extitit assertor, negando Filium Dei Dominum uerum, Dominum bonum, Dominum sapientem, Dominum sempiternum, hunc a coetu sacerdotali et mea sententia et omnium catholicorum iudicio arbitror iure esse damnandum.

58. Sabinus episcopus Placentinus dixit : Quoniam cunctis patefactum est Palladium <se> qui arrianae perfidiae auctorem eiusque impietatem tenere, quae contra euangelica et apostolica instituta uenit, iusta in eum totius concilii lata sententia est. Qui meae licet paruitatis sententia sacerdotio denuo priuatus ex hoc sacrosancto coetu iure pellatur.

Felix et Numidius legati Afrorum dixerunt : Arrianae haeresis secta, in qua Palladius in Aquileiensi synodo declaratus est, anathema. Sed et eos qui contra ueritatem Nicaeni synodi repugnant condemnamus.

59. Limenius episcopus Vercellensis dixit : Arrianam doctrinam saepe esse damnatam manifestum est, et ideo Palladius conuentus in hac sancta synodo Aquileiensi, quoniam noluit corrigere uel emendare <se>, sed magis probauit deprehensibilem et oletauit perfidia quam se publice professus est tenere, hunc sententia mea et ego profiteor a consortio sacerdotali esse priuandum.

Maximus episcopus Emonensis dixit : Palladium qui blasfemias Arri nec damnare uoluit, sed magis ipse confessus est,

plutôt les confesser, je suis d'avis que dorénavant, il ne puisse plus être appelé prêtre ni être compté parmi les évêques.

Eventius, évêque de Pavie, a dit : Palladius, qui a refusé de condamner l'impiété d'Arius, j'estime qu'il doit être écarté pour toujours du collège sacerdotal.

57. Abundantius, évêque de Trente, a dit : Puisque Palladius soutient des blasphèmes manifestes, qu'il se sache condamné par le concile d'Aquilée.

Eusèbe, évêque de Bologne, a dit : Puisque Palladius n'a pas seulement refusé de condamner les impiétés d'Arius, écrites d'une plume diabolique, qu'on ne pouvait même pas accepter d'entendre, mais qu'il s'est révélé leur défenseur en niant que le Fils de Dieu soit Seigneur véritable, Seigneur bon, Seigneur sage, Seigneur éternel, j'estime qu'il doit être à bon droit condamné par l'assemblée des prêtres et par ma propre sentence et par le jugement de tous les catholiques.

58. Sabinus, évêque de Plaisance, a dit : Puisqu'il a été manifesté à tous que Palladius suit le fauteur de l'hérésie arienne et fait sienne son impiété, qui va à l'encontre de l'enseignement des évangiles et des apôtres, c'est une juste sentence qu'a portée contre lui le concile tout entier. Privé du sacerdoce encore une fois par ma modeste sentence, qu'il soit chassé à bon droit de cette très sainte assemblée.

Felix et Numidius, délégués des Africains, ont dit : La secte de l'hérésie arienne, à laquelle Palladius a été reconnu appartenir au concile d'Aquilée, qu'elle soit anathème. Et nous condamnons aussi ceux qui combattent la vérité définie au concile de Nicée.

59. Limenius, évêque de Verceil, a dit : Il est évident que la doctrine arienne a été souvent condamnée, et dès lors, puisque Palladius, convoqué à ce saint concile d'Aquilée, a refusé de se corriger et de s'amender, et qu'il a plutôt fourni la preuve de sa culpabilité, et qu'il a empesté l'hérésie à laquelle il a publiquement manifesté son adhésion, moi aussi, je proclame par ma sentence qu'il doit être privé de la communion des prêtres.

Maximus, évêque d'Emona, a dit : Palladius, qui n'a pas refusé de condamner les blasphèmes d'Arius et qui les a bien

iuste ac merito esse damnatum et Deus nouit et fidelium conscientia condemnauit.

60. Exsuperantius episcopus Dertonensis dixit : Palladium qui sectam Arri uel eius doctrinam damnare noluit sed defendit, ut ceteri consortes mei damnauerunt etiam et ego condemno.

Bassianus episcopus Laudensis dixit : Audiui sicut et ceteri consacerdotes mei impietates Arri quas Palladius non solum non condemnauit, sed confirmauit. Hic anathema sit et sacerdotio priuabitur.

61. Filaster episcopus Brictianus dixit : Blasfemias et iniquitatem Palladi, qui arrianam doctrinam sequitur et defendit, una cum omnibus ego condemnaui.

Constantius episcopus Siscianensis dixit : Palladium qui blasfemias et impietates Arri non condemnauit, sicut et ceteri consacerdotes mei et ego censeo damnandum.

Heliodorus episcopus Altiniensis dixit : Qui perfidiam Arri omniumque haereticorum, quorum consors est Palladius, cuius insipiens cor, qui ueritatem non est confessus, <non condemnauit>, cum ceteris consacerdotibus meis condemno.

62. Felix episcopus Diadertinus dixit : Palladium qui blasfemiauit Filium sicut Arrius cum omnibus pariter condemno.

Theodorus episcopus Octodorensis dixit : Palladium qui Christum Deum uerum coaeternum Patri negauit, nec christianum hunc nec sacerdotem ullo modo censemus.

Domninus episcopus Gratianopolitanus dixit : Palladium in perfidia Arri permanentem in perpetuum sicut et fratres damnauerunt etiam et ego censeo esse damnandum.

63. Proculus episcopus Massiliensium dixit : Palladium qui Arri blasfemias sub quadam impia hereditate non condemnando defendit, sicut hunc et plurimorum iam uenerabilium sacerdotum sententia blasfemum designauit atque a sacerdotio alienum duxit, mea pariter sententia in perpetuum condemnatum designat.

plutôt confessés, a été condamné à juste titre et à bon droit, Dieu le sait, et la conscience des fidèles l'a condamné.

60. Exsuperantius, évêque de Tortona, a dit : Palladius, qui a refusé de condamner la secte d'Arius et sa doctrine et qui les a au contraire défendues, comme mes autres collègues l'ont condamné, moi aussi je le condamne.

Bassianus, évêque de Lodi, a dit : J'ai entendu, comme mes autres collègues, les impiétés d'Arius, que Palladius n'a pas seulement refusé de condamner, mais qu'il a approuvées. Qu'il soit anathème, et il sera privé du sacerdoce.

61. Filaster, évêque de Brescia, a dit : Les blasphèmes et l'iniquité de Palladius, qui adhère à la doctrine d'Arius et qui la défend, je les ai condamnés en même temps que tout le monde.

Constantius, évêque de Siscia, a dit : Palladius, qui n'a pas condamné les blasphèmes et les impiétés d'Arius, je suis d'avis, moi aussi, comme mes autres collègues, qu'il doit être condamné.

Heliodorus, évêque d'Altinum, a dit : Celui qui n'a pas condamné l'hérésie d'Arius et de tous les hérétiques dont Palladius est le comparse, lui dont le cœur est insensé et qui n'a pas confessé la vérité, je le condamne avec mes autres collègues.

62. Felix, évêque de Zara, a dit : Palladius, qui a blasphémé contre le Fils comme Arius, je le condamne de même avec tout le monde.

Theodorus, évêque d'Octodorum, a dit : Palladius, qui nie que le Christ soit Dieu véritable, coéternel au Père, nous sommes d'avis qu'il n'est en aucune façon ni chrétien, ni prêtre.

Domninus, évêque de Grenoble, a dit : Palladius, qui persévère dans l'hérésie d'Arius, je suis d'avis, moi aussi, de la même façon que mes frères l'ont condamné, qu'il doit être condamné à jamais.

63. Proculus, évêque de Marseille, a dit : Palladius, qui, sous l'influence de je ne sais quelle hérédité impie, a défendu les blasphèmes d'Arius en ne les condamnant pas, de la même façon que la sentence de nombreux prêtres vénérables l'a déjà déclaré blasphémateur et l'a jugé étranger au sacerdoce, ma sentence le déclare pareillement condamné à jamais.

Diogenes episcopus Genauensis dixit : Palladium qui Christum Dominum Deum uerum similem et aequalem Patri dum non confitetur negauit, damnationi eius cum ceteris fratribus meis uel consacerdotibus socior.

64. Amantius episcopus Iouiensium dixit : Palladium qui sectam Arri non destruxit secundum consacerdotum meorum <sententiam> etiam et ego eum condemno.

Ianuarius episcopus dixit : Sicut omnes consacerdotes mei damnauerunt Palladium, ita et ego pari iudicio eum censeo esse damnandum.

65. Et cum Secundianus subripuisset, Ambrosius episcopus dixit : Audisti, Secundiane, cuiusmodi Palladius impius sententiam sacerdotali concilio damnatus exceperit. Licet displicuerit nobis quod eius, hoc est Palladi, non horreres amentiam, tamen de te aliqua specialiter quaero, utrum Dei Filium Dominum nostrum Iesum Christum <uerum Deum> uel non uerum Deum dicas.

Secundianus <dixit> : Qui negat Deum uerum esse Patrem domini et dei nostri Iesu Christi non est christianus, <nec> qui negat dominum Filium uerum.

Ambrosius episcopus dixit : Deum uerum Dei Filium confiteris ?

Secundianus dixit : Verum Dei Filium unigenitum dico.

66. Ambrosius episcopus dixit : Verum Dominum dicis ?

Secundianus dixit : Verum unigenitum Filium. Qui negat uerum Filium Dei ?

Eusebius episcopus dixit : Non sufficit quod Filium Dei unigenitum confiteris, nam hoc omnes confitentur. Sed hoc mouet quod Arrius dixit Dominum solum Patrem, solum <Deum> uerum, negauit Filium Dei Dominum uerum. Simpliciter Filium Dei Deum uerum confiteris ?

Secundianus dixit : Qui fuerit ignoro, quid dixerit nescio. Mecum loqueris uiuus ad uiuum. Illud dico quod Christus dixit, unigenitum Filium se asserit Patris [h]. Filius unigenitus deus est Dei Filius uerus.

[h]. Cf. Jn 3, 16

Diogenes, évêque de Gênes, a dit : Palladius, qui, en ne confessant pas que le Christ Seigneur est Dieu véritable, semblable et égal au Père, l'a nié, je m'associe à sa condamnation avec mes autres frères et collègues.

64. Amantius, évêque de Jovia, a dit : Palladius, qui n'a pas cherché à abattre la secte d'Arius, je le condamne, moi aussi, conformément à la sentence de mes collègues.

L'évêque Januarius a dit : De la même façon que tous mes collègues ont condamné Palladius, ainsi par un jugement semblable, je suis d'avis, moi aussi, qu'il doit être condamné.

65. Et comme Secundianus s'était approché, l'évêque Ambroise a dit : Tu as entendu, Secundianus, quelle sorte de sentence s'est vu infliger l'impie Palladius, condamné par l'assemblée des prêtres. Quoique nous ayons été contrariés de ce que tu n'aies pas en horreur sa folie, je veux dire celle de Palladius, je te pose cependant quelques questions en particulier : dis-tu que le Fils de Dieu, notre Seigneur Jésus-Christ, est Dieu véritable ou qu'il n'est pas Dieu véritable ?

Secundianus a dit : Celui qui nie que le Père de notre seigneur et dieu Jésus-Christ soit Dieu véritable n'est pas chrétien, ni celui qui nie que le Fils véritable soit seigneur.

L'évêque Ambroise a dit : Tu confesses que le Fils de Dieu est Dieu véritable ?

Secundianus a dit : Je le dis véritable Fils unique-engendré de Dieu.

66. L'évêque Ambroise a dit : Tu le dis Seigneur véritable ?

Secundianus a dit : Véritable Fils unique-engendré. Qui nie qu'il soit le Fils véritable de Dieu ?

L'évêque Eusèbe a dit : Il ne suffit pas de le confesser Fils unique-engendré de Dieu, car cela, tous le confessent. Mais ce qui fait problème, c'est qu'Arius a dit que seul le Père est Seigneur, qu'il est seul Dieu véritable, et qu'il a nié que le Fils de Dieu soit Seigneur véritable. Confesses-tu sans détour que le Fils de Dieu est Dieu véritable ?

Secundianus a dit : J'ignore qui il fut, je ne sais pas ce qu'il a dit. Tu me parles comme un vivant à un vivant. Je dis ce que le Christ a dit, il affirme qu'il est le Fils unique-engendré du Père [h]. Le Fils, dieu unique-engendré, est Fils véritable de Dieu.

67. Ambrosius episcopus dixit : Deus uerus est uerus Dei
Filius Deus ? — Et adiecit : In scripturis diuinis scriptum
est quia : *Qui iurant super ierram iurabunt Deum uerum* [i] ;
quod utique de Christo esse non dubium est. Nos ergo uerum
Deum profitemur et fides nostra haec est et professio quia
unigenitus est Patris Filius, hoc est uerus Deus. Dic et tu de
Deo uero Dei Filium Deum uerum.

Secundianus dixit : De Deo uero.

68. Ambrosius episcopus dixit : Filius Dei Deus uerus
est ?

Secundianus dixit : Ergo mendax ?

Ambrosius episcopus dixit : In hoc fraudem facis ut non
Deum uerum dicas, sed deum unigenitum. Ac per hoc dic
simpliciter : « Vnigenitus Dei Filius Deus uerus. »

Secundianus dixit : Vnigenitum dixi Dei Filium.

69. Eusebius episcopus dixit : Hoc Fotinus non negat,
hoc Sabellius confitetur.

Ambrosius episcopus dixit : Et qui hoc non confitetur iure
damnatur. Ac per hoc saepe < te > conuenio, licet cauillando
negaueris ueritatem. Non quaero ut tantummodo unigenitum Filium Dei dicas, sed etiam Deum uerum.

Secundianus dixit : Veritatis me seruum profiteor. Quae
dico non scribuntur et quae dicis scribuntur. Christum
uerum Dei Filium dico. Qui negat Filium Dei uerum esse ?

70. Ambrosius episcopus dixit : Qui negat < Deum
uerum > unigenitum Dei Filium anathema sit, qui negat
uerum Deum Christum anathema sit.

Secundianus dixit : « Deum uerum unigenitum Filium
Dei » ? Quid mihi profiteris quod non est scriptum ?

Ambrosius episcopus dixit : Apertum sacrilegium est
quando Christum Dei Filium Deum uerum negauit.

i. Is. 65, 16

67. L'évêque Ambroise a dit : Le Fils véritable de Dieu, qui est Dieu, est-il Dieu véritable ? — Et il a ajouté : Dans les écritures divines, il est écrit : « Ceux qui jurent sur la terre jureront par le Dieu véritable [1] » ; il ne fait aucun doute que cela doit s'entendre du Christ. Nous confessons donc qu'il est Dieu véritable, telle est notre foi, et nous proclamons qu'il est le Fils unique-engendré du Père, c'est-à-dire Dieu véritable. Déclare, toi aussi, le Fils de Dieu Dieu véritable né du Dieu véritable.

Secundianus a dit : Il est né du Dieu véritable.

68. L'évêque Ambroise a dit : Le Fils de Dieu est Dieu véritable ?

Secundianus a dit : Donc c'est un menteur ?

L'évêque Ambroise a dit : Tu recours à des artifices en ne disant pas « Dieu véritable », mais « dieu unique-engendré ». Et par conséquent, dis sans détour : « Le Fils unique-engendré de Dieu est Dieu véritable. »

Secundianus a dit : J'ai dit que le Fils de Dieu est unique-engendré.

69. L'évêque Eusèbe a dit : Cela, Photin ne le nie pas, cela, Sabellius le confesse.

L'évêque Ambroise a dit : Et celui qui ne confesse pas cela est condamné à juste titre. Et c'est pour cela que je ne cesse de t'interroger, bien qu'en chicanant tu nies la vérité. Je ne te demande pas seulement de dire que le Fils de Dieu est unique-engendré, mais aussi qu'il est Dieu véritable.

Secundianus a dit : Je fais profession de servir la vérité. Ce que je dis n'est pas écrit, et ce que tu dis est écrit. Je dis que le Christ est le Fils véritable de Dieu. Qui nie qu'il soit le Fils véritable de Dieu ?

70. L'évêque Ambroise a dit : Celui qui nie qu'il soit Dieu véritable, le Fils unique-engendré de Dieu, qu'il soit anathème ; celui qui nie que le Christ soit Dieu véritable, qu'il soit anathème.

Secundianus a dit : « Dieu véritable le Fils unique-engendré de Dieu ? » Qu'est-ce que cette profession de foi qui n'est pas dans l'Écriture ?

L'évêque Ambroise a dit : C'est un sacrilège manifeste, quand il a nié que le Christ, Fils de Dieu, soit Dieu véritable.

Secundianus dixit : Iesum Christum Filium Dei deum —
quia Christus dicitur Filius — uerum Filium Dei dico.

71. Ambrosius episcopus dixit : Nondum resipisti ? —
Et adiecit : Ne quid illi uideatur esse subreptum, confirmet
sententiam suam. Dicat ergo unigenitum Christum Dei
Filium Deum uerum.

Secundianus dixit : Iam dixi, quid mihi extorquere uis
amplius ?

Ambrosius episcopus dixit : Quid dixisti ? Certe si dixisses
antea, quod gloriose dicitur saepe repetendum est.

Secundianus dixit : Dictum est : *Sit sermo uester est est,
non non* [j].

72. Ambrosius episcopus dixit : Qui dicit ipsum Patrem
Filium sacrilegus est. Hoc a te quaero ut dicas de Deo uero
Deum uerum Dei Filium natum.

Secundianus dixit : Ego Filium a Deo genitum < dico >,
dicente ipso : *Genui te* [k], < et > Filio confitente se genitum
esse.

73. Ambrosius episcopus dixit : A Deo uero Deus uerus
est ?

Secundianus dixit : Et cum nomini etiam addis et uerum,
audis qualis in te fides sit, et christianus es ?

Eusebius episcopus dixit : Qui negauit illum Deum uerum ?
Arrius et Palladius negauit. Tu si Deum uerum credis, debes
simpliciter designare.

74. Ambrosius episcopus dixit : Si non dixeris Deum
uerum de Deo uero natum esse Christum, negasti.

Secundianus dixit : Interrogatus de Filio dedi responsum.
Quemadmodum deberem profiteri respondi. Habemus uestram expositionem, afferemus, legetur.

Ambrosius episcopus dixit : Hodie afferre debueras, ceterum subterfugere conaris. Professionem a me exigis, et professionem a te exigo : Deus uerus est Dei Filius ?

j. Matth. 5, 37   k Ps. 2, 7.

Secundianus a dit : Jésus-Christ, dieu, Fils de Dieu — car le Christ est appelé Fils —, je dis qu'il est le Fils véritable de Dieu.

71. L'évêque Ambroise a dit : Tu n'es pas encore revenu de ton erreur ? — Et il a ajouté : Pour qu'on n'ait pas l'impression que quelque chose lui ait été arraché par surprise, qu'il confirme sa déclaration. Qu'il dise donc que le Christ, Fils unique-engendré de Dieu, est Dieu véritable.

Secundianus a dit : Je l'ai déjà dit. Qu'est-ce que tu veux m'extorquer de plus ?

L'évêque Ambroise a dit : Qu'est-ce que tu as dit ? De toute façon, si tu l'avais dit précédemment, ce qu'on dit à son honneur doit être souvent répété.

Secundianus a dit : Il a été dit : « Que votre parole soit : Oui, oui, non, non j. »

72. L'évêque Ambroise a dit : Celui qui dit que le Fils est le Père lui-même est sacrilège. Je te demande de dire que le Fils de Dieu est Dieu véritable né du Dieu véritable.

Secundianus a dit : Je dis que le Fils a été engendré par Dieu, puisqu'il dit lui-même : « Je t'ai engendré k », et que le Fils confesse qu'il a été engendré.

73. L'évêque Ambroise a dit : Il est Dieu véritable issu du Dieu véritable ?

Secundianus a dit : Et quand au nom, tu ajoutes encore « et véritable », tu entends quelle sorte de foi est en toi et tu es chrétien ?

L'évêque Eusèbe a dit : Qui a nié qu'il soit Dieu véritable ? Arius et Palladius l'ont nié. Toi, si tu crois qu'il est Dieu véritable, tu dois l'indiquer sans détour.

74. L'évêque Ambroise a dit : Si tu ne dis pas que le Christ est Dieu véritable né du Dieu véritable, tu l'as nié.

Secundianus a dit : Interrogé au sujet du Fils, j'ai donné ma réponse. J'ai répondu en faisant profession de foi comme je le devais. Nous avons votre profession de foi, nous l'apporterons, on la lira.

L'évêque Ambroise a dit : C'est aujourd'hui que tu aurais dû l'apporter ; pour le reste, tu essaies de te dérober. Tu exiges de moi une profession de foi, j'exige aussi de toi une profession de foi : est-il Dieu véritable, le Fils de Dieu ?

Secundianus dixit : Vnigenitus <uerus> est deus Dei
Filius. Et ego te interrogo : Vnigenitus est ?

75. Ambrosius episcopus dixit : Audi qua ratione per-
moueat nos et impietas et insipientia tua. Cum dicis deum
uerum unigenitum, non Deum uerum dicis, sed uerum unigenitum. Ac per hoc ut istam adimas quaestionem, ita responde : Ex Deo uero Deus uerus est.

Secundianus dixit : Ergo Deus deum non genuit ? Deus
uerus, ille qui est, <unigenito deo> quod est ingenuit ;
unum uerum unigenitum Filium genuit.

Ambrosius episcopus dixit : Non confiteris Deum uerum,
sed uis dicere uerum unigenitum ; et ego unigenitum, sed
dico et Deum uerum.

Secundianus dixit : Ego dico genitum a Patre, uerum
genitum dico omnibus. Amen.

Secundianus a dit : Il est dieu, véritable unique-engendré, le Fils de Dieu. Et moi, je te pose la question : est-il unique-engendré ?

75. L'évêque Ambroise a dit : Écoute pour quelle raison ton impiété et ta folie nous émeuvent. Quand tu dis « dieu véritable unique-engendré », tu ne dis pas « Dieu véritable », mais « véritable unique-engendré ». Et par conséquent, pour en finir avec cette question, réponds de la manière suivante : « Il est Dieu véritable issu du Dieu véritable. »

Secundianus a dit : Donc Dieu n'a pas engendré un dieu ? Le Dieu véritable, celui qui est, a communiqué au dieu unique-engendré ce qu'il est ; il a engendré un seul Fils véritable unique-engendré.

L'évêque Ambroise a dit : Tu ne confesses pas qu'il est Dieu véritable, mais tu veux dire « véritable unique-engendré » ; moi aussi, je dis qu'il est unique-engendré, mais je dis aussi qu'il est Dieu véritable.

Secundianus a dit : Je dis qu'il a été engendré par le Père, je dis à tous qu'il a vraiment été engendré. Amen.

TABLE DES MATIÈRES

pages

Avant-propos.................................. 9
Sigles.. 12
Bibliographie................................. 15

INTRODUCTION

Chap. premier : Le texte...................... 25
   I. Le manuscrit............................. 25
  II. Les éditions antérieures..................... 26
 III. La présente édition........................ 42

Chap. II : Le contenu des scolies.............. 52
   I. Les commentaires de Maximinus............ 53
     1. Les textes commentés................. 54
     2. Les commentaires..................... 63
  II. Les fragments de Palladius................. 79
     1. Fragments d'une réfutation du *De fide*
       d'Ambroise............................ 80
     2. Fragment d'une apologie des condamnés
       d'Aquilée............................. 83
 III. Note de Maximinus........................ 97

Chap. III : L'arianisme illyrien au IVᵉ siècle... 101
   I. L'arianisme illyrien avant le concile d'Aquilée. 101
     1. L'époque d'Ursacius et de Valens....... 101
     2. L'entrée en scène d'Ambroise........... 105
     3. Le concile de Sirmium de 378.......... 107
  II. Le concile d'Aquilée....................... 121
     1. La convocation du concile............. 121
     2. Les membres du concile............... 130
     3. La journée du 3 septembre 381........ 133
     4. La fin du concile..................... 142

III. De l'arianisme latin à l'arianisme germanique :
Ulfila et la conversion des Goths au christianisme...................................... 143

    1. Le ministère d'Ulfila................... 144
    2. Le dernier voyage et la mort d'Ulfila... 149
    3. La foi d'Ulfila........................ 165

CHAP. IV : LA THÉOLOGIE DES SCOLIES........... 173

  I. « Conformément aux Écritures »............. 175
  II. Le Père, seul Dieu véritable................ 179
  III. Le Fils, dieu de toute la création........... 185
  IV. L'Esprit Paraclet, serviteur du Fils.......... 195
  V. « Un dans l'amour »........................ 196

TEXTE ET TRADUCTION

COMMENTAIRES DE MAXIMINUS..................... 204

  I. Commentaire sur les actes d'Aquilée......... 204
  II. Commentaire sur la lettre d'Auxentius....... 234

    1. Lettre d'Auxentius................... 236
    2. Commentaire......................... 250

FRAGMENTS DE PALLADIUS....................... 264

  I. Fragments d'une réfutation du *De fide* d'Ambroise.................................... 264
  II. Fragment d'une apologie des condamnés d'A-
quilée................................... 274

NOTE DE MAXIMINUS............................ 324

APPENDICE

Actes des évêques réunis à Aquilée contre les hérétiques
ariens.. 330

ACHEVÉ D'IMPRIMER
LE 25 JANVIER 1980
SUR LES PRESSES
DE PROTAT FRÈRES
A MACON

N° IMPRIMEUR : 6390. N° ÉDITEUR : 7162. DÉPÔT LÉGAL : 1er TRIMESTRE 1980.

∗

SOURCES CHRÉTIENNES

LISTE COMPLÈTE DE TOUS LES VOLUMES PARUS

N. B. — L'ordre suivant est celui de la date de parution (n° 1 en 1942) et il n'est pas tenu compte ici du classement en séries : grecque, latine, byzantine, orientale, textes monastiques d'Occident ; et série annexe : textes para-chrétiens.

Sauf indication contraire, chaque volume comporte le texte original, grec ou latin, souvent avec un apparat critique inédit.

La mention *bis* indique une seconde édition. Quand cette seconde édition ne diffère de la première que par de menues corrections et des *Addenda et Corrigenda* ajoutés en appendice, la date est accompagnée de la mention « réimpression avec supplément ».

1. GRÉGOIRE DE NYSSE : **Vie de Moïse.** J. Daniélou (3ᵉ édition) (1968).

2 bis. CLÉMENT D'ALEXANDRIE : **Protreptique.** C. Mondésert, A. Plassart (réimpression de la 2ᵉ éd., 1976).

3 bis. ATHÉNAGORE : **Supplique au sujet des chrétiens.** *En préparation.*

4 bis. NICOLAS CABASILAS : **Explication de la divine Liturgie.** S. Salaville, R. Bornert, J. Gouillard, P. Périchon (1967).

5. DIADOQUE DE PHOTICÉ : **Œuvres spirituelles.** É. des Places (réimpr. de la 2ᵉ éd., avec suppl., 1966).

6 bis. GRÉGOIRE DE NYSSE : **La création de l'homme.** *En préparation.*

7 bis. ORIGÈNE : **Homélies sur la Genèse.** H. de Lubac, L. Doutreleau (1976).

8. NICÉTAS STÉTHATOS : **Le paradis spirituel.** M. Chalendard. *Remplacé par le n° 81.*

9 bis. MAXIME LE CONFESSEUR : **Centuries sur la charité.** *En préparation.*

10. IGNACE D'ANTIOCHE : **Lettres. — Lettres et Martyre** de POLYCARPE DE SMYRNE. P.-Th. Camelot (4ᵉ édition) (1969).

11 bis. HIPPOLYTE DE ROME : **La Tradition apostolique.** B. Botte (1968).

12 bis. JEAN MOSCHUS : **Le Pré spirituel.** *En préparation.*

13. JEAN CHRYSOSTOME : **Lettres à Olympias.** A.-M. Malingrey. Trad. seule (1947).

13 bis. 2ᵉ édition avec le texte grec et la **Vie anonyme d'Olympias** (1968).

14. HIPPOLYTE DE ROME : **Commentaire sur Daniel.** G. Bardy, M. Lefèvre. Trad. seule (1947).
2ᵉ édition avec le texte grec. *En préparation.*

15 bis. ATHANASE D'ALEXANDRIE : **Lettres à Sérapion.** J. Lebon. *En préparation.*

16 bis. ORIGÈNE : **Homélies sur l'Exode.** H. de Lubac, J. Fortier. *En préparation.*

17. BASILE DE CÉSARÉE : **Sur le Saint-Esprit.** B. Pruche. Trad. seule (1947).

17 bis. 2ᵉ édition avec le texte grec (1968).

18 bis. ATHANASE D'ALEXANDRIE : **Discours contre les païens.** P. Th. Camelot (1977).

19 bis. HILAIRE DE POITIERS : **Traité des Mystères.** P. Brisson (réimpression, avec supplément, 1967).

20. Théophile d'Antioche : **Trois livres à Autolycus.** G. Bardy, J. Sender. Trad. seule (1948).
2e édition avec le texte grec. *En préparation.*

21. Éthérie : **Journal de voyage.** H. Pétré (réimpression, 1975).

22 bis. Léon le Grand : **Sermons,** t. I. J. Leclercq, R. Dolle (1964).

23. Clément d'Alexandrie : **Extraits de Théodote** (réimpression, 1970).

24 bis. Ptolémée : **Lettre à Flora.** G. Quispel (1966).

25 bis. Ambroise de Milan : **Des sacrements. Des Mystères. Explication du Symbole.** B. Botte (1961).

26 bis. Basile de Césarée : **Homélies sur l'Hexaéméron.** S. Giet (réimpr. avec suppl., 1968).

27 bis. **Homélies Pascales,** t. I. P. Nautin. *En préparation.*

28 bis. Jean Chrysostome : **Sur l'incompréhensibilité de Dieu.** J. Daniélou, A.-M. Malingrey, R. Flacelière (1970).

29 bis. Origène : **Homélies sur les Nombres.** A. Méhat. *En préparation.*

30 bis. Clément d'Alexandrie : **Stromate I.** *En préparation.*

31. Eusèbe de Césarée : **Histoire ecclésiastique,** t. I. G. Bardy (réimpression, 1978).

32 bis. Grégoire le Grand : **Morales sur Job,** t. I. Livres I-II. R. Gillet, A. de Gaudemaris (1975).

33 bis. **A Diognète.** H. I. Marrou (réimpr. avec suppl., 1965).

34. Irénée de Lyon : **Contre les hérésies,** livre III. F. Sagnard. *Remplacé par les nos 210 et 211.*

35 bis. Tertullien : **Traité du baptême.** F. Refoulé. *En préparation.*

36 bis. **Homélies Pascales,** t. II. P. Nautin. *En préparation.*

37 bis. Origène : **Homélies sur le Cantique.** O. Rousseau (1966).

38 bis. Clément d'Alexandrie : **Stromate II.** *En préparation.*

39 bis. Lactance : **De la mort des persécuteurs.** 2 vol. *En préparation.*

40. Théodoret de Cyr : **Correspondance,** t. I. Y. Azéma (1955).

41. Eusèbe de Césarée : **Histoire ecclésiastique,** t. II. G. Bardy (réimpression, 1965).

42. Jean Cassien : **Conférences,** t. I. E. Pichery (réimpression, 1966).

43. Jérôme : **Sur Jonas.** P. Antin (1956).

44. Philoxène de Mabboug : **Homélies.** E. Lemoine. Trad. seule (1956).

45. Ambroise de Milan : **Sur S. Luc,** t. I. G. Tissot (réimpr. avec suppl., 1971).

46 bis. Tertullien : **De la prescription contre les hérétiques.** *En préparation.*

47. Philon d'Alexandrie : **La migration d'Abraham.** R. Cadiou (1957).

48. **Homélies Pascales,** t. III. F. Floëri et P. Nautin (1957).

49 bis. Léon le Grand : **Sermons,** t. II. R. Dolle (1969).

50 bis. Jean Chrysostome : **Huit Catéchèses baptismales inédites.** A. Wenger (réimpr. avec suppl., 1970).

51 bis. Syméon le Nouveau Théologien : **Chapitres théologiques, gnostiques et pratiques.** J. Darrouzès. *En préparation.*

52. Ambroise de Milan : **Sur S. Luc,** t. II. G. Tissot (1958).

53 bis. Hermas : **Le Pasteur.** R. Joly (réimpr. avec suppl., 1968).

54. Jean Cassien : **Conférences,** t. II. E. Pichery (réimpression, 1966).

55. Eusèbe de Césarée : **Histoire ecclésiastique,** t. III. G. Bardy (réimpression, 1967).

56. ATHANASE D'ALEXANDRIE : **Deux apologies.** J. Szymusiak (1958).

57. THÉODORET DE CYR : **Thérapeutique des maladies helléniques.** 2 volumes, P. Canivet (1958).

58 bis. DENYS L'ARÉOPAGITE : **La hiérarchie céleste.** G. Heil, R. Roques, M. de Gandillac (réimpr. avec suppl., 1970).

59. **Trois antiques rituels du baptême.** A. Salles. Trad. seule. *Épuisé.*

60. AELRED DE RIEVAULX : **Quand Jésus eut douze ans.** A. Hoste, J. Dubois. (1958).

61 bis. GUILLAUME DE SAINT-THIERRY : **Traité de la contemplation de Dieu.** J. Hourlier (réimpression, 1977).

62. IRÉNÉE DE LYON : **Démonstration de la prédication apostolique.** L. Froidevaux. Nouvelle trad. sur l'arménien. Trad. seule (réimpr., 1971).

63. RICHARD DE SAINT-VICTOR : **La Trinité.** G. Salet (1959).

64. JEAN CASSIEN : **Conférences,** t. III. E. Pichery (réimpr., 1971).

65. GÉLASE Ier : **Lettre contre les Lupercales et dix-huit messes du sacramentaire léonien.** G. Pomarès (1960).

66. ADAM DE PERSEIGNE : **Lettres,** t. I. J. Bouvet (1960).

67. ORIGÈNE : **Entretien avec Héraclide.** J. Scherer (1960).

68. MARIUS VICTORINUS : **Traités théologiques sur la Trinité.** P. Henry, P. Hadot. Tome I. Introd., texte critique, traduction (1960).

69. **Id.** — Tome II. Commentaire et tables (1960).

70. CLÉMENT D'ALEXANDRIE : **Le Pédagogue,** t. I. H. I. Marrou, M. Harl (1960).

71. ORIGÈNE : **Homélies sur Josué.** A. Jaubert (1960).

72. AMÉDÉE DE LAUSANNE : **Huit homélies mariales.** G. Bavaud, J. Deshusses, A. Dumas (1960).

73 bis. EUSÈBE DE CÉSARÉE : **Histoire ecclésiastique,** t. IV. Introd. générale de G. Bardy et tables de P. Périchon (réimpr. avec suppl., 1971).

74 bis. LÉON LE GRAND : **Sermons,** t. III. R. Dolle (1976).

75. S. AUGUSTIN : **Commentaire de la 1re Épître de S. Jean.** P. Agaësse (réimpression, 1966).

76. AELRED DE RIEVAULX : **La vie de recluse.** Ch. Dumont (1961).

77. DEFENSOR DE LIGUGÉ : **Le livre d'étincelles,** t. I. H. Rochais (1961).

78. GRÉGOIRE DE NAREK : **Le livre de Prières.** I. Kéchichian. Trad. seule (1961).

79. JEAN CHRYSOSTOME : **Sur la Providence de Dieu.** A.-M. Malingrey (1961).

80. JEAN DAMASCÈNE : **Homélies sur la Nativité et la Dormition.** P. Voulet (1961).

81. NICÉTAS STÉTHATOS : **Opuscules et lettres.** J. Darrouzès (1961).

82. GUILLAUME DE SAINT-THIERRY : **Exposé sur le Cantique des Cantiques.** J.-M. Déchanet (1962).

83. DIDYME L'AVEUGLE : **Sur Zacharie.** Texte inédit. L. Doutreleau. Tome I. Introduction et livre I (1962).

84. **Id.** — Tome II. Livres II et III (1962).

85. **Id.** — Tome III. Livres IV et V, Index (1962).

86. DEFENSOR DE LIGUGÉ : **Le livre d'étincelles,** t. II. H. Rochais (1962).

87. ORIGÈNE : **Homélies sur S. Luc.** H. Crouzel, F. Fournier, P. Périchon (1962).

88. **Lettres des premiers Chartreux,** tome I : S. BRUNO, GUIGUES, S. ANTHELME. Par un Chartreux (1962).

89. **Lettre d'Aristée à Philocrate.** A. Pelletier (1962).

90. **Vie de sainte Mélanie.** D. Gorce (1962).

91. ANSELME DE CANTORBÉRY : **Pourquoi Dieu s'est fait homme.** R. Roques (1963).

92. DOROTHÉE DE GAZA : **Œuvres spirituelles.** L. Regnault, J. de Préville (1963).

93. BAUDOUIN DE FORD : **Le sacrement de l'autel.** J. Morson, É. de Solms, J. Leclercq. Tome I (1963).

94. **Id.** — Tome II (1963).

95. MÉTHODE D'OLYMPE : **Le banquet.** H. Musurillo, V.-H. Debidour (1963).

96. SYMÉON LE NOUVEAU THÉOLOGIEN : **Catéchèses.** B. Krivochéine, J. Paramelle. Tome I. Introduction et Catéchèses 1-5 (1963).

97. CYRILLE D'ALEXANDRIE : **Deux dialogues christologiques.** G. M. de Durand (1964).

98. THÉODORET DE CYR : **Correspondance,** t. II. Y. Azéma (1964).

99. ROMANOS LE MÉLODE : **Hymnes.** J. Grosdidier de Matons. Tome I. Introduction et Hymnes I-VIII (1964).

100. IRÉNÉE DE LYON : **Contre les hérésies,** livre IV. A. Rousseau, B. Hemmerdinger, Ch. Mercier, L. Doutreleau. 2 vol. (1965).

101. QUODVULTDEUS : **Livre des promesses et des prédictions de Dieu.** R. Braun. Tome I (1964).

102. **Id.** — Tome II (1964).

103. JEAN CHRYSOSTOME : **Lettre d'exil.** A.-M. Malingrey (1964).

104. SYMÉON LE NOUVEAU THÉOLOGIEN : **Catéchèses.** B. Krivochéine, J. Paramelle. Tome II. Catéchèses 6-22 (1964).

105. **La règle du Maître.** A. de Vogüé. Tome I. Introduction et chap. 1-10 (1964).

106. **Id.** — Tome II. Chap. 11-95 (1964).

107. **Id.** — Tome III. Concordance et Index orthographique. J.-M. Clément, J. Neufville, D. Demeslay (1965).

108. CLÉMENT D'ALEXANDRIE : **Le Pédagogue,** tome II. Cl. Mondésert, H. I. Marrou (1965).

109. JEAN CASSIEN : **Institutions cénobitiques.** J.-C. Guy (1965).

110. ROMANOS LE MÉLODE : **Hymnes.** J. Grosdidier de Matons. Tome II. Hymnes IX-XX (1965).

111. THÉODORET DE CYR : **Correspondance,** t. III. Y. Azéma (1965).

112. CONSTANCE DE LYON : **Vie de S. Germain d'Auxerre.** R. Borius (1965).

113. SYMÉON LE NOUVEAU THÉOLOGIEN : **Catéchèses.** B. Krivochéine, J. Paramelle. Tome III. Catéchèses 23-34, Actions de grâces 1-2 (1965).

114. ROMANOS LE MÉLODE : **Hymnes.** J. Grosdidier de Matons. Tome III. Hymnes XXI-XXXI (1965).

115. MANUEL II PALÉOLOGUE : **Entretien avec un musulman.** A. Th. Khoury (1966).

116. AUGUSTIN D'HIPPONE : **Sermons pour la Pâque.** S. Poque (1966).

117. JEAN CHRYSOSTOME : **A Théodore.** J. Dumortier (1966).

118. ANSELME DE HAVELBERG : **Dialogues,** livre I. G. Salet (1966).

119. GRÉGOIRE DE NYSSE : **Traité de la Virginité.** M. Aubineau (1966).

120. ORIGÈNE : **Commentaire sur S. Jean.** C. Blanc. Tome I. Livres I-V (1966).

121. ÉPHREM DE NISIBE : **Commentaire de l'Évangile concordant ou Diatessaron.** L. Leloir. Trad. seule (1966).

122. SYMÉON LE NOUVEAU THÉOLOGIEN : **Traités théologiques et éthiques.**
J. Darrouzès. Tome I. Téol. 1-3, Éth. 1-3 (1966).
123. MÉLITON DE SARDES : **Sur la Pâque (et fragments).** O. Perler (1966).
124. **Expositio totius mundi et gentium.** J. Rougé (1966).
125. JEAN CHRYSOSTOME : **La Virginité.** H. Musurillo, B. Grillet (1966).
126. CYRILLE DE JÉRUSALEM : **Catéchèses mystagogiques.** A. Piédagnel,
P. Paris (1966).
127. GERTRUDE D'HELFTA : **Œuvres spirituelles. Tome I. Les Exercices.**
J. Hourlier, A. Schmitt (1967).
128. ROMANOS LE MÉLODE : **Hymnes.** J. Grosdidier de Matons. Tome IV
Hymnes XXXII-XLV (1967).
129. SYMÉON LE NOUVEAU THÉOLOGIEN : **Traités théologiques et éthiques.**
J. Darrouzès. Tome II. Éth. 4-15 (1967).
130. ISAAC DE L'ÉTOILE : **Sermons.** A. Hoste. G. Salet. Tome I. Introduction et Sermons 1-17 (1967).
131. RUPERT DE DEUTZ : **Les œuvres du Saint-Esprit.** J. Gribomont, É. de
Solms. Tome I. Livres I et II (1967).
132. ORIGÈNE : **Contre Celse.** M. Borret. Tome I. Livres I et II (1967).
133. SULPICE SÉVÈRE : **Vie de S. Martin.** J. Fontaine. Tome I. Introduction, texte et traduction (1967).
134. **Id.** — Tome II. Commentaire (1968).
135. **Id.** — Tome III. Commentaire (suite), Index (1969).
136. ORIGÈNE : **Contre Celse.** M. Borret. Tome II. Livres III et IV (1968).
137. ÉPHREM DE NISIBE : **Hymnes sur le Paradis.** F. Graffin, R. Lavenant.
Trad. seule (1968).
138. JEAN CHRYSOSTOME : **A une jeune veuve. Sur le mariage unique.** B. Grillet, G. H. Ettlinger (1968).
139. GERTRUDE D'HELFTA : **Œuvres spirituelles. Tome II. Le Héraut.**
Livres I et II. P. Doyère (1968).
140. RUFIN D'AQUILÉE : **Les bénédictions des Patriarches.** M. Simonetti,
H. Rochais, P. Antin (1968).
141. COSMAS INDICOPLEUSTÈS : **Topographie chrétienne.** Tome I. Introduction et livres I-IV. W. Wolska-Conus (1968).
142. **Vie des Pères du Jura.** F. Martine (1968).
143. GERTRUDE D'HELFTA : **Œuvres spirituelles. T•me III. Le Héraut.**
Livre III. P. Doyère (1968).
144. **Apocalypse syriaque de Baruch.** Tome I. Introduction et traduction.
P. Bogaert (1969).
145. **Id.** — Tome II. Commentaire et tables (1969).
146. **Deux homélies anoméennes pour l'octave de Pâques.** J. Liebaert (1969).
147. ORIGÈNE : **Contre Celse.** M. Borret. Tome III. Livres V et VI (1969).
148. GRÉGOIRE LE THAUMATURGE : **Remerciement à Origène. — La lettre
d'Origène à Grégoire.** H. Crouzel (1969).
149. GRÉGOIRE DE NAZIANZE : **La passion du Christ.** A. Tuilier (1969).
150. ORIGÈNE : **Contre Celse.** M. Borret. Tome IV. Livres VII et VIII (1969)
151. JEAN SCOT : **Homélie sur le Prologue de Jean.** É. Jeauneau (1969).
152. IRÉNÉE DE LYON : **Contre les hérésies,** livre V. A. Rousseau, L. Doutreleau, C. Mercier. Tome I. Introduction, notes justificatives et tables
(1969).
153. **Id.** — Tome II. Texte et traduction (1969).

154. CHROMACE D'AQUILÉE : **Sermons.** Tome I. Sermons 1-17 A. J. Lemarié (1969).

155. HUGUES DE SAINT-VICTOR : **Six opuscules spirituels.** R. Baron (1969).

156. SYMÉON LE NOUVEAU THÉOLOGIEN : **Hymnes.** J. Koder, J. Paramelle. Tome I. Hymnes I-XV (1969).

157. ORIGÈNE : **Commentaire sur S. Jean.** C. Blanc. Tome II. Livres VI et X (1970).

158. CLÉMENT D'ALEXANDRIE : **Le Pédagogue.** Livre III. Cl. Mondésert, H. I. Marrou et Ch. Matray (1970).

159. COSMAS INDICOPLEUSTÈS : **Topographie chrétienne.** Tome II. Livre V. W. Wolska-Conus (1970).

160. BASILE DE CÉSARÉE : **Sur l'origine de l'homme.** A. Smets et M. Van Esbroeck (1970).

161. **Quatorze homélies du IXᵉ siècle d'un auteur inconnu de l'Italie du Nord.** P. Mercier (1970).

162. ORIGÈNE : **Commentaire sur l'Évangile selon Matthieu.** Tome I. Livres X et XI. R. Girod (1970).

163. GUIGUES II LE CHARTREUX : **Lettre sur la vie contemplative** (ou **Échelle des Moines). Douze méditations.** E. Colledge, J. Walsh (1970).

164. CHROMACE D'AQUILÉE : **Sermons.** Tome II. Sermons 18-41. J. Lemarié (1971).

165. RUPERT DE DEUTZ : **Les œuvres du Saint-Esprit.** Tome II. Livres III et IV. J. Gribomont, É. de Solms (1970).

166. GUERRIC D'IGNY : **Sermons,** Tome I. J. Morson, H. Costello, P. Deseille (1970).

167. CLÉMENT DE ROME : **Épître aux Corinthiens.** A. Jaubert (1971).

168. RICHARD ROLLE : **Le chant d'amour (Melos amoris).** F. Vandenbroucke et les Moniales de Wisques. Tome I (1971).

169. **Id.** — Tome II (1971).

170. ÉVAGRE LE PONTIQUE : **Traité pratique.** A. et C. Guillaumont. Tome I. Introduction (1971).

171. **Id.** — Tome II. Texte, traduction, commentaire et tables (1971).

172. **Épître de Barnabé.** R. A. Kraft, P. Prigent (1971).

173. TERTULLIEN : **La toilette des femmes.** M. Turcan (1971).

174. SYMÉON LE NOUVEAU THÉOLOGIEN : **Hymnes.** J. Koder, L. Neyrand. Tome II. Hymnes XVI-XL (1971).

175. CÉSAIRE D'ARLES : **Sermons au peuple.** Tome I. Sermons 1-20. M.-J. Delage (1971).

176. SALVIEN DE MARSEILLE : **Œuvres.** Tome I. G. Lagarrigue (1971).

177. CALLINICOS : **Vie d'Hypatios.** G. J. M. Bartelink (1971).

178. GRÉGOIRE DE NYSSE : **Vie de sainte Macrine.** P. Maraval (1971).

179. AMBROISE DE MILAN : **La Pénitence.** R. Gryson (1971).

180. JEAN SCOT : **Commentaire sur l'évangile de Jean.** É. Jeauneau (1972).

181. **La Règle de S. Benoît.** Tome I. Introduction et chapitres I-VII. A. de Vogüé et J. Neufville (1972).

182. **Id.** — Tome II. Chapitres VIII-LXXIII, Tables et concordance. A. de Vogüé et J. Neufville (1972).

183. **Id.** — Tome III. Étude de la tradition manuscrite. J. Neufville (1972).

184. **Id.** — Tome IV. Commentaire (Parties I-III). A. de Vogüé (1971).

185. **Id.** — Tome V. Commentaire (Parties IV-VI). A. de Vogüé (1971).

186. **Id.** — Tome VI. Commentaire (Parties VII-IX), Index. A. de Vogüé (1971).

187. Hésychius de Jérusalem, Basile de Séleucie, Jean de Béryte, Pseudo-Chrysostome, Léonce de Constantinople : **Homélies pascales.** M. Aubineau (1972).

188. Jean Chrysostome : **Sur la vaine gloire et l'éducation des enfants.** A.-M. Malingrey (1972).

189. **La chaîne palestinienne sur le psaume 118.** Tome I. Introduction, texte critique et traduction. M. Harl (1972).

190. **Id.** — Tome II. Catalogue des fragments, notes et index. M. Harl (1972).

191. Pierre Damien : **Lettre sur la toute-puissance divine.** A. Cantin (1972).

192. Julien de Vézelay : **Sermons.** Tome I. Introduction et Sermons 1-16. D. Vorreux (1972).

194. **Actes de la Conférence de Carthage en 411.** Tome I. Introduction. S. Lancel (1972).

195. **Id.** — Tome II. Texte et traduction de la Capitulation et des Actes de la première séance. S. Lancel (1972).

196. Syméon le Nouveau Théologien : **Hymnes.** J. Koder, J. Paramelle, L. Neyrand. Tome III. Hymnes XLI-LVIII, Index (1973).

197. Cosmas Indicopleustès : **Topographie chrétienne,** t. III. Livres VI-XII, Index. W. Wolska-Conus (1973).

198. **Livre** (cathare) **des deux principes.** Ch. Thouzellier (1973).

199. Athanase d'Alexandrie : **Sur l'incarnation du Verbe.** C. Kannengiesser (1973).

200. Léon le Grand : **Sermons,** tome IV. Sermons 65-98, Éloge de S. Léon, Index. R. Dolle (1973).

201. **Évangile de Pierre.** M.-G. Mara (1973).

202. Guerric d'Igny : **Sermons.** Tome II. J. Morson, H. Costello, P. Deseille (1973).

203. Nersès Snorhali : **Jésus, Fils unique du Père.** I. Kéchichian. Trad. seule (1973).

204. Lactance : **Institutions divines,** livre V. Tome I. Introd., texte et trad. P. Monat (1973).

205. **Id.** — Tome II. Commentaire et index. P. Monat (1973).

206. Eusèbe de Césarée : **Préparation évangélique,** livre I. J. Sirinelli, É. des Places (1974).

207. Isaac de l'Étoile : **Sermons.** A. Hoste, G. Salet, G. Raciti. Tome II. Sermons 18-39 (1974).

208. Grégoire de Nazianze : **Lettres théologiques.** P. Gallay (1974).

209. Paulin de Pella : **Poème d'action de grâces** et **Prière.** C. Moussy (1974)

210. Irénée de Lyon : **Contre les hérésies,** livre III. A. Rousseau, L. Doutreleau. Tome I. Introduction, notes justificatives et tables (1974).

211. **Id.** — Tome II. Texte et traduction (1974).

212. Grégoire le Grand : **Morales sur Job.** Livres XI-XIV. A. Bocognano (1974).

213. Lactance : **L'ouvrage du Dieu créateur.** Tome I. Introduction, texte critique et traduction. M. Perrin (1974).

214. **Id.** — Tome II. Commentaire et index. M. Perrin (1974).

215. Eusèbe de Césarée : **Préparation évangélique,** livre VII. G. Schroeder, É. des Places (1975).

216. TERTULLIEN : **La chair du Christ.** Tome I. Introduction, texte critique et traduction. J. P. Mahé (1975).

217. **Id.** — Tome II. Commentaire et Index. J. P. Mahé (1975).

218. HYDACE : **Chronique.** Tome I. Introduction, texte critique et traduction. A. Tranoy (1975).

219. **Id.** — Tome II. Commentaire et index. A. Tranoy (1975).

220. SALVIEN DE MARSEILLE : **Œuvres,** t. II. G. Lagarrigue (1975).

221. GRÉGOIRE LE GRAND : **Morales sur Job.** Livres XV-XVI. A. Bocognano (1975).

222. ORIGÈNE : **Commentaire sur S. Jean.** Tome III. Livre XIII. C. Blanc (1975).

223. GUILLAUME DE SAINT-THIERRY : **Lettre aux Frères du Mont-Dieu (Lettre d'or).** J. Déchanet (1975).

224. **Actes de la Conférence de Carthage en 411.** Tome III. Texte et traduction des Actes de la 2ᵉ et de la 3ᵉ séance. S. Lancel (1975).

225. DHUODA : **Manuel pour mon fils.** P. Riché, B. de Vregille et C. Mondésert (1975).

226. ORIGÈNE : **Philocalie 21-27 (Sur le libre arbitre).** É. Junod (1976).

227. ORIGÈNE : **Contre Celse.** M. Borret. Tome V. Introduction et index (1976).

228. EUSÈBE DE CÉSARÉE : **Préparation évangélique.** Livres II-III. É. des Places (1976).

229. PSEUDO-PHILON : **Les Antiquités Bibliques.** D. J. Harrington, C. Perrot, P. Bogaert, J. Cazeaux. Tome I. Introduction critique, texte et traduction (1976).

230. **Id.** — Tome II. Introduction littéraire, commentaire et index (1976).

231. CYRILLE D'ALEXANDRIE : **Dialogues sur la Trinité.** Tome I. Dial. I et II. G. M. de Durand (1976).

232. ORIGÈNE : **Homélies sur Jérémie.** P. Nautin et P. Husson. Tome I. Introduction et homélies I-XI.

233. DIDYME L'AVEUGLE : **Sur la Genèse,** t. I (sur Genèse I-IV). P. Nautin et L. Doutreleau.

234. THÉODORET DE CYR : **Histoire des moines de Syrie.** Tome I. Introduction et **Histoire philothée** I-XIII. P. Canivet et A. Leroy-Molinghen (1977).

235. HILAIRE D'ARLES : **Vie de S. Honorat.** M.-D. Valentin (1977).

236. **Rituel cathare.** Ch. Thouzellier (1977).

237. CYRILLE D'ALEXANDRIE : **Dialogues sur la Trinité.** Tome II. Dial. III-V. G. M. de Durand. (1977).

238. ORIGÈNE : **Homélies sur Jérémie.** Tome II. Homélies XII-XX et homélies latines, index. P. Nautin et P. Husson (1977).

239. AMBROISE DE MILAN : **Apologie de David.** P. Hadot et M. Cordier (1977).

240. PIERRE DE CELLE : **L'école du cloître.** G. de Martel (1977).

241. **Conciles gaulois du IVᵉ siècle.** J. Gaudemet (1977).

242. S. JÉRÔME : **Commentaire sur S. Matthieu.** Tome I. Livres I et II. É. Bonnard (1978).

243. CÉSAIRE D'ARLES : **Sermons au peuple.** Tome II. Sermons 21-55. M.-J. Delage (1978).

244. DIDYME L'AVEUGLE : **Sur la Genèse.** Tome II (sur Genèse V-XVII). Index. P. Nautin et L. Doutreleau (1978).

245. **Targum du Pentateuque.** Tome I : **Genèse.** R. Le Déaut et J. Robert. Trad. seule (1978).
246. Cyrille d'Alexandrie : **Dialogues sur la Trinité.** Tome III. Dial. VI-VII, index. G. M. de Durand (1978).
247. Grégoire de Nazianze : **Discours** 1-3. J. Bernardi (1978).
248. **La doctrine des douze apôtres.** W. Rordorf et A. Tuilier (1978).
249. S. Patrick : **Confession et Lettre à Coroticus.** R. P. C. Hanson et C. Blanc (1978).
250. Grégoire de Nazianze : **Discours** 27-31 (Discours théologiques). P. Gallay (1978).
251. Grégoire le Grand : **Dialogues.** Tome I. A. de Vogüé (1978).
252. Origène : **Traité des principes.** Livres I et II. Tome I. Introduction, texte critique et traduction. H. Crouzel et M. Simonetti (1978).
253. **Id.** — Tome II. Commentaire et fragments. H. Crouzel et M. Simonetti (1978).
254. Hilaire de Poitiers : **Sur Matthieu.** Tome I. Introduction et chap. 1-13. J. Doignon (1978).
255. Gertrude d'Helfta : **Œuvres spirituelles.** Tome IV. **Le Héraut.** Livre IV. J.-M. Clément, B. de Vregille et les Moniales de Wisques (1978).
256. **Targum du Pentateuque.** Tome II. **Exode et Lévitique.** R. Le Déaut et J. Robert. Trad. seule (1979).
257. Théodoret de Cyr : **Histoire des moines de Syrie.** Tome II. **Histoire Philothée** (XIV-XXX), **Traité sur la Charité** (XXXI) et Index. P. Canivet et A. Leroy-Molinghen (1979).
258. Hilaire de Poitiers : **Sur Matthieu,** t. II. Chap. 14-33, appendice et index. J. Doignon (1979).
259. S. Jérôme : **Commentaire sur S. Matthieu.** Tome II. Livres III et IV, index. É. Bonnard (1979).
260. Grégoire le Grand : **Dialogues.** Tome II. Livres I-III, A. de Vogüé (1979).
261. **Targum du Pentateuque.** Tome III. **Nombres.** R. Le Déaut et J. Robert. Trad. seule (1979).
262. Eusèbe de Césarée : **Préparation évangélique,** livres IV, 1 - V, 17. O. Zink et É. des Places (1979).
263. Irénée de Lyon : **Contre les hérésies,** livre I. A. Rousseau, L. Doutreleau. Tome I. Introduction, notes justificatives et tables (1979).
264. **Id.** — Tome II. Texte et traduction (1979).
265. Grégoire le Grand : **Dialogues.** Tome III. Livre IV, tables et index. A. de Vogüé (1979).
266. Eusèbe de Césarée : **Préparation évangélique,** livres V, 18 - VI. É. des Places (1979).
267. **Scolies ariennes sur le Concile d'Aquilée.** R. Gryson (1980).

Hors série :

Directives pour la préparation des manuscrits (de « Sources Chrétiennes »). A demander au Secrétariat de « Sources Chrétiennes ». 29, rue du Plat, 69002 Lyon.

La Règle de S. Benoît. VII. Commentaire doctrinal et spirituel. A. de Vogüé (1977).

SOUS PRESSE

JEAN CHRYSOSTOME : **Le sacerdoce.** A.-M. Malingrey.

ORIGÈNE : **Traité des principes.** Livres III et IV. H. Crouzel et M. Simonetti (2 volumes).

PSEUDO-MACAIRE : **Œuvres spirituelles,** t. I. V. Desprez.

GRÉGOIRE DE NAZIANZE : **Discours 20-23.** J. Mossay.

Lettres des premiers Chartreux, tome II : les Chartreux de Portes. Par un Chartreux.

TERTULLIEN : **A son épouse.** C. Munier.

TERTULLIEN : **Contre les Valentiniens.** J.-C. Fredouille (2 volumes).

Targum du Pentateuque. Tome IV. **Deutéronome.** R. Le Déaut.

CLÉMENT D'ALEXANDRIE : **Stromate V.** A. Le Boulluec.

JEAN CHRYSOSTOME : **Homélies sur Ozias.** J. Dumortier.

PROCHAINES PUBLICATIONS

IRÉNÉE DE LYON : **Contre les hérésies,** livre II. A. Rousseau et L. Doutreleau.

THÉODORET DE CYR : **Commentaire sur Isaïe.** J.-N. Guinot.

ROMANOS LE MÉLODE : **Hymnes,** t. V. J. Grosdidier de Matons.

SOURCES CHRÉTIENNES
(1-266)

ACTES DE LA CONFÉRENCE DE CARTHAGE : *194, 195, 224*.

ADAM DE PERSEIGNE.
Lettres, I : *66*.

AELRED DE RIEVAULX.
Quand Jésus eut douze ans : *60*.
La vie de recluse : *76*.

AMBROISE DE MILAN.
Apologie de David : *239*.
Des sacrements : *25*.
Des mystères : *25*.
Explication du Symbole : *25*.
La Pénitence : *179*.
Sur saint Luc : *45* et *52*.

AMÉDÉE DE LAUSANNE.
Huit homélies mariales : *72*.

ANSELME DE CANTORBÉRY.
Pourquoi Dieu s'est fait homme : *91*.

ANSELME DE HAVELBERG.
Dialogues, I : *118*.

APOCALYPSE DE BARUCH : *144* et *145*.

ARISTÉE (LETTRE D') : *89*.

ATHANASE D'ALEXANDRIE.
Deux apologies : *56*.
Discours contre les païens : *18*.
Lettres à Sérapion : *15*.
Sur l'Incarnation du Verbe : *199*.

ATHÉNAGORE.
Supplique au sujet des chrétiens : *3*.

AUGUSTIN.
Commentaire de la première Épître de saint Jean : *75*.
Sermons pour la Pâque : *116*.

BARNABÉ (ÉPÎTRE DE) : *172*.

BASILE DE CÉSARÉE.
Homélies sur l'Hexaéméron : *26*.
Sur l'origine de l'homme : *160*.
Traité du Saint-Esprit : *17*.

BASILE DE SÉLEUCIE.
Homélie pascale : *187*.

BAUDOUIN DE FORD.
Le sacrement de l'autel : *93* et *94*.

BENOÎT (RÈGLE DE S.) : *181-186*.

CALLINICOS.
Vie d'Hypatios *177*.

CASSIEN, *voir* Jean Cassien.

CÉSAIRE D'ARLES.
Sermons au peuple : *175, 243*.

LA CHAÎNE PALESTINIENNE SUR LE PSAUME 118 : *189* et *190*.

CHARTREUX.
Lettres des premiers Chartreux, t. I : *88*.

CHROMACE D'AQUILÉE.
Sermons : *154* et *164*.

CLÉMENT D'ALEXANDRIE.
Le Pédagogue : *70, 108* et *158*.
Protreptique : *2*.
Stromate I : *30*.
Stromate II : *38*.
Extraits de Théodote : *23*.

CLÉMENT DE ROME.
Épître aux Corinthiens : *167*.

CONCILES GAULOIS DU IVᵉ SIÈCLE : *241*.

CONSTANCE DE LYON.
Vie de S. Germain d'Auxerre : *112*.

COSMAS INDICOPLEUSTÈS.
Topographie chrétienne : *141, 159* et *197*.

CYRILLE D'ALEXANDRIE.
Deux dialogues christologiques : *97*.
Dialogues sur la Trinité, *231, 237* et *246*.

CYRILLE DE JÉRUSALEM.
Catéchèses mystagogiques : *126*.

DEFENSOR DE LIGUGÉ.
Livre d'étincelles : *77* et *86*.

DENYS L'ARÉOPAGITE.
La hiérarchie céleste : *58*.

DHUODA.
Manuel pour mon fils : *225*.

DIADOQUE DE PHOTICÉ.
Œuvres spirituelles : *5*.

DIDYME L'AVEUGLE.
Sur la Genèse : *233* et *244*.
Sur Zacharie : *83-85*.

A DIOGNÈTE : *33*.

LA DOCTRINE DES DOUZE APÔTRES : *248*.

DOROTHÉE DE GAZA.
Œuvres spirituelles : *92*.

ÉPHREM DE NISIBE.
Commentaire de l'Évangile concordant ou Diatessaron : *121*.
Hymnes sur le Paradis : *137*.
ÉTHÉRIE.
Journal de voyage : *21*.
EUSÈBE DE CÉSARÉE.
Histoire ecclésiastique, I-IV : *31*.
— V-VII : *41*.
— VIII-X : *55*.
— Introduction et Index : *73*.
Préparation évangélique, I : *206*.
— II-III : *228*.
— IV-V, 17 : *262*.
— V, 18-VI : *266*.
— VII : *215*.
ÉVAGRE LE PONTIQUE.
Traité pratique : *170* et *171*.
ÉVANGILE DE PIERRE : *201*.
EXPOSITIO TOTIUS MUNDI : *124*.
GÉLASE Iᵉʳ.
Lettre contre les lupercales et dix-huit messes : *65*.
GERTRUDE D'HELFTA.
Les Exercices : *127*.
Le Héraut, I-II : *139*.
— III : *143*.
— IV : *255*.
GRÉGOIRE DE NAREK.
Le livre de Prières : *78*.
GRÉGOIRE DE NAZIANZE.
Discours, 1-3 : *247*.
— 27-31 : *250*.
Lettres théologiques : *208*.
La Passion du Christ : *149*.
GRÉGOIRE DE NYSSE.
La création de l'homme : *6*.
Traité de la Virginité : *119*.
Vie de Moïse : *1*.
Vie de sainte Macrine : *178*.
GRÉGOIRE LE GRAND.
Dialogues : *251*, *260* et *265*.
Morales sur Job, I-II : *32*.
— XI-XIV : *212*.
— XV-XVI : *221*.
GRÉGOIRE LE THAUMATURGE.
Remerciement à Origène : *148*.
GUERRIC D'IGNY.
Sermons : *166* et *202*.

GUIGUES II LE CHARTREUX.
Lettre sur la vie contemplative *163*.
Douze méditations : *163*.
GUILLAUME DE SAINT-THIERRY.
Exposé sur le Cantique : *82*.
Lettre d'or : *223*.
Traité de la contemplation de Dieu : *61*.
HERMAS.
Le Pasteur : *53*.
HÉSYCHIUS DE JÉRUSALEM.
Homélies pascales : *187*.
HILAIRE D'ARLES.
Vie de S. Honorat : *235*.
HILAIRE DE POITIERS.
Sur Matthieu : *254* et *258*.
Traité des Mystères : *19*.
HIPPOLYTE DE ROME.
Commentaire sur Daniel : *14*.
La Tradition apostolique : *11*.
DEUX HOMÉLIES ANOMÉENNES POUR L'OCTAVE DE PAQUES : *146*.
HOMÉLIES PASCALES : *27*, *36*, *48*.
QUATORZE HOMÉLIES DU IXᵉ SIÈCLE : *161*.
HUGUES DE SAINT-VICTOR.
Six opuscules spirituels : *155*.
HYDACE.
Chronique : *218* et *219*.
IGNACE D'ANTIOCHE.
Lettres : *10*.
IRÉNÉE DE LYON.
Contre les hérésies, I : *263* et *264*.
— III : *210* et *211*.
— IV : *100*.
— V : *152* et *153*.
Démonstration de la prédication apostolique : *62*.
ISAAC DE L'ÉTOILE.
Sermons 1-17 : *130*.
— 18-39 : *207*.
JEAN DE BÉRYTE.
Homélie pascale : *187*.
JEAN CASSIEN.
Conférences, I-VII : *42*.
— VIII-XVII : *54*.
— XVIII-XXIV : *64*.
Institutions : *109*.
JEAN CHRYSOSTOME.
A une jeune veuve : *138*.

A Théodore : *117.*
Huit catéchèses baptismales : *50.*
Lettre d'exil : *103.*
Lettres à Olympias : *13.*
Sur l'incompréhensibilité de Dieu : *28.*
Sur la Providence de Dieu : *79.*
Sur la vaine gloire et l'éducation des enfants : *188.*
Sur le mariage unique : *138.*
La Virginité : *125.*
PSEUDO-CHRYSOSTOME.
Homélie pascale : *187.*
JEAN DAMASCÈNE.
Homélies sur la Nativité et la Dormition : *80.*
JEAN MOSCHUS.
Le Pré spirituel : *12.*
JEAN SCOT.
Commentaire sur l'évangile de Jean : *180.*
Homélie sur le prologue de Jean : *151.*
JÉRÔME.
Commentaire sur S. Matthieu : *242* et *259.*
Sur Jonas : *43.*
JULIEN DE VÉZELAY.
Sermons : *192* et *193.*
LACTANCE.
De la mort des persécuteurs : *39.* (2 vol.).
Institutions divines, V : *204* et *205.*
L'ouvrage du Dieu créateur : *213* et *214.*
LÉON LE GRAND.
Sermons, 1-19 : *22.*
— 20-37 : *49.*
— 38-64 : *74.*
— 65-98 : *200.*
LÉONCE DE CONSTANTINOPLE.
Homélies pascales : *187.*
LIVRE CATHARE DES DEUX PRINCIPES : *198.*
MANUEL II PALÉOLOGUE.
Entretien avec un musulman : *115.*
MARIUS VICTORINUS.
Traités théologiques sur la Trinité : *68* et *69.*
MAXIME LE CONFESSEUR.
Centuries sur la Charité : *9.*

MÉLANIE : *voir* VIE.
MÉLITON DE SARDES.
Sur la Pâque : *123.*
MÉTHODE D'OLYMPE.
Le banquet : *95.*
NERSÈS ŠNORHALI.
Jésus, Fils unique du Père : *203.*
NICÉTAS STÉTHATOS.
Opuscules et lettres : *81.*
NICOLAS CABASILAS.
Explication de la divine liturgie : *4.*
ORIGÈNE.
Commentaire sur S. Jean, I-V : *120.*
— VI-X : *157.*
— XIII : *222.*
Commentaire sur S. Matthieu, X XI : *162.*
Contre Celse : *132, 136, 147, 150* et *227.*
Entretien avec Héraclide : *67.*
Homélies sur la Genèse : *7.*
Homélies sur l'Exode : *16.*
Homélies sur les Nombres : *29.*
Homélies sur Josué : *71.*
Homélies sur le Cantique : *37.*
Homélies sur Jérémie : *232* et *238.*
Homélies sur saint Luc : *87.*
Lettre à Grégoire : *148.*
Philocalie 21-27 : *226.*
Traité des Principes, l. I-II : *252* et *253.*
PATRICK.
Confession : *249.*
Lettre à Coroticus : *249.*
PAULIN DE PELLA.
Poème d'action de grâces : *209.*
Prière : *209.*
PHILON D'ALEXANDRIE.
La migration d'Abraham : *47.*
PSEUDO-PHILON.
Les Antiquités Bibliques : *229* et *230.*
PHILOXÈNE DE MABBOUG.
Homélies : *44.*
PIERRE DAMIEN.
Lettre sur la toute-puissance divine : *191.*
PIERRE DE CELLE.
L'école du cloître : *240.*
POLYCARPE DE SMYRNE.
Lettres et Martyre : *10.*

PTOLÉMÉE.
  Lettre à Flora : *24.*
QUODVULTDEUS.
  Livre des promesses : *101* et *102.*
LA RÈGLE DU MAÎTRE : *105-107.*
RICHARD DE SAINT-VICTOR.
  La Trinité : *63.*
RICHARD ROLLE.
  Le chant d'amour : *168* et *169.*
RITUELS.
  Rituel cathare : *236.*
  Trois antiques rituels du Baptême :
    59.
ROMANOS LE MÉLODE.
  Hymnes : *99, 110, 114, 128.*
RUFIN D'AQUILÉE.
  Les bénédictions des Patriarches:
    140.
RUPERT DE DEUTZ.
  Les œuvres du Saint-Esprit.
  Livres   I-II : *131.*
     —   III-IV : *165.*
SALVIEN DE MARSEILLE.
  Œuvres : *176* et *220.*
SULPICE SÉVÈRE.
  Vie de S. Martin : *133-135.*
SYMÉON LE NOUVEAU THÉOLOGIEN.
  Catéchèses : *96, 104* et *113.*

Chapitres théologiques gnostiques
  et pratiques : *51.*
Hymnes : *156, 174* et *196.*
Traités théologiques et éthiques
  122 et *129.*
TARGUM DU PENTATEUQUE : *245,*
  256, 261.
TERTULLIEN.
  La chair du Christ : *216* et *217.*
  De la prescription contre les héré-
    tiques : *46.*
  La toilette des femmes : *173.*
  Traité du baptême : *35.*
THÉODORET DE CYR.
  Correspondance, lettres I-LII : *40*
     —   lettres 1-95 : *98*
     —   lettres 96-147 : *111*
  Histoire des moines de Syrie, : *234*
    et *257.*
  Thérapeutique des maladies hel-
    léniques : *57* (2 vol.).
THÉODOTE.
  Extraits (*Clément d'Alex.*) : *23.*
THÉOPHILE D'ANTIOCHE.
  Trois livres à Autolycus : *20.*
VIE D'OLYMPIAS : *13.*
VIE DE SAINTE MÉLANIE : *90.*
VIE DES PÈRES DU JURA : *142.*

Également aux Éditions du Cerf :

LES ŒUVRES DE PHILON D'ALEXANDRIE

publiées sous la direction de
R. ARNALDEZ, C. MONDÉSERT, J. POUILLOUX
Texte grec et traduction française

1. **Introduction générale. De opificio mundi.** R. Arnaldez (1961).
2. **Legum allegoriae.** C. Mondésert (1962).
3. **De cherubim.** J. Gorez (1963).
4. **De sacrificiis Abelis et Caini.** A. Méasson (1966).
5. **Quod deterius potiori insidiari soleat.** I. Feuer (1965).
6. **De posteritate Caini.** R. Arnaldez (1972).
7-8. **De gigantibus. Quod Deus sit immutabilis.** A. Mosès (1963).
9. **De agricultura.** J. Pouilloux (1961).
10. **De plantatione.** J. Pouilloux (1963).
11-12. **De ebrietate. De sobrietate.** J. Gorez (1962).
13. **De confusione linguarum.** J.-G. Kahn (1963).
14. **De migratione Abrahami.** J. Cazeaux (1965).
15. **Quis rerum divinarum heres sit.** M. Harl (1966).
16. **De congressu eruditionis gratia.** M. Alexandre (1967).
17. **De fuga et inventione.** E. Starobinski-Safran (1970).
18. **De mutatione nominum.** R. Arnaldez (1964).
19. **De somniis.** P. Savinel (1962).
21. **De Iosepho.** J. Laporte (1964).
20. **De Abrahamo.** J. Gorez (1966).
22. **De vita Mosis.** R. Arnaldez, C. Mondésert, J. Pouilloux, P. Savinel (1967).
23. **De Decalogo.** V. Nikiprowetzky (1965).
24. **De specialibus legibus.** Livres I-II. S. Daniel (1975).
25. **De specialibus legibus.** Livres III-IV. A. Mosès (1970).
26. **De virtutibus.** R. Arnaldez, A.-M. Vérilhac, M.-R. Servel et P. Delobre (1962).
27. **De praemiis et poenis. De exsecrationibus.** A. Beckaert (1961).
28. **Quod omnis probus liber sit,** M. Petit (1974).
29. **De vita contemplativa.** F. Daumas et P. Miquel (1964).
30. **De aeternitate mundi.** R. Arnaldez et J. Pouilloux (1969).
31. **In Flaccum.** A. Pelletier (1967).
32. **Legatio ad Caium.** A. Pelletier (1972).
33. **Quaestiones in Genesim et in Exodum. Fragments grecs.** F. Petit (1978).
34 A. **Quaestiones in Genesim, I-II** (e vers. armen.) (1979).
34 B. **Quaestiones in Genesim, III-IV** (e vers. armen.) (en préparation).
34 C. **Quaestiones in Exodum, I-II** (e vers. armen.) (en préparation).
35. **De Providentia, I-II.** M. Hadas-Lebel (1973).